三联经典文库

159

中国史纲

（第一卷下：史前史　殷周史）

翦伯赞　著

生活·讀書·新知　三联书店

图书在版编目(CIP)数据

中国史纲（第一卷上下、第二卷上下）/ 翦伯赞著.
-- 北京：生活·读书·新知三联书店, 2014.1
（三联经典文库第二辑）
ISBN 978-7-108-04672-7

Ⅰ. ①中… Ⅱ. ①翦… Ⅲ. ①中国历史 – 古代史
Ⅳ. ①K22

中国版本图书馆CIP数据核字(2013)第254448号

目次

四　初期封建社会

插图目次

四　初期封建社会

第一编　西周——初期封建社会的形成

第一章　周族的起源与初期封建国家的创立

第一节　周族的起源与羌族

大约在纪元前十二世纪初（西纪前一一二二年），中国的历史，又开始一个新的巨大的变革过程。这一历史变革的结局，便是殷族所创立的奴隶所有者国家的消灭，与周族所创立的初期封建国家的代兴。

周族之出现为中国历史上的动力，并且掀起一个巨大的历史变革，并非突如其来，而是这个种族在长期发展以后所达到之结果。因此，在说明周代的历史之前，对于周族的渊源，必须加以简略的叙述，然后殷周之间的变革，才不会被认为历史的奇迹。

考周族的始祖，相传为“后稷”，但《诗·商颂》云：

“赫赫姜嫄……是生‘后稷’。”则“后稷”又出自“姜嫄”。《诗·大雅》亦云“厥初生民，时维姜嫄”，故知周族实以“姜嫄”为始祖母。按“姜”、“羌”古为一字，“羌”字甲骨文作或，从羊，从人，乃意指牧羊之人群，正犹“牧”之作,“御”字之作，意指牧牛或御马也。至“羌”字之变体为“姜”，不过变从“人”为从“女”，正犹“俘”字之作又作也。此种变体，在甲骨文中，为常见之例。“羌”字金文作，从羊从女，学者释作姜，实即羌字之变体。故《诗》所谓“姜嫄”，实即“羌嫄”。周族既以羌族女子为始祖母，故其为诸羌之一分支，实无疑义。《诗·大雅》云：“文王之母，思媚周姜。”（《思齐》）则周族又尝以周羌自命。羌为西夏之族，故周族以“夏族”为其“先民”。《召诰》云：“相古先民有夏。”不仅如此，周人并且自称为夏，如《立政》篇云“乃伻我有夏”，《君奭》篇云“惟文王尚克修和我有夏”，《康诰》篇云“用肇造我区夏”，由此更足以证明周族实羌族的一分支，亦即西夏的苗裔。所以《孟子》说文王“西夷之人也”。

周族在新石器时代初期，即传说中之神农黄帝时代，即已定住于甘肃西南洮河河谷一带。到新石器时代中期，即开始向陕甘边境东徙。《史记》谓“后稷之兴，在陶唐、虞、夏之际”（《周本纪》）。而且在当时似乎与“诸夏”之东徙者，已经发生接触，《史记》谓“弃”曾为“尧”之农师，“舜”之后稷，即暗示这一内容。大约到新石器时代的晚期，即传说中的“夏代”，这个种族，便到达了陕甘边境，[1]成为彩陶文化与鼎鬲文化东西交流之仲介。

大约在夏殷交替之际，这个种族便进入了陕西，相对地定住于渭河河谷，并且在豳的地方，开始了农业的生活。《诗·大雅》关于“公刘”的史诗，正是描写这一时代的周族之生活。《公刘》篇云：“笃公刘，于豳斯馆，涉渭为乱。”又云：“豳居允荒。”这些史诗，都是周族在“公刘”时代，已经定住陕西渭河河谷之证明。

在这里，他们首先筑起版筑的房屋，“于时处处，于时庐旅”。然后“相其阴阳，观其流泉”。“度其隰原”，开始“乃慰乃止，乃左乃右，乃疆乃理，乃宣乃亩”之

[1]《国语》云：“不窋末年夏后氏政衰，弃稷不务，不窋以失其官，而奔戎狄之间。”此所谓戎狄者，即东徙于陕甘边境之诸羌也。

开辟耕地的工作。然后“弗厥丰草，种之黄茂”。于是在渭河河谷一带，周族的农村中，到处都可以看到“荏菽旆旆，禾黍穟穟，麻麦幪幪，瓜瓞唪唪”的农业繁荣的现象。于是大量的粮食，送进周人的仓库，而周人遂由畜群之所有者，一变而为“乃积乃仓，……于橐于囊”之农产物的富有者。从《公刘》篇中“彻田为粮”一语看来，周族当时的社会，似已由氏族公社转向村落公社的组织，土地已由氏族定期分配于各大家族，所谓“彻田为粮”者，乃氏族向各大家族征收一定量的谷物，以为公共事务的费用。

同时，与农业的繁荣相适应，周族在当时已由西亚传入冶铁之术，所谓“取厉取锻”者，正是指铁的冶炼而言。周族在当时，也有繁盛之手工业的存在，这由《公刘》篇中“弓矢斯张，干戈戚扬”,“维玉及瑶，鞞琫容刀”之记载，可以看出。

此外，当时周族畜牧事业，已极为繁盛，特别是他们传统的养豕之风。金文“家”字作，从宀从豕，象豕牢之形，由此可知周人之家，皆必养豕。又“圂”字，说文作圂，从豕从凵，亦象豕牢之形，而圂为周人长期

居留之地，由此又证周人所居之处，即豕牢遍布之地。所以《公刘》篇云："执豕于牢，酌之用匏。"又《逸周书·世俘解》，谓周武王"用小牲羊豕于百神水土社二千七百有一"，则周人直至有史以后，养豕之风，还是盛行，又得一证。

这样看来，周族在殷初，已发展到与殷族几乎同一水准的文化，假如"戎丑攸行"之"戎丑"，可以解释为最初之奴隶，则周族当时的村落公社中，并且已有奴隶的存在。而这证之周族当时已有"其军三单"之事，则俘虏异族以为奴隶，亦为可能之事。

自公刘至古公亶父，相传其间有九世，史无记载，事迹不明。大概在这一时代，周族已沦为殷族的属领。因为东有殷族的压迫，周族不能继续东徙，他们始终还是居住在豳的地方。直至古公亶父，据说受到北来的狄人之压迫，"遂去豳，渡漆沮，止于岐下"。岐山之下，自古即为膏腴之地，周族在这里，又获得了农业上之进一步的发展。

到文王的时代，亦即相当于商纣（帝辛）的时代，由于农业的发展，提高了土地的要求，于是开始了征服四周诸种族的侵略战争。《尚书大传》谓文王受命之年，断虞、芮之质，二年伐于（《史记》作邘），三年伐密须，四年伐畎夷（《史记》作犬戎），五年伐耆，六年伐崇。所以这位被中国儒家称为圣人的文王，实际上，是一位侵略大家。就在他的时代，周族遂把西北诸种族完全放在自己的支配之下。《诗》云："文王受命，有此武功。"此之谓也。

在文王时代，周族的重心，已由岐山东迁丰邑，他们从其四周的诸被征服种族，获得了大量的贡纳，因而迅速地发展了它的经济，从而便以西北诸种族之人力与物力为基础，形成了一个强有力的政治和军事的集团，并且展开了与殷代奴隶所有者的斗争。这从甲骨文中在殷末有不少"寇周"的记载，可以看出殷周两族的武装斗争之激烈。

到武王时代，于是周族遂以"西土"的关系，号召西北诸种族，拿起武器，展开对殷代奴隶所有者的武装革命。如武王一则曰："呜呼，我西土君子。"再则曰："呜呼，西土有众。"三则曰："逖矣！西土之人。"于是庸、蜀、羌、髳、微、卢、彭、濮人，都一齐起来，响应武王的号召。联军在周族的领导之下，东渡孟津，进次牧野，与殷代首都的奴隶暴动合流，于是击溃了殷代奴隶所有者的政权，代替殷族而成为中国历史的主人。

这样看来，周族与殷族，在中国史上，本来是平行发展的两个种族，虽然周族在进入中原以前，尚没有发展到像殷代那样高度的奴隶制经济的历史阶段，但它却曾在长期中隶属于殷代奴隶所有者国家的统治之下，而为其属领，换言之，周族曾经是殷族奴隶所有者国家之一个构成部分。因而周族也就得以从政治经济的隶属关系中，经过殷族奴隶制度的文明。从以上所述的事实看来，当殷之末际，殷周两族的文明，已经相去不远。所以周族继殷族之后，而能在奴隶所有者国家的废墟上，建立起初期封建制的国家，这并不是一个历史的跳跃，正是殷代奴隶制经济发展到最后不得不决裂，不得不向着更高形式的社会转向的结果。因为从整个的方面看，武王伐纣与殷代奴隶倒戈，同是殷代奴隶社会的生产力与生产关系最后决裂之政治的表现。只要历史家不要把周族看作一个文化极端低落的种族，尤其不要把殷周两族看作完全绝缘的两个种族，则问题自然就明白了。因此我以为殷周的递嬗，不仅是政权之种族的移转，而且是社会经济之质的变革，换言之，是奴隶制经济向封建制经济的转化。自然，我不是说，在武王的大旗一摇之下，中国的社会，就像魔术似的，从奴隶制变成了封建制。也不是说，在西周时代，全部中国都封建化了。我只是说，中国的社会，从西周时代起，已经开始了向封建社会的转化过程，而且当时黄河中流一带，则确实已经出现了初期的封建社会。

第二节　西周时代的世界与中国境内各种族的活动

西周的历史起于纪前一千一百年代（西纪前一一二二年），迄于纪前七百二十年代（西纪前七二二年），占领中国史上四百年的时间。

当此之时，不仅中国史正在履行一个变革过程，世界史也有很大的变动。这种世界史的改变，就改变了中国史所处的世界形势（插图四四）。

在殷代曾经是光辉灿烂的文明古国巴比伦，到殷之

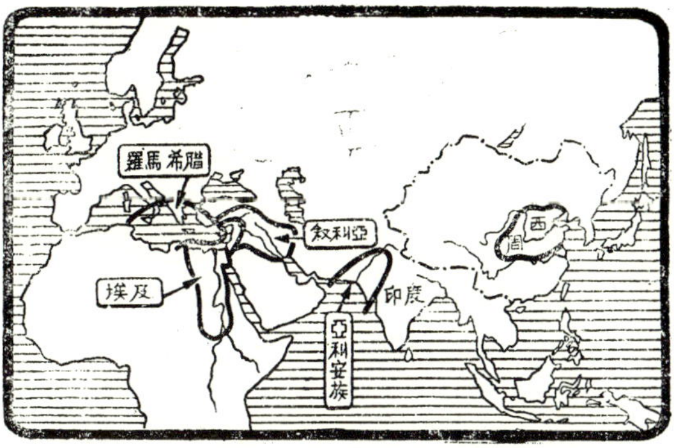

插图四四　西周时代的世界图

末际（西纪前一一〇〇年）已被亚叙里亚人（Assyrians）所征服，[1]到西周末年（西纪前七四五年，周平王二十六年），亚叙里亚人与以色列人（Israelians）、米太人（Media）灭亡了巴比伦，而建立历史家所谓新亚叙帝国。这个帝国，在整个西周时代，都是西亚方面诸种族之历史的命令者。一直到春秋初际（西纪前六〇六年，周定王六年），它才被其东南之加尔底亚人（Chaldeans）及北部之米太人与波斯人所灭亡。

[1] 晚近发现于沙尔恭丘的许多以亚叙国王传纪为主题之雪花石膏的浮雕，尚能看出亚叙的沙尔恭王征服巴比伦之史实。

大约相当于殷之武丁时代，埃及正是传说中之第十九朝拉美斯第二（Ramses Ⅱ）时代。[1]在这一时代，由埃及逃亡出来的一大批奴隶，在摩西的领导之下，他们在今日之巴勒斯丁的耶路撒冷建立了希伯来人的国家。这从《圣经》中还可以看出一些影子来。到西周初年（西纪前九三〇年，周懿王初年），这个埃及大奴隶国家，也和殷代奴隶国家一样，走入了它的衰运。在这一时代，埃及已被由尼罗河上游浸入之爱西屋皮亚人所征服。这种爱西屋皮亚人，在埃及建立传说中之所谓“第二十五朝”，直至春秋之初（西纪前六七〇年），才被埃及人驱逐出去。所以西周时代的埃及，是爱西屋皮亚人的天下。

在这一时代，原住希猎半岛之黑兰种族（Hellene）已经移住于半岛之南端，而散布于山麓及沿海一带之平原，创造了希腊奴隶所有者的国家。

在亚细亚的南部，则白色雅利安人的战车，已经驰入了印度北部之五河地方。以前侵入印度之德罗维陀族，现在在雅利安人的刀剑之下，已经变成了奴隶。而原来居住于印度之薄里色种土人，则被迫而逃向印度西

[1] 有人谓拉美斯第二，即是所谓摩西之埃及王（Pharaoh of moses）。

北的山林地带。也许就在这一时代，薄里色人之一部分，越过了今日之喜马拉雅山，与由甘肃南徙西藏高原之羌族，发生了人种的和文化的关系。

至于这一时代，中国与中亚诸种族的关系，我们还没有发现可靠的史料，但是从周穆王西征的传说看来，则当时中国与西亚，似乎有着某种的商业关系。

总之，在这一时代，文明的范围逐渐扩大，许多种族都走近了文明时代的入口。文明世界的扩大，就是自由世界的缩小。不过直至此时，世界上几个文明的出发点，他们所激荡出来的文明的波圈，其半径尚不甚大，因而波圈与波圈之间，还存在着风平浪静的中间地带，从而东方与西方的文明，即使在当时有所接触，也只是种余波的荡漾而已。周族就在这样一个世界史形势中，勃然兴起。走进中原，成为东方世界的一个历史动力，从而把世界史推向一个更高的阶段。

西周的历史，是以武王克殷为序幕。但是武王克殷，只是颠覆了殷代奴隶所有者政权的首脑部，殷代残余的奴隶所有者的势力，除一部分退至辽东半岛乃至朝鲜半

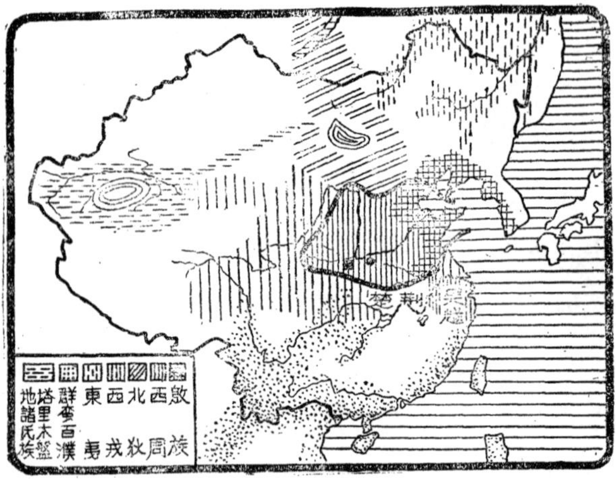

插图四五　西周时代的中国图

岛以外，[1]其余大部分还散布中原，盘据淮岱，成为周族可怕之敌人（插图四五）。

当时的“南太平洋系”诸氏族，虽然因为“诸夏”的压迫和殷族的驱逐，而逐渐南徙，但自荆楚以南之西南的广大区域以及东南沿海一带，仍然是他们的天下。在这一时代，他们分化为无数的氏族，即中国史上所谓

[1]《史记·宋微子世家》云：“武王乃封箕子于朝鲜，而不臣也。”《后汉书·东夷传》亦云：“昔箕子违衰殷之运，避地朝鲜。”这些传说，我以为都是暗示殷末周初，殷族之一部分退向朝鲜半岛的事实，这里所谓不臣者，非不欲臣之，乃不得而臣之也。

"百濮"、"群蛮"。在"百濮"之中，曾经有一部分与周族同时进入中原。

当时停留于蒙古高原的诸氏族，大半都组成了部族或部族联盟，逐渐向山陕的北部移徙，而这在中国历史上，便是所谓"北狄"。其中猃狁一族，最为强盛，成为周族西北最大之威胁。

当时西北诸羌，其大本营还是在甘肃、青海一带，但其支裔所布，已远及于川康、新疆。在这一时代，一部分已与周族同时进入中原，但继周族之后而东徙者，尚接踵于途。此等继续东徙之诸羌，即历史上所谓西戎。西戎与周族虽同为羌族，但后来亦与周族为敌。

当时分布于塔里木盆地的诸种族，有许多已经进入农业畜牧经济的历史阶段。[1]他们西逾葱岭，东贯陕甘，

[1] 关于西周时代西域诸种族的活动，史无所纪，但《穆天子传》中，有关于他们的传说。《穆天子传》谓当时昆仑之虚有赤乌氏，曹奴比，容成氏，剞闾氏，鄄韩氏，智氏，高奔戎，浊繇氏，骨饦氏，西王母之邦，西膜氏，巨蒐氏等氏族，他们对于穆天子的贡物中，有马、牛、羊、犬等家畜，及麦、稷等农产物。而且贡牛的数目，有多至五千头者；贡麦的数目，有多至千车者。这虽然是神话，但证之后来汉代西域诸国的经济状况，则西周时代的西域诸种族达到农业畜牧的阶段，并非夸张之词。

成为当时东西文化的中介人。

此外，在中原一带，除殷族以外，还布满了“诸夏”的苗裔，这在历史上便是所谓“神农”、“黄帝”、“尧”、“舜”、“禹”的后裔。此等诸氏族，虽然长期地沦为殷族的奴虏，但仍然有其自己之农村公社的组织。在武王伐纣的时候，他们也同时举起了反奴隶制度的叛旗。历史上所谓不期而会于盟津者的八百诸侯，就正是此等中原的“诸夏”之族。

以上就是周族克殷以后中国历史的形势。若简而言之，当时包围于周族周围的，东有殷族的残余，北有北狄，西有西戎，南有群蛮百濮。这些诸种族都面向着黄河中游，企图争夺这一个文化摇篮之地。此外尚有原住中原的“诸夏”之族，其中有一个楚族已渐次强大。又有同时进入中原的西北诸氏族，在战争中也变成了一种新的力量。因此摆在周族征服者面前之紧急的历史任务，便是如何镇压殷族，抚定“诸夏”，以及酬庸其从征之左右扈从，与西北诸氏族的首长，以巩固其胜利，稳定其统治。然后再谋打开其历史的包围，以展开其更大的发展。

第三节　西周初期封建国家创立的过程

周族的征服者，毫不犹豫地执行了他的历史任务。他们在击溃了殷代奴隶所有者政权以后，首先便宣布土地王有和奴隶制度的废除，这样，殷代奴隶所有者，不但被解除了武装，而且被收夺了最主要的生产手段和依以进行生产的劳动力。一言以蔽之，周代的征服者，不但消灭了殷代奴隶所有者的政权，并且也消灭了这种政权之依以建立的经济基础。现在，奴隶制度，退出了中国历史，不过代之而起的，不是榨取制度的消灭，而是封建领主和农奴的榨取方式，是一种榨取者被另一种榨取者代之而已。

由于土地之封建的收夺和奴隶制度的废除，周代的国王，便变成了土地和人民之唯一的所有者。所谓“溥天之下，莫非王土；率土之滨，莫非王臣”。正是表现这一历史内容。

为了“股肱周室”，“保乂王家”，周族的国王，开始了大规模的封建。

首先便是封建其左右扈从，这些扈从，大半都是周族的贵族，他们不是“文之昭”，便是“武之穆”，或者就是“周公之胤也”。[1] 当时受封的周族贵族，有谓五十五人，[2]有谓五十三人，[3]有谓一百人，[4]总之，当时载干戈以至封侯的周族武士，一定不少。

其次，即封建从征的西北诸氏族的首长，于是那些所谓“东征之诸侯”，如庸、蜀、羌、髳、微、卢、彭、濮诸“友邦冢乡君”，皆以次“受命于周”，而为其屏藩。

再次，则封建中原“诸夏”，自“神农”、“黄帝”以至“尧”、“舜”、“禹”的苗裔之长，皆因地就封，以侯于周族。[5]

同时，对于殷族奴隶所有者，则采取高压政策。首先将殷之故地，河北、山东、河南分裂为邶、鄘、卫三

[1]《左》僖二十四年传云：“管，蔡，郕，霍，鲁，卫，毛，聃，郜，雍，曹，滕，毕，原，酆，郇，文之昭也，邘，晋，应，韩，武之穆也，凡，蒋，邢，茅，胙，祭，周公之胤也。”

[2]《左》昭二十八年传云：“武王克商，光有天下，其兄弟之国者十有五人，姬姓之国者四十人，皆举亲也。”

[3]《荀子·儒效》篇云：“周公兼制天下，立七十一国，姬姓独居五十三人。”

[4]《孔子集语》云：“载干戈以至于封侯，异族九十七人，而同姓之士百人。”

[5]《史记》云：“封神农之后于焦，黄帝之后于祝，帝尧之后于蓟，帝舜之后于陈，大禹之后于杞。”

个封区，[1]然以殷之贵族武庚作为傀儡，封之于邶，使招抚殷族遗民，但同时却使管叔尹鄘、蔡叔尹卫，以控制武庚的异动，特别对于殷之根据地山东一带，控制更为严密，如尚父则屯兵营丘而俾侯于齐，周公则屯兵曲阜而俾侯于鲁，可以证明。此外对于殷族之自由民与奴隶，则一面威骇，一面怀柔，要他们安心乐命，好好地

[1] 王国维《北伯鼎跋》云："北，盖古之邶国也。自来说邶国者，虽以为在殷之北，然皆于朝歌左右求之。今则殷之故墟，得于洹水，大且大父大兄三戈，出于易州，则邶之故地，自不得不更于其北求之，余谓邶即燕，鄘即鲁也。邶之为燕，可以北伯诸器出土之地证之（光绪庚寅，直隶涞水县又出伯器数种）。邶既远在殷北，则鄘亦不当求诸殷之境内。余谓鄘与奄声相近，《书·洛诰》：'无若火始焰焰'；《汉书·梅福传》引作'毋若火始庸庸'，……奄地在鲁，《左》襄二十五年传，鲁地有弇中，汉初古文'礼经'出于鲁奄中，皆其证也。邶、鄘去殷虽稍远，然皆殷之故地。《大荒东经》言'王亥托于有易'，而泰山之下，亦有相土之东都，自殷末有天下时已入封域。又《尚书》疏及《史记》索隐，皆引汲冢古文，盘庚自奄迁于殷，则奄又尝为殷都，故其后皆为大国。武庚之叛，奄助之尤力。及成王克殷践奄，乃封康叔于卫，封周公子伯禽于鲁，封召公子于燕，而太师采诗之目，尚仍其故名，谓之邶、鄘，然皆有目无诗。季札观鲁乐，为之歌邶、鄘、卫，时犹未分为三，后人以卫诗独多，遂分隶之于邶、鄘，因于殷地求邶、鄘二国，斯失之矣。"（《观堂集林》卷十八，二页）

做新朝的农奴，否则杀无赦，[1]甚至采取毒化政策，放任殷人继续群饮，而对于周人之群饮者，则杀无赦。[2]

现在，一切都布置妥当了，应该镇压的镇压了，应该绥抚的绥抚了，应该酬庸的酬庸了，周族征服者初步的建国启土的历史任务，总算完成了。

就在这一时代，中国的历史，又展开了一个新的场面。许多从战场凯旋的周族的武士和他的同盟军的首领，都集聚在镐京，等候周天子的册命。册命的典礼，非常的隆重。[3]大概一方面，是天子申之以训诰，质之以牺牲，要受命者股肱周室，夹辅王家；另一方面，受命者，

[1]《书·多士》云“告尔殷多士，今予惟不尔杀”，“尔乃尚宁干止。尔克敬，天惟畀矜尔；尔不克敬，尔不啻不有尔土，予亦致天之罚于尔躬。今尔惟时宅尔邑，继尔居，尔厥有干有年于兹洛”。多方亦云：“今尔尚宅尔宅，畋尔田。”又云：“尔乃自时洛邑，尚永力畋尔田。”

[2]《书·酒诰》云：“诰曰：群饮，尔勿佚，尽执拘以归于周，予其杀。又惟殷之迪，诸臣惟工乃湎于酒，勿庸杀之。”周人明知“越小大邦用丧，亦罔非酒为辜”，而于周人则禁，于殷人则不禁何也？

[3]关于册命典礼的仪式，从颂鼎及寰盘的铭文中，可以看出一些痕迹。《颂鼎铭》云：“惟三年五月既死霸。甲戌，王在周康邵宫，旦，王格太室，即位，宰弘右颂入门立中廷，尹氏受王命书，王呼史虢生册命颂。（中略）颂拜稽首，受命册，佩以出，反入觐璋。”寰盘铭云：“寰入门立中廷北乡，史淢受王命书，王呼史淢册锡寰。”

则拜手稽首，“对扬天子丕显休令”。在册命之后，于是一群群的新贵，都换上了天子所赐的绣满了黼黻的“元衣”和“束带”，佩上了天子所赐的“琱戈”和“彤矢”，[1]于是他们“帅其宗氏，辑其分族，将其丑类”，并且带着大批的厘仆、虎贲，[2]打起赤芾銮旂，[3]浩浩荡荡，从镐京出发，驰赴各自的封区。这些诸侯，到了封区以后，各人又照样以其所封的土地，再分封于他们的左右扈从。这样一来，周族的族类，便遍布中原了。统治者换了班，社会也变了质。《诗》云“仪刑文王，万邦作孚”，可以想见当时的封区之多了。[4]

这些诸侯，一到封区，便成为其封区内的土地和人民的主人。因为天子对于他们的册锡，不仅是“胙之土”，而且是“令之民”。[5]《诗》云“锡之山川，土田附庸”，《召

[1]《伯姬鼎铭》云：“(上略)王呼史減册锡寰元衣、束带、赤芾、朱黄銮旂，鋚勒戈琱戟缟韔彤矢。”

[2]《齐侯镈钟铭》有云：“汝肇敏于戎攻，余锡汝厘都允爵其县三百，今命汝嗣辞厘色造国徒二千为汝敌寮。”又云：“余锡尔车马戎兵，厘仆三百有五十家。”《晋姜鼎铭》文云：“锡虎贲千两（辆）。”

[3] 见注一三。

[4]《吕氏春秋》云：“周之所封四百余国，服国八百余。”或谓周初盖千八百国。

[5]《左》隐八年传众仲答隐公问。

伯虎簋铭》亦云“仆墉土田”,[1]《子仲姜镈铭》亦云:“锡之邑二百又九十又九邑，与鄩郕之人民都鄙。”像这样土田与人民同时并赐的记录，在甲骨文中是没有的。甲骨文中不但没有土田与人民同时并赐的记录，而且亦无单赐土田的记录。由此而知周之诸侯与殷之邦伯，其属性已完全不同。因为土地之变成王的赏赐物，首先必须要把土地由“国有”变为“王有”，而土地所有之这一转化，正是奴隶制到封建制的过渡。所以周代的“诸侯”，便不像殷代的“邦伯”，仅仅是征收贡纳的代理人，他们一到封区，便把封区以内的人民，不问其为殷族，或为“夏族”,[2]不问其为自由民抑或奴隶，便把他们整族

[1] 郭沫若氏《附庸土田之另一解》谓《召伯虎簋铭》文中之“仆墉土田”，“当是附墉垣于土田周围，或周围附有墉垣之土田”(见《中国古代社会研究·附录》)。余以为郭氏将“墉”字释作“墉垣”之“墉”，甚为合理，但谓“仆墉”之“仆”亦为“附”字之假，则似嫌勉强。我以为仆墉土田，系指三事，即仆为一事，墉为一事，土田又为一事，不必以墉附于仆，亦不必以仆附于墉。盖土田与民人并赐之事，金文中其例甚多，而《左》定四年传中又明言“聃季授土，陶叔授民”也。

[2]《左》定四年传谓分鲁公以殷民六族，因商奄之民，以命伯禽；分康叔以殷民七族，又谓分唐叔以怀姓九宗。按怀姓九宗乃“夏族”之裔(详拙著《中国史论集·诸夏的分布与鼎鬲文化》一文)，由此而知当时周人以殷族为农奴，同时亦以“夏族”为农奴。

整族地转化为农奴。[1]把这些农奴固着于土地而开始庄园经济的组织。

第四节　新旧社会秩序的斗争与初期封建国家创立的完成

周代的封建国家，就是这样的开始了它创立的过程。在新制度之前，旧的奴隶制的一切矛盾，已经由于这个制度的被废除而归于消灭了。但是在新制度的创立过程中，又引出了新的矛盾。由于奴隶的宣布废除，引起了残余的殷代奴隶贵族之反抗；由于土地之封建收夺，与原来的氏族成员之被迫而转化为农奴，又引起了原有的氏族对新秩序的拒绝。而且这样的矛盾，不仅表现于周族与异族之间，也表现于周族内部的社会层之间，管蔡对周公的流言，正是这种矛盾的表现。

矛盾不久便决裂了，以管蔡为首的周族的保守派，与以武庚为首的殷代奴隶贵族的残余势力，他们在反抗新秩序一点上，获得了矛盾对立的统一，于是爆发了历

[1] 既以整族为农奴，故知其不分等级也。

史上有名的“管蔡以武庚叛”的反动局面。[1]

反动的局面，一天天的扩大，在今日的河北山东及徐淮一带，一时屈服了的残余的殷代奴隶贵族，又都奋然而起，开始作倒转历史车轮的斗争。这个反动的局面之大，使得周代的国王，不得不发出“邦之安危惟兹殷土”的呼号。

站在大叛乱的局面之前，周族的统治者，即刻派出了讨伐叛乱的大军。大军由周公率领，驰赴东土，经过了三年的长期战争，叛乱才暂告平息。[2]

但是“周公东征”，问题并没有解决，在山东一带的殷族，仍然过着奴隶制的生活，与周族的封建新秩序对抗，于是而又有成王的东征。[3]

“成王践奄”，虽然扑灭了山东一带的反动势力，

---

[1]《书 · 大诰》云：“武王崩，三监及淮夷叛。”

[2]《逸周书·作雒解》云：“周公立，相天子，三叔及殷东徐奄，及熊盈以叛。（中略）二年又作师旅，临卫政（征）殷，殷大震溃，降辟三叔，王子禄父北奔，管叔经而卒，乃囚蔡叔于郭凌，凡所征熊盈族十有七国，俘维（淮）九邑，俘殷献臣，迁于九里，俾康叔宇于殷，俾中旄父宇于东。”

[3]《书 · 蔡仲之命》云：“成王东伐淮夷，遂践奄。”又《费誓》云：“鲁侯伯禽宅曲阜，徐夷并兴，东郊不开。”

但徐淮一带的殷族，仍然保持其原有的社会秩序，继续其反抗新秩序的斗争。因而在周代封建主义向南发展的当中，曾引起不断的战争。[1]不过，从此以后，便不能发动大规模的反动了。

在另一方面，西北诸氏族，也展开了反对新秩序的斗争。这些氏族在推翻殷代奴隶所有者政权的战争中，曾经是周族的盟友。他们以为颠覆了奴隶制度，便可以回到自由王国的时代，但结果大失所望。新的统治者，又成了新的榨取者，他们的氏族土地被收夺，氏族成员被转化为农奴（如怀姓九宗等），这样一个出乎意外的收获，当然要激起西北诸氏族的反抗，因此，在当时出现许多所谓“不廷方”。周族对于这些“不廷方”的对策，还是和对殷人一样，一面怀柔，一面讨伐。前者如《毛公鼎铭文》所云“率怀不廷方”；后者如《左》隐十一年传云“以王命讨不廷”。关于讨伐这些“不廷方”的史实，金文中尝有记载，如《小盂鼎铭》云：“伐鬼方……孚人万三千八十一人。”由此可以想见当时战争的规模之大。同时《南宫中鼎二三两器铭》文，皆有“惟王命

[1]《宗周钟铭》《师寰簋铭》等，均有关于此类史实的记载。

南宫反[illegible]方之年”的记载。历来学者释[illegible]方为虎方，我以为就是鬼方。（详见拙著《中国史论集·诸夏的分布与鼎鬲文化》一文。）

正当周族内部矛盾百出之时，西方的诸羌继周族之后，蜂拥而东，进入陕西；同时，北方的狄人，则以猃狁为首，长驱南下，由山陕而深入伊洛一带。周族为了抵抗猃狁，曾经发动了不少的战争。诗云“薄其猃狁，至于太原。”《虢李子白盘铭》云：“搏伐猃狁，于洛之阳。”《不[illegible]簋盖铭》云：“余命女追（猃狁）于[illegible]，女以我车宕，伐猃狁于高陆。”这些记载，都指示出当时战争的地址和情况，关于折首执讯，献禽献馘之数，皆有详细记录。

西周的历史，就在这种新旧秩序的对立斗争中发展，但是历史的原理，却决定了这种斗争的胜利是属于封建主义的。到宣王时代，随着周族所创造的封建经济之巩固与发展，于是周族的统治者便展开了四方八面的征伐。当此之时，西征西戎、北伐猃狁，东践徐淮，南平荆蛮，而秦仲、尹吉甫、方叔、召虎等皆出现为各战场上的赫赫师尹。于是许多落后的种族，都在封建骑士的刀剑之下被降服了。

由于周代封建主义势力之膨胀，以及周围各氏族自身的社会内部之变革因素的发育完成，于是有许多种族，特别是江淮一带的各族，便开始其向封建主义的转化。所以在周人的武功诗上，直到此时才写出“徐方既同”，“南国是式”的词句。

由此看来，历史上所谓“宣王中兴”，正是表征周代封建国家之发育完成，亦即周代封建经济之更大的发展。在宣王以后的不久的时期，周代的历史，便转入了春秋战国时代。

第二章　西周社会的经济构造

第一节　庄园制度的成立与所谓“井田制”

周族克殷以后，一面把殷代的国有土地，转化为王的所有，另一面，把殷代的奴隶及自由民转化为农奴；同时，把残存于其他势力范围之内的诸氏族的土地与人民，也依照封建制的原理而改变其原来的属性。[1]于是在周人的史诗上，便歌颂这一历史的胜利曰：“溥天之

[1]《诗·崧高》云：“王命申伯，式是南邦，因是谢人，以作尔庸。”“王命召伯，彻申伯土田。”“王命傅御，迁其私人。”《诗·出车》亦云：“天子命我，城彼朔方。”《诗·韩奕》云：“王锡韩候，其追其貊，奄受北国，因以其伯，实墉实壑，实亩实藉。”《诗·江汉》云：“于疆于理，至于南海。”“锡山土田，于周受命。”以上所谓“南国”、“北国”，皆当时氏族分布之地，而周人乃因其人民，私其土地，以“实墉实壑，实亩实藉”。一则曰“式是南国”，再则曰“奄受北国”，所以我说周族以封建制的原理改变其所属之诸氏族的土地与人民的属性。

下，莫非王土；率土之滨，莫非王臣。”

但是土地的所有与人民的隶属，只是一种政治权力的象征，为了使象征的权力转化为真实的权力，就必须使这种作为权力之象征的土地与人民，相互结合以发挥其经济上的效能。于是天子以之分封于诸侯，诸侯以之分封于家臣，而开始“作邑”、“作采”的历史任务。[1] 自此以后，殷代的村落公社便转化为无数的封区和领邑了。[2]

在封区与封区之间，有极其严格的疆界，此种疆界，

---

[1] 在西周，无论天子封诸侯，或诸侯封家臣，皆曰“锡邑”或曰“作采”。前者如《南宫中鼎铭》云：“王曰，中：……今括里汝怀土乃作采。”《弁敦铭》云：“昔先王既命女作邑。”后者，如《子仲姜镈铭》云：“䡅叔有成劳于齐邦，侯氏锡之邑二百又九十又九邑。”锡邑的记载，有仅书邑数者，亦有列举邑名者：如《克鼎铭》云：“锡女（克）田于埜，锡女田于渒，锡女井家𩁹田于𡖊，以厥臣妾；锡女田于康，锡女田于匽，锡女田于博原，锡女田于寒山。”

[2] 吕振羽氏谓“殷的国有土地，是存在于一种村落公社，即‘邑’的区分形态下……周代新国家以这种土地去分赐其臣属者，是依照原来的土地区分的形式去行使的”，亦即依照殷代之邑的区分去行使的。按甲骨文中有“邑”字，而周代的许多地名如陈、邗、邢、郜、酆、郇等皆从“邑”，疑即由殷代之邑转化而来。此等例子，在欧洲亦有之，如德国地名中之有Burg的语尾者，英国地名中之有Chester者，皆系由古代的城堡转化而来。凡此皆足以证吕氏之意。

皆系利用自然的地理形势，如河流、溪涧、山岗、森林及草原等，以为彼此之区划。并且在疆界上封植树木，以为标志，有一封再封以至于三封者。[1] 于是这些封建领主各自“填固封疆”，“分土而守”。

西周的各级领主，在受民受疆土以后，于是各在其自己领地以内，度其原隰，规其陂陵，顺其川河，申划郊圻，开始庄园经济的组织。他们以自己的城堡或邸宅为中心，把自己所属的土地，划分为若干大小相差不远的区域，把自己所属的人民，平均地编制于这些区域之内，给以仅足维持其最低生活之一定量的土地，使之以无报偿地为领主耕种这个区域以内的土地。这样，就把过去的自由民奴隶乃至氏族成员都转化为农奴，从而把

[1] 关于封疆划界之具体情形，详见《散氏盘铭》。如云：“用夨𢦚散邑，乃即散用田境。自濡陟以南，至于大沽，一封以陟二封。至于边柳。复涉濡陟雩戲原隮以西封于𢦏城楮木，封于若徕，封于若道。内陟若登于厂源，封楮柝隮。陵刚柝，封于𨞠道，封于原道，封于周道。以东封于梓东疆。右还封于眉道。以南封于郤徕道。以西至于隹，莫眉井邑田。自粮木道左，至于井邑封道，以东一封；还以西，一封，陟刚，三封；降以南，封于同道。陟州刚，登柝，降棫，二封。”在此铭文中，如沽如濡如源，皆指河流或溪涧；如隮如刚如郤，皆指丘陵或溪谷；如楮如棫，皆指森林；如若如徕，皆指草原。此外亦有以城或道为分界者。

过去的奴隶制经济乃至氏族制经济，转化为封建主义的庄园制经济了。

在西周有两种形态的庄园：一种是领主直辖的庄园，另一种是领主委托或派遣家臣经营的庄园。前者是环绕在领主的城堡或邸宅的周围；后者则分布于直辖庄园的四周之全领区。直辖庄园是每一封区内的庄园组织之中心，在这里是领主的城堡所在之地。在城堡中，有领主的堂皇的宫殿、宽敞的院落、仓库、农器作坊、日用器具作坊、磨面坊、酒和油的作坊、仆从和农奴的小舍、家畜的厩栏，也有法庭和监狱。总之压榨农奴所应有的一切设备，无不周全。在城堡的附近，有广大的园圃，较远则为牧场，更远则间有荒地或森林。这里，是封区的政治中心，也是庄园组织的总办公厅。至于委托或代理庄园，其组织与直辖庄园相同，不过具体较微而已。[1]

这样的庄园组织，后来被孟轲误解为所谓“井田

[1] 古代日耳曼人的庄园组织以庄园厅为中心，庄园厅就是领主的邸宅，亦即征贡纳之辨公所庄园厅亦辖有两种庄园，即直辖于领主的直辖庄园与佃租庄园。古代英国亦有两种庄园，其直辖于领主者，谓之中心庄园（Head manor），此外则为佃租庄园。

制”。孟轲所谓“井田制”者，即“方里而井，井九百亩，其中为公田，八家皆私百亩，同养公田，公事毕，然后敢治私事，所以别野人也。此其大略也。”[1]孟轲的“井田”之说，显然是从“井”字的构形上而发生的误解，实际上，“井”字的命意，即使是表示土地之划分，并非谓即划分为正方形，更非谓即以一方里为单位而九等分之，这由金文中疆字作（晋姜敦）作（叔貊敦）亦可证明。至于土地的分配，谓领主仅占九分之一，而农奴反占九分之八，则更不会有这样的事实。虽然如此，我们从孟轲的这段话中，却可以看出在所谓井田制中有“公田”，也有“私田”；有“治野人”的“君子”，也有“养君子”的“野人”；“君子”则坐收九一之助与什一之赋，而“野人”则须同养“公田”。这种土地所有的关系与“君子”、“野人”之间的等级从属的关系，却正是暗示庄园制度的内容。因而我以为孟轲所谓“公田”者，乃直辖庄园之误解，而所谓“私田”者，则委托或代理庄园之误解。至于“君子”之为领主，“野人”之为农奴，则更为孟轲所明示。所以在西周，虽无所谓“井田制”，

[1]《孟子·滕文公》上篇

而"井田制"的传说，却足以暗示出庄园制的内容，由此而知所谓"井田制"的传说，并非孟轲凭空造谣，而是以庄园制为其历史的素地加以理想化的一种传说。

西周的庄园，大概都施行"三圃制"的耕种法。[1]所谓"三圃制"者，即将全庄的耕地划为三个面积相等的部分，每年轮流休耕，每年耕种的土地，只有三分之二，其他三分之一的土地，则在休耕中。此种在休耕期中的土地，则开放为牧场。"三圃制"的出现，乃是初期封建社会必然应有之事实，因为一方面，在当时农业的技术，虽较奴隶社会为进步，但仍然是在历史上之幼稚阶段，用人工恢复土地肥腴的方法，还不能大规模地施行。另一方面，由于土地之封建的收夺，以前的许多荒地及公有地，大半都转化为私有，但畜牧经济在社会经济中，仍有其意义，因而感到牧场的缺乏。在这两种

[1]《周礼·大司徒》云："凡造都鄙，制其地域而封沟之，以其实数制之，不易之地家百亩，一易之地家二百亩，再易之地家三百亩。"《汉书·食货志》云："岁耕种者为不易上田，休一岁者为一易中田，休二岁者为再易下田，三岁再耕之，自爰其处。"据此，即西周时代，实有轮流休耕的"三圃制"之存在。此种三圃制，在中古日耳曼人及中古英国的庄园中，皆曾施行过。日耳曼人称之曰 Drecf Eidenwirtschaf，英人称之曰 Three field System。

情形之下，于是出现了“三圃制”的耕种法。

在西周庄园中各圃之地，皆划分为若干面积相同之垄，垄与垄间，皆有田径或沟道以为区分。合若干垄则为亩，合若干亩则为圃，合三圃则为一个庄园。亩与亩间，圃与圃间，亦有宽度不同之沟道或田径以为区分。至于庄园与庄园之间，则多以天然之河流溪涧或山陵与草原为分界。关于这一点，《周礼·匠人》[1]及遂人[2]两篇中，曾作具体的叙述，固然，周礼所述乃刘歆之理想的构图，但是西周的史诗中，亦有划分垄亩的记载，如《信南山》云：“畇畇原隰，曾孙田之，我疆我理，南东其亩。”《载芟》亦云：“载芟载柞，其耕泽泽，千耦其耘，徂隰徂畛。”这里所谓“亩”若“畛”，都是指明当时田野的区分。又从《诗·噫嘻》所云“骏发尔私，终三十

[1]《周礼·匠人》云：“匠人为沟洫，耜广五寸；二耜为耦，一耦之伐，广尺深尺，谓之亩。田首倍之，广二尺深二尺，谓之遂。九夫为井，井间广四尺谓之沟。方十里为成，成间广八尺深八尺，谓之洫。方百里为同，同间广二寻深二仞，谓之浍。”

[2]《周礼·遂人》云：“凡治野，夫间有遂，遂上有径；十夫有沟，沟上有畛；百夫有洫，洫上有涂，千夫有浍，浍上有道；万夫有川，川上有路，以达于畿。”

里。亦服尔耕，百千惟耦”看来，则当时田亩，亦用“里”计算。由此，足证西周庄园中的田土，实有各种单位的区分，而刘歆之理想的构图，又适为这一事实之侧面的说明。此外如古代英国的庄园，其土地的划分，亦有一定大小之规定。[1]古代罗马，亦有“千步方田”之法，则周礼所述，又适有类似之处。

第二节　庄园制度下的农业生产与力役地租

在封建庄园制度之下，所有的人民，皆被剥夺了土地；所有的土地，都属于封建领主之所有。失掉土地之人民，则不得不转而依存于领主所赐之一小块的分有地。这一小块分有地，就决定了他们对领主之人格的隶属，而转化为农奴；同时，亦即领主迫使农奴交出其剩余劳动及剩余劳动生产物之唯一的根据。西周的领主就在土地所有的基础上，展开了超经济强制的剥削。这种

[1] 古代英国的庄园，其土地划分为长四十竿（Rod），广四竿；及长四十竿，广两竿不等之狭长的垄（Strips）。一竿之长，合今日一六点五英尺，故以今日英人之尺计之，则为一英亩或半英亩不等的面积之垄。垄与垄间，间以田径。合数十垄，则命曰班田（Shots Furlongs）。合数十班田，则为庄园。

剥削，在法律上，称之曰“赋”曰“役”。“赋”者，田赋；“役”者，徭役。不过在西周，田赋的征收，也是采取力役的形态。

在西周，农民于一年中须为领主服务多少日，文献无所记，但他们必须“同养公田”，而且必须“公事毕，然后敢治私事”，则为无可致疑之事。金文中所谓“贮廿家”（《颂鼎铭》）、“贮𠀠田”（《格伯簋铭》）即系赋取其领地上的农奴之剩余劳动的意义。

在西周的庄园中，耕牛和农具，都是由领主发给。《诗》云：“以我（领主）覃耜，……播厥百谷。”（《大田》）或者由农奴向领主的农器作坊，自己购买。《诗》云：“命我众人（农奴），庤乃钱镈，奄观铚艾。”（《臣工》）但是如果领主颁发之农具，尤其是耕牛，或有损伤，则不但必须赔偿，而且还有一定的刑罚。《书》云：“今惟淫舍牿牛马，……牿之伤，汝则有常刑。”（《费誓》）

农奴领到耕牛之后，于是在领主的庄园使用人“田畯”的督促与监视之下，成千成万的走进了田野。他们“实亩实藉”（《韩奕》），“或种或耔”（《甫田》），展开了前所未有的“千耦其耘”（《载芟》）的伟观。

为了提高农奴劳动的强度，领主们也经常走到田野，亲临巡视。《诗》云“曾孙（领主）来止，以其妇子”，“曾孙不怒，农夫克敏”（《甫田》）。

同时西周的天子，为了他的“经入”，每年也举行一次天子亲耕的典礼，以示鼓励。《籍田鼎铭》所谓“王大藉农于諆田”，正是此意。固然王耕只“一拨”（《周语》），但以天子之尊，而亲服于畎亩，当然要使“民用莫不震动”，而更加“恪恭于农，修其疆畔，日服其镈，不解（懈）于时”（《周语》）。

由于“田畯”的监督与领主的鼓励，于是领主的庄田，当然会“既方既皁，既坚既好，不稂不莠”（《大田》）。既无螟螣，亦无蟊贼。因而“曾孙之稼，如茨如梁”（《甫田》），从而“曾孙之庾，如坻如京”（同上）。于是“千斯仓”，“万斯箱”，都装满了“黍稷稻粱”（《甫田》）。当领主“万亿及秭”（《丰年》）之时，而农奴们所剩下来的，是“明年的劳动”；然而西周的史诗上，却大书“农夫之庆”。

西周的农奴除无报偿地为领主耕种土地以外，还有无数种类的徭役。在徭役中，最主要的是兵役。由“三时务农而一时讲武”（《周语》）一语看来，则兵役已占一年时间四分之一。实际上，当时务农之时，亦须讲武，《诗》云：“王事靡盐，不能艺稷黍。”（《鸨羽》）可为明证。为了准备随时应征作战，所以当时的领主命令农奴“锻乃戈矛，砺乃锋刃，无敢不善”。（《费誓》）

西周是一个新旧秩序对应斗争的时代，所以表现在政治上，便是战争的频繁。据史诗所记，当时的农奴，或“大车哼哼，毳雨如璊”，开赴东战场而“慆慆不归”（《东山》）；或“出车彭彭，旂旐央央”，开赴北战场而“玁狁于襄”（《出车》）；或“二月初吉”，“日月方奥”，开赴西战场而“载离寒暑”（《小明》）；或从征申伯，“江汉之浒”（《江汉》）；开赴南战场而“用逷蛮方”（《抑》）。在当时，诚如史诗所云，正是一个“何草不黄，何日不行，何人不将，经营四方”（《何草不黄》）的时代。

因此，害得当时一般农奴载饥载渴，驰驱道路；靡室靡家，不遑启处。他们“岂不怀归，畏此简书”，“岂不怀归，畏此罪罟”（《小明》）。因而或则“陟彼岵兮，瞻望父兮”；或则“陟彼屺兮，瞻望母兮”；或则“陟彼罔兮，瞻望兄兮”（《陟岵》）。他们仿佛既听到“父曰嗟予子”，“母曰嗟予季”，“兄曰嗟予弟”，“上慎旃哉，犹来无死”（同上）。于是不觉“眷眷怀顾”，“涕零如雨”。（《小明》）“怀哉怀哉！曷月予还归哉”？（《扬之水》）同时，这些农奴的父母和妻子，则守着矮小破烂的土屋，过着无衣无食的日子，每当“日之夕矣，牛羊下来”（《于役》），便想望他们的儿子和丈夫的归来。

战争一年年地延长，农奴们大半都死于战场，这种死亡的数目之大，使领主们发出了“人之云亡，邦国殄瘁”（《瞻卬》）的呼号。其幸而生还者，情景亦极为凄惨。当他们在濛濛细雨之中，走到家园的时候，他们所看到的家园呵，是“果蠃之实，亦施于宇，伊威在室，蟏蛸在堂，町畽鹿场，耀耀宵行”。他们偶尔看见，“有敦瓜苦，烝在栗下”，于是慨然而叹曰：“自我不见，于今三年。”他们听到“妇叹于室”的声音，才知道他们的家里，还有未死的眷属（《东山》）。然而这在西周的史诗中，却写上了“自西自东，自南自北，无思不服”（《文王有声》）的记功的诗句。

除兵役外，农奴还要为领主服土木的徭役。如建筑城堡和宫室[1]。若不应役，则有大刑。[2]

除土木徭役外，农奴还要服领主家庭的杂役，《诗》云：“我稼既同，上入执宫工，画尔于茅，宵尔索绹。”所谓“于茅”、“索绹”者，即刈草搓索等杂役。

此外，尚须服务于领主的狩猎，按狩猎在殷代已失去其经济上的意义，到西周，已成为领主们娱乐之事。据史诗所纪，大概当“东有甫草”之时，领主们便“驾言行狩”。他们“田车既好，四牡孔阜”(《吉月》)。“执辔如组，两骖如舞”(《大叔于田》)。当领主出猎之时，所到之地，农奴都要替他服役，所以“巷无居人”（同上）。同时，农民也不敢饮酒，乘马，所以“巷无饮酒”，“巷无乘马”（同上）。农奴们替领主在森林的周围纵起火来，把禽兽驱逐到领主的面前，然后领主便能“戈凫

[1]《诗·击鼓》云：“土国城漕。”《出车》云：“往城于方。”《周书·康诰》云：“周公初基，作新大邑于东国洛，四方民大和会。”《诗·定之方》中云：“定之方中，作于楚宫；揆之以日，作于楚室。树之榛栗，椅桐梓漆。”《诗·斯干》云：“筑室百堵（领主住宅），西南其户。爰居爰处，爰笑爰语；约之阁阁，椓之橐橐；风雨攸除，鸟鼠攸去。君子攸芋。……殖殖其庭。有觉其楹，……君子攸宁。……下莞上簟，乃安斯寝。”

[2]《书·费誓》云：“鲁人三郊三遂，峙乃桢干，甲戌，我惟筑，无敢不供，汝则有无余刑非杀；鲁人三郊三遂，峙乃刍茭，无敢不多，汝则有大刑。”

与雁”，甚至“壹发五豝”，最后，农奴们“襢裼暴虎”，把暴虎“献于公所”，算是领主狩猎的胜利。

除开一切剩余劳动的榨取以外，农奴对领主还要提供额外的贡纳，这种贡纳，没有一定的规定，而是依照各地领主的嗜好决定的，但是久之便成了惯例。据西周的史诗所述，当时的贡纳，在食物方面，大概为猪肉[1]、羊肉[2]、野味[3]蔬菜[4]之类，农奴们把这些东西，“炮之燔之”，献于领主，于是“君子有酒，酌言献之”。在衣服方面大概为狐皮貔皮及赤豹黄熊之皮，[5]农奴的妻女，把这些兽皮，“要之襋之”，献于领主，于是“载玄载黄”，“好人服之”。[6]

此外，领主可以任意破坏农奴的渔业[7]和私有地的

---

[1]《诗·七月》云：“献豜于公。”

[2]《诗·七月》云：“献羔祭韭”。又云：“曰杀羔羊。跻彼公堂，称彼兕觥，万寿无疆。”

[3]《诗·瓠叶》云：“有兔斯首，炮之燔之。君子有酒，酌言献之。”

[4]《诗·采菽》云：“采菽采菽，筐之筥之，君子来朝，何锡予之。”

[5]《诗·七月》云：“取彼狐狸，为公子裘。”

[6]《诗·韩弈》云：“献其貔皮，赤豹黄罴。”

[7]《诗·小弁》云：“无逝我梁，无发我笱。”

园艺，[1]而农民对于领主，则连一棍树枝，也不敢动他的。[2]

最后，根据人身隶属的原则，领主对农奴有任意转让（金文中此例甚多）、科罚乃至处死（见《诗·吕刑》）之权。至于任意奸污农奴妻女，这在领主看来，还是对农奴的荣宠。当夫仲春之月，领主们春心勃发之时，他们的游车所至，所有农奴的少女，都可以属之于他们的闺房。只要他们爱谁，谁就得被“载之后车”。如果领主们高兴，也可以同车而归。诗云“有女同车，颜如舜华”；“有女同行，颜如舜英”。又云：“春日迟迟，采蘩祁祁，女心伤悲，殆及公子同归。”这些史诗，正是描写农奴的少女，在采集野菜时，遇着了公子（领主）的游车，要把她带走的情形。这样看来，初夜权，在西周也是存在的，而这到后来，农民们便用金钱赎回自己的初夜权，这种赎金，至今还以婚姻税的形态而被保存。

[1]《诗·将仲子》云“无折我树杞”，“无折我树桑”，“无折我树檀”。

[2]《诗·甘棠》云：“蔽芾甘棠，毋翦毋伐，召伯所发。”

第三节　庄园经济制度下的手工业与商业

在西周的庄园内，除农奴以外，还有替领主生产各种日用必需品及奢侈品的手工业工人。这种手工业工人，是从农奴中选拔出来的，所以他们的身份和农奴一样，实际上，就是领主的工奴。《令彝》中所谓“众百工”，《酒诰》中所谓“百工”，《立政》中所谓“艺人”，《康诰》中与“播民”对称之“百工”，都是指工奴而言。这种工奴，大概居住在领主城堡之内，他们的生活，和农奴差不多，也只能领到足以维持其生命的延续之最低的生活资料。

西周的手工业，是以殷代的手工业为基础发展起来的，所以在手工业的任何部门，都超过了殷代的水准而上之。这首先表现在青铜器的制作，已经达到了高度的发展。据各家的著录，现已出土之两周青铜器，已有二三千具以上，其种类有钟、铎、鼎、鬲、献、敦、簠、簋、盨、豆、盉、尊、壶、罍、彝、卣、爵、觚、觚、觯、角、斝、卮、盘、盂、洗、匜，舟等，由此而知当时的日用器皿，已完全用青铜制造（插图四六）。尤其兵器的制造，

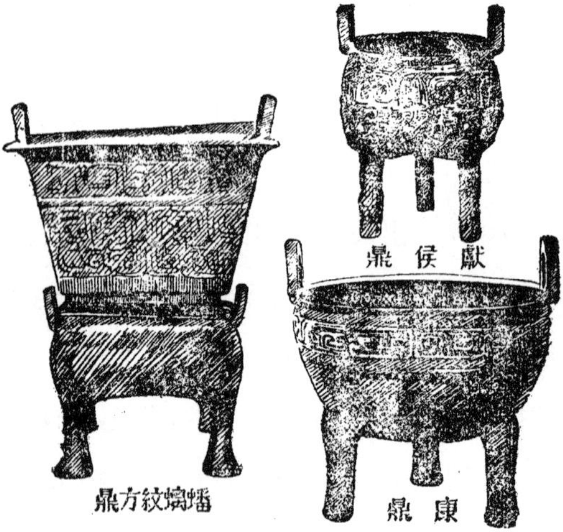

插图四六　西周时代的铜器

如戈、矛、矢、镞之类，已完全使用青铜。青铜器之普遍的应用，就指示出当时有更为发展之采矿的事业与冶炼的技术之存在。

惟西周时代始终没有铁的发现，同时西周文献中，亦无“铁”字的存在，因而学者之间，对于西周有无铁的应用的问题，遂聚讼纷纭。我以为从西周之有繁盛的农业看来，当时应该已经使用铁器；因为只有铁犁和铁斧的出现，才能成为农业发展之强有力的推动力，从而强烈地破坏奴隶社会及氏族社会之旧的社会关系，把个人的生产和私的占有，推向历史之更高的发展阶段。换言之，殷周之际所体现的社会变革，应该是铁器的劳动生产性之表现。

西周之有铁器的存在，我们可以从春秋末叶，特别是战国时代之有繁盛的冶铁事业的存在，获得反证，如前所述，在春秋末，晋国的铁工，已能用铁铸刑书，这已足证明当时冶铁技术之发展。到战国时代的文献中，铁字便屡见。如《墨子》中，有铁鍱、铁矢、铁锴、铁纂、铁鈇、铁巨、铁锁、铁校、铁鏁、铁鏄等名词的出现。《韩非子》中有铁室,《荀子》中有铁钝,《战国策》中有铁幕,《吕氏春秋》中有铁甲、铁杖,《越绝书》中有铁剑等记载。而且据《史记》所记，在战国时代，以冶铁致富而埒于王侯者，已大有人在。其“通都大邑,……铁器……千石……比千乘之家”者，比比皆是。是知铁在春秋战国时代，已成为普遍发展之事业。此种发达的冶铁事业，决不能突然兴起，必然是长期发展的结果。因此我以为西周有铁器，至于西周铁器之未被发现，则系考古学上之缺失，我们固不应完全委之于铁在地层中易于消失的理由，但亦不应以此而遂肯定其实际上之决然的不存在。

铜铁的原料，都是比较贵重的，因而当时一般农奴和工奴，他们的日用皿器，恐怕还是使用陶器，而陶器也就在这一客观要求上，获得其继续发展的机会。《考工记》上谓，周之手工业大别为六，而搏埴居其一，在西周的庄园中，有陶器作坊之存在，想亦为当然之事。

适应于农业的发展，当时纺织的手工业，一定很发展,《诗》云:“八月载绩，载玄载黄。”(《七月》)又云:“大东小东，杼轴其空。”(《大东》) 当时的织物，大概都以麻葛及丝为原料，据史诗所记，当时麻葛及桑，皆大规模种植，而被用于纺织。《诗》云:“丘中有麻。”又云:“麻衣如雪。”《诗》又云:“葛之覃兮，施于中谷，维叶莫莫，是刈是濩，为绨为绤，服之无斁。”(《葛覃》) 至于桑树，则已成林地散布于各庄园之中,《诗》云“十亩之间兮，桑者闲闲兮”，又云:“春日载阳，有鸣仓庚，女执懿筐，遵役微行，爰求柔桑。”足见当时养蚕事业之普遍。证之当时史诗中丝织物名称之多，尤足征信。

与纺织平行发展，缝纫刺绣及染色的手工业亦极发展。《诗》云："掺掺女手，可以缝裳。"又云："衮衣绣裳。"此外，如云"载玄载黄，我朱孔阳"，"绿兮衣兮，绿衣黄里"之类，又证明当时染色的技术之发达。

畜牧业在西周虽然已经退到农业之附庸地位，但领主仍保有大批的畜群。《诗》云："谁谓尔无羊，三百惟群；谁谓尔无牛，九十其犉。"（《无羊》）因此制革揉皮的工业，还是继续发展。

此外适应于领主的奢侈欲望之提高，建筑的技术及装饰品的镂刻的技术，也当然提高了。这从周代铜器上所体现的艺术，可以看出。

总之，在西周的庄园中，手工业生产，不仅技术提高，而且部门也增多了，特别是冶铁业和纺织业，成为这一时代的手工业之崭新的标志。当时每一个领主，都有自己御用的铜匠、铁匠、陶匠、木匠、石匠、裁缝、染匠、纺织及刺绣缝纫的女工以及雕刻匠，以从事自足自给的手工业生产。因而当时的庄园，是农业的中心，也是手工业的中心，这到后来，庄园便发展为城市。

现在，说到西周的商业。

庄园制度时代的商业，从表面看来，比之奴隶社会，似乎反而低落，但是这并不是历史的倒退，而是历史的发展。因为在奴隶社会时代之所以有繁盛的商业，主要的是由于当时的生产力尚不足以供应各奴隶所有者家族之自足自给，因而必须由交换获得补充；到庄园制时代，则各个领主皆能仰给于自己庄园中的工奴之制造品，形成自足自给的经济，这当然是生产力更高发展之表现。不过，随着封建领主的奢侈欲望之逐渐增高，各封区间的特殊生产物及工艺品之交换，又在更高的社会经济基础上展开了。与交换的发展同时，战争的掠夺也开始了。

过去曾经走遍中国的奴隶商人，已经随着奴隶制经济之解体而没落了，现在代之而起的商人，是封建领主。《诗》云："如贾三倍，君子是识。"这正是说明当时的商贾是君子，而君子者，正是治野人的领主之别称。当然，当时赫赫威严的领主，不会自己去"肇牵车牛远服贾"（《周书·酒诰》），但是，为了"三倍"之利，他们便派出了家臣和武士，去从事这种发财的买卖。

当时主要的商业，大概是奢侈品的买卖。他们从东南诸种族获得"元龟象齿，大赂南金"（《泮水》），从西北诸种族获得羊皮，狐裘，"赤豹黄罴"。据《穆天子传》

所述，他们甚至从今日之塔里木盆地的古代诸种族，获得美丽的玉石及其他珍奇之物。

当时交换的媒介物，据金文所示，已经使用金属货币。此种货币，以寽为单位，如《牧簋铭》云“取□□寽”，《曶鼎铭》云：“月径诞卖兹五夫，用百寽。”《扬簋铭》云：“取遗五寽。”《番生簋铭》云：“取遗二十寽。”《毛公鼎铭》及趞鼎铭皆有“取遗卅或五寽”之记载。此外金文中赐金之记载亦多，如《禽簋铭》：“王锡金百寽。”但亦有锡贝者，如《寽卣铭》云：“锡贝卅寽。”但这里所谓贝，其意或指贝货而言，因为它还是以寽为单位。不过《诗经》上曾有“氓之蚩蚩，抱布贸丝”一语，这里所谓“布”，如果不是金属货币的名称，则是布帛之布，果用于后者之意义，则当时庄园内部，尚有物物交易之存在。

第四节　庄园经济的发展与西周的没落

以上是西周时代农业手工业和商业的大概情形，亦即西周庄园经济之具体的内容。西周的领主们就从这种经济机构中成长起来，一变而为地上财富之主人。他们拥有广大的耕地、牧场、森林、山陵和河流，无数的农奴、工奴、武装的商队、肥美的畜群和属于他们领地以内之草木禽兽鱼鳖，以及一切天之下、地之上的东西。现在他们开始了奢侈的生活。现在他们建筑了更壮丽的宫殿，“夏屋渠渠”，布满城堡；“崇墉言言”，耸立天空。在这里，有各级家臣，分司农业手工业与商业的收入，有成千的武士（虎贲）专供宫廷的警卫和农奴工奴的镇压，有时也用作商队的保镖。有无数的嫔妾，替他们“抱衾与裯”；有无数的仆从，替他们“于粲洒扫”；“我将我享”，则有厨役；“吹笙鼓簧”，则有乐队；“言秣其马”，则有御事；“驾言行狩”，则有“射夫”。总之，应有尽有。以言衣服，则他们“锦衣绣裳”、“赤舄”、“束带”，佩以“圭璋”。冬之日，则“狐裘蒙戎”；夏之月，则“麻衣如雪”。至于当时一般领主的眷属，则“手如柔荑，肤如凝脂，领如蝤蛴，齿如瓠犀，螓首蛾眉，巧笑倩兮，美目盼兮”（《硕人》）。生长得像天仙化人一样。再加以华贵的装扮，穿着“象服”，“副笄六珈”，佩以象揥，饰以羽毛，蒙以绉絺，于是真如《诗》之所云：“玼兮玼兮，其之（他的）翟（羽毛）也；鬒发如云，不屑髢也。玉之瑱也，象之揥也，扬且之皙也；胡然而天也，胡然而帝也。瑳兮瑳兮，其之展也；蒙彼绉𫄨，是绁袢也；子之清扬，扬且之颜也。展如之人兮，邦之媛也。”但是可惜的，是“子之不淑，云如之何”。

以言饮食，则当时的领主，每食必“陈馈八簋”。“既有肥羜，以速诸父，又有肥牡，以速诸舅。”（《伐木》）若当宴会，则有乐队，“鼓瑟吹笙，吹笙鼓簧”（《鹿鸣》），“钟鼓于宫，声闻于外”（《白华》）。于是“以雅以南”，“以妥以侑”，“以燕乐嘉宾之心。”于是“兕觥其觩，旨酒思柔”，渐而“舍其坐迁，屡舞仙仙”（《宾之初筵》）。于是初则“清扬婉兮，舞则选兮”（《猗嗟》）。继则“坎坎鼓我，蹲蹲舞我”（《伐木》），而终则“厌厌夜饮，不醉无归”（《湛露》）。

以言游幸，则当时领主“有车邻邻，有马白颠”；“驷驖孔阜，六辔在手”。“何戈与祋”（《候人》），“从者如雨”（敝笱）。当着仲春之月，奔者不禁的时候，在齐之社稷，燕之祖泽，宋之桑林，楚之云梦，郑之溱洧，陈之宛丘，这些地方，是当时农奴男女幽会之所，也是领主们狩猎妇女之场。所以许多农奴少女，往往“不见子都（她的爱人），乃见狂且（领主）”。

我们现在再看这个社会的另一面，即农奴的生活，那就会显示我们以一幅悲惨的画面。

当时的农奴们，住在矮小而破烂的土房或板屋，这种房屋，正如农奴自己所云：“予室翘翘，风雨之所漂摇。”（《鸱鸮》）在这小屋的旁边，照例有一块小得可怜的园圃，在这里栽种着蔬菜，有瓜棚和豆架，也有几棵桃李之属的果树。农奴们就从这个土屋出发，“三之日于耜，四之日举趾，同我妇子，馌彼南亩”（《七月》）。他们看到禾苗“四月秀葽”，就要准备“八月其获”。到了九月，就要“筑场圃”，十月就要把谷物打出来（《陨萚》），也就是十月，就要“纳禾稼”。于是一年辛勤之所得的“黍稷重穋，禾麻菽麦”（《七月》），还要附加一坛“春酒”，一只“羔羊”，一个“肥猪”，恭恭敬敬送到主人的公堂。并且还要向主人欢呼“万寿无疆”。因而农奴们自己所吃的是：“六月食郁及薁，七月亨葵及菽，八月剥枣。”有时“七月食瓜，八月断壶，九月叔苴”。到了十月以后，则只有依靠野草以为食，但是野草也不易采集，那些农奴妇女们，“终朝采绿，不盈一匊”，“终朝采蓝，不盈一襜”。而且好的野菜，也要献给主人。《诗》云，“于以采蘩，于沼于沚，于以用之，公侯之事”。所以结果便只有“采荼薪樗，食我农夫”。

农奴的妻女，终日掞麻，漂葛，绩丝，缝裘，而她们自己却过着“无衣无褐”（《七月》）的日子，所以“夏暑雨，小民惟曰怨咨，冬严寒，小民亦惟曰怨咨”（《周书·君牙》）。“妇叹于室”的声音，与“鹳鸣于垤”的声音，两相唱和，就诉出了他们的幽怨。时间偏偏过得很快，他们在穷苦中，听到“五月斯螽动股，六月莎鸡振羽，七月在野，八月在宇，九月在户，十月蟋蟀入我床下”。这饥寒交迫的日子又到来了。没有别的办法，只好“穹窒熏鼠，塞向墐户”，聊蔽风雨。一切都没有改变，只是又过了一年。于是农奴们不觉慨然而叹曰：“嗟我妇子，曰为改岁。”

但是明年还是如此，因此，当时的农奴，真是求生不能，求死不得。“谓天盖高”，而他们“不敢不局”；谓地盖厚，而他们“不敢不蹐”。逃亡吧，而他们又“匪鹑匪鸢”，可以“翰飞戾天”；“匪鳣匪鲔”，可以“潜逃于渊”(《四月》)。往南一望，则“维南有箕，载翕其舌”；往北一望，则“维北有斗，西柄之揭”(《诗·大东》)。所以他们说，“知我如此，不如无生”(《苕之华》)。

西周的庄园经济，就在这样的矛盾中发展。若两相对照，则当时的人群，正如《诗·北山》所云：“或燕燕居息，或尽瘁事国；或息偃在床，或不已于行；或不知叫号，或惨惨劬劳；或栖迟偃仰，或王事鞅掌；或湛乐饮酒，或惨惨畏咎；或出入风议，或靡事不为。”

经济的发展，也就是矛盾的发展。跟着赋役的加重，农奴生活之更加恶化，于是农奴的反抗情绪便开始爆发了。他们开始向领主抗议，他们说，你们“不稼不穑，胡取禾三百廛兮；不狩不猎，胡瞻尔庭有悬貆兮”(《伐檀》)。又说，我们“匪兕匪虎”，而“率彼旷野”；你们却“尔公尔侯，逸豫无期”。“行有死人，尚或墐之”，而你们“千斯仓”、“万斯箱”的谷物，却看着活人饿死。像你们这样的君子，“投畀豺虎，豺虎不食；投畀有北，有北不受”；只有“投畀有昊”。“有昊”者，天也。于是他们祷于苍天而祝曰：“骄人好好，劳人草草，苍天苍天，视彼骄人，矜此劳人。”

然而“视天梦梦”，并无反应，于是农奴便开始逃亡。《诗》云：“硕鼠硕鼠，无食我黍，三岁贯女，莫我肯顾，逝将去汝，适彼乐土，乐土乐土，爰得我所。”（《硕鼠》）又云：“黄鸟黄鸟，无集于谷，无啄我粟，此邦之人，不我肯谷。言旋言归，归我邦族。”（《黄鸟》）这些史诗，都是描写当时农奴逃亡的史实。然而在当时，又从哪里可以找到一块没有“硕鼠”和“黄鸟”的“乐土”呢？

不仅农奴如此怨愤逃亡，随着庄园经济之发展，封建的兼并战争已在进行了，在兼并战争中，许多小领主都失掉了自己的土地与人民，一变而为“琐兮尾兮”的“流离之子”。《诗》云“人有土田，女反有之；人有民人，女覆夺之”（《瞻卬》），正是描写这一事实。

这些没落的小领主，在以前，也是“每食四簋，今也每食不饱；”以前也是“夏屋渠渠”，今也“每食无余”（权舆）。以前娶妻“必齐之姜”或“宋之子”；今也望着“洽比其邻”的领主，“婚姻孔云”。以前食鱼“必河之鲂”或“河之鲤”；今也“泌之洋洋，可以乐饥”。这还有甚么话说呢？“已焉哉！天实为之，谓之何哉。”

但是虽然如此，而“王事”仍然“适我”，“政事”仍然“一埤益我”；而且“我入自外”，那些过惯了奢侈生活的“室人，交偏责我”。因此，这些没落的小领主，也就只有喊天，“悠悠苍天，曷其有所！”

随着经济的发展，社会的矛盾，一天天地更紧张了。到厉王二十一年至二十六年（西纪前八五八年——八五三年）恰好西周西北一带，又遭受着六年的大旱，因而农奴和没落的小领主的生活，更加恶化了。于是在厉王三十七年（西纪前八四二年），饥饿的农奴在没落的小领主共伯和的领导之下，爆发了历史上有名的“彘之乱”，而这也就是中国史上第一次的农民叛乱。

当叛乱爆发之前，厉王看到“民之无良，相怨一方”（角弓）的情形，曾经企图以高压的手段，予以镇压。《周语》云：“厉王虐，国人谤王；……王怒，得卫巫，使监谤者。以告，则杀之。……道路以目。”同时，并变本加厉，加强对农奴的榨取。《周语》又云：“今（厉）王学专利，其可乎？匹夫专利，犹谓之盗；王而行之，其归鲜矣。”这样一来，于是那些“无拳无勇”、“既微且尰”的农奴，和那些琐尾流离的小领主便暴动起来，打进了西周最高领主的皇宫，他们占领了西周的首都，组织了以小领主共伯和为首的革命政府。这就是《古本竹书纪年》所谓“共伯和干王位”，亦即《庄子》所谓“共伯得乎共首”的历史内容。

当首都陷于叛党手中的时候，西周的封建领主们，便拥立厉王之子靖，在彘的地方，再组织临时的中央政府；同时，并调集武装，展开对西郑叛党的反攻。叛党终于被消灭了，可是西周的社会，却遭受了很大的破坏。《诗》云：“天降丧乱，灭我立王。降此蟊贼，稼穑卒痒。哀恫中国，具赘卒荒。”（《桑柔》）

在宣王时代，由于四方八面的征伐，胜利地把西周的封建新秩序推向更广大的天地，由此而获得了初期封建社会之最终的完成。但是封建主义的发展，也发展了这个主义所内含的矛盾，特别又强化了种族之间的矛盾。到宣王末以迄于幽王的时代，随着西周的封建经济之蓬勃的发展，于是内外的矛盾，便相随而来了。

据文献所记，自宣王末年以至幽王时代（约在西纪前八百年代至七百七十年代之间），西周曾继续着长期的旱灾，而且还有猛烈的地震。[1]这次旱灾，不但河流池沼，完全涸竭，而且森林草木，皆干枯而死。[2]于是许多庄园，都变了荒原，因而发生了空前的饥馑，以致“民卒流亡，我居圉卒荒”。在这样的情形之下，当然到处要发生“蟊贼内讧”的事情。从而西周的政权，便根本陷于瓦解了。[3]

与旱灾平行，西周的政府，从西北又袭来了犬戎的威胁。[4]当时，西周的政府，已无力抵抗犬戎，因而《诗·召旻》云：“昔先王受命，有如召公，日辟国百里；

[1]《春秋繁露·郊祀》篇云：“周宣王时，天下旱，岁恶甚，王忧之，其诗曰，倬彼云汉……”《论衡·治期》篇云“诗道周宣遭大旱矣”，是皆不言在何年，惟《帝王世纪》云：“宣王元年以邵穆公为相，……王以不雨，遇灾而惧，整身修行，期欲以消去之”。《纲鉴易知录》载此事于宣王六年，《今本纪年》则谓在二十五年。又《今本纪年》谓“幽王三年冬，大震电。四年夏六月陨霜”。《国语》谓“幽王二年西周三川皆震。……是岁也，……岐山崩”。《今本纪年》谓“幽王二年泾、洛、渭竭，岐山崩”。《诗·十月之交》云：“烨烨震电，不宁不令。百川沸腾，山冢萃崩。高岸为谷，深谷为陵。”

[2]《诗·召旻》云：“池之竭矣，不云自频；泉之竭矣，不云自中。”又《云汉》云：“旱既太甚，涤涤山川，旱魃为虐，如惔如焚。”

[3] 同上云：“旱既太甚，散无友纪。”

[4]《今本竹书纪年》及《后汉书·西羌传》皆云“幽王命伯士伐六济之戎，军败，伯士死焉”。又《左》昭四年传云：“周幽为大室之盟，戎狄畔之。”

今也日蹙国百里。”

到幽王十一年（西纪前七七一年），犬戎之族，大举东犯，同时，原来被征服的“夏族”申人与缯人也叛变了，于是幽王便被杀于骊山之下，而今日之陕西全境遂入于西戎之手。平王乃被迫东迁洛邑，是为后来的东周。但是历史家却把西周之亡的责任，写在“褒姒”账上，这大概是根据夏亡于“妹喜”，商亡于“妲己”同样的公式吧。

第三章　西周社会的社会关系

第一节　等级制度的形成与西周的政治组织

在西周庄园制经济的社会中，一方面是土地所有者的领主；一方面是土地直接耕种者的农奴。此外，虽然也有工奴和贱奴，但他们在当时并不是生产之主要的担当者，因而当时社会生产关系之主要的构成，是领主与农奴之隶属关系。孟子曰："君子劳心，小人劳力。劳心者治人，劳力者治于人；治人者食于人，治于人者食人。"又说："无君子莫治野人，无野人莫养君子。"这里所谓"治人"与"食于人"之"劳心"的"君子"，正是领主，所谓"治于人"与"食人"之"劳力"的"小人"，则正是农奴。

农奴的前身，大部分，都是殷代的奴隶，也有少部分，是殷代的自由民及殷末诸氏族的成员。至于庄园主人或领主，则大部分都是周族的武士，也有少部分是由殷代奴隶所有者与殷末诸氏族的首长转化而来。因此，人还是一样的人，所不同的，只是他们的属性改变了。人的属性之改变，乃是土地所有的属性之改变所引起的结果。

如前所述，西周的土地，在名义上都是属于国王所有。国王以之分封于诸侯，诸侯以之分封于大夫，大夫以之分封于士；至于士，则以之直接分配于庶人。这样便完成了土地之封建所有的实践过程。

由于土地之由上而下地一级一级分封下去，于是形成了各级的土地所有者。所谓“公食贡，大夫食邑，士食田”者，此之谓也。惟庶人“无田”，所以只有“食力”。

由于土地之等级的所有，又构成了土地所有者之人格的等级隶属关系。所谓“王臣公，公臣大夫，大夫臣士”者，正是土地所有的属性之人格的表现。惟庶人“无土地”，故只有“臣于人”而不能“有所臣”。

由于土地之等级的所有与人格之等级的隶属，又构成了等级的榨取关系，而这就是自庶人以次而上达于天子的贡纳制。[1]惟天子再无上司，故无所贡，只有供于神。而这就是所谓："下所以事上，上所以供神也。"

这种等级从属的关系，也表现为军事上之等级支配。国王有征伐，则诸侯须监王事。[2]《诗》云："王于兴师，修我戈矛。"（《无衣》）又云："天子命我，城彼朔方。"（《出车》）又云："王于出征，以佐天子。"（《六月》）若诸侯有战争，则"三事大夫，莫肯夙夜"（《雨无正》）。以为诸侯赋车借马，征兵募饷。而最后，称戈比矛效死疆场者，则为农奴。

此外，在裁判上，也表现为等级的服从。在每一封区内，诸侯当然是最高的裁判者，因为他们曾被赋予以"专

---

[1] 诸侯，大夫，士皆为领主，庶人对于领主的贡纳，前已言之。关于小领主对大领主的贡纳，到春秋时已变成苛刻繁重之榨取，在西周时，当亦有之。《陈侯午敦铭》云："陈侯午以群诸侯献金。（中略）保有齐邦。"此所谓群诸侯，当系齐之臣属。又据《左》僖四年传载，齐桓公责楚子之言曰："尔贡包茅不入，王祭不共，无以缩酒，寡人是征。"则楚之于西周天子，原来亦曾有包茅之贡也。

[2] 金文中关于诸侯从征天子之记载甚多，如《唯叔鼎铭》云："唯叔从王南征。"《贞敦铭》云："贞从王伐梁。"《噩侯鼎铭》云："王南征伐□，惟还自征，在杜，噩侯驭。"

扬于国”之特权。但在整个封建国家内，则天子保有最高裁判之权。例如《鬲攸从鼎铭》中所载之攸卫、鬲从的争执，《散氏盘铭》所载之散氏、矢氏的争执，皆系控诉于国王，最后由国王之裁判而获得解决。这种天子所保有之最高裁判权，到春秋时，才随着王权之旁落而归于消逝。代之而起的，是诸侯之间的武力解决与盟会调停。

西周的政治，就建筑在这种等级从属的社会关系之上，而构成其等级支配的政治组织。在这种政治组织中，天子是地上的最高权力之代表。在天子之下，有中央政府的组织。《书·酒诰》云："越在内服：百僚，庶尹，惟亚，惟服，宗工，越百姓里居（君）。"此所谓"内服"，即指中央政府而言。此所谓"百僚""庶尹"等，即指中央政府的官吏而言。以天子为首之中央政府，是西周政府之最高的权力机关，它统辖着无数以诸侯为首之地方政府。此种地方政府，在当时称之曰天子之"外服"。《书·酒诰》云："越在外服：侯甸、男卫、邦伯。"此所谓"外服"，正是指地方政府而言，而侯、男、邦伯，则系指地方诸侯而言。

当时中央政府的组织，极为庞大。官吏的名称，亦极为复杂,《书·立政》篇中有“准夫、牧作三事,虎贲,缀衣、趣马、小尹、左右携仆、百司、庶府、大都、小伯、艺人、表臣、百司、太史、尹伯、庶常吉士、司徒、司马、司空、亚旅”。此外见于《泰誓》者,尚有御事,师氏。这些就是《金縢》所谓“诸史及百执事”,亦即所谓“侍御之臣”。《诗》云:“百辟卿士,媚于天子。”(《假乐》)此之谓也。

这些官职,大概都见于《诗经》。《诗》十月云,“皇父卿士”,番维“司徒”,家伯维“宰”,仲允“膳夫”,聚子“内史”,蹶维“趣马”,楀维“师氏”,……择“三有事”,“亶侯多藏”。《诗·载芟》云:“‘侯王’‘侯伯’,‘侯亚’‘侯旅’。”《诗·雨无正》云:“‘三事大夫’,莫肯夙夜。”《诗·野有死麕》云:“有女怀春,‘吉士’诱之。”以此证之,足见《周书》所载,皆系事实。这些官吏,大概统率于总宰而直隶于天子,于以构成中央政府之组织。《诗》云:“王命仲山甫,式是百辟。”(《烝民》)又云:“丕显维德,百辟其刑之。”(《烈文》)

周代的国家,在外则有各级诸侯,“四国于蕃,四方于宣”。“方行天下”,“维周之翰”。在内则有各级卿士,“朝夕从事”,“莫肯夙夜”,“何戈与祋”,为“王之爪牙”。

于是西周的天子便“抚万邦，巡侯甸”，“六服群辟，罔不承德”(《书·周官》)。当时诗人为之颂曰:“四方攸同，皇王维辟。”此之谓也。

第二节　爵位的等级制与所谓“五服”、“五等”之说

西周地方政府的组织，曾有“五服”、“五等”之说。所谓“五服”者，即谓依据诸侯封地之远近而封区有甸、侯、宾、要、荒五服之分。《荀子·正论》篇云:“封内甸服，封外侯服，侯卫宾服，蛮夷要服，戎狄荒服。”《国语·周语》亦云:“夫先王之制，邦内甸服，邦外侯服，侯卫宾服，蛮夷要服，戎狄荒服。”“五服”之说，至于刘歆，则更扩而大之，于是在《周礼·夏官·大司马》篇，遂出现为“九畿”之说。所谓“九畿”者，即侯、甸、男、采、卫、蛮、夷、镇、蕃是也。[1]

[1]《周礼·夏官·大司马》云:“九畿之籍，施邦国之政职，方千里曰国畿；其外方五百里曰侯畿；又其外方五百里曰甸畿；又其外方五百里曰男畿；又其外方五百里曰采畿；又其外方五百里曰卫畿；又其外方五百里曰蛮畿；又其外方五百里曰夷畿；又其外方五百里曰镇畿；又其外方五百里曰蕃畿。”

考“五服”之说，首见于《尚书·禹贡》，盖战国时代儒家伪托之词也。至若“九畿”之说，则又为汉代儒家之理想的构图。实际上，周初的疆域，既无此广大，亦无此整齐划一。而且“五服”之说，置戎狄之服于蛮夷之服以外五百里，尤与实际情形不符。西周王畿在陕西，王畿之内，即有戎狄；而蛮若夷，则散布淮岱，远在南邦。颠倒事实，莫此为甚。其次，若依“五服”之说，则西周疆域，东西南北，皆已扩展至二千五百里以外之地。考之事实，则周直至宣王时代，其疆土之开拓，亦无如此之广大，此又与事实不符。

考之金文，并无“五服”之说。只有《令彝铭》中有;“众诸侯，侯田男”之记载。[1]而此所谓“侯田男”者，实即“众诸侯”之称谓，并非所谓“服”也。再考之《尚书·周书》其他各篇，亦无“五服”之说。《康诰》中曾有“侯甸，男邦，采卫”之语，[2]但此云“侯甸、男邦，采卫”者，系指侯之甸、男之邦，采之卫而言，并非谓

[1]《令彝铭》云:“明公朝至玗成周祉令，舍三事令。众卿旋（史）寮，众者（诸），尹众里君，众百工，众者（诸）侯，侯田男。”

[2]《书·康诰》云:“周公初基，作新大邑于东国洛，四方民大和会，侯甸男邦采卫，百工播民和垷于周。”

“侯”、“甸”、“男”、“采”、“卫”各为一“服”。《召诰》中亦有“侯甸，男邦伯”一语，[1]但此亦系指“侯甸”、“男邦”之“伯”，非谓“侯”、“甸”、“男”各为一“服”。《书·酒诰》云：“汝劼毖殷献臣，侯甸，男卫。”《书·君奭》云：“明恤小臣，屏（并）侯甸。”《书·周官》云：“惟周王抚万邦，巡侯甸。”凡此所谓侯甸、男卫，皆系用于侯之甸、男之卫的意义，并非侯、甸、男、卫，各为一义，从而各为“一服”也。

我以为“甸”之为言，犹领土也。《书·立政》云：“式商受命，奄甸万姓。”“服”之为言，亦领土也。《诗》云：“上帝既命，侯于周服。”“卫”之为言，与“甸”、“服”同义。《传》云：“选建明德，以藩屏周。”故侯甸、男卫者，即侯领与男领之谓也。而所谓采服者，亦即采邑之领土，至于宾服、荒服，则为后来儒家所窜入，盖用以足成五服之数者也。《微栾鼎铭》中，曾有“骏治九服”一语，实则此所谓“九服”者，与《诗·商颂》“奄有九有”之“九有”，正同其意义，乃泛言领土之广大而已。

其次，西周诸侯的爵位，曾有“五等”之说，所谓

[1]《书·召诰》云：“周公乃朝用书命庶殷，侯甸男邦伯。”

五等者，即谓因诸侯封地之大小，而诸侯爵位因而有公侯伯子男五等之差。《礼记·王制篇》云：“王者之制爵禄，公侯伯子男，凡五等。”《孟子·万章》篇记孟子答北宫锜周室班爵之问曰：“天子一位，公一位，侯一位，伯一位，子男同一位，凡五等也。……天子之制，地方千里，公侯皆方百里，伯七十里，子、男五十里，凡四等。不能五十里，不达于天子，附于诸侯，曰附庸。”

如此说来，则周初岂不有无数方百里，方七十里，方五十里，以及方不及五十里之四方形的封区？果如此说，则周初的封建，必须在完成了领土的开拓以后，而且还须事前进行土地的测量，然后才能实现这样的封建。这当然是一种幻想。

周代并无四方形的封区，已如前述。同时周代的封建，亦并非完成了领土之开拓以后才开始的。《左》定四年传云：“昔武王克商，成王定之，选建明德，以藩屏周。”《书·康诰》亦云：“周公初基，作新大邑于东国洛，四方民大和会，侯甸、男邦、采卫，百工播民和见士于周。”据此，则在成王时代，周室已大班爵禄，而西周之大辟疆土，则在宣王时代。又周初的封建，并非先有现存之土地而后规其大小以为分封，乃系因武士占领之土地而封赐之。如因周公已经奠定商奄，才命以伯禽，俾侯于鲁。因唐叔已经攻占山西，然后才分以怀姓九宗，而封于夏墟，又如因夏之后聚于杞，而遂封之于杞；殷之后聚于宋，而遂封之于宋。又如《诗·崧高》述宣王封申伯事，上云："亹亹申伯，王缵之事，于邑于谢，南国是式。"下云："王命申伯，式是南邦，因是谢人，以作尔庸。"是亦因申伯已经"南国是式"，才命之"式是南邦"。因其已经"于邑于谢"，才命之"因是谢人"。又《诗·韩奕》述宣王封韩侯事，上云："溥彼韩城，燕师所完，以先祖受命，因时百蛮。"下云："王锡韩侯，其追其貊，奄受北国，因以其伯。"是亦因韩侯已经占领了韩城，已经自先祖以来，就受命"因时百蛮"，所以才命之"奄受北国，因以其伯"。凡此，皆足以证明周初的封建，皆系对于既存的事实，加以追认的性质。"因是谢人"，"因以其伯"，"因商奄之民"，皆系最明显之例证。即因是因其既存之事实，所以西周的天子，便不能规其大小而制其封地之等差。诚然，当时各武士所占领的土地，其面积亦有大小之别，但亦决不能如孟子所云，恰恰是百里、七十里、五十里之正方形的等差。因此，这种封地的等差之说，显然是战国时代的儒家，目击当时诸侯领地过于庞大所引起的一种感慨而已。

按《书·武成》曾有“列爵惟五，分土惟三”一语，“列爵惟五”，当系指公、侯、伯、子、男而言，但“分土为三”，则并非谓“公侯皆地方百里，伯七十里，子男五十里”，而系指天子分土于诸侯，诸侯分土于大夫，大夫分土于士；此种土地之等级分配而言。孟子之说，或即“分土为三”之误解。

关于“列爵惟五”之爵位的等级制，在西周确曾存在。公、侯、伯、子、男五种名称，皆见于周金彝中。在周金彝中，其以“公”名器者，有“周公簋”、“召公尊”、“秦公簋”、“毛公鼎”等。其以“侯”名器者，有“齐侯钟”、“鲁侯鬲”、“曾侯钟”、“噩侯鼎”等。其以“伯”名器者，有“羌伯簋”、“北伯鼎”、“并伯簋”、“格伯簋”等。其以“子”名器者，有“许子妆簠”、“鄦子师钟”，此外《太保簋铭》中亦见“录子”之称。其以“男”名器者，不见于周金彝，但趞小子簋铭中有“[illegible]男”，《内𣪘尊铭》中有“寺男”。

此种爵位制的形迹，亦见于《诗经》。《诗·破斧》云：“周公东征，四国是皇。”《閟门宫》云：“乃命鲁公，俾侯于东。”是《诗经》中有“公”也。《载驰》云：“载驰载驱，归唁卫侯。”《韩奕》云：“王锡韩侯，其追其貊。”是《诗经》中有“侯”也。《崧高》云：“申伯之功，召伯是营。”《黍苗》云：“悠悠南行，召伯劳之。”是《诗经》中有“伯”也。《敝笱》云：“齐子来止，其从如云。”《巷伯》云：“寺人孟子，作为此诗。”是《诗经》中亦有“子”也。惟《诗经》中无“男”的称谓，与金文中“男”之少见，适相吻合。此外，如《诗·白驹》云：“尔公尔侯，逸豫无期。”《诗·兔罝》云：“赳赳武夫，公侯干城。”《诗·伯兮》云：“伯也执殳，为王前驱。”从此可以看出，周初对于公、侯、伯，分别得很明白。

此种爵位制，是否用以表示诸侯之等差呢？我以为在周初确系用以表示诸侯的等差。因为当时武士占领的土地有大小，同时，他们与天子的关系亦有亲疏，而这就是爵位的等级之所以发生的原因。《诗·硕人》云：“硕人其硕，衣锦褧衣。齐侯之子，卫侯之妻，东宫之妹，邢侯之姨，谭公维私。”在同一诗中，于齐于卫，则曰“侯”，于谭则曰“公”，足见公侯在当时实有分别。《左》襄十三年传曰：“自王以下，朝聘玉帛不同，故敝邑之职贡于吴，有丰于晋，以为‘伯’也。”又《左》昭十三（年）传云：“郑伯‘男’也，而使从‘公’‘侯’之贡。”由此足证公、侯、伯、子、男之爵位的等差，在西周时确曾存在，而其陷于紊乱，则始于西周末年，而盛于春秋战国时代。其所以陷于紊乱的原因，则是由于封建兼并战争所引起之结果。

第三节　西周的“庶人”是“奴隶”还是“农奴”？

最后，我们说到西周的庶人。

如前所述西周的庶人，最主要的成分是农奴，亦即所谓“播民”。此外亦有工奴和贱奴，亦即所谓“众百工”及“左右携仆”。此种农奴工奴与贱奴，通称之，则曰“臣”，曰“妾”，曰“白丁”，曰“厘仆”，曰“夫”。农奴工奴及贱奴，他们在生产上所担负的任务及任务的重要性，虽各不相同，但其对领主之人格的从属，则是相同的。因为在封建制的生产方法之下，必须要有人身的隶属关系，换言之，必须要有某种程度之个人身体的不自由和束缚于土地而成为土地之附庸，才能达到超经济的强制之榨取的目的。所以西周庄园制的经济，一方面是土地的私有；另一方面，是农民的奴属。

在周初，天子常常将农民连同其土地而分赐其左右。据《左》定四年传所述，成王一次就赏给鲁公以殷民六族，康叔以殷民七族，唐叔以怀姓九宗。此外金文中赐臣仆的记载，也非常之多。如《令簋铭》云："姜赏令贝十朋，臣十家，鬲百人。"《大盂鼎铭》云："（前略）锡女邦𤔲四伯（百），人鬲自驭，至于庶人六百又五十又九夫。锡𤔲王臣十又三伯（百），人鬲千又五十夫。"《麦尊铭》云："锡者𤕌臣，二百家。"《周公簋铭》云："锡臣三品：州人，𠅗人，𦤎人。"诸如此类之记载，不胜枚举。

当时的农奴，不仅可以用于赏赐，亦可用于买卖。《曶鼎铭》云："我既卖（赎）女五夫，效父用匹马束丝……卖𢆶（兹）五夫，用百寽（锊）。……受𢆶五夫：

曰陪，曰恒，曰耦，曰鑫，曰青。由此足见当时农奴可与牛马丝布互易，而其价格则“五夫值百锊”，“一夫值二十锊”，又《君夫簋铭》亦云:“王命君夫曰:‘價（赎）求乃友。’”此所谓友，或亦君夫之农奴而被卖出者，故王命其赎回。

农奴不仅可以买卖，而且可以用于偿债。《曶鼎铭》云:“昔馑岁，匡众厥臣廿夫寇曶禾十秭，以匡季告东宫。东宫乃曰:‘求乃人，乃（如）弗得，女匡罚大。’匡乃䭫首于曶，用五田，用众一夫曰益，用臣曰疐曰朏，曰奠，曰‘用兹（兹）四夫’。䭫首曰:‘余无逌具寇，正□不□𢱧余。’曶或（又）以匡季告东宫。曶曰:‘必唯朕□赏（偿）。’东宫乃曰:‘赏曶禾十秭，𧷎（遗）十秭为廿秭。□来岁弗偿，则倍卅秭。’乃或（又）即曶用田二，又臣□一夫，凡用即曶田七日，人五夫，曶觅匡卅秭。”这个铭文，是记载在一个荒年，匡之农奴，取了曶之禾十秭。曶人告匡人于王，后由王裁判，令匡人赔偿曶人之禾廿秭。又用匡之农奴五夫，为曶人种田七日。这样看来，农奴亦可偿债。

因为西周的农奴可以赏赐，可以买卖，可以抵债，所以他们被当时的领主当作一种活的财产。《颂鼎铭》云："令女官𤔲成周，贮廿家。"这里所谓"贮廿家"，即"赋廿家"之意。由此而知当时的领主不以土地，而以农奴的数目决定其收入。因为没有农奴，土地永远还是土地，它提供领主的，只是一片荒草而已。

即因农奴是财富的源泉，所以就要严格的限制他们的逃亡，及相互之间的攘夺。《书·费誓》云："马牛其风，臣妾逋逃，勿敢越逐；祗复之，我商（赏）赉（赐）尔，乃越逐不复，汝则有常刑。毋敢冦攘，逾垣墙，窃牛马，诱臣妾，汝则有常刑。"这样看来，西周的农奴，在领主看来，几乎和牛马一样。

即因西周的农奴对领主保持严格之人身隶属的关系，所以看起来，他们几乎不是农奴而是奴隶。但是他们与奴隶不同的，就是因为他们大半都是连同土地而被赏赐。例如《大克鼎铭》云："锡女田于埜锡女田于渒，锡女井家𤔲田于畯山，以厥臣妾。锡女田于康，锡女田于匽，锡女田于𨻰原，锡女田于寒山，锡女史，小臣……"《子仲姜镈铭》云："侯氏锡之邑二百又九十又九邑，与邶之民人都鄙。"《齐侯铭》云："锡女……其县二百……造国徒二千……厘仆二百又五十家。”《叔夷钟铭》云:“锡女……其县三百……造国徒四千。”《不䵼簋铭》云:“锡女弓一,矢束,臣五家,田十田,用从乃事。”这些都是最好的例证。此外,如《曶鼎铭》中所记,“用田五,用众一夫”“用田二,用臣四”,又证明当时的农民与田土是分不开的,因而亦即田土之附庸。所以西周的臣仆是农奴,不是奴隶。

至于以殷民六族赐鲁公,殷民七族赐康叔,怀姓九宗赐唐叔,看起来仿佛是“种族奴隶”,实际上,是因为他们已有其地,故不得不“因”其土地上之人民。而当时的人民,又尚保有其血缘关系。多聚族而居,故云几族几宗。《诗》云:“乃命鲁公,俾侯于东,锡之山川,土田附庸。”由此可以推知当时康叔唐叔,之或“因”殷民,或“因”夏族,皆系田土山川上之“附庸”,正与王命申伯之“因是谢人,以作尔庸”,是同样的意义。所以殷民六族七族及怀姓九宗,并不是“种族奴隶”,而是“农奴”。

他若工奴与贱奴,则更接近于奴隶,但是他们与奴隶不同的地方,就是他们已经被允许有其自己的私有财产,从而有其自己的家庭组织,所谓“臣几家”者是也。

总之，在西周时，农奴对领主之人身隶属关系，还是非常强烈，而这种人身隶属关系之逐渐松懈，则是在西周末年佃耕制开始以后。

我们对于这样的事实，不必引为惊奇，因为这不是中国史上所独有的奇迹，而是世界史上一般存在过的现象。例如十八世纪的俄国，那些荒淫的女皇，常常把成千成万的农民，连同其土地，赏给她们的情人。比如伊利萨伯女皇给拉苏莫夫斯基伯爵一人，就赠送了十一万五千名农奴。叶卡铁林娜二世女皇在位三十五年，共计赐赠的农奴达八十五万人。而当时俄国的领主，可以把农奴出卖，可以把农奴交换狗马，可以把农奴用作抵押而获得借款。李昂捷也夫《政治经济学讲话》曾摘录一七九七年莫斯科公报的一种拍卖广告。其文曰：“兹愿出卖家庭匠工，计裁缝二人，鞋匠一人，厨子一名，车匠一名，轮匠一名，雕刻匠一名，镀金匠一名，马夫二名，行为均佳。愿购者请驾临五十一号第四弄第三部地主本人处，看人议价。本处并出卖跑马二匹，牡马一匹，阉马一匹，猎犬五十只。”这样看来，西周的领主较之十八世纪俄国的领主，实犹小巫之于大巫也。

第四章　西周社会的意识诸形态

第一节　宗教——天道设教与祖先崇拜

适应于殷周之间的这一历史变革，建筑于其上的意识诸形态也跟着变革了。西周的封建领主，不但在新的经济基础之上，建立了新的等级支配的政治体制，也创造了与之相适应的宗教、哲学、文学和艺术，完成了一个由下而上的彻底的全面的历史变革。

反映以天子为首之等级制度的内容，在西周便出现了以上帝为首之山川百神的宗教。《周书·武成》云:“予小子，其承厥志，厎商之罪，告于皇天后土，所过名山大川。”《宗周钟铭》云:“惟皇上帝百神，保余小子，朕犹有成亡竞，我惟思配皇天。”这里所谓上帝，当然就是象征天子；而山川百神，则是象征天子以下之各级领主。因为“普天之下，莫非王土”，所以天子祭天地、因为诸侯曾有山川田土之赐，所以诸侯祭山川。至于诸侯以下之各级领主，皆有其各自所祀之神。《孟子》曰：“惟士无田则亦不祭，”由此可知有土斯有神，无土则无神，而神也者，乃系土地所有之象征。神的等级也是土地所有者的等级之抽象。由于土地所有的属性之抽象，于是人间的社会，搬上了天堂。

即因上帝之国，不在人间，而在天上，所以上帝同时又称曰“天”，曰“昊天”，曰“皇天”，曰“苍天”。天也者，风云之所兴，雨露之所降，震电雷霆之所闪击，而日月星辰之所附丽也。换言之，即神秘的自然力之所蕴藏与出发，而这样的皇天，这样的上帝，当然会成为在自然力支配之下的农奴之最高的信仰。因此，西周的封建领主，便利用“天道”设教，以行使其对农奴的统治。

西周的国王，首先把天的权威引渡到自己的身上，从而把农奴对天的信仰，引渡到对自己的信仰，于是遂向农奴宣言，他是天的儿子，因而自称曰“天子”。《诗·时迈》云：“时迈其邦。昊天其子之，……允王维后。”《书 · 召诰》云：“皇天上帝，改厥元子。”这样说来，西周的国王，同时又是“上帝的元子”。因而他们“一半是人，一半是神”了，从而他们的血统，不是“人统”，而是“天统”了。《书 · 召诰》云：“王来绍上帝，自服于土中。”正是说明“下帝”与“上帝”的血统关系。

西周的国王，虽然是上帝的儿子，但人间和天上，究竟是两个世界，为了沟通这两个世界的关系，于是西周的国王，遂成为天人之间的中介。《诗 · 桓》云：“于昭于天，皇以间之。”《书 · 泰誓》云：“惟天惠民，惟辟奉天。”这些诗句，很明白地说明了这种关系。

天人交际的实践，当然要通过宗教的仪式，而这就是祭祀，即所谓“类于上帝”、“告于皇天”者是也。于是“卬盛于豆，于豆于登”，以祭上帝；于是“其香始升，上帝居歆”（《生民》）。在祭祀的典礼中，西周的国王，居然请到了上帝，儿子和父亲见面了。于是西周的国王向人民说：“皇天既付我中国民，越厥疆土。”“予惟小子，不敢替上帝命。”只好“诞膺天命，以抚方夏。”因为“予弗顺天，厥罪惟钧。”予既“恭承天命”，君临中国，所以“尔尚敬逆天命，以奉我一人”。这样便完成了天道的说教。

不仅西周的国王，是奉若天命来到人间，其他各级封建领主，都是受命于天。《书·泰誓》云："天佑下民，作之君，作之师，惟其克相上帝，宠绥四方。"《书·吕刑》云："王曰：'嗟！四方司政、典狱，非尔惟作天牧。'"《诗·文王》云："上帝既命，侯于周服。"《诗·假乐》云："假乐君子，显显令德。宜民宜人，受禄于天。"这些文献，都说明了在西周时，不仅国王自命为天子，即天子以下之诸侯以至群牧，无一非上帝所命。因而构成了神权政治之整然的系统。

这些上帝的儿女们，在接受天命之后，于是打起上帝的旗子，方行人间，以残害于百姓。现在领主们向农奴宣告："上帝临女，毋贰尔心。"又曰"惟天阴骘下民"，"作善，降之百祥；作不善，降之百殃"。天可以福善祸淫。天可以降凶降戾，天可以离逖尔土，天可以剿绝尔命，一切休祥，一切苦难，都不是来自社会，而是来自皇天，来自上帝。

善恶是上帝衡量农奴的标准，而对上帝的代理人之忠实与否，又是善恶的标准。因此，领主们又向农奴宣告，只要农奴“无偏无陂，遵王之义；无有作好，遵王之道；无有作恶，遵王之路”(《洪范》)。则天将矜尔，否则便是“自绝于天”。但是，事实上，当时有些领主作不善而反降之百祥；有些农奴作善而反降之百殃，这似乎上帝太不公平。于是领主又向农奴说“非天不中，惟人在命”(《吕刑》)。善哉！“惟人在命”呵！

明明在上者天也，或上帝也。赫赫在下者，天子，诸侯，大夫，士也，他们虽上下悬隔，实则一而二，二而一者也。故领主们又向农奴宣告，他们不仅是地上的权力者，而且是天上的权力者。如“王省惟岁，卿士惟月，师尹惟日”，而庶民则惟星。因此，庶民之于天子，必须如众星之拱北辰。因为领主们同时又是天上的权力者，所以他们不仅掌握对人民生杀予夺之大权，而且也掌握操纵自然力之大权。他们可以时雨，时旸，时燠，时寒，时风，也可以恒雨，恒旸，恒燠，恒寒，恒风。而天气之或“时”或“恒”，则视农奴之貌、言、视、听、思之或“好”或“坏”以为转移。这样一来，于是所有的领主，都是农奴的上帝了。

因为上帝是西周天子的象征，所以到西周末，随着天子权威的衰落，上帝的信仰也动摇了。当此之时，怨天之声，盈溢乎人间。他们说："天之抏我，如我不克。"（《正月》）"悠悠苍天，曷其有所？"（《鸨羽》）"上帝板板，下民卒瘅。"（《板》）"倬彼昊天，宁不我矜？"（《同上》）"瞻卬昊天，则不我惠。孔填不宁，降此大厉。"（《瞻卬》）"昊天不傭，降此鞠讻。昊天不惠，降此大戾。"（《节南山》）不仅如此，他们并且对于皇天上帝，提出了抗议。《诗·雨无正》云："浩浩昊天，不骏其德。降丧饥馑，斩伐四国。旻天疾威，弗虑弗图。舍彼有罪，既伏共辜，若此无罪，沦胥以铺。"又《诗·巧言》云："悠悠昊天，曰父母且。无罪无辜，乱如此幠。昊天已威，予慎无罪。昊天大幠，予慎无辜。"最后，如《诗·小弁》所云："何辜于天，我罪伊何？""天之生我，我辰安在？"则已经是向皇天上帝，提出了质问。由此而知到西周末，天道观已经动摇了。

与上帝的崇拜平行的发展，是祖先的崇拜。祖先的崇拜，也反映出等级制度的内容。《国语·楚语》云："祀加于举，天子举以大牢，祀以会；诸侯举以特牛，祀以大牢；卿举以少牢，祀以特牛；大夫举以特牲，祀以少牢；士食鱼炙，祀以特牲；庶人食菜，祀以鱼。上下有序，民则不慢。”由此而知反映于祭祀祖先之典礼上的等级制，直至春秋时代，尚整然未乱。

如前所述，祖先崇拜，在氏族社会，即已开始；不过在当时，因为万人平等，所以有人即有鬼，凡鬼皆有祭。降至殷代，由于大多数人类沦为奴隶而失去了“人格”，因而也失去了“鬼格”；所以奴隶无祖，以主人之祖为祖。到西周时，由于奴隶转化为农奴，因而又恢复了一半人格，从而也恢复了一半鬼格。所以在西周时庶人有祭。

根据天道设教的原则，天子死后，其灵魂仍然回到天上，回到上帝的左右。[1]因此，西周的国王以其祖先比于上帝，[2]从而把祭祀祖先与祭祀上帝，看作同样重要的祀典。[3]

---

[1]《诗·文王》云：“文王陟降，在帝左右。”《诗·下武》云：“三后在天。”三后者，王季、文王、武王也。

[2]《诗·思文》云：“思文后稷，克配彼天。”

[3]《泰誓》上宣布商纣罪状云：“弗事上帝神祇，遗厥先宗庙弗祀。”《泰誓》下云：“郊社不修，宗庙不享。”

西周的领主祭祀祖先，皆在祖庙，[1]亦有临时筑坛以祭于郊者。[2]他们或仅祭其祖，[3]或祖妣同祭。[4]享用牛羊，[5]蒸以酒醴。[6]卜有巫祝，[7]尸用少女。[8]既有音乐，又有歌舞。[9]当此之时“玄酒在室，醴醆在户。粢醍在堂，澄酒在下。陈其牺牲，备其鼎俎。列其琴瑟，管磬钟鼓”

---

[1]《诗·清庙》云：“于穆清庙，肃雝显相，济济多士，秉文之德。对越在天，骏奔走在庙。”《书·武成》云：“丁未，祀于周庙。”

[2]《书·金縢云：“既克商二年，王有疾，弗豫，……（周公）为三坛同墠，为坛于南方北面，周公立焉，植壁秉珪，乃告大王，王季，文王。”

[3]《书·洛诰》云：“予不敢宿，则禋于文、武王。”《诗·天保》云：“禴祠烝尝，于公先王。”

[4]《诗·载芟》及《丰年》皆云：“为酒为醴，烝畀祖妣。”《诗·雝之章》云：“既右烈考，亦右文母。”

[5]《诗·我将》云：“我将我享，维牛维羊。”《诗·楚茨》云：“济济跄跄，洁尔牛羊，以往蒸尝。”

[6]《诗·信南山》云：“祭以清酒，从以骍牡，享于祖考。”《诗·楚茨》云：“以为酒食，以享以祀。”《诗·行苇》云：“或献或酢，洗爵奠斝。”

[7]《诗·有瞽》云：“有瞽有瞽，在周之庭。设业设虡，崇牙树羽。应田县鼓，鞉磬柷圉。既备乃奏，箫管备举。喤喤厥声，肃雝和鸣，先祖是听。”《诗·楚茨》云：“工祝致告。”

[8]《诗·采蘋》云：“谁其尸之，有齐季女。”《诗·凫鹥》云：“公尸来燕来处。”

[9]《诗·行苇》云：“或燔或炙”，“或歌或号。”《诗·閟宫》云：“万舞洋洋，孝孙有庆。”《诗·那》云：“猗于那与，置我鞉鼓。奏鼓简简，衎我烈祖。”又云：“鞉鼓渊渊，嘒嘒管声，既和且平，依我磬声。……穆穆厥声。庸鼓有斁，万舞有奕。”

（《礼运》）。“礼仪既备，钟鼓既戒。孝孙徂位，工祝致告。神具醉止，皇尸载起。鼓钟送尸，神保聿归。”（《楚茨》）礼毕之后，于是“诸宰君妇，废彻不迟。诸父兄弟，备言燕私。”（同上）于是：“自堂徂基，自羊徂牛。鼐鼎及鼒，兕觥其觩。旨酒思柔，不吴不敖。胡考之休。”

总上以观，则祭天与祭祖，就是西周时代的宗教之主要的内容，而这与自然力支配之下的农奴的意识，是相适应的。

第二节　科学、文学与艺术

随着农业的发展，天文学也有了进步。在西周时，一年四季，已经有了明晰的划分。如云：“春日迟迟，草木萋萋。”（《出车》）“四月维夏，六月徂暑。秋日凄凄，百草具腓”。“冬日烈烈，飘风发发。”（《四月》）因为在庄园经济中，季节的转换，对于农奴的生活，具有极其重要的意义。

西周对于一月的时间之再划分，与殷代不同，殷代是三分法，西周则为四分法。所谓四分法者，即把一月的时间划分为四周。第一周曰“初吉”，如《诗·小明》云：“二月初吉。”“初吉”者，即最初之一周。第二周曰“既生霸”；或曰“哉生魄”，《书·康诰》云：“惟三月哉生魄。”“霸”与“魄”皆指月而言，到第二个七天，月已生，故云“既生霸”，或“哉生魄”也。第三周曰“既望”，《书·召诰》云：“惟二月既望。”“望”字，甲文作，像人举目望月之形，故“既望”云者，即表示在第三周内，月已团圆，故人望之之意。第四周曰“既死霸”，又曰“旁死魄”，《书·武成》云：“惟十一月壬辰，旁死魄。”“死霸”或“死魄”者，即指明在第四周内，已不见月之意。

周初纪日，仍沿殷法，不系日于月，而系日于所举出之日。《书·召诰》中有一段纪事，可以看出当时系日之法。《召诰》有云：

> 越若来，三月，惟丙午朏（初三），越三日戊申（初五），太保朝至于洛，卜宅；厥既得卜，则经营。越三日庚戌（初七），太保乃以庶殷攻位于洛汭。越五日甲寅（十一），位

成。若翼日乙卯（十二），周公庙至于洛，则达观于新邑营。越三日丁巳（十四），用牲于郊，牛二。越翼日戊午（十五），乃社于故邑，牛一，羊一，豖一。越七日甲子（二十一），周公乃朝用书，命庶殷，侯、甸、男邦伯。

这一段话，乃是记载自三月三日至三月二十一日之间所经历之事，但并不系日于月，而仅用越几日以指示日与日间之距离。

西周时代的人，对于日蚀与月蚀，曾有记录。《诗·十月》云："十月之交，朔日辛卯，日有食之，亦孔之丑。彼月而微，（月蚀）此日而微，（日蚀）今此下民，亦孔之哀。"不过他们还不了解日蚀与月蚀的道理，只是把它们当作不祥之兆而已。

当时的人，对于星辰，也有不少的知识。《诗·大东》云："维天有'汉'，监亦有光。跂彼'织女'，终日七襄。虽则七襄，不成报章。睆彼'牵牛'，不以服箱。东有'启明'，西有'长庚'。有捄'天毕'，载施之行。维南有'箕'，不可以簸扬；维北有'斗'，不可以挹酒浆；维南有‘箕’，载翕其舌；维北有‘斗’，西柄之揭。”由此看来，他们已经认识了许多星辰的位置和形象。不仅如此，他们已经知道“月离于‘毕’，俾滂沱矣”(《渐渐之石》)。是知他们对于星辰的运行，已很注意，而且由此体验出天气变化的征兆了。

西周的文学，较之殷代，已有很大的进步。从金文及《尚书·周书》各篇的文字看来，当时的人，已能写出长篇巨制的纪事体的文字。从《诗》三百篇看来，则当时的人又能写出极其优美之抒情的诗歌。文学的这一发展，决非偶然，这正是当时人类思维发展之表现的形态。

《诗》三百篇，可以说是西周庄园制社会的文学之集大成。在这里，我们可以看到农奴们在被奴役与被压榨的黑暗生活中之悲惨的呼号；另一方面，我们也可以看到领主们在骄奢淫逸的享乐生活中之荒淫的发泄。总之，这一时代的文学，一方面是舒展封建领主的肉体和道德，凝固封建领主在统制世界、统制人、统制地上的财富的能力；而在另一方面，则描写出这一时代之反面的阴影。

《诗》三百篇中计分为十五国风，三颂，二雅。所谓“十五国风”者，即周南、召南、邶、鄘、卫、王、郑、齐、魏、唐、秦、陈、桧、曹、豳十五个国的民歌。所谓“三颂”者，即周颂、鲁颂与商颂。所谓“二雅”者，即大雅与小雅。在这里，周南与召南，乃系指周公与召公之封区而言。惟大雅小雅则非国名，似与诗的编纂之体裁不合，俞樾认为“雅”即是“夏”，“大雅”、“小雅”即“大夏”、“小夏”。[1]果如俞樾之说，则《诗》三百篇，皆系当时各封区的民歌，无所谓雅颂与国风之别也。

这一时代的艺术，已经完全脱离了生产的性质，变成了封建领主享乐的东西。因为艺术变成了享乐的性质，所以无论是雕刻或绘画，其主要的任务，皆在于装饰的方面。当时的艺术家，或则替领主设计宫殿园囿的图案，或则替领主冶铸镂刻钟鼎彝器，或则替领主雕琢圭璋、象揥，或则替领主刺绣衣裳、冠冕、旌旗、车服，或则替领主装饰朱轮华毂。可以说，艺术已完全服务于宫廷。

据文献所示，西周领主的宫殿，已经有简单的雕刻与彩绘，《书·梓材》云：“若作室家，既勤垣墉，惟其

[1] 俞樾《诸子平议》云“大夏即大雅也，雅夏古字通。《荀子·荣辱》曰：‘越人安越，楚，人安楚，君子安雅。’《儒效》篇曰：‘居楚而楚，居越而越，居夏而夏。是‘夏’与‘雅’通也。”

涂塈茨；若作梓材，既勤朴斲，惟其涂丹雘。”此所谓“朴斲”，虽不必指雕刻，而“丹雘”则系指彩绘无疑。由此足证当时艺术的建筑，已大为进步。

西周时代，铜器上所表现的艺术，无论在形制与花纹方面，皆更为进步。

就形制而论，西周的鬲属器物，腹部渐渐变深。各种器物之盖腹及腿多加兽形或棱形之装饰。错金花纹，渐为发展。就花纹而论，仍以回纹为主要的图案，不过动物画则更为发展（插图四六）。

例如“𨚕父方鼎”（中、艺第十二图）鼎腹作鸟纹，有八棱作牙形。“作宝尊彝簋”（同上第三十三图）腹部作鸟纹，两耳作鸟形。“乳丁垒”（同上第四十一图）

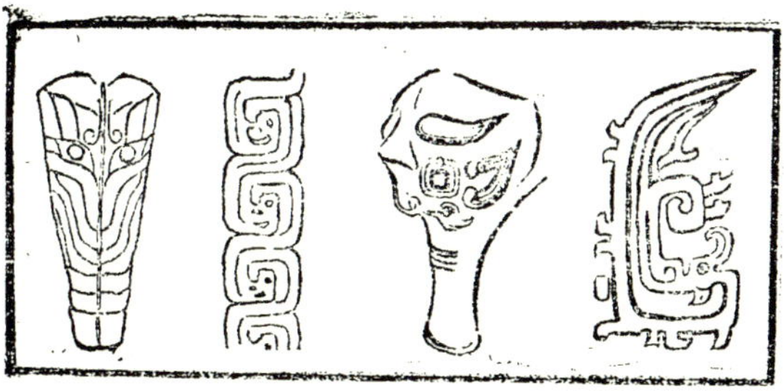

插图四七　西周时代铜器上的几种花纹

颈腹间饰兽首，间以鸟形及牙棱，腹有乳，间以回纹。“那季[illegible]尊”（同上七十六图）腹部作凤纹。“饕餮纹方罍”，（同上第四〇图）盖有四鸟形，腹侧饰两兽首。此外如“服尊”（同上第七十八图）有棱有两耳，作龙形，通体作鸟兽及龙纹。此外亦有用文字组成花纹者如“鱼盘”（同上第八十一图），盘内以十三鱼字组成花纹（插图四八）

西周铜器上的艺术，较之殷代，虽有若干发展，但大体上，则无多大差异，盖周人在艺术上，多模仿殷人之制作，故器物上若无铭文，则殊难辨别。

又《周书·顾命篇》中有“雕玉仍几”，“华玉仍几”，“文贝仍几”，“漆仍几”，“弘璧琬琰”。《诗·渭阳》有“琼瑰玉佩”。此外有兕觥象揥等工艺品，由此又足证当时石器及骨角器物的雕刻，也大有进步。

此外，如《诗经》上有锦衣，狐裘，黼衣，绣裳，素衣，朱襮。又云：“角枕粲兮，锦衾烂兮。”又云：“萋兮斐兮，成是贝锦。”（《诗·巷伯》）由此又足证在当时已有美丽的文锦与粲烂的刺绣。

最后说到歌舞。在这一时代，歌舞也有了等级性。

所谓天子八佾，诸侯六佾，大夫四佾，士二佾，正是这种等级性之表现。因为到这一时代，音乐和歌舞，主要的是用于宗庙的降神，或宫廷的燕乐，因此，不能像以前一样，只要人们高兴，便可以随便手之舞之，足之蹈之，而是要受到宗教仪式和封建礼节的束缚，所谓乐而不淫，哀而不怨者，此之谓也。实际上领主们乐而必淫；农奴们哀亦必怨，盖人类在音乐的感发中，最易触动情绪的激越，不知不觉便冲破了虚伪的堤防。

比如当举行宗祀大典之时，最初是钟鼓喤喤，磬管将将，展开猗与那与、雍容肃穆之跳神的巫舞。最后当祀典完毕以后，备言燕私之时，则籥舞笙歌，万舞洋洋。又如当燕乐嘉宾之时，最初是鼓瑟吹笙，吹笙鼓簧，展开婉兮恋兮的清扬之舞。最后当厌厌夜饮，男女沉醉之

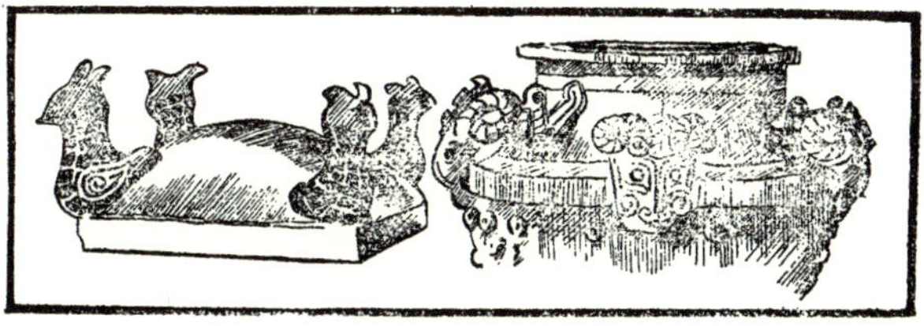

插图四八　西周时代铜器上的凸出装饰　左饕餮纹方罍　右乳丁罍

时，则坎坎而鼓，蹲蹲而舞，挑兮达兮，抑若扬兮，婉兮恋兮，美目盼兮。又如：“东门之扮，宛丘之栩，子仲之子，婆娑其下。”又如：“坎其击鼓，宛丘之下，无冬无夏，值其鹭羽。”这些都是当时舞蹈的写真。

第二编　春秋战国——初期封建社会的发展及其转向

第一章　春秋战国时代的世界与中国

第一节　世界的新形势

在纪元前七百七十年代，中国的历史，便进入了春秋战国时代。

这一时代的历史，占领中国史上四百五十余年的时间（西纪前七七〇——二四九年），表现为极端错综复杂的形式，但在本质上，它还是西周历史的直接承继和发展，换言之，它只是把中国初期封建社会推向更高的历史发展阶段而已。

在这一时代，中国历史的形势，无论是周代封建国家的内部，抑或是环绕于这个国家四周的诸种族，乃至他所处的世界，都有着不断的变动。这些变动，或直接或间接，都给予周代封建国家之社会经济政治乃至文化以或多或少的影响。

从世界形势方面说来，当春秋战国的封建文化成为东方世界史之动力的时候，希腊的奴隶文化，也在地中海北岸，放出了灿烂的光辉，成为西方世界的历史动力（插图四九）。

根据世界史的文献考察，早在西周初际，即在希腊半岛登陆之黑伦种族到春秋时代，已经形成了一个强大的奴隶国家，这就是世界史上有名的希腊。这个国家，在春秋中叶，就征服了从爱琴海伊奥尼亚海北至黑海沿岸一带的地方，成为西欧世界的一个文化的火炬。

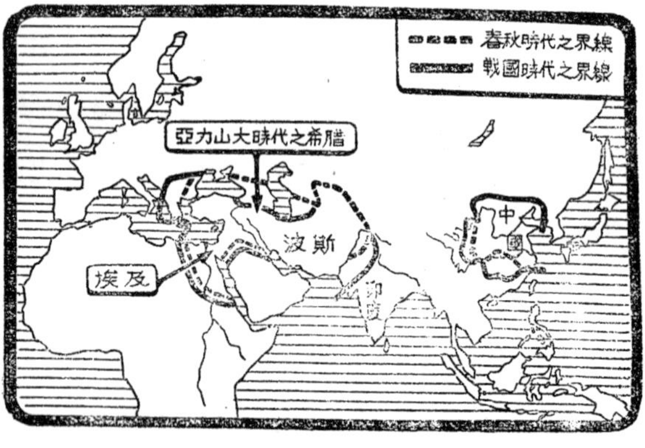

插图四九　春秋战国时代的世界图

继希腊而起，在春秋末叶，罗马也完成了由氏族制到奴隶制的转化过程。它逐渐征服了邻近诸种族，开始其奴隶国家的建设。

在西亚方面，与希腊之兴起同时，波斯也出现为一个大奴隶国家。这个国家，在春秋中叶之末，征服了米索不达米亚，叙里亚，小亚细亚以及爱琴海沿岸之希腊的殖民地，并且降服了埃及乃至阿剌伯沿海岸一带之地，成为雄视西亚的一个巍然大国。

此外，以前侵入印度五河流域之雅利安族，到春秋中叶，已经由五河流域，侵入恒河和亚姆纳河流域一带，完成了奴隶国家的建设。

以上，就是春秋中叶以前的世界形势。到春秋末叶，由于这几个历史单位之各自的膨胀与发展，因而发生了相互之间的接触，从而形成了一个以希腊为动力的历史运动。这种运动，首先表现于希腊与波斯因争夺奴隶市场而引起之“希波战争”（西纪前四九〇——四八〇年，即周敬王三〇——四〇年），这个战争之客观的意义，就是它开辟了希腊文化之东进的道路。其次，便表现于亚历山大之长征亚细亚（西纪前三三三年，周显王三十六年。是年在中国史上，燕赵韩魏齐楚合纵以摈秦，以苏秦为纵约长），他覆灭了波斯，把希腊的统治伸张到印度的西北部，并且从波斯手中，夺取了埃及，在胜利的征服中，于是许多希腊的王国，纷起于小亚细亚、亚美尼亚、叙里亚、巴比伦及埃及至印度西北。这样一来，广大的亚细亚，都变成了希腊人的世界，而几个古代的文化出发点，如巴比伦，叙里亚，埃及乃至印度，都圈进了希腊文化的范围，而这就成了后来希腊文化之更高的发展。所以亚历山大的东征，以及由此而发生之后果，就不啻是对古代西方世界的文明，作了一次综合。

这样看来，从春秋中叶以后，历整个战国时代，都是希腊文化广蔽于西亚细亚乃至印度西北部的时代。这种文化，在当时与中国是否发生了关系呢？据黑格尔说，“甚至与中国已经发生了联系”。但他并没有举出例证。以我的推测，当时希腊人曾于妫水流域建立大夏王国，这里与新疆甚为接近，可能与当时塔里木盆地诸种族发生接触。

继希腊之后，在战国末叶，罗马也从意大利半岛的南部，扫除了希腊人的势力，并且向北发展，达到波河流域。在周赧王五十二年（西纪前二六三年），因为争夺地中海的奴隶市场，与北非之迦太基展开了历史上有名的奔尼克战争（Punic war）。不过，在春秋乃至战国时代，罗马还不成为西欧历史的主动力。如果说它和中国也有关系，则除非通过希腊人的中介。

与罗马在意大利半岛之扩张相先后，雅利安人的势力，已经扩大到印度的全境。从甘地哈那（Gandhara）到亚凡提（Avant）之间，散布有十六个国家，而以哥萨列及马加达二国为最强盛。在西藏纪年史中，曾载有西藏最古的统治者，是马加达的太子之传说，也许在战国时代，雅利安人与原居西藏的羌族，已经有了接触？

总而言之，在这一时代，东西两个世界之文化的波圈，已经逐渐接近了，而这到后来之两汉时代便直接交圈了。

第二节　中国境内诸种族的大争斗与大融混

现在，再说到这一时代中国境内各种族的活动。在这一时代，分布于中原及徐淮荆楚一带的“诸夏”之族，和后来的殷族，都已被消解于周代封建国家之中而变为其臣民。但是包围于这个国家的周围，还有许多处于氏族制历史阶段的诸种族，这些诸种族，在春秋时代，都纷纷向着中原文化区域的方向移动，把周族的天下，包围得水泄不通（插图五〇）。在当时，周代的封建文化，好像是一丛鲜艳的花朵，而他们就是一群蜜蜂；周代的封建文化，好像是一座光辉的明灯，而他们就是一群飞

插图五〇　春秋时代的中国图

蛾。自然，他们并不是为了爱好文化，而是为了争夺黄河中游这一个广大而肥沃的平原。我们若是抛弃种族的偏见，则所谓春秋时代的“戎狄交侵”，正是中国境内诸种族，为了争夺中原而展开之历史的斗争。这一斗争，到战国末叶，才以西戎之一的秦族之胜利而告一段落。

我们已经说过，自殷末以来西北的羌族，就纷纷东徙于今日之陕西一带，进入中原的周族，就是羌族之一。但是继周族之后，其余诸羌，仍然继续东徙，于是周人为了自别于后来的诸羌之故，遂不称此等后来之诸羌曰“羌”，而命之曰“戎”。其实，所谓“戎”者，即东徙之“羌”。《左》襄十四年传云：“将执戎子驹支，范宣子亲数于朝曰：‘来，姜戎氏。’”是明言“戎”为羌族。同时，戎子驹支答范宣子曰：“惠公……谓我诸戎是‘四岳’之裔胄也。”而《国语·周语》则曰：“祚‘四岳’国，命为侯伯，赐姓曰姜。”是又“戎”为羌族之一证。

此等诸戎，大概与周族同时东徙，或追随周族之后，陆续东徙。故周在文王时代，即有伐犬戎之事。以后，“至穆王时，……（又）王乃西征犬戎，获其五王，又得四白鹿，四白狼（著者按，即鹿族与狼族），遂迁戎于太原。

夷王衰弱，荒服不朝，乃命虢公率六师伐太原之戎。……宣王立四年，……王遣兵伐邑原戎，不克”（《后汉书·西羌传》）。后来幽王死于犬戎之乱，平王被迫于诸戎，遂放弃陕西而东徙洛邑。所以到春秋时，诸戎之族，遂布满了陕西的全境，汧渭之间，都是诸戎牧马之地。以后，山西南部[1]乃至伊洛之间，都布满了披发野祭的戎族，[2]其前锋甚至到达河南东部，[3]乃至山东边境，[4]成为周族由西部边境袭来之最大的威胁。

其次说到分布于蒙古高原的诸氏族。这些氏族，在西周时代即已形成了许多部族，其中猃狁一族，在西周时曾侵入山西。到春秋时，此等北方种族，遂纷纷南徙，以北狄之名，出现中国历史。

据文献所载，当时侵入中国腹部之狄人，有三大部

[1]《左》僖二十二年传云：“秦、晋迁陆浑之戎于伊川。”又《国语·晋语》云：“（晋）使魏绛抚诸戎，于是乎遂伯。”

[2]《左》僖二十二年传云：“辛有适伊川，见被发而祭于野者，曰：不及百年，此其戎乎。”

[3]《左》成六年传云：“伊雒之戎、陆浑、蛮氏侵宋。”又《左》哀十七年传云：“初，（卫庄）公登城以望，见戎州。”

[4]《公羊传》庄十八年云：“公追戎于济西。”

族，即赤狄，白狄、长狄是也。赤狄之中，包含六族，即东山皋落氏，廧咎氏，潞氏，申氏，留吁，铎辰。白狄亦包含三族，即鲜虞，肥、鼓。惟长狄仅有鄋瞒一族。此等狄族，在春秋初叶，[1]便徙入山西的北部，今日雁门关以北一带，都是他们的天下。[2]以后一部分又渡河而西，进入渭水流域，[3]另一部分，逾太行而东，进入河北平原。这一支进入河北平原的狄人，他们灭邢灭卫灭温，把周族美丽的庄园，变成他们的牧场。以后，并且东入山东半岛，伐齐伐鲁；南入河南，侵宋侵郑。其气势之盛，真是如火燎原，不可响尔。因而此辈狄人，在春秋时代，实为周族北方之可怕的邻人。后来，由于晋国的抵抗，才使狄人的势力，遭受打击。[4]

[1] 春秋自鲁庄公三十二年，始见狄患。

[2]《史记 · 晋世家》谓“（晋）北边狄”。

[3] 同上书谓“重耳从狄君以田渭滨”。

[4] 据《左传》载，宣十五年，晋师灭赤狄潞氏。翌年，晋人又灭赤狄申氏及留吁。此后赤狄之患，不见于春秋。昭十二年，晋荀吴又灭白狄肥。昭十五年及二十二年，皆有灭鼓之记载，哀六年晋赵鞅又伐鲜虞，则白狄之族已遭严重之打击。至于长狄，则先后经鲁、晋的讨伐，亦已散亡。不过所谓灭，并非谓剿绝其族，只是予以严重之打击，或使其族类降服，或迫其族类退出腹地而已。

在春秋时代“南太平洋系”人种，仍分布于中国之西南与东南沿海岸一带。其分布于今日四川及汉中一带者谓之“群蛮”，其分布于湘桂黔滇者谓之“百濮”，其分布于东南沿海者，则为百越之族。当时“南太平洋系”人种，已经分化为许多种族，这可以由“群蛮”,“百濮”，百越的称谓，推想而知。在春秋时代，此等被称为“群蛮”与“百濮”之族，仍与楚人相抗于湘川东北一带，阻止北方系统的种族之继续南徙。《左》文十六年传云：“楚大饥，戎伐其西南，至于阜山，师于大林；又伐其东南，至于阳丘，以侵訾枝。庸人帅群蛮以叛楚，麇人帅百濮聚于选，将伐楚。于是申息之北门不启，楚人谋徙于阪高。”由此看来，在春秋时代，中国西南的“南太平洋系”诸种族，还不断地向北方系统的楚族，展开军事的反攻。所以后来楚国只有转而向北发展。至于东南沿海一带的“南太平洋系”诸种族的活动，虽不见经传，但从吴制于越不能向南发展而向北，也可以想见他们还是具有相当顽强的抵抗力。

至于渤海沿岸诸族，则大部分已随殷族进入中原，在西周初，经周族之征服，而且大半都已与周族同化。

但直至春秋时代，此等被征服的殷族，仍然聚族而居，并且建立其自己的封区。《左传》所载东夷之国不少，如淮夷、介、莱、根牟、江、黄、六、蓼以及群舒之属，都是殷族的余裔。北起山东，南至淮河流域一带，还是殷族生长繁育之地。其分布于渤海北岸的诸种族，则以山戎之名，而见于春秋时代的历史，但力量并不强大。

这样看来春秋时代的历史，若单从种族活动的一个侧面看来，则正是当时中国境内各种族为了争夺黄河中游的大平原而斗争之历史。一方面是周族以及原住黄河中游的诸种族为了保有这个大平原而斗争，另一方面，是四周诸种族为了挤进这个大平原而斗争。这种种族的斗争，就是春秋时代的历史之横切面。

不过在戎狄蛮夷之中，又以戎与狄最富有历史的活力，他们在春秋时，把黄河中游一带的地方，闹得天翻地覆，几乎征服了中原诸种族。所以历史众说，春秋时代，是一个戎狄交侵的时代。孔子也说："微管仲，吾其被发左衽矣。"《左传》也说："不及百年，此（伊洛一带）其戎乎。"又曰："戎有中国，谁之咎也？"由此可以想见当时西戎与北狄所加于周代封建国家之威胁。

到战国时代，在周代封建国家的内部，形成了七雄并峙之局，这些封建领主，在兼并中变为强大，于是四周诸种族打进中原的企图，便遭受了挫折。在这一时代，由于燕赵的强盛，北狄之族，除一少部分在今日河北定县建立了一个中山国，其余大部分皆退去中原，回到蒙古，而这到秦汉时代，便以匈奴之名，闻于中国（插图五一）。

在战国时代，陕西一带崛起了强盛的秦国，秦本戎族之一，[1]故自秦国兴起以后，西方诸戎，遂融混于秦族之中。这个属于戎族之一的秦族，以后在战国末叶，便征服了中原的诸种族，统一中国，而建立秦代的王朝，是为"夏族"在中国所建立的第三次统治。

因为秦国之崛起于陕西，遂堵塞了西北诸羌继续东

[1]《管子·小匡篇》云："西服流沙西虞，而秦戎始从。"是明言秦为"戎"也。《史记·秦本纪》云："（秦之祖）非子居犬丘……孝王欲以为大骆适嗣……申侯乃言孝王曰：'昔我先郦山之女，为戎胥轩妻，生中潏，以亲故归周……今我复与（戎）大骆妻，生适子成。申骆重婚，西戎皆服。'"以上传说中之人名，如胥轩，中潏，大骆……皆秦之远祖，而《史记》引申侯之言，则称胥轩曰"戎"。胥轩为"戎"，则其子孙亦当为"戎"，是又明言秦之祖为"戎"也。

插图五一 战国时代的中国图

徙的大门，于是西北诸羌，遂转而南徙川北或西徙新疆。但大部分则始终盘踞于甘肃、青海一带。

在西南，由于楚国的强大，阻塞了“群蛮”、“百濮”北进的道路，于是“群蛮”、“百濮”遂停止于西南山岳地带，而这到秦汉时代，便以“西南夷”的名称，出现于中国的历史。

在东南，由于吴越的兴起，散布于东南沿海一带的百越之族的前锋越国，遭受了打击，其余的越之族也就在广东、广西、福建、浙江沿海一带，保有他们原来的地盘，而这到秦汉时代便以东粤、闽粤及南粤等名称而出现于中国的历史。

淮泗齐鲁一带的殷族到战国时代，皆已散为齐楚之民户。其在渤海以北者，亦渐次形成其自己之邑落，而这到秦汉时代便出现为涉貊、扶余、三韩等“东夷”，分布于辽东及朝鲜半岛。

关于塔里木盆地诸种族，在春秋战国时代之历史活动，史无所记，但从社会进化的原理推之，在这四个半世纪中，这里的诸种族，亦必有发展。所以一到秦汉时代，便以“西域诸国”之名，出现于中国的历史。

最后，说到中原诸种族。此种诸种族，若从纵的方面看，乃是中国境内诸种族在其向中原移徙中所沉淀下来的历史的埋积层。如最古层是“诸夏”之族与“有苗”之族；以后“夏族”与“苗族”层上，又堆积一个“殷族层”；更后又在“殷族层”上，埋积一个“羌族（周族）层”（其中尚有属于有苗族系统之“濮族”的成分）；最后在“羌族层”上，又埋积一部分的新的种族层，即

“狄族层”与“新的羌族层（戎族）”。这些种族，一个跟着一个走进中原，或者同时走进中原，即使也有退去中原的，但并不是全部的退却，至少有些族类留在中原，这到春秋战国时代，便构成了很厚的种族的埋积层。

若从横的方面看，则中原诸种族，乃是当时中国境内诸种族的复合体。在这些种族中，有属于“蒙古高原系”人种之“夏族”、“殷族”、“羌族”、“狄族”，有属于“南太平洋系”人种之“苗族”、“濮族”。这些诸种族，他们原来的风俗习惯皆不相同，如“群蛮”、“百濮”，则断发文身，西北诸族，披发左衽。但是经过殷代以至西周之长期的历史融铸，到春秋战国时代，大约皆已渐次同化，而这到秦汉时代，便以“汉族”之名，震于世界。

因此，我们若单从种族活动的一个侧面看来，则战国时代，便是中国境内各种族开始其定型化的时代。

春秋战国的历史，就在上述的客观环境中，展开它的发展。这样的客观环境，很显然地对于周代封建国家，是一种严重的历史压力；这种压力，就限制了周代的封建领主，不能向着中原以外的广大的世界去开拓封建主义的天下，而用相互的火并来解决内部所含的矛盾。也就因为如此，所以周代的封建主义，便走上了集中发展的道路，因而加速了封建经济的发展，从而又加强了对四周诸种族之历史的影响作用。

第二章　春秋战国时代历史发展的倾向

第一节　封建地方经济之发展与“五霸继起”的局面之出现

现在，我们说到春秋战国时代历史发展的大概形势。

春秋时代的历史，从表面上看来是“五霸继起”的历史，但是“五霸继起”的历史内容，只是封建经济之地方发展的政治表现。

如前所述，在西周末年，由于各封区内的庄园经济之发展，已经提高了土地在生产上的意义，因而在当时就开始了土地兼并的战争。到春秋时代，庄园经济已经发展到烂熟的程度，同时，随着庄园经济之发展而来的人口的繁殖，已使原有的耕地不敷分配，因而各个庄园内，皆呈现人口过剩和土地狭隘的现象。这样的现象，当然就更加提高了各封建领主对于新的土地之获得的要求，因而就更加刺激了封建兼并战争之进行。

在另一方面，当时庄园的过剩人口，多转化为独立手工业者而存在于庄园之内。由于独立手工业者之出现，遂使过去庄园内之自足自给的生产，转化为商品的生产，因而又刺激了商品交换关系的发展，从而又出现了独立的商人。这些独立手工业者和商人之出现于庄园，于是渐次把庄园转化为中世纪的都市。这些都市，在当时，都是大量财富聚积之所。随着封建领主的物质欲望之提高，因而这些都市的财富，又刺激了封建掠夺战争之进行。

因此之故，春秋时代的战争，较之西周时代，便更为频繁了。据《春秋》所记，在二百五十余年的春秋时代中，言“侵”者六十次，言“伐”者二百一十二次，言“围”者四十四次，言“取师”者三次，言“战”者二十三次，言“入”者二十七次，言“进”者二次，言“袭”

者一次，言“取”言“灭”者，更不可胜计。[1]这些战争，都是为了土地占有或物质掠夺而发动的。[2]

---

[1] 言“取”言“灭”者，《春秋三传》有如次之记载：隐六年，宋人取长葛。十年，鲁取郜、取防。同年，宋人、蔡人、卫人伐戴，郑伯伐取之。庄八年，齐师围郕，降于齐。十年，齐师灭谭。十三年，齐人灭遂。十四年，楚灭息。十六年，楚灭郑。三十年，鄣降于齐。僖二年，晋师灭下阳。僖三年，徐人取舒。五年，晋灭虢灭虞。同年，楚灭弦。十二年，楚灭黄，十七年，齐灭项。二十三年，楚伐陈取焦夷。二十五年，卫侯毁灭邢。同年，晋取阳樊，温及原。二十六年，楚灭夔。二十八年，晋伐卫，取五鹿。三十一年，鲁取济西田。三十三年，鲁伐邾，取訾楼。文五年，焚灭六。文七年，鲁伐邾，取须句。十六年，楚灭庸。宣元年，齐人取济西田。四年，鲁伐莒取向。九年，鲁取根牟。十年，鲁公孙归父帅师伐邾，取绎。十二年，楚灭萧。十五年，晋灭潞。成二年，鲁取汶阳田，二年晋师从齐师，入自丘舆，击马陉，齐侯赂以地。四年，郑伯伐许，取钼任泠敦之田。六年，鲁取鄟。十四年，郑伯伐许，许人平以叔申之封。十七年，楚灭舒庸。襄六年，齐灭莱。同年。莒灭鄫。八年，莒人伐鲁东鄙以疆鄫田。十年晋灭郲阳。十九年，鲁取邾。二十五年楚灭舒鸠。昭四年，鲁取鄫。同年，楚灭厉。七年，晋人来治杞田。八年，楚师灭陈。十年，平子伐莒，取郠。十三年，吴灭州莱。十五年，晋取鼓。二十三年，鲁取关。二十四年，吴灭巢。三十年，吴灭徐。定四年，蔡灭沈。六年，郑灭许。十四年，楚灭顿。哀元年，齐师伐晋，取棘蒲。二年，鲁伐邾，取漷东田及沂西田。八年，齐人取讙及阐。同年宋灭曹。十年，晋赵鞅帅师伐齐，取犁及辕，毁高唐之郭。

[2] “取田”之记载，已见（注一），此外尚有掠夺物质之例。如《左》隐三年传云：“郑祭足帅师取温之麦，秋，又取成周之禾。”同上四年传云：“诸侯之师，败郑徒兵，取其禾而还。”《左》桓十年传云：“宋人以诸侯伐郑……取牛首，以大宫之椽归为卢门之椽。”《左》哀二年传云：“郑师大败，获齐粟千车。”同上十七年传云：“（楚）使帅师取陈麦。”《左》襄十九年传云：“季武子以所得于齐之兵（器），作林钟。”《左》哀十一年传云：“吴子伐齐，……获革车八百乘，甲首三千。”《左》庄二十年传云：“王及郑伯入于邬，……取其宝器而还。”

这种兼并和掠夺的战争，不仅进行于诸侯与与诸侯之间，并且也进行于诸侯与天子之间，[1]同时也进行于诸侯的臣属之间。[2]在这些兼并战争中，大的并吞小的，强的覆灭弱的。据文献所载，当时齐桓公“并国三十五”（《荀子·仲尼》篇），晋献公“并国十七，服国三十八”（《韩非子》），荆（楚）襄王“并国二十六”（同上），楚文王“兼国三十九”（《吕氏春秋·直谏》篇），秦穆公“并国二十”（《史记·李斯列传》）。此外，鲁、卫、邾、莒、宋、郑、吴、越等，皆以兼并而大。诚如《左》成八年传所云：“夫狡焉，思启封疆以利社稷者，何国蔑有，唯然，故多大国矣。”

---

[1]《左》隐八年传云：“王取鄔，刘，苏，邘之田于郑，而与郑人苏忿生之田。”《左》成十一年传云：“晋郤至与王室争鄇田，王使刘康公、单襄公讼诸晋。”《左》昭九年传云：“周甘人与晋阎嘉争阎田。”

[2]《左》昭十四年传云：“晋邢侯与雍子争鄐田。”《左》隐元年传云：“太叔命西鄙、北鄙贰于已，……又收贰以为己邑，至于廪延，……（郑庄）公伐诸鄢。”《左》成五年传云：“郑伯与许男讼田于楚，郑伯不胜归，请成于晋。同上十七年传云：“却锜夺夷阳五田。”“却犨与长鱼矫争田，执而梏之。”《左》襄二十九年传云：“（鲁）季武子取卞。”《墨子·鲁问》篇云：“鲁四境之内，大家攻其小都，大都伐其小家，杀其人民，取其牛马狗豕布帛米粟货财。……”鲁阳文君曰：“鲁四境之内，皆寡人之臣也，今大都攻其小都，大家伐其小家，夺之财货，寡人必将厚罚之。”

在这样的兼并战争中，于是许多小领主遂相继灭亡，[1] 所谓周初八百国，到春秋中叶以后，就只存几十个国了。而在这几十个仅存的国家中，又以齐、晋、秦、郑、楚最为强大，它们相继勃兴，成为春秋时代的支配势力。《墨子·非攻篇》云："饰攻战者之言曰：'南则荆吴之王，北则齐楚（楚为晋之误）之君，始封于天下之时，其土地之方，未至有数百里也；人徒之众，未至有

[1]《史记·十二诸侯年表》中所见之春秋时的兼并。（一）灭于卫者九国：殷邶、鄘、共、胙、邢、凡、南、燕是也。（二）灭于鲁者十三国：奄、极、项、须句、向、祝、鄟、邿、鄅、鄫、单、颛臾、根牟是也。（三）灭于莒者二国：茅，须句（与鲁瓜分）是也。（四）灭于莒者，二国：鄫（与鲁瓜分）向（与鲁瓜分）是也。（五）灭于宋者十国：戴、萧、徐、宿、逼、焦、葛、曹、郜、逼阳是也。（六）灭于齐者十三国：纪、成、谭、遂、鄣、阳、莱、介、牟、任、薛、郭、夷州是也。（七）灭于郑者六国：虢、鄶、许、管、邬、祭是也。（八）灭于秦者一五国：召、芮、毛、毕、彭、酆、密、彤、郇、杜、亳、崇、梁、骊、戎是也。（九）灭于晋者二四国：唐、韩、耿、霍、魏、虢、虞、荀、贾、扬、焦、温、原、邢、滑、沈、姒、蓐、黄、赵、微、雍、邘、冀是也。（一〇）灭于楚者六十国：权、畘、鄀、谷、鄾、罗、庐、都、郧、贰、轸、绞、州、蓼、息、邓、申、吕、弦、黄、夔、江、六、蓼、麇、宗、巢、庸、道、柏、房、沈、蒋、舒蓼、舒庸、舒鸠、赖、康、顿、胡、应、郧、唐、微、卢、濮、厉、畴、许、杞、随、挚、褒、英氏、东不羹、西不羹、陈、蔡、蛮氏是也。（一一）灭于吴者五国：州来、钟离、钟英、巢、桐是也。（一二）灭于越者二国：郯、莒是也。

数十万人也。以攻战之故，土地之博，至有数千里也；人徒之众，至有数百万人也，”即因这几个大国之突出发展，于是天下大局，遂归结为“五霸继起”。

五霸之中，首先出现为霸主的是齐国。齐国地居山东半岛，这里是殷族文化深厚之地，因而它得以因其文化的遗产。[1]同时，这里的土地肥沃。“宜五谷，桑，麻，六畜”，[2]又地处海滨，有鱼盐商贾之利。[3]此外，“齐，南有泰山，东有琅邪，西有清河，北有渤海，此所谓四塞之国也”（《史记·苏秦列传》）。因而远于戎狄之祸。齐国就在这种优越的条件之下，很快地发展起来，蔚为海岱之间的一个大国。到桓公时，便九会诸侯，主盟中原，挟其强大的武装与经济势力，西向中原。

继齐国之后，晋国也崛起于山西。晋国地处河汾之间，本亦膏腴之地，惟因戎狄之与处，招致经济的破坏，故其发展较后于齐国。但自献公征服骊戎以后，文公又

[1]《史记·齐太公世家》云：“太公至（齐）国，修政，因其（殷）俗，简其（殷）礼。”

[2]《史记·货殖传》云：“齐带山海，膏壤千里，宜桑麻，……邹鲁颇有桑麻之业……沂泗以北，宜五谷桑麻六畜……齐鲁千亩桑麻。”

[3]《史记·齐太公世家》云：“（齐）通工商之业，便鱼盐之利。”

因狐偃以与狄人妥协，于（是）“通商宽农”，“利器明德”，不久便“政平民阜，财用不匮”（《晋语》），“国利居乐”（《左》成六年），称霸河汾。晋国统一山西以后，也挟其军事和经济的力量，东逾太行，于是在河北的原野，展开了齐晋争霸的局面。

继晋国之后，秦国也勃兴于陕西。秦国，地处关中，“左殽函，右陇蜀，沃野千里”。而且这里是周人文化发祥之地，“公刘适邠，大王王季在岐，文王作丰，武王治镐，故其民犹有先王之遗风，好稼穑，殖五谷”（《史记·货殖列传》）。自周室东迁以后，秦人因之，到献公时，“北却戎翟，东通三晋”（同上），遂霸西戎。即因秦国的强大，所以又引起秦晋争霸的局面。

与秦国相先后，在长江上游，也兴起了强大的楚国。楚本“诸夏”之裔，在周宣王时，始完成其向封建主义的转化过程，较之齐晋，本为后进；惟地处长江流域，天赋独厚，故进化最速。到楚文王时，于是东通吴、越，南服蛮、濮，西贾巴、蜀，北向中原，因而在陈、许、郑、卫之间展开了与齐国的角遂局面。

郑国，地居中原之中，文化发展最早，在春秋初际，郑国的农业，即足以“收经入以食兆民”（《郑语》），它的手工业，即足以“材兆物”，“出千品”（同上）。它的商业，即足以“具万方”（同上）。所以郑武公、庄公相继挟东周天子，以令当时之诸侯。同时，郑国又介在齐、鲁、秦、楚之间，大有举足轻重之势，所以也是春秋时代的一霸。

大约在春秋末际，长江下游的吴、越，也相继强大起来，成为中国东南的支配势力。吴、越之完成封建主义的转化过程，更晚于楚国，但因有“海盐之饶，章山之铜，三江五湖之利”（《史记·货殖列传》），故经济的发展极快。吴自阖闾破楚，夫差灭越，遂霸江南。越自勾践覆吴，遂亦为泱泱大国。

此外，如鲁、卫、曹、宋、陈、蔡、许等国的经济，也有相当的发展，但是它们介于大国与大国之间，“存亡则由天命矣”。当时，小国对于大国，必须缴纳一定的岁贡，《左》宣十四年传云：“臣闻小国之免于大国也，聘而献物，……而有加货，谋其不免也；诛而荐贿，则无及也。”若不纳岁贡，则征伐随之。例如“黄人不归楚贡，楚人伐黄”（《左》僖十一年传）。而且即使“缮贡赋以共从者，犹惧有讨”（《鲁语》）。即因当时大国对于小国诛求无厌，[1]这种诛求，已成为小国之不可忍受的负荷，[2]（但）是为了免于灭亡，也只好“朝秦暮楚”。[3]它们对于大国，几乎“无岁不聘，无役不从”，“职贡不绝，玩好时至”。因此，小国日益罢病，而大国则从战争与贡纳中，集中了大量的财富。

这样一来，当然强化了各大诸侯的独立性，因而削弱了中央的权威。当时的五霸，在名义上虽然还是周代封建国家的诸侯，实际上，他们已经脱离天子而独立。他们自由宣战，媾和，征税，组织常备军，互相并吞，互相对抗，并且也侵略天子，压迫中央。周郑交质，齐楚窥鼎，他们简直不把天子当天子了。

但是，大诸侯占领了广大的领地以后，并不能直接去改变土地所有的属性，仍然把其新占有的土地，分赐其

[1]《左》襄二十四年传云：“范宣子为政，诸侯之重币，郑人病之。”同上二十二年传云：“无岁不聘，无役不从，以大国政令之无常……”同上三十一年传云：“以敝邑褊小，介于大国，诛求无时，是以不敢宁居，悉索敝赋，以来会时事。”

[2]《左》昭十三年传云：“郑伯男也，而使从公侯之贡，惧弗给也。”

[3]《左》哀十三年传云：“（鲁）之职贡于吴，有丰于晋。”

左右。[1]当大领主疲于领地之兼并战争时，而诸侯的左右，却是战争的胜利之真正的承受者，他们从战争中获得了土地，又从榨取农民的剩余劳动中，积累了大量的财富，于是逐渐强大起来。在经济之进一步的发展中，这些属于同一大诸侯之下的左右，他们也进行相互之间的兼并战争。诸侯之不能约束其左右，也正和天子之不能约束诸侯一样。他们自由宣战，自由缔盟，已经不把诸侯放在眼里。[2]诚如《公羊传》所云："诸侯皆在是，其言大夫盟何……遍刺天下之大夫也，……君若赘旒然。"

随着大夫的权威之继续增长，于是他们便企图取诸侯的地位而代之。在春秋时，臣弑其君的事情，史不绝

[1]《左》昭十一年传云："楚子城陈蔡不羹，使弃疾为蔡公。"《左》庄二十八年传云："（晋侯）使太子居曲沃，重耳居蒲城，夷吾居屈。"《左》襄二十六年传云："（鲁会赵宋郑伐卫），取卫西鄙，懿氏六十以与孙氏。"《左》闵元年传云："（晋君）以灭耿灭霍灭魏还……赐赵夙耿，赐毕万魏，以为大夫。"《左》襄二十六年传云："郑伯赏入陈之功，……享子展……先八邑，赐子产……先六邑。"

[2]《困学纪闻》有云："襄公五年，鸡泽之会，叔孙豹及诸侯之大夫盟，言'诸侯之大夫'；十六年溴梁之会，直曰'大夫盟'，不言'诸侯之大夫'者，鸡泽之会，诸侯始失政也。至于溴梁之会，则又甚矣。溴梁之会，政在大夫也。"

书。如“郑京栎实杀曼伯，宋萧亳实杀子游，齐梁丘实杀无知，卫蒲戚实出献公。若由是观之，则害于国。末大必折，尾大不掉，君所知也”（《左》昭十一年传）。所以《孟子》说：“万乘之国，弑其君者，必千乘之家，千乘之国，弑其君者，必百乘之家。”到最后，“田氏取齐，六卿分晋，道德大废，上下失序，……篡盗之人，列为侯王；诈谲之国，兴立为强；是以转相仿效，后王师之。遂相吞灭，并大兼小，暴师经岁，流血满野，父子不相亲，兄弟不相安，夫妇离散，莫保其命，湣然道德绝矣”（刘向《战国策·序》）。从此中国的历史便转入战国时代。

第二节　封建地方经济发展之均衡与“七雄并峙”的局面之出现

战国时代的历史，从表面上看来，是“七雄并峙”的历史，但是“七雄并峙”之历史内容，正是当时各大封区的经济发展，达到了平衡状态之政治的表现。

如前所述，在春秋时代，由于封建经济之地方发展，提高了土地在经济上的意义，因而唤起了土地兼并的战争，从而使无数的小领主相继灭亡。但是在当时仍然有若干小国的存在。到战国时则所有的小国皆灭绝殆尽[1]，只剩下韩、赵、魏、[2]齐、楚、燕、秦七个大国，它们“地丑德齐”，势均力敌，彼此不能吞并，因而形成了七雄并峙的局面。所以七雄并峙，乃是春秋时代封建兼并战争发展到最后之结果。

在七雄并峙的局面之下，由于许多小国的被覆灭，因而消灭了过去作为封建经济发展之障碍的藩篱，而使封建经济在七大封区之内，获得自由驰骋之无遮拦的发展。同时，由于秦楚燕赵四国的势力之向外的扩张，[3]

---

[1] 战国时，越已亡于楚，宋已为齐魏楚所瓜分，鲁灭于楚，郑灭于韩，中山亡于赵魏，惟卫最后亡。

[2] 战国时，晋已分化为韩赵魏三国。因为在春秋时，晋之六卿，即已强大，所谓六卿者，即范氏、中行氏、智氏、魏氏、赵氏、韩氏。到春秋末，智伯与韩赵魏共分范氏中行氏之地，于是六卿只有四卿。周定王十六年，赵襄子、韩康子、魏恒子共杀智伯而分有其地，于是四卿只有三卿。到周威烈王二十三年，始命晋大夫魏斯、韩虔、赵籍为诸侯，是为韩赵魏，而晋遂以亡。

[3] 当时秦国，东伐大荔，北征义渠，西斩貁王于渭水之西，南服巴蜀，至于黔中。当时赵国，北破林胡楼烦，东破东胡，其势力北及漠南，西至河套。当时燕国，东破东胡山戎，拓地千里，直达朝鲜。当时楚国，东灭越，地达海隅，庄跻辟地西南，远至黔滇。

因而又冲破了过去作为封建经济发展之阻力的历史包围，而使封建经济在中原以外的世界，获得了自由进出之更广大的发展。所以七雄并峙的历史，是中国封建经济之深化，也是中国封建经济之广化。它把周初的封建局面，作了一个初步的综合和初步的扩展，而这就替后来秦汉之统一与扩张，奠定了基础。

在战国时代，战争仍然持续，并且以扩大的规模持续。不过这一时代的战争，不是以前大国对小国的兼并战争，而是七大势力之间彼此决斗的战争。据文献所记，在战国时代二百四十八年中，大小战争二百二十二次。即因这一时代的战争，是进行于几大匹敌势力之间，所以战斗也更为激烈，他们“争城以战，则杀人盈城；争地以战，则杀人盈野”。在战争中，物质的征发，兵役的供应，当然要使农业经济陷于停顿。这样，一方面，是农民陷于普遍的贫困；另一方面，各国的领主，也因而失去了财政的来源而陷于疲乏。

战争不但不能停止，而且愈来愈大。由于秦楚之突出的发展，渐渐成为中原诸姬之威胁，于是出现了集团的战争。据文献所记，三国击秦者二次，五国击秦者三次。三国伐楚者二次。四国击楚者一次。此外还有三国救赵者一次。这样一来，就更加深了农村的破坏与领主的财政困难。就在这一时候，从庄园经济中孕育出来的新兴商人，就伸出了他们高利贷的魔手，抓着了农民的头发，也抓住了领主的头发，用高利贷把他们变为自己的债务人。同时，这些新兴的商人，利用他们的债权，从各国的领主手中，获得了土地的占有。[1]在更进一步的发展中，新兴的商人的势力，更加增进，[2]于是在旧的土地所有中，引出了新的土地所有，因而从生产的基

[1]《荀子·议兵篇》云："中试则复其户，利其田宅。"《韩非子》云："中牟之人，弃其田耘，卖宅圃。"《史记·廉颇蔺相如列传》云："今括一旦为将……王所赐金帛，归藏于家，而日视便利田宅可买者买之。"同上《苏秦列传》云："苏秦喟然叹曰……且使我有洛阳负郭田二顷，吾岂能佩六国相印乎？"《吕氏春秋·为欲》篇云："其视有天下也与无立锥之地同。"由此足征战国时新的土地占有，业已存在。

[2]《管子》云："桓公曰：四郊之民贫，商贾之民富，寡人欲杀商贾之民，以益四郊之民，为之奈何？"又云："今欲调高下，分并财，散积聚，不然，则世且并兼而无止。"《韩非子》云："夫明王治国为政，使其商工游食之民少而名卑以寡，趣本务而趋末作。今世近习之请行，则官爵可买。官爵可买，则商工不卑也矣；奸财货贾得用于市，……蓄积待时而谋农夫之利。"又云："公家虚而大臣实，正户贫而寄寓富。耕战之士困，末作之民利。"由此足见战国末期商人的势力，已成为封建领主之威胁。

础上，引出去了历史的转换。

大约在纪元前五世纪后半纪，新兴的商人地主首先在秦国获得了政权。商鞅变法的内容，就正是指明秦国在其生产组织上，已由领邑制的生产组织，转化为佃耕制的生产组织。秦国之所以首先开始这种经济的转换过程，主要的，还是由于它承继了西周之丰富的文化遗产，使它在农业生产的技术上，获得飞速的发展。同时，秦族又是一个戎族中新兴的种族，它具有一种青春健壮的历史活力，所以它突破初期封建主义的拘束，而成为新的历史活动之中心。

新兴的商人地主，并不是秦国一国的特产，他们同样也存在于秦以外之六国的社会中，换言之，他们在战国时代，已经构成了一个新的社会层。这些商人地主，他们占有很多的土地，但是他们的土地，并不是在同一封区，而是错杂在各个封区之内，即便有些商人地主的土地，完全在同一封区之内，但也不是互相毗连的，而是到处分散的。这样的客观事实，就限制了他们不能像领主一样进行庄园制的经营，而且规定了他们一开始就施行佃耕制的经营。即因新兴商人地主的土地，仍然分散于各领主的领域之中，所以他们虽然取得了土地的所有权，但并没有取得对农民的统治权，因而他们并不能在其自己的所有地上，行使其对农民的权力，反之他们不得不委托其土地所在地的领主，向农民征收其应得的剩余劳动物，即以剩余劳动物之一部，作为管理上的报酬，而缴纳于土地所在地之领主。这一部分缴纳于领主的报酬，到后来，便转化为地税，而地主自己之所得，则为地租。像这样的情形，当然是一个深刻的矛盾。所以随着这种新的土地所有形态之量的增加和佃耕制经营的范围之扩大，新兴的地主，便要求其自己的统治权。换言之，即要求打破障碍他们的封建割据局面，而建立新的土地所有者自己的统一的政府。

到战国的末年，新旧土地所有者之间的矛盾便展开了，这便反映为所谓“合纵”与“连横”的两大敌对的政治斗争。一方面，新的土地所有者，以秦国为中心而展开“连横”的运动，另一方面，六国的旧领主，也展开了反“连横”之“合纵”的运动。这样，便把七雄之间的混战，引进了新的性质。但是历史发展的倾向，却决定这一个斗争的胜利，是属于新的土地所有者，所以这一个斗争的结局，便是秦代的统一。

第三章　春秋战国时代的社会经济构造

第一节　铁器的普遍应用与生产组织的演变——由领邑制过渡到郡县制

春秋、战国的历史，从其本质上考察，可以说，就是庄园制经济过渡到佃耕制经济的历史；同时，也是独立手工业者和商人，从庄园制经济中发生以至成长的历史。由于庄园制经济之解体与孕育于其中的新的历史因素之成长，遂使中国的封建社会，走向更高发展的历史阶段。

作为这一历史转换的动力，毫无可疑，是铁器在生产领城内之普遍的应用，特别是普遍应用于土地的耕种。由于铁器之普遍的应用于生产，才一般地提高了社会的生产力，因而引起社会生产组织的改变。于是庄园制便转化为佃耕制，采邑制便转化为郡县制了。

关于铁器在中国之最初应用，我疑早在殷周之际，关于此点，已于上章论述。依据文献所示，到春秋时，铁器实已普遍应用于生产领域，[1]《管子》中有铁耜，[2]固然《管子》为伪书，不足为据，但《墨子》中亦有铁耕铁镬，是则春秋时，铁器之已使用于耕种，似为事实。除此以外，如前所叙，在春秋末，晋国鼓铁以铸刑鼎，著范宣子所为刑书。这些，都证明当时冶铁铸铁的技术，已经达到相当高度的发展，否则不能把刑书铸于铁鼎。又据《吴越春秋》所记，吴当阖闾时，已有使用三百人鼓风之大型的"冶铁风箱"的发明。[3]按吴阖闾

[1]《管子·海王篇》云："今铁官之数曰：一女必有一针一刀……行服连轺辇者必有一斤一锯一锥一凿。"同上《轻重篇》云："一车必有一斤一锯一釭一钻一凿一銶一轲，然后成为车；一女必有一刀一锥一针一鉥，然后成为女。"

[2]《管子·海王》篇云："耕者必有一耒一耜一铫……耜铁之重加七。三耜，一人之籍也。"

[3]《吴越春秋》云："干将作剑，采五山之铁精，六合之金英，候天伺地，阴阳同光，百神临视，天气下降，而金铁之精，不销沦流。于是干将……乃断发剪爪，投于炉中。使童女童男三百人，鼓橐装炭，金铁乃濡，遂以成剑，阳曰'干将'，阴曰'莫邪'……献之阖闾。"

元年，当鲁昭公二十八年，正当春秋末叶。则在春秋末际，长江流域，已有大规模的冶铁事业之存在。

所以时代一转入战国，铁器不但普遍应用于耕种，[1]而且普遍地引用为武器。[2]如在韩则有铁幕，[3]在赵则有铁甲，铁杖，[4]如在魏则有铁椎，[5]在秦则有铁殳，[6]铁室，[7]铁铦，[8]在楚则有铁剑，[9]

---

[1]《国语·齐语》云："恶金（铁）以铸鉏、夷、斤，斸，试诸土壤。"《孟子·滕文公》（上）云："许子以釜甑爨，以铁耕乎？"此所谓试诸土壤，所谓以铁耕乎，乃铁器使用于耕种之确证。近来于河北古燕都遗墟，又发现铁斤一物，则《国语》所云，又得一实。

[2] 江淹《铜剑赞·序》云："古时乃以铜为兵，……春秋迄于战国，战国至于秦时，攻争纷乱，兵革互兴，铜既不足给，故以铁足之。铸铜既难，求铁甚易，故铜兵转少，铁兵转多，……二汉之世，逾见其微。"

[3]《战国策·韩》云："（韩）当敌即斩坚，甲，盾，鞮鍪，铁幕，革抉，㕰芮，无不毕具。"

[4]《吕氏春秋·贵卒篇》云："赵氏攻中山，中山之人多力者日吾邱鸩，衣铁甲，操铁杖以战。"

[5]《史记·信陵列君传》云："朱亥袖四十斤铁椎，椎杀晋鄙。"

[6]《韩非子·南面篇》云："商君之内外而铁殳，重盾而豫戒也。"

[7] 同上《外储说》上云："夫矢来有乡（向），则积铁以备一乡；矢来无乡，则为铁室以尽备之。"

[8]《韩非子·八说》云："搢笏干戚，不适有方铁铦。"

[9]《史记·范雎列传》云："吾闻楚之铁剑利而倡优拙，夫铁剑利则士勇，倡优拙则思虑远。"

铁铯。[1] 此等铁制武器之出现，就指示了当时铁的生产量已经相当的庞大，而其冶铸锻炼锤击的技术，则已臻于相当高度的发展。

证之《史记 · 货殖列传》之所示，在战国时，确实已有大规模冶铁事业之存在。如倚顿、蜀卓氏、宛孔丘、邯郸郭纵，皆以冶铁致富，埒于王侯。同时，齐秦两国，并以铁为国家专卖事业，是知当时铁器之普遍应用于耕种，盖无可疑。

与铁犁之应用于耕种同时，牛耕也渐次普及。《论语》记孔子之言，曰“犁牛之子骍且角”。又孔子的弟子冉伯牛名耕，司马牛字子耕。或以牛与犁连用，或牛与耕并称，若无牛耕之事，则于造语命名之时，决不能发生此种联想作用。同时，《国语 · 晋语》则已明言，春秋之末，已有牛耕。《晋语》云：“范、中行氏不恤庶难，欲擅晋国，令其子孙将耕于齐，宗庙之牺为畎亩之勤。”此所谓“宗庙之牺”，当然指“牛”而言，故知春秋时代，已有牛耕。降至战国，则牛耕更为普及了。

即因铁器之普遍应用于农业生产与牛耕之渐次普

[1]《荀子 · 议兵篇》云：“楚人……宛巨铁铯（铯者矛也），惨如蜂虿。”

及，因而便提高了农业的生产技术。在春秋战国时代的农民，已经能够深耕熟耰，开渠筑坝，并且已经知道多粪肥田。此外，由于经验的蓄积又知道“十仞不见水不大潦，五尺见水不大旱”这种水旱的征兆。这样，当然就把农业的生产性提高了。

由于农业生产性的提高，于是同样大小的土地，便不需要以前那样多的农民去耕种，因而有不少的农民，便从耕地上被排挤出去，形成了人口过剩与土地不足的现象。为了解决土地不足的问题，于是土地兼并的战争就到处发生了。

经济的矛盾，引起了政治的行动；同时政治行动的结果，又引起生产组织的改编。在兼并战争中，大国并吞小国之后，大抵都把小国变成县[1]、

[1]《史记·秦本纪》云：“武公十年伐邽冀戎，初县之。”又云：“十一年初县杜郑。”《左》宣十一年传云：“楚子伐陈……因县陈。”同上十二年传郑伯逆楚子之言曰：“使改事君，夷于九县。”《左》昭十一年传叔向曰：“陈人听命而遂县之。”同上二十八年传云：“（晋）分祁氏之田以为七县，分羊舌氏之田以为三县。”哀十七年传云：“彭伯爽，申俘也，文公以为令尹，实县申息。”这些都是春秋时大国灭小国而夷以为县的例子。

郡[1]以隶属于其自己的行政系统之下。所以在西周时代的许多小国，到春秋时，大多数都夷为大国的郡县了。因之，在春秋时，各大国中，皆有郡县之存在。[2]大国之君，把这些郡县分赐于其功臣，或者派遣官吏去统辖。这些官吏，各国所用的名称不同，如在楚则为“县公”、[3]“县尹”，[4]在晋则称为“县大夫”，[5]在齐则为“县

[1] 春秋战国时，也有郡的存在，例如《左》哀二年传云：“克敌者，上大夫受县，下大夫受郡。”《国语·晋语》云：“公子夷吾私于公子挚曰：‘君苟辅我，……君实有郡县。’”《史记·甘茂列传》云：“范蜎对楚王曰：‘楚南塞厉门，而郡江东。’”同上《春申君列传》云：“黄歇言之楚王曰：‘淮北地边齐，其事急，请以为郡便。’”《国策·秦策》云：“宜阳，大县也……名为县，其实郡也。”又《史记·匈奴列传》谓赵有代郡，燕有辽东郡，魏有西河郡，上郡，此等郡之设置，或以拒胡，或以戍界边，而楚之郡江东，亦系吴越故地，故知郡之出现，亦系夷人之国而以设置。

[2]《左》宣十五年传云，“晋侯赏士伯以瓜衍之县”。襄二十六年传云，蔡声子曰：“晋人将与之县以比叔向。”昭三年传韩宣子曰：“晋之别县，不惟州。”襄三十年传云：“绛县人或年长矣。”昭五年传云，启疆曰：“韩赋七邑，皆成县也。”又曰：“因其十家九县……其余四十县。”由此看来，晋有县也。《左》成六年传韩献子曰：“成师以出而败楚之二县。”是楚亦有县也。《齐侯钟铭》记齐侯赐叔夷“其县三百”，是齐亦有县也。

[3]《左》宣十一年传云：“诸侯县公，皆庆寡人。”

[4]《左》昭十三年传云：“芈尹无宇之子。”

[5]《左》僖二十五年晋文以“赵衰为原大夫，狐溱为温大夫”。

帅”。[1] 因之在这一时代，农民的顶头上司，已经不是有土有民的领主，而是中央派遣的官吏。这种郡县制，到战国时代，便演化为各国国内之一般行政区划了。[2]

与郡县制并行，也还有采邑制的存在，如鲁之三孙，晋之六卿，齐之陈、国、高各家，皆有庞大的领地，管仲也有卞邑三百。直至战国时代，四公子还领有很多的食邑。但是自春秋时代始，采邑制已经改变了原来的性质。例如在楚国，申无宇、申亥父子，他们的采邑本是申，而却世为芋尹。又如同一申邑，而同时封赐于许多人。例如与“申公巫臣”同时，则有“申叔展”、“申叔时”，与“王子牟为申公”同时，则又有“申叔豫”、“申舟”、“申犀”，而他们又都是中央的官吏。由此可知春秋时代的采邑，已不是西周时代受民受疆土的采邑，采邑之所有者，不一定君临其邑；反之，君临其邑者，又往往非采邑之所有者。因之，当时的采邑，恐怕事实上已经变成了郡县。所以在春秋时，许多有采邑的人，都被迫而

[1]《国语 · 齐语》云：“县有县帅。”

[2]《史记 · 秦本纪》云：“孝公十二年，并诸小乡聚集为大县，县一令，四十一县。”是则将其国内的领土，皆区划为县矣。

归还诸侯。如《左》襄二十二年传云:“郑公孙黑肱有疾，归邑于公。”同上二十六年传云:“子产辞邑。”同上二十九年传吴公子季札聘齐说晏平仲曰:“子速纳邑与政，无邑无政，乃免于难。”故晏子因陈桓子以纳邑与政，是以免于“栾高之难”。至于当时，各国的大贵族，他们虽然保有庞大的采邑，但对于其所领之诸采邑，也不是分封于其左右，而是派遣官吏去管理。例如公山弗扰为季氏的费宰，佛肸为赵简子的中牟宰，冉求为季氏宰，尹铎为赵简子的晋阳令，这里所谓宰与令，就是县尹、县令之类的地方官。并不是举土地人民而封赐之。由此我们知道，自春秋以至战国，由于大领主的领土之扩大，原有的适应于小国寡民之庄园组织，已不能适应于提封万里之庞大的领土的管理，因而出现了层叠式的官僚系统之管理组织。《国语·齐语》述齐国的管理组织云:“制鄙，三十家为邑，邑有司；十邑为卒，卒有卒帅；十卒为乡，乡有乡帅：三乡为县，县有县帅；十县为属，属有大夫；五属又立五大夫，使各治一属焉。”像这样邑、卒、乡、县、属的层叠式的管理组织，恐怕是战国时代一般的现象。这在社会组织上，当然是一个很大的改变。

第二节　农业劳动生产性的提高与地租形态的转化——由力役地租过渡到现物地租

管理的组织，虽然已经改变，但对于农民之劳动的编制，仍然是庄园制的编制，农民仍然被给与一定量的分有地，即以此为根据，以榨取农民的剩余劳动及剩余劳动物。因此在春秋时代，地租的主要形态，还是劳役地租，即所谓“藉田以力”，“赋里以入”，“任力以夫”是也。所谓“藉田以力”者，即劳役地租之谓；所谓“赋里以入”者，即贡纳之谓；所谓“任力以夫”者，即徭役之谓。因此，当时的农民，虽然换了主人，但并没有运转洪钧，他们仍然过着农奴的日子，诚如《国语·晋语》所云：“其犹隶农也。虽获沃田而勤易之，将弗克飨，为人而已。”

当时农民的分有地，大概是五亩之宅，百亩之田。照《孟子》的说法：“五亩之宅，树之以桑……百亩之田，勿夺其时，数口之家，可以无饥矣。”可见在当时农业生产的程度之下，五亩之宅，百亩之田，是支持一个农民家属的生活之最低限度的物质条件。可是随着生产力的进步，农民为了追求较好的生活，因而在其自己的分有地上，表现了更高的劳动生产性，从而分有地与领主的公田之间的土地报酬，便显出了差异。于是领主们便毫不犹豫地把劳役地租转化为现物地租。在春秋末叶，地租形态便开始转化了。首先实行的是鲁国。《左》宣十五年传谓鲁国“初税亩”。以后在昭四年，郑国也作“丘赋”。襄二十五年，楚国也“量入脩赋”。不过在春秋时代现物地租，并不是地租的支配形态。

到战国时代，新兴商人的土地占有，逐渐扩大，他们因为尚没有取得对农民行使劳役的权力，所以他们的农业经营，一开始便是佃耕制，因而他们的地租，一开始也是现物地租。这样，现物地租，便逐渐普遍。由于现物地租的施行，更刺激农业劳动生产性的提高。所以到战国末期，现物地租便取得了支配形态。在秦国并且出现了雇佣劳动的农业经营。[1]

当时征收现物地租的比率，究竟是多少，说者不一。

[1]《韩非子》云：“夫卖佣而播种者，主人费家而美食，调布而求易钱者，非爱佣客也。曰如是，耕者且深，耨者熟耘也。佣客致力而疾耘耕者，……非爱主人也，曰如是，羹且美，钱布且易云也。”

《孟子》说："周人百亩而彻，其实皆什一也。"《管子》上说："上稽之以数，下什伍以征。"又说："民食什伍之谷。"但我以为周人百亩而彻，乃系指西周之劳役地租而言，在战国时代之现物地租，则恐系什伍对分。所以当时的农民，一遇凶年，则"粪其田而不足"，他们"盻盻然终岁勤劳不得以养其父母"，结果是"老幼转乎沟壑"。

当时的农民，除粟米之征以外，又有布缕之征，所谓布缕之征，并不仅布缕，而是以布缕概括一切贡纳物。当时的贡纳物，除布帛麻丝以外，还有瓜果素食。又据《齐语》所云"牺牲不略，则牛羊遂"，是则领主又尝略夺农民的牛羊。此外在当时的各国，还有许多苛捐杂税，课于农民，如在楚国便"赋车籍马，赋车兵徒卒甲楯之数"(《左》襄二十五年传)。当时楚国的令尹，他们搜刮农民，正像饥饿的豺狼，[1]只知"蓄聚积实"，那里还记得甚么"赋里以入，而量其有无"的先王之制。楚国如此，其他各国，亦莫不皆然。

[1]《国语·楚语》云："吾(斗且)见令尹，令尹问蓄聚积实，如饿豺狼焉，殆必亡也。"

在战国时，农民和领主之间，已经有着无数等级的官吏，战国时，农民和领主的关系，正和西周的农奴和天子一样，并不能发生直接的关系。这时的领主，再不像西周的领主一样，“以其妇子”巡幸南亩，因而这时的农民，也就不够资格，“曰杀羔羊”，以跻彼领主之公堂，或者“为此春酒”，以介领主之眉寿。同时，这时城市的手工（业）和商业，均已发达，不仅有精巧的本国的工艺品，而且还有外国运来的珍奇之物，因此农奴的妇女，再也不必耽心“之子无衣”，“之子无裳”了。

农民除了必须缴纳贡纳品以外，还有繁重的徭役，这就是孟子所谓“力役之征”。

春秋战国时代的徭役，最主要的是兵役。自春秋时开始，适应于兼并战争之进行，对于农民，便有严密的军事编制。如在齐国有轨里连乡之制，[1]在郑国则庐井

[1]《国语 · 齐语》云：“制国五家为轨，轨为之长；十轨为里，里有司；四里为连，连为之长；十连为乡，乡有良人焉，以为军令。五家为轨，故五人为伍，轨长帅之；十轨为里，故五十人为小戎，里有司帅之；四里为连，故二百人为卒，连长率之；十连为乡，故二千人为旅，乡良人帅之；五乡为一帅，故万人为一军，五乡之帅帅之。……春以蒐振旅，秋以狝治兵，是卒伍整于里，军旅整于效，令勿使迁徙。”这种制度，就是今日保甲制度的原始。

有伍。[1]一旦有事，则举国皆兵。到战国时代，兵役之于农民，便变为与耕种同样重要的任务，所谓："入令民以数农，出令民以计战。"[2]当时七国的领主，就用一种高度的政治强制，把农民从田野驱上战场；又从战场召回田野。[3]用农民的鲜血，开拓土地，又用农民的劳力，耕种土地。

春秋时代的战争，还是用戎车，所以动员的人数，皆以车计。春秋初叶，战争的规模还不很大，动员的人数，最多者不过车六百乘。[4]到春秋中叶，则战争的规模渐大，动员人数常为七百乘，八百乘，而且有多至千乘者。[5]到春秋末叶，则有动员车四千乘者。《左传》曾有"以什共车"之语，则一车为十人，四千乘，即四万人了。到战国时，则除戎车以外，又出现了新式的骑

[1]《左》襄三十年传云："子产使都鄙有章，上下有服，田有封洫，庐井有伍。"

[2]《商君书·算地》。

[3] 同上《外内》节云："民之外事莫难于战，故轻法不可以使之，……民之内事莫难于农，故轻治不可以使之。"

[4]《左》庄二十五年传云："楚令尹子元以车六百乘伐郑。"

[5]《左》僖二十八年传云，晋楚城濮之战晋车七百乘。襄二十五年，郑子产以车七百乘伐陈。成二年，晋郤克以车八百乘伐齐。襄十八年，鲁卫各以车千乘。

兵，如楚国、齐国、赵国都有骑万匹，燕国有骑六千匹，魏国有骑五千匹。此外还有步兵，如魏国有徒兵十万。当此之时，战争的规模，更为庞大，或五国攻秦，或四国击楚，或三国救赵，出兵人数，动以万计。战争一天比一天发展，武器也一天比一天锋利。严阵对垒，则强弓劲弩；短兵相接，则长矛利剑；争城以战则杀人盈城；[1]争地以战，则杀人盈野。[2]在这几百年中，不知有多少农民粉身碎骨，肝脑涂地，然后才造成"大则以王，小者则霸"的局面。

在战争中，"攻者，农夫不得耕，妇人不得织，以守为事。攻人者，亦农夫不得耕，妇人不得织，以攻为事"(《墨子·耕耘篇》)。"民死亡者，非其父兄，即其子弟。"(《左》襄八年传）夫妇男女，救死扶伤之不遑，那里还有时间从事生产。而且锋刃所向，城邑为墟；燔庐荡社，堙井刊木，社会生产基础，破坏无余。接着而来的，当然就是凶年，于是人民遂陷于"易子而食，析

[1]《左》僖二十八年，晋侯围曹门焉多死，曹人尸诸城上。

[2]《左》文三年，秦伯伐晋，封殽尸而还。宣十二年，楚潘党请收晋尸以为京观。

骸以爨”之惨痛的境遇。

不仅如是，农民除兵役外，还有繁重的土木徭役；而土木徭役中之最重要的，则为适应于战争防守之筑城的徭役。当时的领主，都企图“凿斯池也，筑斯城也，与民守之”。所以春秋时筑城的记载，充满史乘。[1]降至战国，则今日驰名世界的长城，已经巍然蜿蜒于燕之北，齐之南，魏之西，楚之北。在这些城堡的建筑中，不知蓄积了多少农民的劳动，牺牲了多少农民的生命。

其次，适应于当时领主奢侈欲望的提高，于是宫室台榭陂池园囿的建筑，到处繁兴。当此之时，各国领主“坏宫室以为污池，……弃田以为园囿”。竞尚豪奢，以残害于百姓。齐筑太室，堂上三百户。晋筑铜鞮之宫，其广数里。“楚灵王作倾宫，三年未息也，又为章华之

[1]《左传》中关于筑城的记载，有如次之多。如庄二十八年，筑郿，二十九年，筑微。隐七年，城中丘，九年，城郎。桓五年，城祝丘，十六年，城向。庄二十九年，城诸及防，三十二年，城小谷。僖元年，城邢，二年城楚丘，十四年，城缘陵。文七年，城部，十二年，城诸及郓。宣八年，城平阳。成四年，城郓，九年，城中城。襄二年，城虎牢，七年，城费，十三年，城防，十五年，城郛，十九年，城西郛武城，二十九年，城杞。昭三十三年，城成周。定六年，城中城，十四年，城莒父及霄。哀三年，城开阳，五年城毗，六年城邾瑕。

台，五年又不息也，乾溪之役，八年，百姓之力不足而息也。”（《晏子春秋》）吴筑姑苏之台，七年未成（《墨子》）。郑作窟室而夜饮酒，宋为平公筑台而子罕“亲执扑，以行筑者”（《左》襄十九年传）。这样看来，当时领主，可谓极土木崇高之美，而农民则精疲力竭了。

现在领主们的威风，较之西周时代的领主们，大得多了。他们提封万里，带甲百万，生杀予夺，大权在握，攻战杀伐，叱咤风云。出则车马填巷，羽盖被天，奋击在前，武士在后，秋冬狩，耀武扬威，凌虐人民，无法无天。入则离宫别馆，高堂峻宇，女乐奏于内，八佾舞于庭，鼎俎备陈，钟鼓齐鸣，“九妃六嫔，陈妾数百，食必粱肉，衣必文绣”。骄奢淫佚，日夜未已。

当时的农民，则“有布缕之征，有粟米之征，有力役之征”，此外还要“赋车籍马，赋车兵徒卒甲楯之数”。六畜被略，山泽川梁有禁，加之以饥馑，因之以兵革，于是终岁勤苦，不得以养其父母，在这样的环境之下，因而少壮者不得不散而之四方，而老弱者则只有转乎沟壑了。

都市是农民唯一的避乱所，从春秋时代起，那些破落的农民，就成群地走进了都市，到战国时代这种情形更加发展，而这就是所谓“野与市争民”的历史内容。

第三节　庄园经济的解体与初期城市经济之兴起——农民的逃亡，独立手工业者与独立商人之出现

这些逃亡到都市的农民，大半都转化为独立手工业者，因而，又繁荣了都市的手工业。这种手工业到战国时代，便已达到很精细的分工。《墨子·节用篇》云：“凡天下群百工、轮、车、鞼、匏、陶、冶、梓、匠，使各以事其所能。”由此可见一般。

同时，由于封建经济之地方性，又引起当时手工业之地方的分工。如韩以弓弩著，吴越以刀剑著，邯郸以冶铁著，巴蜀以竹木之器著，温枳以“作巧奸冶多美物”著，齐以丝麻纺织物著，合肥以皮革鲍木著，豫章以黄金制物著，长沙以锡器著，番禺以珠玑犀象牙玳瑁著，临淄以制陶著。

由于手工业的发展，于是又刺激了商业的活动，因

而又出现了独立商人。《左》襄九年传云:“其庶人力于农穑，工商皂隶，不知迁业。”《晋语》亦云:“庶人食力，工商食官，皂隶食职。”这些记载，都把商人与庶人皂隶并称，这当然不是以前的君子之贾了。由此，我们知道在春秋时，便已有由庶人出身之独立商人的存在。

即因独立工商业者之出现，于是西周时代之许多庄园的城堡，到春秋时代，大半都渐渐变成中世纪的都市。如齐之临淄，晋之绛，秦之雍、隙、栎邑，郑之郑邑，以及宋、卫、燕、鲁、荆、楚、吴、越等国的首都，都变成了工商业者荟萃之所。

到战国时代，随着工商业的更加发展，除了上述的诸都市更趋繁荣以外，楚之寿春，秦之咸阳，周之洛阳，也发展为一方工商业的中心。此外，在各封区之间的交通要道上，许多不定期或定期的市集，也多转化为都市，如楚之合肥，齐之稷下，都是这一类的新兴都市。

因此，春秋战国时代，可以说是中国都市勃兴的时代。诚如《战国策》所云:“古者，四海之内，分为万国，城虽大，无过三百丈者，人虽众，无过三千家者……今千丈之城，万家之邑相望也。”

据《史记·苏秦列传》所载，当时齐之临淄，人口多至七万户，若以户三男子计之，当有二十七万男子，再加女子，则有五十余万人口。所以临淄城里，“车毂击，人肩摩，连衽成帷，举袂成幕，挥汗成雨，家殷人足，志高气扬”。此外，吴国的都城，城“周四十七里，二百一十步二尺，陆门八，其二有楼，水门八”。由此，可以推想同一时代之其他都市。

当时的新兴商人，他们不避关市之征，不畏盗贼之险，陆则资车，水则资舟，成群结队，以周四方。他们西贾陇蜀，远及西域；北贾燕赵，远及朔漠；东贾齐鲁，远及秽貉、朝鲜、真番；南贾吴楚，远及南海。于是“洞庭之鱄，东海之鲕，醴水之鱼，昆仑之蘋，阳华之芸，云梦之芹，具区之菁，阳朴之姜，招摇之桂，越骆之菌，大夏之盐，不周之粟，南海之秬，江浦之橘，云梦之柚”。[1]皆随地而得食之。于是山西之材、竹、谷、纑、旄、玉石，山东之鱼、盐、漆、丝、声色，江南之楠、梓、姜、桂、金、锡、丹砂、犀、玳瑁、珠玑、齿、革，龙门、碣石以北之马、牛、羊、旃、裘、筋、角、铜、铁，

[1]《吕氏春秋·本味》篇。

这一些“人民所喜好，谣俗被服饮食养生送死之具”。[1]皆随地而得有之。于是中国的商业，又在更高的历史基础之上，展开了它的发展。

当时的商人，就在转移有无，权衡轻重，市贱鬻贵，居奇取巧之中，一个个都变成了巨富。于是，他们进一步“以左右望”，而垄断市场，因而往往“乘民之不给，百倍其本”(《管子》)。同时，又伸出了高利贷的魔手，一面乘着农氏的贫困，把他们的分有地收夺了；[2]另一面，又利用诸侯战争而引致之财政上的窘困，从他们获得了大量的土地，[3]这样，新兴的商人，同时又是地主了。

---

[1]《史记·货殖列传》。

[2] 在战国时，农民大半都为债务所困，《孟子》曰：“又称贷而益之。”《管子》曰：“问邑之贫人债而食者几何家？……问人之贷粟米有别卷（借券）者几何家？”又曰：“桓公曰，曲防之战，民多假贷而给上事者。”当时高利贷者，固以商人居多，但亦有封建贵族，如晋语谓栾桓子“假贷居贿”。《史记》谓孟尝君尝“贷息钱于薛”。

[3]《通志》谓：“（赧王）虽居天子之位号，为诸侯之所役逼，与家人无异，名负责于民，无以得归，乃上台避之，故周人名其台曰逃责台。”按赧王虽为天子，而实为一最小的领主，故负债特多。

第四节　新旧土地所有者的斗争与历史的新转向

到战国时代之初，新兴商人，已经发育成人了。他们“金玉其车，文错其服，能行诸侯之贿，而无寻尺之禄”(《晋语》)。陂田宛囿之广，埒于王侯；田池射猎之乐，拟于人君。现在，他们已不被视为庶人皂隶之类，而有游闲公子之名。他们“结驷连骑，束帛之币以聘享诸侯，所至，国君无不分庭与之抗礼”。真是趾高气扬，俨然有些候补统治者的神气。像这样的商人，并不是某一国家的特产，而是当时一个新兴的历史阶层。所以在当时，“万乘之国，必有万金之贾，千乘之国，必有千金之贾”(《管子》)。如在越，则范蠡三致千金。在郑，则弦高以个人之资，大犒伐郑之秦军，且谓居则为具一日之积，行则为备一夕之卫。此外在蜀则有卓氏，在宛则有孔氏，在邯郸则有郭纵，他若乌氏倮，巴寡妇清，皆为当时之豪商巨贾。其余名不见经传者尚不知有若干。

新兴商人，虽然已经掌握都市经济之命脉，并从而获得了大量的土地所有，但并没有获得政权。因而新兴商人，虽然把自己从庶人皂隶中区别出来，但仍然是一个被榨取的阶层。如前所述，他们的土地，需要向领主缴纳地税；同时，他们经商，也需要向领主缴纳商税。所谓商税者，就是关市之征。这种关市之征，在当时的各国，税率皆不相同，再加以各国的币制不同，[1]度量衡亦不同，因而使商人极感痛苦。尤其是频繁的封建战争，往往使“关梁闭而不通”（《楚辞 · 九辩》），以致商路为之断绝。因此新兴商人，便开始要求政权的斗争。

战国时的领主，虽然财政上的赤字，日益加大，但他们并不因此而停止相互之间的战争；反之，却企图从

[1]《国语 · 周语》云：“（周）景王二十一年将铸大钱。”是春秋末际中国已有铸币。《史记 · 苏秦列传》谓“苏秦之燕，贷人百钱为资”。同上《孟尝君列传》亦谓孟尝君以“钱”贷薛邑之人，是又证明战国时铸币已通行。据陆和九氏《古器物学》所揭，战国时代之铸币，各国的形式，皆不相同，齐、赵为刀，而刀与刀不一，秦魏为铲，而铲与铲互异，燕之币形，则外圆而内有方孔。当时各国货币，形式既不同，大小轻重亦互异，当然其价值亦互异。因此，当时国际之间换算的标准，仍为黄金，所以在春秋战国时黄金与铸币并行。如《国语》、《战国策》秦、楚、郑、赵、诸篇，皆有“黄金若干镒”的记载，《燕策》亦有“赍苏秦车马金帛以至赵”的记事。由此可知“黄金为中币，刀布为下币”之说，当系事实，惟“珠玉为上币”，则或系附会之辞，盖珠玉在当时，实为一种珍贵品，虽有价值，但并非货币。当时一璧之值，高至连城，当然不便用作交换之媒介物也。

相互之间的战争中，用消灭邻国的方法，以缓和其内在的矛盾。因此战争仍然继续进行，并且以日益扩大的规模而展开。即因战争之持续与扩大，因而又加重了对农民的榨取，从而又加速了农民的逃亡。即因农民的逃亡，于是各领主的县邑内，便大感劳动力的缺乏，以致田野荒芜。《楚辞》曰："皇天之不纯命兮，何百姓之震愆？民离散而相失兮，方仲春而东迁。"又曰："农夫辍耕而容与兮，恐田野之芜秽。"这正是战国末叶一般的情景。

战争愈益扩大，剥削愈益加强，而领主们的奢侈欲，也愈益提高。他们"厚作敛于百姓，暴夺民衣食之财，以为宫室。台榭曲直之望，青黄刻镂之饰"（《墨子·辞过》）。"以为锦绣文采靡曼之衣，铸金以为钩，珠玉以为佩，女工作文采，男工作刻镂，以为身服。"（同上）"以为美食刍豢蒸炙鱼鳖，大国累百器，小国累十器，前方丈。"（同上）"以饰舟车，饰车以文绣，饰舟以刻镂。""其蓄私也，大国拘女累千，小国累百。"（同上）总而言之，当时的诸侯，居必雕镂，衣必文绣，食必粱肉，耽乐饮酒，则陈妾数百，出入田猎，则后车千乘，这就是他们养生之道。至于送死，则"虚府库，然后金玉珠玑比乎身，纶组节约车马藏乎圹，又必多为幄、幙、鼎、鼓、几、挺、壶、槛、戈剑、羽旄、齿、革、寝而埋之，……天子杀殉众者数百，寡者数十；将军大夫杀殉众者数十，寡者数人”（同上《节葬》上）。呜呼，盛矣！

但是“上不厌其乐，下不堪其苦”（《墨子·七患》），当诸侯深居高拱于雕墙刻桷之宫殿时，在另一面，“子之民，老羸转乎沟壑，壮者散而之四方者，几千人矣”（《孟子·公孙丑》下）。当诸侯“庖有肥肉、厩有肥马”之时，而在另一面，则“民有饿色，野有饿莩。”（同上《梁惠王》上）当诸侯拘女累千累百之时，而在（另）一面，则“天下之男多寡无妻，女多拘无夫”（《墨子·辞过》）。总而言之，当时的农民“仰不足以事父母，俯不足以畜妻子，乐岁终身苦，凶年不免于死亡”（《孟子·梁惠王》上）。

在这样的情形之下，所以虽有“逃徙者刑”（《管子》）的禁令，但是仍然不能阻止农民的逃亡。现在大批破落的农民，走进了都市。而当时都市中的手工业作坊和商店，又不能容纳这样广大的失业人口。因此这些逃入都市的农民，除了少数投身于贵族或商人的门下而为其仆从以外，大部分都转化为流浪之群。其投身于贵族之门者，如孟尝君门下的“鸡鸣狗盗”之徒，平原君门下的“躄者”是也。其投身于商人者，如藏于卖浆家之薛公与屠狗者高渐离是也。此外的流浪之群，则或“吹竽、鼓瑟、弹琴、击筑”以乞食，或“相随椎剽”，“掘冢作巧”，以过渡其劫掠盗窃的生活。而这些流浪之群，就是所谓慷慨悲歌之士，亦即所谓任侠之士也。至于女子，则“设形容，楔鸣琴，揄长袂，蹑利屣，为倡优”。她们只有把哭脸装作笑脸，所谓“目挑心招”以“游媚富贵”之人。她们或“入后宫，遍诸侯”，充贵族的下陈，或“出不远千里，不择老少”，以奔富厚之商人。像以上的情形，就正是当时农民逃亡到都市以后的一幅写真。

在另一方面，许多在兼并战争中没落的小领主，及其后裔，也都麇集都市。（这照西洋的规矩，他们是应该被商人圈禁起来的。）他们具有传统的政治素养与经验，但是已经失去了政治的权力，因此，虽有满腹经纶，而英雄无用武之地。在国破家亡之后，他们的生活，日趋艰难，于是便相率干谒大领主，出卖其政治经纶，纵横捭阖于诸侯之间，而这就是所谓游说之士也。

现在的都市，已经不像从前，只是封建诸侯的军事堡垒，而是新兴商人、手工业者、逃亡的农民以及没落的小领主各种各样的人群荟萃的地方。在这样的城市里，经济的命脉，已经抓在商人手里，而政治的统治，则仍为封建诸侯所掌握。于是矛盾的斗争，就从这里展开了。一方面是新兴商人要求建立符合于新的经济内容之新的政治体制；另一方面，是旧的领主要把新的经济放在原来的政治机构的统治之下而受其支配。

斗争开始了。新兴商人以秦国为中心，组织了反对旧领主的政治运动，这就是历史上所谓“连横”。他们不仅要求封建混战的停止，要求商路的安全和畅通，并且根本要求封建割据局面的取消，因而使关税币制及度量衡获得统一。尤其要求他们在封建社会内既存的地位之法律的承认，要求他们对手工业者的支配权之政治的巩固，要求他们自己有权对他们所占有的土地及土地上的人民行使权力。一言以蔽之，他们要求封建的统治权，这个统治权，是以保护新兴商人地主的权益为任务的统一的集中的政权。同时，针对着新兴商人的“连横”活动，在旧领主方面，也组织了一种自救的政治运动，而这就是历史上所谓“合纵”。他们企图以六国联合的力量，共同去消灭这个作为新的历史运动之根据的秦国，从而消灭这个历史运动。这样，于是新旧的土地所有者，就在“连横”与“含纵”两面大旗之下，展开了为了争夺对农民的支配权而进行的斗争。

新兴的秦国在商人地主的指挥之下，首先开始了对六国旧领主的武装攻势。在武装的进攻中，一方面，由于秦国的优势武装；另一方面，由于六国中之新兴商人地主，到处以秦国之“第五纵队”出其于本国，于是秦国便取得了绝对的优势。

当秦国覆灭了韩赵魏而以“后服者先亡”之势席卷中原之时，残余的旧领主，已经不能动员整个社会的力量，组织全面的反抗，于是企图以对秦始皇个人的暗杀，来消灭这一个历史运动，因而“刺客”出现了。可是“刺客”的刀剑，并不能阻止历史的发展，不久秦国还是灭燕灭楚，最后灭齐，完成了“六王毕，四海一”的统一局面。

虽然如此，“暗杀”，总是战国末年历史上一幅悲壮淋漓的插画。易水的悲歌，秦庭的筑声，正是庄园经济最后的葬曲。而荆轲、高渐离等几个壮士，则做了封建专制主义奠基典礼中的“人祭”。

随着秦代的统一，新兴商人地主，便在中国历史舞台上袍笏登场了。

第四章　春秋战国时代的社会关系

第一节　社会经济的发展与等级制度的演变

春秋战国时代，社会生产关系之主要的构成，还是各级土地所有者的领主与土地之直接耕种者的庶人之间的从属关系。《左》襄十三年传云:“君子尚能而让其下，小人农力以事其上。”《孟子》曰:“无君子莫治野人，无野人莫养君子。”这些言语，正是说明自春秋以至战国时代社会生产关系之内容。

不过随着社会生产力之发展，这一时代的社会生产关系，也略有改变。

一方面，由于地方经济之发展以及因此而引起之封建兼并战争，强化了地方领主的独立性，因而削弱了最高领主的权威，从而松懈了天子与诸侯之间的等级从属关系。同时，在兼并战争中，许多地方领主被削弱，被覆灭，许多地方领主即以是而强大，因而又改变了土地所有之原来的形势，从而又使建筑于原来土地所有的形势上之爵位的等级制，逐渐趋于紊乱。

另一方面，也是由于地方经济之发展以及由此而引起之工商业的发展，于是在土地直接耕种者的庶人中，分化出独立手工业者与独立商人两种新的社会因素。同时，由于封建领主的奢侈生活之提高，厮役扈养，因而加多，于是从庶人中又分化出各种名称的贱奴。

由于土地所有者间相互关系的改变，和土地直接耕种者内部之分化，这样，就使得当时的社会关系，更为复杂。

据《左》昭七年传所云，当时社会之等级的从属关系，是“王臣公，公臣大夫，大夫臣士，士臣皂，皂臣舆，舆臣隶，隶臣僚，僚臣仆，仆臣台，马有圉，牛有牧”。这样看来，在春秋时代，土地所有者的领主之间，还是保有王、公、大夫之原来的等级从属关系，而在土地直接耕种者的庶人之中，则已经发展出皂、隶、僚、仆、台、圉、牧各种名称的贱奴。

又据《左》襄十四年传云：“天子有公，诸侯有卿，卿置侧室，大夫有贰宗，士有朋友，庶人，工，商，皂，隶，牧，圉，皆有亲昵，以相辅佐也。”《左》桓二年传亦云："天子建国，诸侯立家，卿置侧室，大夫有贰宗，士有隶子弟，庶人，工，商，各有分亲，皆有等衰。"由此又证明在春秋时代，庶人之中，已经分化出工商。又《左》襄九年传云："庶人力于农穑，商工皂隶，不知迁业。"《国语·周语》云："庶人工商各守其业，以共其上。"这里皆将工商与庶人皂隶并称，而且亦为食人者，由此又证明此所谓工商，实出于庶人之工商。

即因这样一个变动，所以便形成"公食贡，大夫食邑，士食田，庶人食力，工商食官，皂隶食职"（《晋语》）的社会关系。一方面，是土地所有者的公、大夫、士；另一方面，是土地直接耕种者的庶人，及由庶人中分化出来的工商皂隶。

随着时代进入战国，一方面许多原来的土地所有者，失掉了土地所有；另一方面，许多原来没有土地所有的商人，获得了土地所有。由于土地所有之转移，于是大批失掉土地所有的领主，从政治舞台上脱退出来；而大批新获得土地所有的商人，登上了政治舞台。这样便改变了社会构成之原来的成分。但是新的土地所有者，还是土地所有者，他们并不因为他们出身于庶人而减轻其对庶人的榨取，因而社会之主要的构成，并没有改变。

第二节　土地所有的关系之改变与爵位制的紊乱

现在我们说到领主的方面。

自西周末叶，由于兼并战争的开始，许多小领主，便失掉了他们的土田与民人，而没落为琐尾流离之子。同时许多大领主则“公车千乘，公徒三万”，“穆穆皇皇，宜君宜王”。就从这一时代起，土地所有的形势改变了，因而以此为基础的爵位等级制，也开始紊乱了。《书·毕命》云“世禄之家，鲜克由礼”，正是说明这一历史内容。

到春秋时代，各大封区，便等于一个独立国家。《左》庄十四年传云：“苟主社稷，国内之民，其谁不为臣。”《左》昭七年传云：“封略之内，何非君土；食土之毛，何非君臣？”《孟子》曰：“尺地，莫非其有也；一民，莫非其臣也。”由此可以想见当时诸侯之权威。由于诸侯权威的高涨，于是便削弱了天子的尊严。这时的诸侯，不但不听王命，[1]不缴贡纳，[2]而且周郑交质，齐楚窥鼎，变成一个“君不君，臣不臣”的局面了。这样一来，过去天子对诸

[1]《左》僖二十四年传云：“（郑伯）不听王命，……王怒，将以狄伐郑。”

[2]《左》僖四年传载齐桓公责楚子之言曰：“尔贡包茅不入，王祭不共。”

侯的从属关系，只是以形式上的具文而存在，换言之，即以“礼也”，“非礼也”之道德的拘束而被保存。降至战国，则周代的天子，反而变成了诸侯的附庸，等级从属的关系，依照土地所有的大小而被颠倒了。

同时，从西周末叶起，就开始紊乱了的爵位制，到春秋时代，就更加紊乱了。当此之时，诸侯的爵位之授予，已经不出于天子，而是诸侯随便自称。如“郑伯，男也”而称伯；晋，侯也，而称公；秦，伯也，而称公，楚，子也，而亦称公。反之，鲁，公也，而称侯。其他许多小国，皆公侯伯子男随便自称。[1]不仅公侯伯子男

[1] 郭沫若氏《周代彝铭中无五服五等之制》一文中，关于公侯伯子无定称，曾有如次之考证。郭氏云：“鲁于《春秋》称‘公’，而彝铭中称‘侯’，有鲁侯鬲，鲁侯簋，鲁侯爵。又有王令明公尊，亦有‘鲁侯有卣（酉）丁（功）’之语。晋于《春秋》称侯，而晋邦盦自称曰‘晋公’。秦称伯，而秦盄和钟及秦公簋均称公。又有秦子戈称子。滕、薛、律称‘侯’。滕有滕侯鮴簋，滕侯簋，薛有辥侯鼎，辥侯盘，辥侯匜。楚于《春秋》称子，而楚公钟各器称‘公’，又有楚子簋称‘子’。宋人书中有楚钟数具，自称‘楚王’。邾娄及小邾娄《春秋》均称‘子’，而有邾公华钟、邾公牼钟、邾公钊钟，均称‘公’，又有邾伯鼎、邾伯鬲则称‘伯’。《春秋》有鄫国称子，而金彝有曾子簋，有曾伯簋，称‘子’亦称‘伯’。《春秋》有邓国称‘侯’，而邓公簋称‘公’。又如都乃小国，于《春秋》不与盟会；而有都公簋，都公簠、都公盂，均称‘公’。”惟郭氏以为公侯伯子，原来即无定称，只是古君侯之各种不同的称谓，我则以为他们之无定称，是后来发展的结果。

随便自称，而且亦有称王者。如夨为伯而称王，录为伯而称王，糸为伯而称王，徐莒吴楚燕皆称王。[1]降至战

[1] 郭氏前揭文关于古诸侯称王者，亦有如此之考证。郭氏云："诸侯可称王。如散氏盘'厥受图夨王于豆新宫东庭'，夨乃周之诸侯而称'王'。此外，尚'有夨王作宝尊'。又同卣'佳十又一月，夨王赐同金车弓矢，同对扬王休，用作父戊宝尊彝'，均称'王'。而别有夨伯彝则称'伯'。有录伯㦰簋，上云：'王若曰录伯㦰，繇自乃祖考有劳于周邦；'下言：'录伯㦰敢拜手稽首对扬天子丕显休，用作朕皇考厘王宝尊簋。'录伯的皇考厘王，就是有劳于周邦的'乃考'。当然不是周厘王，是亦以'伯'而称'王'。又有糸伯簋，上言：'王命仲到归（馈）糸伯貂裘，王若曰糸伯，朕丕显祖玟、珷，膺受大命，乃祖克朱桒（弼）先王，翼自它邦；'下言：'敢对扬天子丕显鲁休，用作朕皇考武糸几王尊簋。'是糸亦'以伯'而称'王'。此外如徐，《春秋》时称'人'称'子'者，而彝器中有郐王鼎，郐王耑。受榈盂自称为'郐王季禀之孙受榈。'沇儿钟自称为郐王庚之禀子沇儿。莒在《春秋》称'子'者，而有吕王鬲，吕王壶，又有郘肇钟自称'余戴公之孙，郘伯之子'。吴本称'王'，有'攻吴王夫差监'，有'工𫊸王皮難之子诸减钟'，一作'攻𫊸王皮難之子诸㳄'。吴古称句吴，'工𫊸''攻吴'，即'句吴'之异文。燕亦称'王'，有郾王戈，郾王詈戈；而同时亦称'公''侯'，有匽公匜，匽侯鼎，匽侯旨鼎，郾侯簋，郾侯矛。此外尚有𪯐王盉，邵王鼎，邵王簋（邵同召，疑即燕之别名）。"根据以上的例证，郭氏认为皇王后辟与公侯伯子男同为诸侯之通称，并无等级之分。但郭氏所举之以上诸例证，除燕以外，大概皆非周族，如夨如彔如糸皆系羌族。如徐如吕，皆系殷族。如吴如楚，皆系夏族。此等诸侯的首长，对周族国家则为诸侯，对其本族，则仍为国王。故一面有爵位之称，而同时又称王。至于周族的诸侯，则是以一种人格出现，故其称王，实为爵位制紊乱以后之事。

国，则“大则以王，小则以霸”，过去之爵位的等级制，便随着土地所有的形式之改变而被破坏了。

在兼并战争中，许多旧的小领主没落了，代之而起的，是由兼并战争中兴起的武士转化而来的大夫。于是旧的小领主的土地，便夷为大诸侯的县邑，而分赐其有功于战争之武士以为大夫。《左》哀二年传云：“克敌者，上大夫受县，下大夫受郡。”由此足见当时受县受郡之大夫，皆系克敌制胜之武士。如前所述，这些大夫，后来又相互兼并，弱者灭而强者大，他们渐渐在大诸侯的封疆以内，形成许多保有相对独立性的采邑，因而演成“狐裘龙茸，一国三公”的现象。不仅如此，这些大夫，还企图取诸侯而代之，在春秋时代，弑君的记载，充满史乘。到春秋末，田氏篡齐，六卿分晋，而篡窃之大夫，遂一跃而为诸侯了。到这一时代，所谓“王臣公，公臣大夫”之等级从属关系，已经荡然无存。到战国时，随着新兴商人的土地所有之扩大，郡县制的出现，大夫才纷纷“归邑与政”，交出领邑，交出政权，一变而为诸侯属下的官吏。因而土地所有，才得以集中于诸侯，于以形成七国之集权主义的政治倾向。

春秋时代的士，大半都有土地和农奴，所谓“士食田”，“士有隶子弟”者，正是说明这一事实。至于战国，随着采邑制的崩溃，便出现了无田无土的士，所谓“士无田则不祭”，“士无土则不君”，又正是说明这一事实。此种无田、无土、不祭、不君的士，到战国时，便转化为七大诸侯之下的低级行政官吏，或军队组织中之中级干部，有些则投身贵族之门而为其食客。当时之士，诚如《荀子》所云：“今之所谓士仕者，污漫者也，贼乱者也，恣睢者也，贪利者也，触抵者也，无礼义而惟权势之嗜者也。”（《非十二子篇》）

最后说到没落的小领主。没落小领主，是封建庄园经济中所排泄出来的一部分历史的残滓，但是这种历史的残滓，还是沉淀在春秋战国时代的社会中，而成为一个独特的社会群团。以身份而论，他们都是封建贵族；但以境遇而论，他们已经沦于饥寒交迫之中。这些“贫穷的贵族”，自从西周末年，在共伯和的领导之下，举行一次叛乱以后，到春秋时，便再没有力量发动倒转历史车轮的反动。这到战国时，他们之中，虽然有一部人还在发出“复古主义”的呼号，但大部分，为了衣食所迫，都已降志屈身，投依于当时之诸侯，而为其政治使用人。当旧领主与新兴商人的斗争开始之时，这些没落的小领主，他们便出现为游说之士，纵横捭阖于诸侯之间，扶助旧领主以反对新兴商人的势力。这一时代的没落小领主，就是荀子所谓“处士”。而这种“处士”，诚如《荀子》所云：“今之所谓处士者，无能而云能者也，无知而云知者也，利心无足而佯无欲者也，行伪险秽而强高言谨悫者也，以不俗为俗，离纵而跂訾者也。”（《非十二子篇》）

第三节　农奴的两极分化——向上升华为商人，向下沉沦为皂隶

如前所述，从春秋时代起，农奴即开始两极分化的过程。他们之中，一部分升华而为独立商人；另一部分，沉沦而为贱奴。这样就引起被统治者的内部的关系之变化。

西周时代的商人，都是君子，已如前述。到春秋时代，随着独立手工业者的出现，于是从庶人中，同时生

长出一种独立商人来。因此，这种新兴商人和独立手工业者一样，他们在本质上与农奴是没有分别的。《孟子》曰："在国曰市井之臣，在野曰草莽之臣，皆曰庶人。"由此可以证明。同时，他们的身份也和其他的庶人一样，是被强制的固定，所谓"农之子恒为农"，"工之子恒为工"，"商之子恒为商"，正是这种强制的说明。而强制的方法，则是"农不（许）迁，民不（许）移"。"农工商贾，不（许）迁业。"这样便把他们固定于土地或职业，以遂行其"布缕之征"、"粟米之征"、"力役之征"及"关市之征"。

照《孟子》的说法，当时的商人和庶人一样，"不传质为臣，不敢见于诸侯。"但是早在孟子以前的春秋时代，绛之富商已通于诸侯。到战国时代，则商人束帛之币，以聘诸侯，诸侯无不与之分庭抗礼了。到战国之末，这些新兴商人便摆脱了庶人的属性，而以新的土地所有者的资格，与封建领主平分政权了。因此，原来由封建领主单独构成之统治机构，到战国末，便一变而为封建领主与新兴商人之混合的构成。这两种土地所有者虽有新旧之分，但在土地所有之同为封建性质的这一点上，却是相同的。即因如此所以统治机构之改组，并不改变原来生产关系之主要的构成。

假如商人是庶人的升华，则贱奴便是庶人的沉沦。他们“男为人臣，女为人妾”（《左》僖十七年传），身体之不自由，近于奴隶。

此种贱奴，在西周时即已存在，到春秋时，则更为发展。《公羊》宣十二年传云：“诸大夫死者数人，厮役扈养死者数百人。”由此足见当时诸侯蓄养的贱奴，动以百计。此种贱奴，并不参加生产劳动，只是供各级领主之家庭的使役。他们的工作，大半都是各种贱役，但亦有最少数由贱奴而超升为诸侯之较高的臣僚者，如“晋侯之竖头须，守藏者也”（《左》僖二十四年传）。“婴齐，鲁之常隶也。”（《左》成十六年传）鲁之州绰“（曾）为隶”（《左》襄二十二年传），齐之鲍文子“尝为隶于施氏矣”（《左》定九年传）。虽然如此，但他们并不因职位而改变其贱奴之身份。因为当时的贱奴，皆有卖身契约持于其主人之手。此种卖身契约，当时谓之“丹书”，“丹书”不焚，则贱奴的身份，永远不能解除。所以当时的贱奴当其取得相当之地位以后，常有要求主人焚毁

"丹书"之事。《左》襄二十三年传云:"初,斐豹隶也,著于丹书。栾氏之力臣曰督戎,国人惧之,斐豹谓宣子曰:'苟焚丹书,我杀督戎'"。此外,为要求焚毁丹书,在郑国,曾发生一次暴动。《左》襄十年传云:"子孔当国,为载书,以位序听政辟,大夫诸司门子弗顺,将诛之,子产止之,请为之焚书。子孔不可,曰:'为书以定国,众怒而焚之,是众为政也,国不亦难乎?'子产曰:'众怒难犯,专欲难成;合二难以安国,危之道也。不如焚书以安众,……'乃焚书于仓门之外,众而后定。"由这段记载来看,因子产之主张而解放的贱奴,当不在少数。又据《左》哀二年传云:"克敌者……人臣隶圉免。"则在春秋末年,贱奴又可以由战功而获得解放了。

但是一部分的贱奴被解放,另一部分的庶人又继续沦陷为贱奴。所以到战国末,土地所有者,都拥有大批的贱奴,如"(吕)不韦家僮万人","嫪毐家僮数千人","齐卓氏富至僮千八"(《史记·货殖列传》)。同时,新兴的商人,也侮辱他们自己的前身,如白圭,即系拥有"用事奴仆"(同上)之商人。刁间且以"桀黠奴""逐渔盐商贾之利"。

贱奴，是封建社会等级制度中的附产物，所以直至我们今日的时代，还以残余的形态而存在。[1]因此，我们不能因为看见有贱奴的存在，而遂误会当时的社会是奴隶社会。

春秋时代的农奴，大部分仍然生活于庄园制经济之中，也有一少部分变成了新兴商人的佃农。但他们都是在繁重的赋役榨取之下，过着饥饿的日子。老子曰："民之饥，以其上食税之多，是以饥。"《楚语》曰："民之羸馁，日已甚矣，四境盈垒，道瑾相望。"《左》昭三年传云："民三其力，二入于公，而衣食其一。公聚朽蠹，而三老冻馁。"由此，可以想见一般。因而当时农民的生活，是"乐岁终身苦，凶年不免于死亡"。

然而春秋时代，战争连年，大兵之后，又必有凶年，关于春秋时代饥馑的记载，史不绝书。因而在春秋中叶以后，曾不断引起农奴的叛乱。例如《左》襄二十三年传云："夏，屈建从阵侯围陈，陈人城，板队而杀人。役人相命，各杀其长，遂杀庆虎、庆寅。"到春秋末，逃亡的农奴，已形成集团的叛乱，如"盗跖"之类的人

[1] 今日用金钱购买之婢若妾，皆系贱奴之残余。

物，便出现为农奴叛乱的领袖。他们“横行天下，侵暴诸侯，穴室枢户，驱人牛马，取人妇女，贫得忘亲，不顾父母兄弟，不祭祖先。所过之邑，大国守城，小国入保”(《庄子·盗跖》)。

至于战国，则大部分的农民，大概都是随着庄园制经济的崩溃而变成佃农。但是这一时代，战争扩大，因而赋役更为残酷。于是大批农民，逃亡都市，一部分转化为工商业者，一部分转化为封建贵族及商人的佃奴，另一部分，则流浪于都市，依靠恩施以为生，或则啸聚山林，组成劫夺之群。

总而言之，在这一时代，一方面，是土地所有者方面之新陈代谢；另一方面，是土地直接耕种者方面之两极分化。即因社会关系的这一变化，所以就改组了当时社会内部之人与人的关系。但在终极上，这种新的社会关系之主要的构成，仍然是领主与农民之隶属关系。

第五章　春秋战国时代的社会意识诸形态

第一节　宗教——天道观念的动摇与演变

从西周到春秋战国，由于社会生产力的发展以及因此而引出之社会关系的变化，于是建筑于其上的意识诸形态也跟着变化了。

首先说到宗教。

如前所述，在西周初，随着人间出现了“作威作福”的“天子”，在天上也就出现了“降灾降祥”的“上帝”。到西周末，随着“人间”的“天子”之权威的衰落，“天上”的“上帝”在农奴中的信仰，也就渐渐发生动摇。这样看来，人天之间的感应，真是如斯响应。

即因如此，所以到春秋时，随着五霸继起，天子卑微的局面之出现，于是上帝的信仰，根本发生了问题，而天道观念，也因之而动摇。《左》昭十八年传记子产之言曰："天道远，人道迩，非所及也。"《左》桓六年传，记季梁对随侯之言曰："夫民，神之主也，是以圣王先成民，而后致力于神。"《左》僖五年传，记宫之奇谏虞公之言曰："民不和，神不享矣。"《左》昭十七年传，记严公之言曰："夫惠本而民归之志，民和而后神降之福。"《左》庄三十二年传，记内史过之言曰："虢必亡矣，虐民而听于神。"又记史嚣之言曰："虢其亡乎？吾闻之，国将兴，听于民；将亡，听于神。"由此观之，春秋时代，"天道观"已逐渐转向"人道观"了。

但所谓天道观的动摇，并不即是神权政治的消灭，而只是说明一件事实，即象征天子的上帝的信仰，已经随着天子的卑微而逐渐减低；在另一方面随着诸侯的权力之涨大，各个封区，却出现了他们自己封区中之独立的地方神。例如楚则祀"祝融"与"鬻熊"，杞、鄫则祀"相"[1]、

[1]《左》僖三十一年传云："卫成公梦康叔曰：'相夺予享'。公命祀'相'。宁武子不可曰：'鬼神非其族类，不歆其祀'，杞、鄫何事？'相'之不享，于此久矣，非卫之罪也。不可以间成王、周公之命祀，请改祀命。"由此看来，则"相"本为杞鄫之神，而卫则祀成王与周公也。

沈姒蓐黄，实祀“台骀”。[1]这些地方诸神，也和地方诸侯一样，各自占领一定的封区，而享受这个封区内农奴之供养。并且诸神的割据性，也和诸侯的割据性一样，他们绝对地排斥其他封区的神灵侵入自己的封区。《左》僖十年传云：“神不歆非类，民不祀非族。”僖三十一年传亦云：“鬼神非其族类，不歆其祀。”这正是当时诸神的封建性之说明。然而回忆西周时代，那“荡荡上帝”，却是所有的“下民之辟”，曾几何时，天上的诸神，也和地上的诸侯一样，形成了封建的割据局面。

这些地方诸神，或系由诸侯自己的远祖转化而来，如杞、鄫之神“相”，楚之神“祝融”与“鬻熊”。或系自己封区内的山川之神，如沈姒蓐黄所祀之“台骀”，实为汾川之神。在西周时，这些诸神，都隶属于上帝，但到春秋时，他们已经脱离了上帝而成为各封区之保护神。《左》襄十一年传云：“诸侯盟于亳，……载书曰：‘凡我同盟，……或间兹命，司慎司盟，名山名川，群神群

[1]《左》昭元年传云：“昔金天氏有裔子曰昧，为玄冥师，生允格台骀。台骀能业其官，宣汾洮，障大泽，以处大原，帝用嘉之，封诸汾川，沈姒蓐黄，实守其祀。”

祀，先王先公，七姓十二国之祖，明神殛之，俾失其民，队命亡氏，踣其国家。'" 由此看来，春秋时代诸侯的盟誓，已不请上帝鉴临，而只请与盟誓的诸国之各自封区内的山川之神及其各自的祖先"司慎司盟"。我们回忆在西周时，随时随地，都是"上帝临女"，而且只有上帝才能"离逖尔土"，"剿绝其命"。曾几何时，而地方诸神却掌握了"队命亡氏，踣其国家"之大权。

不仅如此，随着地下的诸侯之兼并战争的扩大进行，灭人之国，覆人之社，于是天上的诸神也跟着展开了同样的事业。战胜国家的神，照例驱逐亡国之神，而享有其地人民之供养。《礼记·郊特牲》云："丧国之社，屋之，不受天阳也。"《论衡》云："亡国之社，屋其上，柴其下，示绝于天地。"《公羊》哀四年云："蒲社灾，蒲社者何，亡国之社也。社者，封也；……亡国之社，盖掩之，掩其上而柴其下。"《周礼·秋官·士师》云："若祭胜国之社稷，则为之尸。" 同书《媒氏》云："凡男女之阴讼，听之于胜国之社。" 这里所谓"胜国"，就是"亡国"。由此看来，诸侯亡国，诸侯之神，亦失其祭坛。代亡国之神而领有其神域的，便是胜利国家之神灵。根据同一理由，随着强大的诸侯的势力之伸张，在他们的政治势力所及之处，亦即他们神灵的势力所及之处，如《左》僖二十六年传云：“夔子不祀‘祝融’与‘鬻熊’，楚人让之。”并“帅师灭夔”。“祝融”与“鬻熊”，为楚人之神，而强夔人祀之，夔人不祀，则灭之，由此而知当时五霸之神，也在天国中建立了自己的霸业。

随着许多小领主之国破家亡，覆宗绝祀，于是也出现了许多琐尾流离的神灵。这些绝祀的神灵，也和没落的小领主一样，只有窃食大国祭坛上的冷肉。如“相”夺卫康叔之祀，即其一例。此外无数农奴的灵魂，因为生无所养，故死亦无所祀，于是遂出现为“怪力乱神”以捣乱于神域。《左》昭四年传云：“（穆子）梦天压已，弗胜，顾而见人，黑而上偻，深目而豭喙，号之曰‘牛助余’乃胜之。旦而皆召其徒，无之。”此“黑而上偻”者，其农奴之灵魂欤。又《左》成十年传云：“晋侯梦大厉被发其地，搏膺而踊曰：‘杀余孙不义，余得请于帝矣。’坏大门及寝门而入，公惧，入于社，又坏户。”此披发及地坏门破户而入之大厉，其亦农奴之冤魂乎？

降至战国时代，七雄并峙，天子已降为诸侯之附庸，因而在诸侯的心目中，早已没有天或上帝了。但是在这一时代的农民，他们却幻想有一个最高的权力，来制裁这些无法无天的诸侯，于是出现了墨翟的“天志”。墨翟说：“我有‘天志’，‘譬如轮人之有规，匠人之有矩，以度天下之方圆，中者是也，不中者非也。”又曰：“子墨子之有天志也，上将以度天下之王公大人为刑政也，下将以量天下之万民为文学出言谈也。观其行，顺天之意，谓之善意行；反天之意，谓之不善意行。”由此看来，墨翟之所谓天，乃系衡量善恶之尺度，已经不是天子的抽象了。

墨翟又说：“今天兼天下而食焉，我以此知其兼爱天下之人也”。“所以顺天意者，兼相爱，交相利，必得赏；反天意者，别相恶，交相贼，必得罚。”又说：“爱人利人者，天必福之；恶人贼人者，天必祸之。”又说：“天欲人之相爱相利，不欲人之相恶相贼。”由此看来，则墨翟之所谓天意者，实即人意，所谓天者，实即人也。

同时墨翟以为一切的人，应该只有善恶之别，而不应有等级之制，因而一切的人，生时应该平等，死后的灵魂也应该平等，所以他反对等级制的祀法，而主张一切善良的灵魂，都应该享受平等的祭祀，因而又有明鬼之说。

由此看来，天道的观念之动摇与演变，和庄园经济之崩溃与演变，是完全相适应的。因而在西周时代曾经是活灵活现的上帝，经过春秋以至战国，便和东周的天子一样，走到了他的末运。

第二节　哲学的诸流派

现在，我们说到这一时代的政治思想的演变。

如前所述，天道的观念，虽系一种宗教信仰，但它同时又是西周时代的领主用以统治人民的一种政治工具。降至春秋时代，随着天道观念的动摇，代替天道而成为统治工具的，便出现了“礼”与“刑”。“礼”与“刑”的出现，就正指明当时封建领主对农民的统治，已经由宗教的欺骗，转向政治的压迫。

《左传》载曹刿之言曰：“夫礼，所以整民也。故会以训上下之则，制财用之节，朝以正班爵之义，帅长幼之序，征伐以讨其不然。”《荀子·王制》篇云：“夫两贵之不能相事，两贱之不能相使，是天数也。……先王恶其乱也，故制礼义以分之，使有贫富贵贱之等。”由此观之，则所谓礼者，实即等级制度的教条，亦即封建社会制度之大经大法，所以别贫富，差贵贱，明上下，正身份者也。

《商吾书·外内》云：“伯夷降典，折民惟刑。”又云：“士制百姓于刑之中。”商鞅也说：“民之外事，莫难于战，故轻法不可以使之。……民之内事，莫苦于农，故轻治不可以使之。”由此观之，则所谓“刑”者，乃是封建领主对农民行使统治的超经济的强制之权力的表现。

即因“礼”的主要任务，在于维持封建领主的等级身份，所以“礼不下庶人”。即因“刑”的主要任务，在于镇压农民的草窃奸宄，所以“刑不上大夫”。在春秋时代，对于领主，则“道之以德，齐之以礼”。对于庶民，则“道之以政，齐之以刑”。故“礼”者，实所以补“德”之不足，而“刑”者，则所以制“政”之所不及也。

春秋时，虽然把“礼”与“刑”高调入云，但是一部《春秋》，却充满了“非礼也”的记载。同时，“窃国之贼”与“窃钩之贼”，还是接踵辈出。这就证明了那种陈旧的庄园制度的教条，已经不足以范围新的社会；而同时民不畏死，故刑亦不足以齐之。

到春秋末际，初期封建社会的秩序，更形紊乱了，于是孔子遂提出了“正名主义”，企图以此维持君君臣臣之“等级制度”；同时，又提出了“伦理主义”，企图以此维持父父子子的“宗法社会”。孔子深知“礼”与“刑”之不足以稳定封建社会的秩序，所以又于“礼”与“刑”之外，提出一个“仁”字来。所谓“仁”者，就是一种“感化政策”，因而从“礼”与“刑”到“仁”的发展，就是指明封建统治者的政治压迫，已经失败了。

但是历史总是向前发展的，所以孔子虽高呼维持“等级制度”，而“君不君，臣不臣”如故也，孔子虽高呼维持“宗法社会”，而“父不父，子不子”如故也。孔子虽高呼“人而不仁于礼何？人而不仁于乐何？”但是“巧言令色，鲜矣仁”之徒，寡廉鲜耻如故也。

降至战国时代，一方面，没落的小领主，要求回复西周时的封建旧秩序，于是出现了老庄一派“复古主义”的哲学；一方面，新兴商人地主要求建立封建新秩序，于是出现了杨朱一派“个人主义”的哲学。另一方面，当时的农民，则反对任何封建的秩序，于是又出现了墨翟一派“兼爱主义”的哲学。同时，当时的领主，则拼命的支持现存的封建秩序，于是出现了孟轲一派的“儒家哲学”。这样就形成了“百家争鸣”的局面。所以“百家争鸣”，正是当时社会内部等级关系复杂化与尖锐化之反映。

当时没落的封建贵族，因为他们的黄金时代，已经变成了黑灰，眼看“众人（当时的诸侯与新兴商人）皆有余，而我独若遗”(《老子》)，追怀以往，不觉痛恨现存的一切。因此他们反对支持现存社会之儒家的说教，《老子》说：“失道而后德，失德而后仁，失仁而后义，失义而后礼。”“礼者，忠信之薄而乱之始。”《庄子》说：“说仁邪，是乱于德也；说义邪，是悖于理也；说礼邪，是相于技也；说乐邪，是相于淫也；说圣邪，是相于艺也；说知邪，是相于疵也。”而且庄子以为儒家之徒，满口的仁义道德，而“今世殊死者相枕也，桁杨者相推也，刑戮者相望也”。而儒家之徒却“离跂攘臂乎桎梏之间，意！甚矣哉！其无愧而不知耻也甚矣！吾未知圣知之不为桁杨椄槢也，仁义之不为桎梏凿枘也”（《庄子·在宥》）。

庄子又说：“（今之儒者）为之斗斛以量之，（而今日的新兴商人）则并与斗斛而窃之；为之权衡以称之，则（今日的新兴商人）并与权衡而窃之；为之符玺以信之，（而今日的诸侯）则并与符玺而窃之；为之仁义以矫之，而（今日的诸侯）则并与仁义而窃之。”（《庄子·胠箧》）儒家所主张的永恒真理是“治人者食于人，治于人者食人”。儒家所提倡的公平法律，是“窃钩者诛，窃国者侯”。儒家以为刑杀足以威天下，齐万民，殊不知“民不畏死，奈何以死惧之”。总而言之，当时的没落贵族，以为自儒家者流“屈折礼乐”，“县跂仁义”，而“民乃始踶跂好知，争归于利，不可止也”。而又益之以“法令滋彰”，于是“盗贼多有”，以至“国家昏乱”。

因此，这些没落贵族主张“掊击圣人，纵舍盗贼”，“绝圣弃知”，“绝仁弃义”，“绝巧弃利”，“擿珠毁玉”，“掊斗折衡”，“焚符破玺”，“铄绝竽瑟”，“毁绝钩绳”，“灭文章，散五彩”，“擢乱六律”。一言以蔽之，他主张“殚残”当时之所谓“圣法”，废除当时之所有的物质文明，而使社会复归于“邻国相望，鸡犬之声相闻”的“寡国小民”的社会。易言之，回复到庄园制经济时代的社会。

与没落贵族之“复古主义”的哲学同时，新兴商人地主，也建立了个人主义的哲学。当时的商人地主，他们已经掌握了社会经济的命脉，但仍然在封建贵族的统治之下，遭受榨取。因此他们也反对现状，但他们与没落贵族之政治愿望，恰恰相反，不是要求回复过去的社会，而是要求有一个比现在更进步的社会。所以他们反对儒家引经据典，历史地辩护现存制度的合理。他们以为“太古之事灭矣，孰志之哉？三皇之事，若存若亡，五帝之事，若觉若梦；三王之事，亿不识一”。自“太古以至今日，年数不可胜纪”，“成败是非，无不消灭”。因此，生于今之时，而欲行太古之政，即无异痴人说梦。而且古之所谓至德，未必即为今之良法，社会既已进化，制度必须改革。过去的，应该废除，现在的，应该批判，未来的，应该迎接。换言之，没落的贵族，应该从历史上退去，现在执政的封建诸侯，应该准备交代，新兴的商人地主，则应该走上历史舞台。一言以蔽之，他们反对用历史支持现状，而要求根据现状改造历史。

同时，新兴商人地主，也反对儒家用一种永恒的道德，来范围新兴商人。他们以为所谓道德，不过“竞一时之虚誉，规死后之余荣。偊偊尔，慎耳目之观听，惜身意之是非，徒失当年之至乐，不能自肆于一时，重囚累梏，何以异哉”（《列子·杨朱》）。他们以为“仁圣亦死，凶愚亦死；生则尧舜，死则腐骨；生则桀纣，死则腐骨；腐骨一矣，孰知其异；且趣当生，奚遑死后”（同上）。因此，他们对于“死后之名，非所取也”。

他们要追求的是现实的享乐，是人间的世界。所以他们的人生，是要：“恣耳之所欲听，恣目之所欲视，恣鼻之所欲向，恣口之所欲言，恣体之所欲安，恣意之所欲行。”一言以蔽之，他们要求生活的自由，言论、意识和身体的自由。他们说：“夫耳之所欲闻者音声，而不得听，谓之阏聪；目之所欲见者美色，而不得视，谓之阏明；鼻之所欲向者椒兰，而不得嗅，谓之阏颤；口之所欲道者是非，而不得言，谓之阏智；体之所欲安者美厚，而不得从，谓之阏适；意之所欲为者放逸，而不得行，谓之阏往。”他们要扫除这一些现实生活上的阏塞，以纵其情欲之所极。至于死后，则“焚之亦可，瘗之亦可，露之亦可，衣薪而弃诸沟壑亦可，衮衣绣裳而纳诸石椁亦可，唯所遇焉”。

新兴的商人地主，就从这种现实的追求上出发，展开自私自利的“个人主义”。他们只知有“我”，而不知有“天下”，所以要他们“拔一毛而利天下，不为也”。

正当这一时代，墨子也俨然出现为农民的代言人，向封建主义提出了抗议。他反对那种因为封建领主争城争地，而使百姓肝脑涂地的封建混战。他反对那种因为领主之声色浪费，而使百姓转于沟壑的歌舞。他反对那种因为回避劳动而美其名曰三年之丧的久丧。他反对那种埋珠玉于土壤而使百姓无衣无食的厚葬。他反对那种“强必执弱，富必侮贫，贵必傲贱，诈必欺愚”的社会制度，而使“国之与国相攻，家之与家相篡，人之与人相贼，君臣不惠忠，父子不慈孝，兄弟不相调”。他主张和平、节约、兼爱、互利，他主张活人刻苦，主张死人薄葬。“有余力以相劳，有余财以相分。”从这些主张中，就反映出当时农民对封建秩序中之等级身份制和宗法伦理制度之否定的意识。

在以上三派的理论中，除老庄一派已经失去了他的社会基础，墨翟一派的理论，不久便成为广大农民之信仰，杨子的理论，也在新兴商人地主中获得了回响。所以在战国时代，“天下之言，不归于杨，则归于墨”。当此之时，孔子已经死了，正是亚圣孟轲的时代。孟轲目极当时杨墨横行、百家争鸣的局面，眼看农民的气焰一天天地高涨，而商人地主的势力，也一天天地成为封建领主之威胁，于是发表了“封建调和论”的主张。他说：“民为贵，社稷次之，君为轻。”孟轲所谓“民”，并非泛指“一般的人民”，而是意指着“新兴的商人”。而所谓“君”者，则意指着当时“诸侯”。孟子因见新兴商人已经成为实际的权力者，因此，企图与新兴商人妥协，重新安定封建秩序，故抬高商人的地位，使之在“贤者”的名义之下，参加政治。但是这种让步，并不能满足新兴商人的要求，所以到荀卿时代，他就索性主张封建改制。荀卿主张“法后王”，所谓“法后王”者，即依据现状重建封建社会的秩序。荀子曰：“不问其世族也。”又说：“上贤禄天下，次贤禄一国，下贤禄田邑，愿悫之民完衣食。”（《正论》）在这里，荀卿主张，“不问世族”，只问“贤不贤”，“贤”，则可以“禄天下”，“禄国”,“禄田邑”，就是承认没有“世族”的新兴商人地主，可以参加封建的统治。而这到战国末际，随着商人地主的历史时代之到来，于是韩非子就提出了“法治主义”，因而商人地主与封建诸侯在法律之前，获得平等的地位了。

以上，就是“百家争鸣”的历史内容，亦即春秋战国时代思想发展的过程，这种过程与当时现实的社会关系之变化，又是相适的。

第三节　文学与艺术的发展

适应社会经济的这一发展，文学也有新的发展。就散文方面说，春秋时代的作品，如《国语》、《左传》，文学上的技能已经臻于精巧的成就，形成了一种故事叙述之小说体裁。到战国时代，《穆天子传》、《山海经》，简直就是一种古典的神怪小说。而《吕氏春秋》、《韩非子》等书，则已经能够写出长篇巨制之理论的论文了。

就韵文而言，在春秋时代，虽然没有集成的专书，但是像《诗经》一类的歌词，仍然散见于群经诸子之中。

例如《左传》中之“晋舆人诵”，“宋城者讴”，“鲁国人诵”，“郑舆人诵”，“莱人歌”，“齐人歌”，与《诗》之“国风”的体裁，几无二致。此外如《晋语》中之“暇豫歌”，《孔子世家》中之“去鲁歌”，其词调亦无异《诗经》中之歌曲，惟更通俗而已。到战国时代，《孟子·离娄》篇的“孺子歌”，《荀子》的“成相篇”与“赋篇”，《燕策》中的“渡易水歌”，其韵调之抑扬，则已接近于楚辞。

楚辞，是战国末期的文学发展之最后的结晶，它虽然只是楚人的作品，但是从文学本身的发展上说，所谓楚辞者，实即《诗》三百篇的体裁，经过春秋战国时代的发展而演化出来的结果。这种文学，出现于战国末期旧领主灭亡的前夕，所以充满了悲哀而忧郁之感伤的情绪。《离骚》有云：“悲芳草之零落兮，伤美人之迟暮。”这固然是屈原一己的身世之感，实亦当时一般临于没落的旧领主之共同的哀鸣。

最后，说到这一时代的艺术。

在这一时代，随着物质条件的发展与封建领主的奢侈欲望之提高，艺术在宫廷中获得更高的发展。《左》宣二年传谓：“晋灵公不君，厚敛以雕墙。”《论语》亦云：

“朽木不可雕也。”又云：“绘事后素。”由此而知春秋时壁画已甚为流行。

到战国时代，绘画的艺术，更为发展。《韩非子·外储篇》有云：“客有为周君画筴者，三年而成。君观之，与髹筴者同状。周君大怒。画筴者曰：‘筑十版之墙，凿八尺之牖，而以日始出时，加筴其上而观。’周君为之，望见其状尽成龙蛇禽兽车马万物之状备具，周君大悦。”同书同篇又云：“客有为齐王画者，齐王问曰：‘画孰最难者’？曰：‘犬马难。’‘孰易者’？曰：‘鬼魅最易。’夫犬马人所知也，旦暮罄于前，不可类之，故难。鬼神无形，不罄于前，故易之也。”又《楚词·天问》王逸追序当时之事曰：“屈原放逐……见楚有先王之庙，及公卿祠堂，图画天地山川神灵，琦玮僪佹，及古圣贤怪物行事。”由此看来，战国时代的绘画，已能在一定的画面上，图绘各种奇异的生物的形象，而使之保持相互的关联。这在绘画上，当然是一个很大的进步。至于绘画的题材之以神怪为主题，这与当时流行之《山海经》中的故事，又是相关联的。

战国时代的绘画，近来于洛阳的“韩君墓”及寿县的“楚君墓”中已有发现。“韩君墓”之彩画，发现后即归毁灭，无从知其内容。“楚君墓”之朱漆所画的棺盖，则保存甚为完好。其用笔设色，实为汉代彩绘之所渊源。这种漆画，完全用细线钩成，用笔取材，较之铜器上的图案，则远为自由。

铜器的雕镂，在春秋战国时代，仍为艺术创造的一个主要部门。因为当时一般诸侯，均重视铜器。他们有以铜器用于贿赂者，如齐侯赂晋以“纪甗”（成二年），鲁公赂晋卿以“寿梦之鼎”（襄十九年），郑赂晋以“襄钟”（成十年），齐赂晋以“宗器”（襄二十五年），燕赂齐以“斝耳”（昭十一年），徐赂齐以“甲父鼎”（昭十六年），郑伯纳晋以“钟、镈”（襄十一年）。有以获取铜器而进行战争者，如齐攻鲁以求“岑鼎”（《吕氏春秋》）。有为述德儆身之铭而铸铜器者，如叔向述“谗鼎”之铭（昭三年），孟僖子述“正考父鼎”之铭（昭七年），史苏述“商衰”之铭（《晋语》）。有以为自矜之铭而以为铜器者，如礼至铭杀国子（僖二十五年），季武子铭得齐兵（襄十九年）。有为著政令而以为铜器者，如书大约剂于宗彝（《周礼·秋官》），晋、郑著刑书于鼎（昭六年又二十三年）。此外如楚子问鼎于周（宣三年），秦兴师临周求九鼎（《国策》），则当时的铜鼎，又几乎成为政权之象征。从此以后，凡欲皇帝自为者，无不求九鼎矣，即因铜器为当世诸侯所宝，因而铜器的铸造及其雕镂，亦必求其精致。

周代的铜器见于著录者约二三千件，晚近（民十二年，一九二三年）又于新郑县城内一坑中发现成形之器七八十件，破碎者不计其数。新郑，在春秋时为郑地，故此间所发现之周代铜器，当系春秋时代之遗物。又在寿县亦有周代铜器之发现（民二十二年，一九三三年），惟此间所发现者，多已散失，仅有七十余件，战前存于“安徽图书馆”，今尚不知存在否。考寿县于秦以前为寿春，楚考烈王二十二年迁此，至楚负刍五年，凡二十二年。此间所发现的铜器，当系战国末年之遗物。

春秋末及战国时，铜器的形式，花纹及文字各方面，均有剧烈的变化，此种变化之主要的原因，一方面，是由于艺术之地方特异性的发展，另一方面，则是由于艺术本身之历史的发展。

以形式而论，从春秋时代起，铜器的形制，已大有改变，如鼎鬲之足，由以前之圆足变为马蹄形之足，如“芮公鼎”、“郙伯鼎”、“叔单鼎”等之足，皆作马蹄形。亦有作尖足者，如“鬳季鼎”。以前圆柱形之鼎腿，渐变为微曲之形，如“康鼎”，盖顶、鋬、耳及腿，多饰以鸟兽形。如“跳簋”（中艺第三十四图）两耳作兽形。“陈侯午簋”（同上第三十五图）两耳作龙形。“牢鼎”，（同上第九十八图）鼻上着牛首形。器多有盖，盖多有钮。到战国时，则形式更为变易，如寿县出土之楚国的“楚王酓肯鼎”（同上第一〇五图）附耳、有流、三足、作兽首形。“鱼凫图匜”（同上第八十五图）足作链形而下加方几。“单环匜”（同上第八十六图）足作轮形。“兽尊”（同上第七十九图）作兽形，鸟喙，以首为盖，颈部下为器。同时器物的装饰，亦更趋复杂。如“蟠虺鼎”（同上第十九图）附耳，盖有三环，可仰置。“龙纹鼎”（同上第二十图）附耳，盖有镂空之圆顶，可仰置。“凤耳鼎”（同上第二十一图）以鸟首作两耳，盖有钮，又有四鸟首，可仰置。“曾伯琦壶”（同上第四十五图）盖顶如花瓣，两耳作兽首形。“云纹敦”

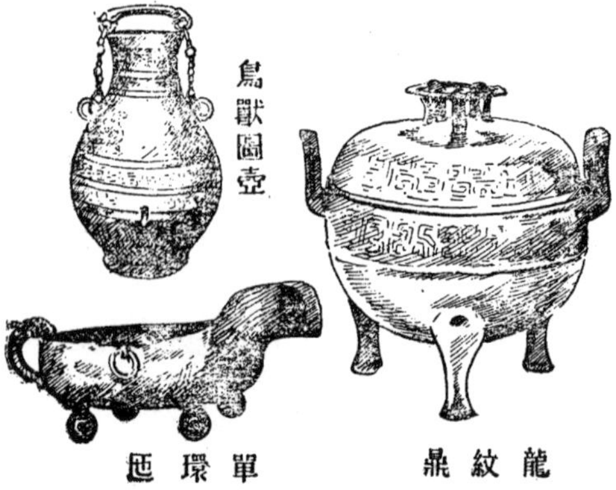

插图五二　春秋战国时代的铜器之一

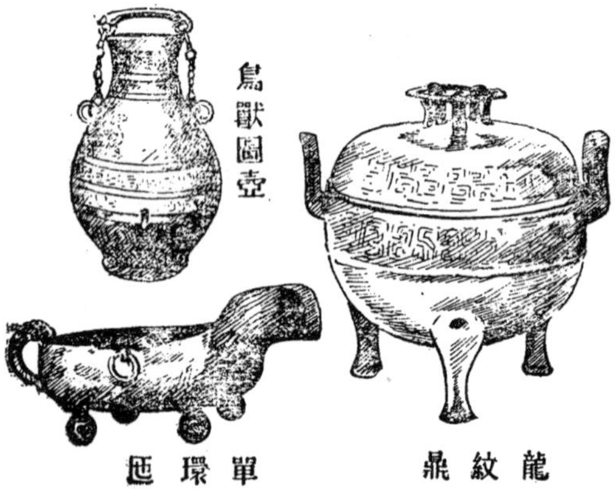

插图五二　春秋战国时代的铜器之二

（同上第二十三图）三足为环所展成。“素敦”（同上第二十四图）三足并盖上三环，均为环形所展长。“蟠虺纹镈”（同上第九十三图）以交龙为钮。“交螭纹镈”（同上第九十五图）钮之两端作兽首形。诸如此类，不胜枚举（插图五二）。

就花纹而言，从春秋末起，动物画的图案，即渐趋发展（插图五三）。到战国时，则动物画的镂刻更为流行。如“四兽图壶”（插图第五四）、“鸟兽图壶”（插图第五

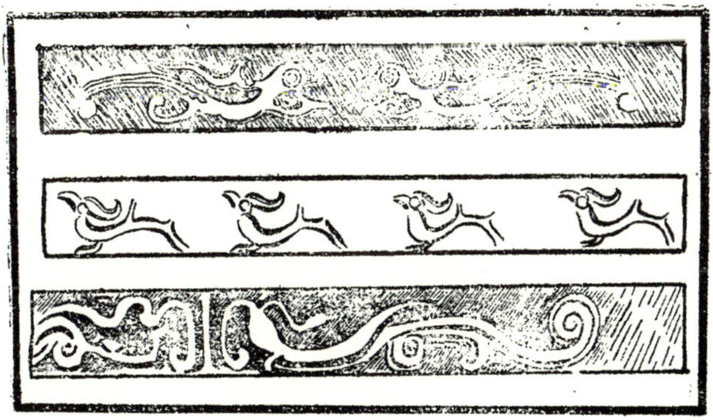

插图五三　春秋时代铜器上的鸟纹

插图五四　战国时代铜器上的动物图案画　左　四兽图壶上之镂刻　右　行猎图壶上之镂刻

四），皆系纯粹之动物画，此种动物画，已表现为极生动之姿态。最值得赞赏者，为“行猎图壶”上之狩猎图，其上镂刻着人物与野兽搏斗的姿态，跃然欲生（插图五四）。尤其是“画像钫”的镂刻，已经构成了一幅大规模的狩猎图。其中有车有马，有乘车之贵族，有与野兽肉搏之猎夫，有中矢奔窜的兽，有纵横驰逐的猎犬，亦有已经杀死的野兽，形形色色，俱能显示出生动的姿态（插图五五）。

除此以外，在这一时代，错金的技术，更为熟练，同时，又出现了镶嵌的装饰，如“牺尊”（同上第八十图）

插图五五　战国时代铜器上镂刻的狩猎图（画像钫旧名古铜双耳方壶上之镂刻）

上的花纹，即系错金，而且还嵌有绿松石。

艺术的这一发展，决非偶然，而是高级的社会生产力之升华，否则人类虽有这样的文化要求，也是不能实现出来的。惟到战国末年，又出现全无纹饰的铜器。铜器上的纹饰之消灭，一方面是由于当时六国的旧领主已陷于民穷财竭，没有剩余的资力，创造价值高昂的艺术品；另一方面，由于艺术的范围，已扩大于青铜以外之其他的材料，特别是漆器，因而艺术遂不完全集中于铜器之装饰。

歌舞，在春秋战国时代，更为发展，当时的领主，在祭祀时与宴会时，必有歌舞，以乐神乐人。

当时祭祀必有巫。《说文解字》云：“巫，祝也。女能事无形以舞降神者也。象人两袖舞形，与工同意。”故《商书》云：“恒舞于宫，酣歌于室，时谓巫风。”是知古代之巫，实以歌舞为职，而以“降神者也”。春秋战国时，周礼既废，巫风大兴，陈诗曰：“坎其击鼓，宛丘之下。无冬无夏，值其鹭羽。”又曰：“东门之枌，宛丘之栩，子仲之子，婆娑其下。”这就是巫舞。到战国时，楚越之间，巫风尤盛。王逸《楚辞注》云：“楚国南郢之邑，沅湘之间，其俗信鬼而好祠，其祠必作歌乐鼓舞，以乐诸神。”楚越的巫风之所以特别盛行，乃是受了群蛮百濮及百越之影响，盖巫风在愈落后的种族中愈益盛行也。《楚辞·东皇太一》曰：“灵偃蹇兮姣服，芳菲菲兮满堂。”又《云中君》曰：“灵连蜷兮既留，烂昭昭兮未央。”这里所谓“灵”，王逸皆训为巫。《说文》亦曰：“灵，巫也。”由此，可以想见在当时祭祀之时，竽瑟浩倡、缓节安歌、偃蹇连踡、婆娑曼舞、神人同乐的盛况。

同时，在当时，又有一种供奉于宫廷的歌人，此种歌人，乃专门用之乐人者也。《左》襄二十年传云：“吴公子札来聘……请观于周乐,(鲁)使(乐)工为之歌。”此种乐工，即系当时供奉宫廷之歌人。此种歌人，不仅存在于鲁国，而且普遍存在于当时之各国。如当时齐人曾馈鲁女乐，是齐亦有歌人也。又如晋有“优施”，楚有“优孟”，是晋、楚亦有歌人也。

“优施”与“优孟”之“优”,《说文解字系传》云:“优，饶也，一曰倡也。”《史记》称“优孟”，亦云“楚之乐人”。是知当时优人，实为一种以乐舞为职业之人，故优施假歌舞以说里克。又《左传》曰:“宋华弱与乐辔少相狎，长相优。”杜注云:“优，调戏也。”是又知优之为言，戏谑也。证之典籍所纪，亦甚吻合。《穀梁传》云:颊谷之会，“齐人使优施舞于鲁君之幕下，孔子曰:笑君者，罪当死，使司马行法焉”。由此又知当时优人除歌舞以外，又常以微词托意，以为讽刺之语，因而优施乌乌之歌，优孟爱马之对，实即后来戏剧之原始的渊源。证之优孟之为叔孙通的衣冠，则知当时的优人，已化装登台了。

当时的优人，皆以侏儒为之。《乐记》称优为侏儒。颊谷之会，孔子所谓“笑君者”。《穀梁传》谓之优，而

《孔子家语》，何休《公羊解诂》，均谓之侏儒。《史记·李斯列传》亦以“侏儒、倡优”并称。《滑稽列传》云：“优旃者，秦倡侏儒也。”由此而知当时优人，皆甚短小。又《晋语》云“侏儒扶卢”，韦昭注云：“扶，缘也；卢，矛戟之柲；缘之以为戏。”是知当时的优人，除歌舞笑谑以外，又兼有竞技的表演了。像这样的情形，当然是中国歌舞之最大一步的发展。

除歌人以外，春秋时代的领主们，他们自己在宴享中，也似乎以歌唱为彼此交欢的仪式。例如《左》襄二十年传云：“季武子如宋……受享，赋《常棣》之七章以卒。……归，复命，公享之，赋《鱼丽》之卒章。……公赋《南山有台》。”《左》襄二十六年传云：“齐侯郑伯，为卫侯故如晋，晋侯兼享之，晋侯赋《嘉乐》。国景子相齐侯，赋《蓼萧》。子展相郑伯，赋《缁衣》。”《左》襄二十七年传云：“郑伯享赵孟于垂陇。……子展赋《草虫》。……伯有赋《鹑之贲贲》……子西赋《黍苗》之四章。……子产赋《隰桑》。……子大叔赋《野有蔓草》。……印段赋《蟋蟀》。……公孙段赋《桑扈》。”

春秋时的乐曲，据《左》襄二十九年传，鲁为吴季札所歌，皆系《诗》之“风”“雅”“颂”。不过另据《论语》云“子在齐闻‘韶’，三月不知肉味”，曰：“不图为乐之至于斯也。”又曰：“乐则韶舞，放郑声，远佞人；郑声淫，佞人殆。”则所谓韶乐、韶舞，当系封建贵族宴享之乐曲，故孔子听之，“三月不知肉味”；而所谓郑声者，则系民间之乐曲，所以孔子曰：“放郑声，远佞人。”

降至战国，则新的乐曲出现，如魏人有槌凿之声，齐人有房中之谱，燕人有变征之音，秦人有击缶之歌。此外吴歈、楚些、巴嬥，皆为各地之新声。楚国的九歌之曲，实为战国末年最悠美之神曲，至今尚有其文学上之不朽的价值。

附表一　从生物之发生发展到人类之出现简表

<table>
<tr><th colspan="3">地质学上的时代</th><th>生物发生和发展的过程</th><th>备考</th></tr>
<tr><td colspan="2" rowspan="2">始生代</td><td>太古纪（Archaean period）</td><td>或者绝无生物</td><td rowspan="20">地质学家有将始生代再划分为太古代与元古代的，又有将新生代划分为近生代与新生代的，而以第三纪属于近生代，第四纪属于新生代。</td></tr>
<tr><td>元古纪（Precambrian period）</td><td>或者已有单胞子植物</td></tr>
<tr><td rowspan="7">古生代</td><td rowspan="3">前期</td><td>寒武纪（Cambrian period）</td><td rowspan="3">显花类植物；海居无脊椎动物，如硬壳鱼、肺鱼、三叶虫</td></tr>
<tr><td>奥陶纪（Ordovician period）</td></tr>
<tr><td>志留纪（Silurian period）</td></tr>
<tr><td rowspan="4">后期</td><td>泥盆纪（Devonian period）</td><td rowspan="4">楔叶类羊齿类植物，鱼类两栖类动物，或者在这一时代之末出现了爬虫类</td></tr>
<tr><td>下石炭纪（Lower Carboniferous period）</td></tr>
<tr><td>上石炭纪（Upper Carboniferous period）</td></tr>
<tr><td>二叠纪（Permian period）</td></tr>
<tr><td rowspan="4">中生代</td><td rowspan="4">第二纪</td><td>三叠纪（Triassic period）</td><td rowspan="4">球果类植物如松桧等，爬虫类如恐龙等繁殖的时代，在这一时代之末出现了原始哺乳动物和鸟类</td></tr>
<tr><td>侏罗纪（Jurassic period）</td></tr>
<tr><td>下白垩纪（Lower cretaceous period）</td></tr>
<tr><td>上白垩纪（Upper cretaceous period）</td></tr>
<tr><td rowspan="7">新生代</td><td rowspan="5">第三纪</td><td>晓新纪（Paleocene period）</td><td rowspan="5">陆上动物，松桧棕百合，羊齿苔藓，地衣等。哺乳动物繁殖的时代。在始新纪出现了半猿类，在中新纪出现了真正猿类，在上新纪出现了类人猿。</td></tr>
<tr><td>始新纪（Eocene period）</td></tr>
<tr><td>渐新纪（Oligocene period）</td></tr>
<tr><td>中新纪（Miocene period）</td></tr>
<tr><td>上新纪（Pliocene period）</td></tr>
<tr><td rowspan="2">第四纪</td><td>更新纪（Pleistocene period）</td><td>类人猿转化为猿人</td></tr>
<tr><td>现代（Recent period）</td><td>猿人发展为现代人</td></tr>
</table>

附表二　中国人种的系统表

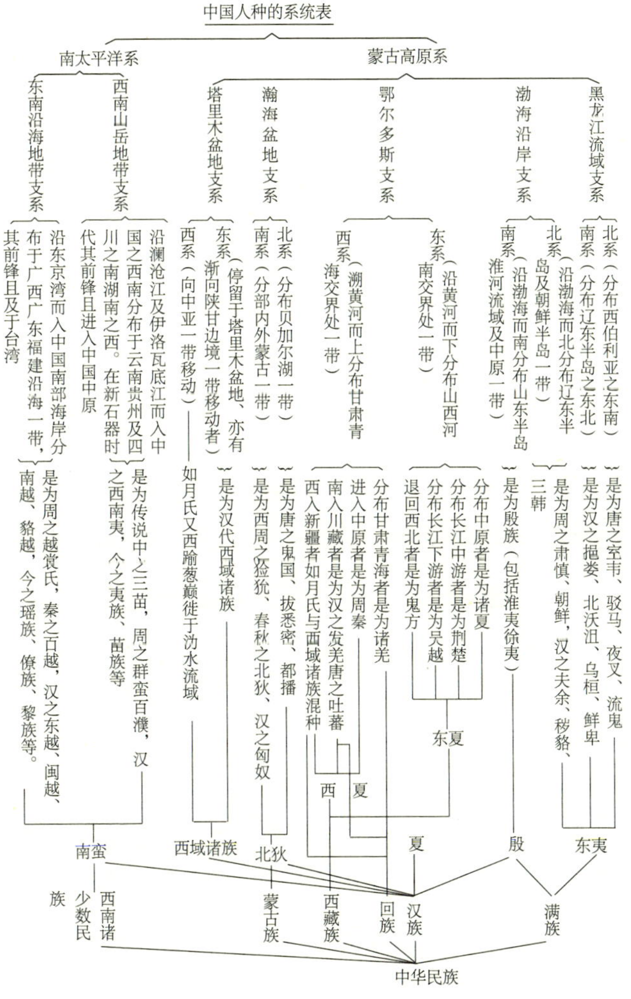

附表三　中国前氏族社会历史发展表

传说中的时代	有巢氏时代					燧人氏时代	伏羲氏时代	
历史学上的时代	蒙昧下期					蒙昧中期	蒙昧上期	
地质学上的时代	第一冰河期	第一间冰河期	第二冰河期	第二间冰河期	第三冰河期	第三间冰河期	第四冰河期	后冰河期
动物的区系	极地型的动物群	温地型的动物群如古象、河马、剑齿虎	极地型的动物群如长毛犀、象、洞熊、鬣狗	温地型的动物群同第一间冰河期	极地型的动物群同第二间冰河期	温地型的动物群如古象、犀、长毛象、驯鹿、旅鼠、洞熊之类	极地型的动物群同第三冰河期	混合的动物群如象、驯鹿、野牛之类
人类肉体型发达的过程	北京猿人型 类似欧洲之海德堡人型					类似欧洲之内安得达尔人型	出现了接近于现代的肉体型之克洛马郎人的人类型	
技术发展的过程	下期旧石器文化，使用粗糙打制的燧石，及削尖了的木棒。周口店猿人产地文化中之最原始的一部分是属于这一时代的文化。					中期旧石器文化，火的发明与应用，骨角器物的出现，凿孔技术的发明。周口店猿人产地的文化及鄂尔多斯旧石器文化是属于这时代的文化。	上期旧石器文化，石器形式的缩小与统一，骨器发达。周口店山顶洞文化及哈尔滨何家沟文化，是属于这一时代的文化。	
社会经济及家族形态发展的过程	人类结成原始群进行采集经济，血族群婚。					性别一年龄别的社会。采集一狩猎经济，亚血族群婚。	氏族社会的萌芽，采集一狩猎经济之高度发展，对偶婚。	
年代估计	500000 年——150000 年					150000 年——50000 年	50000 年——9000 年	

附表四　中国氏族社会历史发展表

<table>
<tr><td>传说中的时代</td><td>神农黄帝时代</td><td colspan="2">尧舜禹时代</td><td colspan="3">夏代</td></tr>
<tr><td>历史学上的时代</td><td>野蛮下期</td><td colspan="2">野蛮中期</td><td colspan="3">野蛮上期</td></tr>
<tr><td>考古学上的时代</td><td>齐家期</td><td>仰韶期</td><td>马厂期</td><td>辛店期</td><td>寺洼期</td><td>沙井期</td></tr>
<tr><td>技术发展及经济进步的过程</td><td>研磨石器及单色陶器的出现。种植—畜牧及纺织的发明。</td><td colspan="2">研磨石器的复杂化，彩绘陶器的发达，可能已经发明黄铜器，种植—畜牧经济的发展。</td><td colspan="3">黄铜器物的应用（在广东海丰史前遗址中出现了铁器），田野农业的出现，象形图画向文字的方向发展。</td></tr>
<tr><td>家系的改变</td><td colspan="3">母系氏族社会</td><td colspan="3">父系氏族社会</td></tr>
<tr><td>家族形态的发展</td><td colspan="3">对偶婚家族</td><td colspan="3">对偶婚家族向一夫一妻制家族过度</td></tr>
<tr><td>氏族组织的发展</td><td colspan="3">氏族、胞族、部族到部族联合</td><td colspan="3">部族联合向种族国家之过度</td></tr>
<tr><td>年代估计</td><td>纪前9000年——6000年</td><td colspan="2">纪前6000年——4000年</td><td colspan="3">纪前4000年——1700年</td></tr>
</table>

附表五　《史记》所纪之五帝世系表

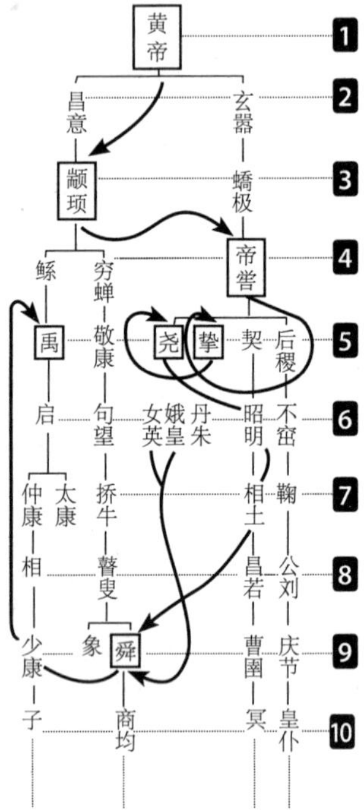

注：由《史记·五帝本纪》之“五帝”世系看来，则“尧”“舜”之禅让乃系高祖传于玄孙，而“舜”“禹”的禅让，又系玄孙倒传于高祖。“舜”与“娥皇”、“女英”的婚姻，则系曾孙与曾祖姑的血族婚，由此，足证《史记》之说，实甚荒谬。其详参看拙著《中国史论集》“中国的母系氏族社会”一文。

附表六　传说中所载之夏商周的先世表

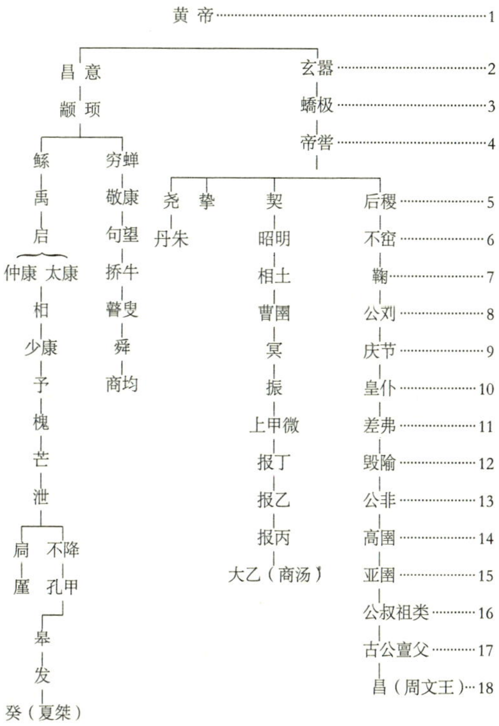

注：若依传说排列，则周文王与夏桀的行辈相同，其时代当亦不能相差甚远，由此而知传说中之世系，系任意编排。

附表七　殷代帝王世系表

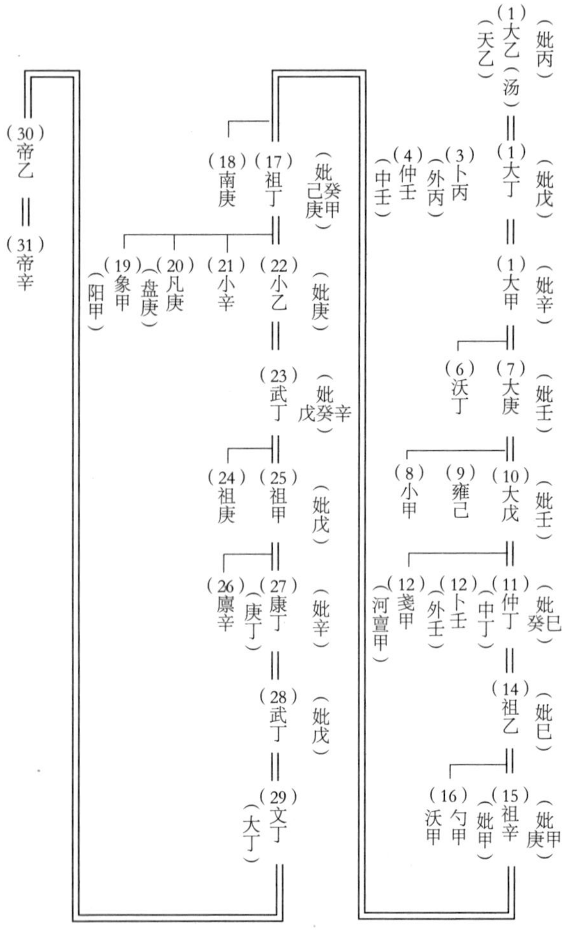
（1）大乙（汤）（天乙）（妣丙）
（1）大丁（妣戊）
（3）卜丙（外丙）
（4）仲壬（中壬）
（1）大甲（妣辛）
（6）沃丁
（7）大庚（妣壬）
（8）小甲
（9）雍己
（10）大戊（妣壬）
（11）仲丁（中丁）（妣己癸巳）
（12）卜壬（外壬）
（12）戋甲（河亶甲）
（14）祖乙（妣巳）
（15）祖辛（妣甲庚甲）
（16）勺甲（妣甲）
沃甲
（17）祖丁（妣己庚癸甲）
（18）南庚
（19）象甲（阳甲）
（20）凡庚（盘庚）
（21）小辛
（22）小乙（妣庚）
（23）武丁（妣戊癸辛）
（24）祖庚
（25）祖甲（妣戊）
（26）廪辛
（27）康丁（庚丁）（妣辛）
（28）武丁（妣戊）
（29）文丁（大丁）
（30）帝乙
（31）帝辛

附表八　两周大事年表

帝王名称		所占时代	在位年数	大事摘要	附　录
武王	发	前1134—前1116	19	武王十三年（前1122年）克商，周族进入中原。	约在前1100年代，亚述之提格拉毗色（Tiglath Pileser）侵入巴比伦的版图。黑伦种族，已开始在希腊半岛之南端登陆。
成王	诵	前1115—前1079	37	管蔡以武庚叛，周公东征，成王践奄。	
康王	钊	前1078—前1053	26		
昭王	瑕	前1052—前1002	51	南征荆楚，败死江汉。	
穆王	满	前1001—前947	55	西征犬戎，东征徐夷。	埃及为尼罗河上游之爱西屋皮亚人所侵。希伯来之大卫（David）到所罗门（Solomon）时代。（纪元前990年—前960年）
共王	繄扈	前946—前935	12	三年，王师灭密。	
懿王	囏	前934—前910	25	七年，西戎侵镐。十三年，翟入侵岐。十五年，王自宗周（镐京）迁入槐里。廿一年，虢公北伐犬戎，败绩。	埃及第二十二朝之示撒（Shishak）大毁所罗门庙，爱西屋皮亚人侵入埃及，建立埃及史上之第二十五朝。
孝王	辟方	前909—前895	15	元年，命申侯伐西戎。	

续表

夷王	燮	前894—前879	16	七年，虢公伐太原之戎。	
厉王	胡	前878—前842	37	三年，淮夷侵洛。十一年，西戎入犬丘。十二年，国人闯王宫，王奔于彘。	
共伯	和	前841—前828	14	农奴叛乱时代，同时，猃狁侵入宗周西鄙，荆蛮北犯伊洛。	
宣王	靖	前827—前782	46	元年，诸侯复宗周。三年，秦仲伐西戎。五年，尹吉甫伐猃狁。六年，召穆公伐淮夷，王伐徐夷。七年，申伯伐江汉。二十五年，大旱。	
幽王	宫涅	前781—前771	11	二年，大旱，泾渭洛竭，地震，岐山崩。十一年，申人鄫人及犬戎入宗周，王被杀。	幽王六年（前776年）希腊举行第一次奥林比亚（Olympia）竞技大会。
平王	宜臼	前770—前720	51	元年，周族退出陕西，东迁洛邑；秦始列为诸侯。十年，秦东迁汧渭之间。二十年至二十五年，秦取岐西地。三十三年，楚人侵申。	平王十八年（前753年）罗马开国之年。前750年，迦太基势力布满北非及西班牙沿岸。前745年亚述征服巴比伦，建立亚述古国。前738年至前721年后亚述征服希伯来以色列及埃及。
桓王	林	前719—前697	23	齐郑角逐于宋许之间，楚及巴伐邓，开始北向的发展。	
庄王	佗	前696—前682	15	三年，齐杀鲁侯，杀郑子亹。八年，齐与其同盟军（宋鲁陈蔡）伐卫，西向发展。十一年，齐无知弑其君诸儿，齐国内乱。十二年，齐桓公立管仲为相。十三年，齐灭谭，楚侵蔡。	

续表

釐王	胡齐	前681—前677	5	元年，齐伐宋灭遂；齐鲁会盟于河，曹沫劫盟，反所亡地。二年，齐宋陈蔡郑盟于鄄，齐始霸。四年，曲沃伯称灭晋侯缗，命为晋侯；齐宋卫伐郑，楚灭邓。	
惠王	阆	前676—前652	25	二年，卫与燕伐周。三年，天子避于栎。四年，郑伯奉王归于王城。八年，晋侯尽杀群公子（桓庄之族）。一〇年，诸侯盟于幽，陈郑皆服于齐。十一年齐伐卫，楚伐郑。十三年，山戎犯齐，十七年，犬戎犯渭汭，狄灭卫。十八年，狄侵邢，邢迁夷仪，楚伐郑。二〇年，楚再伐郑。二一年，齐率诸侯伐楚。二二年，楚灭弦，晋灭虢灭虞。二三年至二四年，齐楚角逐于许郑之间。	惠王五年（前670年）亚述全盛时代，埃及在爱西屋皮亚人统治之下。惠王十三年（前664年）埃及国王沙麦提克斯（Tsammetichus）第一，开始恢复埃及自由的斗争。
襄王	郑	前651—前619	33	三年，王子带召扬拒、泉皋、伊洛之戎，入寇王城；秦晋伐戎救周。四年，楚灭黄。五年，狄侵卫；淮夷病杞。七年，秦晋战于韩，秦俘晋侯。九年，鲁灭项；齐桓公卒，齐国大乱。十一年，陈蔡鲁郑楚盟于齐，梁亡。一四年，秦晋迁陆浑之戎于伊川。二〇年，晋楚城濮之战，楚败。二二年，秦晋围郑。二八年秦伐晋，遂霸西戎。二九年至三〇年，楚灭江灭六蓼。三二年，秦晋争霸，战于令狐。	襄王二年（前650年）波斯兴起，进攻亚述。

续表

顷王	壬臣	前618—前613	6	元年，楚伐郑，晋救郑。二年，秦伐晋，狄侵宋。四年，秦晋战于河曲。	
匡王	班	前612—前607	6	二年，楚大饥，蛮濮伐楚。六年，宋郑战于大棘；晋赵盾弑其君夷皋。	
定王	瑜	前606—前586	21	十年，晋楚邲之战；楚灭萧。十三年（前594年），鲁初税亩（现物地租）。	前606年，加尔底人（Chaldians）攻陷尼尼微，建都巴比伦，是为第二巴比伦帝国。
简王	夷	前585—前572	14	二年，吴伐郯，秋入州来。五年，晋会诸侯伐郑。八年，晋会诸侯伐秦，吕相有绝秦之书。十一年，晋与楚郑战于鄢陵。十四年，晋会诸侯之大夫围宋彭城。	
灵王	泄心	前571—前545	27	元年，晋会诸侯之大夫于戚，城虎牢以逼郑。二年，吴与楚战，晋伐许。三年，晋魏绛与诸戎和。四年，晋楚战于陈。八年，晋伐郑，十年，晋两次伐郑。十三年，诸侯伐秦。十七年，晋会诸侯围齐；楚伐郑。二十一年十月（前551年）孔子生。二十三年，楚东伐吴，北伐郑。二十六年，诸侯之大夫盟于宋。	前528年波斯进攻第二巴比伦。前525年，波斯远征埃及。

续表

景王	贵	前544—前520	25	元年，吴季札历聘诸国。二年，郑相子产。七年，郑作丘赋（现物地租）；吴楚之战。八年，楚再伐吴。九年，齐北伐燕。十一年，楚灭陈。十二年，楚灭蔡。十六年，吴灭州来。二十年，吴楚长岸之战；楚王杀其傅伍奢及其子尚，伍员奔吴。	
敬王	匄	前519—前476	44	二年，吴灭巢。八年，吴灭徐。十年，吴伐越。十四年，吴蔡及楚战于柏举，吴入楚都。十五年，越入吴，申包胥以秦师救楚。十六年，吴败楚，楚迁于鄀。十九年，郑杀邓析而用竹刑。二十三年，孔子相鲁。二十六年，吴王夫差败越。三十三年，宋灭巢，吴伐鲁。三十四年，吴城邗沟，通江淮。三十五年，吴鲁伐齐。三十六年，齐伐晋，晋约吴伐齐败之；孔子自卫返鲁。三十九年（前481年）鲁西狩获麟。四十二年，越伐吴，楚灭陈，晋伐卫。	
元王	仁	前475—前469	7	元年，越围吴。二年，晋灭代。三年，越灭吴，夫差自杀，范蠡去越。五年，鲁朝于越。	

续表

贞定王	介	前468—前441	28	四年，勾践卒。八年，秦灭大荔。二十二年，楚灭蔡。二十四年，楚灭杞，其地东至于泗。	前541年到前450年，罗马颁布十二铜表法。
考王	嵬	前440—前426	15	四年，晋侯朝于韩赵魏三家。十年，楚灭莒。	前431年，雅典与斯巴达战争。
威烈王	午	前425—前402	24	八年，越灭郯。九年，楚伐魏。十一年，越灭滕。十八年，晋魏灭中山。十九年，齐田和伐魏。二十二年，命晋大夫韩虔、魏斯、赵藉为诸侯，晋分裂为三国。	
安王	骄	前401—前376	26	五年，盗杀韩相侠累。十一年，齐田和迁其君于海上，食一城。十五年，吴起自魏奔楚，楚以为相。十六年，命田和为齐侯。二十三年，田氏篡齐。	前390年，罗马已领有伊达拉里亚一带土地。
烈王	喜	前375—前369	7	元年，韩灭郑，自阳翟徙都之。二年，秦徙都栎阳，自是强大。	前367年，罗马开始向外扩张。
显王	扁	前368—前321	48	元年，齐伐赵，赵献长城以和。四年，魏迁都大梁。五年，秦献公败三晋之师于石门。十年，秦以商鞅为左庶长，定变法之令；魏筑长城。十五年，魏伐赵，围邯郸。十六年，齐伐魏以救赵。十八年，韩相申不害。十九年，	前338年，马其顿王腓力大破雅典及其同盟军于加罗尼亚(Charonia)。前336年，马其顿军之前锋进入亚洲。显王三十五年至三十六年，腓力之子亚历山大远征

续表

				秦徙都咸阳；废井田，开阡陌，更赋税之法。二十八年，魏伐韩，齐救之。二十九年，秦伐魏，魏献河西地。三十年，秦魏岸门之战。三十四年，秦拔韩宜阳。三十五年，楚灭越。三十六年，燕赵韩魏齐楚合纵以摈秦，以苏秦为纵约长。三十七年，秦以齐魏之师伐赵，纵约解。四十一年，秦张仪伐魏取蒲阳，魏献上郡地。	波斯（前334——前333年）。前332年，亚历山大远征埃及，埃及不战而降。前331年，回军再征波斯，亚卑拉（Arbala）之战，大败波斯，进至巴比伦里海之滨，西土耳其斯坦，乃至东土耳其斯坦，南及印度河上游。前323年，亚历山大死于巴比伦。前321年，印度人旃陀罗笈多（Chandrapupta）据旁遮普省，逐希腊人，定住恒河流域。
慎靓王	定	前320—前315	6	三年，楚赵韩魏燕伐秦攻函谷，秦败之。四年，秦大败韩师于修鱼。五年，秦取蜀。	
赧王	延	前314—前256	59	元年，齐伐燕。二年，楚屈匄伐秦。四年，诸侯复合纵。七年，秦伐韩取宜阳。九年，赵武灵王略中山及胡地。十二年，齐韩魏伐楚，秦救之。十六年，秦伐楚，诱执楚怀王。十九年，怀王卒于秦。二十年，赵灭中山。二十二年，魏韩伐秦，白起败之。	前303年，希腊人复侵入印度西北，在印度西北建立短期王国。前290年，罗马领土已由阿诺（Arno）扩展至那坡里（Naples）。前279年，罗马驱逐希腊势力，败希腊于奥斯扣

续表

				二十九年，齐灭宋，秦攻魏，魏献安邑。三十一年，燕乐毅以秦韩赵魏之师伐齐，入临淄。三十五年，秦伐赵及楚。三十六年，齐田单大破燕军，尽复失地；齐魏灭薛。三十七年，秦白起伐楚拔郢，置南郡。四十二年，赵魏伐韩，秦救之，魏割南阳以和。五十年，秦伐赵，齐救之。五十三年，秦白起伐韩拔野王，上党降赵。五十五年，白起大破赵，坑赵降卒四十万。五十六年，秦拔赵武安，定太原、上党。五十七年，秦围赵邯郸，公子胜乞楚师，黄歇救赵；魏公子无忌袭杀晋鄙，夺军救赵。五十八年，秦杀白起，魏无忌大破秦军于邯郸。	蓝（Ausculan），前277年以后，高卢人开始东向小亚细亚进展。前275年，罗马与迦太基合攻希腊。前270年及前256年罗马与迦太基为了争夺地中海的奴隶市场，进行战争。
东周君		前255—前249	7	元年，秦迁西周君于惪狐聚；楚取鲁，封少君于莒。五年，燕伐赵，赵败之。六年，燕伐齐。七年，吕不韦相秦；楚灭鲁，秦取韩荥阳、成皋。同年，秦灭东周，迁其君于阳人聚。周亡，时西纪前249年。	前251年，罗马与迦太基继续有战争。

续表

秦王	政	前246—前222	25	元年，秦凿泾水为渠。四年，秦伐魏。五年，取魏二十城，置东郡。六年，楚赵魏韩卫合攻秦，秦败之函谷；同年，楚迁寿春，卫徙野王。七年，秦伐魏取汲。十一年，秦伐赵，取九城。十四年，秦取赵三城。十六年，韩献南阳地于秦。十七年，秦内史胜灭韩，俘其王。十八年，秦王翦伐赵，下井陉，赵杀李牧；同年，王翦灭赵。二十年，燕太子丹使荆轲刺秦王；秦王翦破燕军，围蓟；燕王走保辽东，献太子丹首于秦。二十二年，秦王贲伐魏，引河水灌邺城，杀王假，灭魏。二十三年，秦王翦伐楚，大破楚军，杀楚大将项燕。二十四年，王贲灭楚，俘楚王负刍，置楚郡。二十五年，王翦灭燕，俘其王喜；还灭代，俘其王嘉。二十六年，灭齐；于是六国毕，四海　，天下统一于秦。	秦王政六年（前241），罗马大败迦太基。迦太基献罗马三千二百银币，合我国海关银四百八十万两。

注：刘歆《三统历》谓夏十七王，四百三十二岁；殷三十一王，六百二十九岁；周三十六王，八百六十七岁。班固《律历志》，即全因刘说。刘氏明言拟《史记》“世家”，但其年代总数与今本所载，相差七十二年。钱大昕等谓系今本《史记》传刻之误。我以为殊不尽然。盖以刘说校之“汲冢”、“纪年”除系年年数相同，殷年则相差甚远，周年亦相差七十二岁。余以为西周时代的纪年，大抵都有问题，至于夏殷，则更无论矣。今之所传，皆系臆测

之数。因此之故，人异其说，如《左传》谓夏年四百，殷纪六百，周年七百，则与刘说又不同。又如周敬王与元王的纪年，《史记》与“纪年”，相差一年，定王与元王的传世，《史记》与“世本”亦各异。大概言之，周族之进入中原，约当西纪前一千一百年代，当系事实，至于确实始终何年，尚待考证。

三联经典文库

159

中国史纲

（第二卷下：秦汉史）

翦伯赞 著

生活·讀書·新知 三联书店

图书在版编目(CIP)数据

中国史纲（第一卷上下、第二卷上下）/ 翦伯赞著.
-- 北京：生活·读书·新知三联书店, 2014.1
（三联经典文库第二辑）
ISBN 978-7-108-04672-7

Ⅰ. ①中… Ⅱ. ①翦… Ⅲ. ①中国历史－古代史
Ⅳ. ①K22

中国版本图书馆CIP数据核字(2013)第254448号

159 中国史纲（第一卷上下、第二卷上下）

责任编辑　戴云波
封扉设计　蔡立国
责任印制　卢　岳
出版发行　生活·讀書·新知 三联书店
（北京市东城区美术馆东街22号）
邮　　编　100010
经　　销　新华书店
印　　刷　北京鹏润伟业印刷有限公司
版　　次　2014年1月北京第1版　2014年1月北京第1次印刷
开　　本　787毫米×1092毫米 1/32　印张 50.25
字　　数　740千字
定　　价　177.00元

目次

插图目次

第四章　东汉王朝的继起及其历史形势

第一节　新市、平林与东汉王朝的创立

在赤眉、铜马、新市、平林等农民大“叛乱”的火焰中，西汉的贵族、官僚、土豪、流氓，乘时纷起，揭起“反莽兴汉”的旗帜，割据郡县，并置将帅，改元建号，称帝称王，企图在农民大叛乱的火焰中，投机冒险，夺取政权。

当此之时，刘玄窜入平林，刘縯、刘秀起于舂陵，王郎称帝邯郸[1]，刘永擅命睢

---

[1]《后汉书·王昌传》云：“王昌，一名郎，赵国邯郸人也。素为卜相，工明星历，常以为河北有天子气。时赵缪王子林，好奇数，任侠于赵、魏间，多通豪猾，而郎与之亲善。初，王莽篡位，长安中或自称成帝子子舆者，莽杀之，郎缘是诈称真子舆。……林等愈动疑惑，乃与赵国大豪李育、张参等通谋，规共立郎。……更始元年十二月，林等遂率车骑数百，晨入邯郸城，止于王宫，立郎为天子……分遣将帅，徇下幽、冀。”

阳[1]，公孙述称王巴蜀[2]，李宪自立淮南[3]，秦丰割据南郡[4]，张步起于琅邪[5]，董宪起于东海[6]，延岑起于汉

---

[1]《后汉书 · 刘永传》云："刘永者，梁郡睢阳人，梁孝王八世孙也。传国至父立……为王莽所诛。更始即位，永先诣洛阳，绍封为梁王，都睢阳。永闻更始政乱，遂据国起兵。……招诸豪杰沛人周建等，并署为将帅。攻下济阴、山阳、沛、楚、淮阳、汝南，凡得二十八城。又遣使拜西防贼帅山阳佼强为横行将军。是时东海人董宪，起兵据其郡，而张步亦定齐地……与共连兵，遂专据东方。及更始败，永自称天子。"

[2]《后汉书 · 公孙述传》云："公孙述字子阳，扶风茂陵人也。哀帝时，以父任为郎，后父仁为河南都尉，而述补清水长。……王莽天凤中为导江卒正，居临邛（王莽改蜀郡曰导江，太守曰卒正），复有能名。及更始立，豪杰各起其县以应汉，南阳人宗成，自称虎牙将军，入略汉中。又商人王岑，亦起兵于洛县，自称定汉将军，杀王莽庸部牧以应成，众合数万人。述闻之，遣使迎成等。成等至成都，虏掠暴横，述意恶之。召县中豪杰……豪杰皆叩头曰：'愿效死'。述于是使人诈称汉使者自东方来，假述辅汉将军、蜀郡太守兼益州牧印绶，乃选精兵千余人，西击成等。比至成都，众数千人，遂攻成，大破之（后又破更始兵），……由是威震益部。……建武元年四月，遂自立为天子，号成家，色尚白，建元曰龙兴元年。"

[3]《后汉书·李宪传》云："李宪者，颍川许昌人也。王莽时为庐江属令。莽末，江贼王州公等起，众十余万，攻掠郡县。莽以宪为偏将军、庐江连率，击破州公。莽败，宪据郡自守。更始元年，自称淮南王。建武三年，遂自立为天子，置公卿百官，拥九城，众十余万。"

[4]《后汉书·岑彭传》云："南郡人秦丰据黎丘，自称楚黎王，略有十二县。注：《东观记》曰：'丰，邔县人……为县吏，更始元年，起兵攻得邔。'"

[5]《后汉书 · 张步传》云："张步，字文公，琅邪不其人也。汉兵之起，步亦聚兵数千，转攻旁县，下数城，自为五威将军，遂据本郡（建武三年，刘永立步为齐王）。

[6]《后汉书 · 刘永传》云："东海人董宪起兵据其郡。（建武）三年春，永遣使立宪为海西王。"

中[1]，田戎起于夷陵[2]，隗嚣起于陇西[3]，卢芳起于朔方[4]，窦融起于河西[5]，彭宠起于渔阳[6]。这些野心家，都利用“叛乱”的农民，去剿灭农民的“叛乱”，借

[1]《后汉书·公孙述传》云：“岑，字叔牙，南阳人，始起兵汉中，……走至南阳，略有数县。同上《光武帝纪》云：“建武二年二月，延岑自称武安王。”

[2]《后汉书·公孙述传》云：“戎，汝南人，初起兵夷陵，转寇郡县，众数万人。”同上《岑彭传》注引《东观记》曰：“戎自称扫地大将军。”《襄阳耆旧记》曰：“戎号周成王。”

[3]《后汉书·隗嚣传》云：“隗嚣，字季孟，天水成纪人也。少仕州郡，王莽国师刘歆引嚣为士，歆死，嚣归乡里。季父崔素豪侠，能得众，闻更始立而莽兵连败，于是乃与兄义及上邽人杨广、冀人周宗谋起兵应汉。……遂聚众数千人攻平襄，杀莽镇戎大尹……共推嚣为上将军……嚣遂分遣诸将，徇陇西、武都、金城、武威、张掖、酒泉、敦煌，皆下之。”（更始二年遣使征嚣，以为右将军，旋亡归天水，复聚其众，自称西州上将军。

[4]《后汉书·卢芳传》云：“卢芳，字君期，安定三水人也，居左谷中。王莽时，天下咸思汉德，芳由是诈自称武帝曾孙刘文伯。……王莽末，乃与三水属国羌胡起兵。更始至长安，征芳为骑都尉，使镇抚安定以西。更始败，三水豪杰共计议，以芳刘氏子孙，宜承宗庙，乃共立芳为上将军西平王。使使与西羌、匈奴结和亲……单于遂立芳为汉帝。”

[5]《后汉书·窦融传》云：“融，字周公，扶风平陵人，更始时，为张掖属国都尉，河西翕然归之。及更始败，推融行河西五郡大将军。”

[6]《后汉书·彭宠传》云：“彭宠，字伯通，南阳宛人也。父宏，哀帝时为渔阳太守，……王莽居摄……遇害。宠少为郡吏，地皇中，为大司空士，从王邑东拒汉军，到洛阳……亡至渔阳，抵父时吏。更始立……拜宠偏将军，行渔阳太守事，汉安乐令。……建武二年春，……发兵反。明年……自立为燕王。”

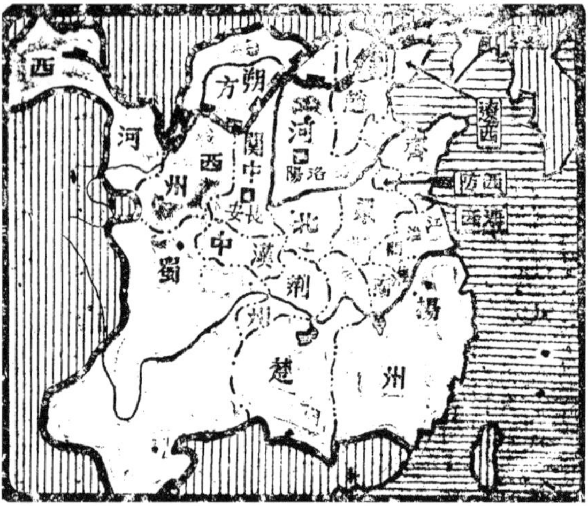

插图四一　西汉末群雄割据图

此扩大自己的势力，巩固自己的割据。同时，又相与合纵、连横，或相互侵略并兼，企图削弱他人，强化自己（插图四一）。

在农民大“叛乱”与群雄大角逐相互交织而构成之混乱局面中，刘秀投袂奋起于舂陵，剿灭了农民“叛乱”，削平了群雄割据，统一中国，再建商人地主的政权，是为东汉。

刘秀，字文叔，南阳蔡阳人。据说是汉高祖九世孙。[1]刘秀是否为高祖九世孙，我以为应该写上一个疑问的符号，因为当王莽之末，有许多野心家，都冒充汉代皇家的后裔，企图以皇家的血肉关系，提高自己的身份，籍资号召，从而准备自己后来做皇帝的根据。例如当时王郎即冒充成帝之子子舆，卢芳即冒充武帝曾孙文伯，假使王郎或卢芳做成皇帝，就是冒牌的皇族，也会变成成帝或武帝的嫡子。我因此对于刘秀之为高祖九世孙，不能无疑。

刘秀是否确系高祖九世孙，我们不必追根究底，我们所能确知的，刘秀是出身于一个商人地主的家庭，而且他本人就是一个商人地主。据《光武帝纪》云："光武年九岁而孤，养于叔父良。"同纪云："初，光武为春陵侯家讼逋租。"注："春陵侯敞，即光武季父也。《东观记》曰：为季父故春陵侯诣大司马府，讼地皇元年十二月壬寅前租二万六千斛，刍藁钱若干万。"刘秀的叔父逋租如此之多，当然是一个大地主。同时刘秀之兄刘

[1]《后汉书·光武帝纪》谓：光武，"高祖九世之孙也。出自景帝生长沙定王发，发生春陵节侯买，买生郁林太守外，外生巨鹿郡尉回，回生南顿令钦，钦生光武。"

缜，也是南阳的一个大土豪，家里养活着大群的保镖，一味鱼肉邻里，武断乡曲。即因刘秀家中雄于资财，所以他才有资格到长安去读书。他在长安读书几年，不得而知，但知在王莽天凤年间，曾在长安受《尚书》于中大夫庐江许子威，略通《尚书》大义。以后，刘秀仍回到故乡，经理自己的田产。其兄刘缜"常非笑光武事田业，比之高祖兄仲"。地皇三年，南阳荒饥，其兄之宾客劫人，牵连刘秀，于是他避吏于新野豪族邓晨之家。从此就与邓晨合伙，往来宛县，经营屯聚粮食的买卖，因而结识了宛县的一般大商人，如李通[1]等，利用荒年而大发其横财，成为南阳的巨富。

地皇三年，新市、平林等南方的农民军，浩浩荡荡，北向南阳；赤眉、铜马等北方的农民军，也以无遮拦之势，南入颍川；南阳一带，已处于南北农民军夹攻的危险环境之中。为了保护自己的财产，刘秀之兄刘缜，遂招集乡里的流氓，武装自卫。同时宛县的大商人李通等，也推举刘秀出来，组织商人地主的保卫队。为了鼓励刘

[1]《后汉书·李通传》云："李通字次元，南阳宛人也。世以货殖著姓。父守，身长九尺，容貌绝异，为人严毅，居家如宫庭。"

秀作军事冒险，当时李通等假造一种图谶，其文曰："刘氏复起，李氏为辅。"刘秀虽然知道图谶是假的，但眼看新市、平林诸军就要进入南阳境，万贯的家财，马上要化为乌有。于是将假作真，用图谶号召了大批的流氓，自己就带着这个小小的队伍，由宛县回到舂陵，与其兄刘縯的自卫队合伙。当时刘縯虽然已经起兵，但"诸家子弟恐惧，皆亡逃自匿，曰：伯升（刘縯字伯升）杀我。"后来他们看见刘秀也绛衣大冠，打扮得象个将军，于是众皆惊曰："谨厚者亦复为之，乃稍自安。"这就是刘秀起义的经过，看起来，并不是一个甚么了不得的场面，实际上，刘秀弟兄的起兵，不过是替南阳商人地主组织一个保卫队而已。

新市、平林诸军，果然侵入南阳的境界。为了避免冲突，刘秀弟兄乃派人和他们接头，愿意与他们合伙。刘秀的意思，以为既然合伙，就同是"诸贼"，"贼不抢贼"，他们的财产就得到保障了。

合伙的谈判成功了，南阳一带商人地主的财产，也因此而没有受到伤害。不仅自己的财产没有受到伤害，而且在西击长聚，攻新野，进屠唐子乡，转掠湖阳诸战役中，还抢劫了不少的财物。

刘秀弟兄之组织武装乃至与农民军合伙，都是为了捍卫自己和邻近商人地主的财产。但是当时的政府，看到刘秀弟兄既加入“贼伙”，又与“诸贼”劫掠县邑乡聚，当然也就是“贼”。既是“贼”，当然也就要剿。不久王莽政府派来的剿匪军的前队，在甄阜、梁丘赐的指挥之下，开到了小长安，就在这里与“诸贼”发生了接触，刘秀大败，退保棘阳。

第二年正月，刘秀卷土重来，泚水西岸一战，大败官兵，并且斩了甄阜和梁丘赐两员大将。同时刘縯又大破严尤、陈茂于淯阳，进围宛城。这两个胜利，就使刘氏兄弟的声名，为之大震，颇有压倒新市、平林之势。同时刘氏兄弟的心理也起变化，他们现在已经不仅以保卫本乡本土的商人地主为志愿，而是进一步企图把新市、平林“诸贼”的力量，引导到自己的政治目的，以图推翻王莽的政府，再建商人地主的政权。

但是刘氏兄弟的这种企图，遭受了挫折。不久，新市、平林诸帅，拥立了另一个野心家刘玄为皇帝，并且杀了刘縯。当刘縯被杀的时候，刘秀迫于高压，不敢抗议，而且还不得不含悲忍泪，向新市、平林诸帅谢罪。虽然如此，从刘縯被杀之日起，刘秀便无日无时不在计划脱离农民军的队伍，独树一帜，以求实现他的政治怀抱。所以当刘玄在新市、平林诸帅的欢迎之中，西入长安的时候，刘秀则带了一支人马从洛阳渡河而北，向河北平原进军去了。

当刘秀北徇河北时，整个的河北，都是农民军的世界，而郡县城邑，则为王莽所置的官吏所据守。刘秀知道，要平定河北，必须要剿灭农民军，要剿灭农民军，必须要获得城市以为军事的据点。因此他一渡过黄河，便打起大司马的旗号，巡行郡县，一路而北。当时河北郡守县令，知长安已陷，王莽诛死，新市、平林的农民军，聚结洛阳，对于刘秀，不敢抵抗。刘秀就在一路迎降之中，北徇至当时的蓟县，今日的大兴。这比他的九世祖刘邦之扶义而西，更要顺利百倍（插图四二）。

刘秀到一个郡县，便释放王莽时代的政治犯，并废止王莽的新政，因此，所过之处，官僚和商人地主，都争持牛酒迎劳。刘秀正兴高彩烈，准备集合诸郡县的兵力，开始剿灭农民军的军事行动。他想不到又有一个冒

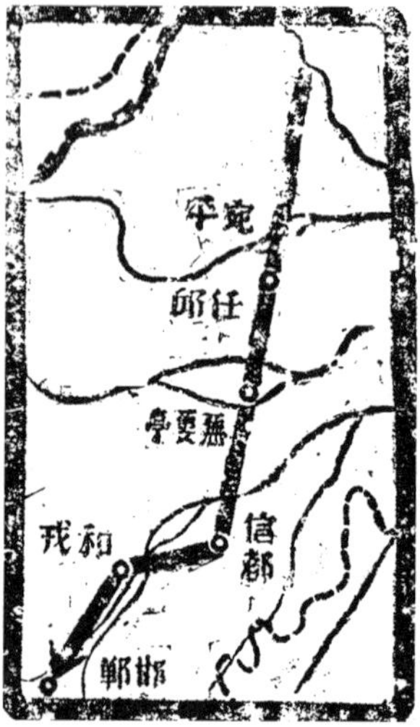

插图四二　光武北徇河北图

称刘姓的王郎，自立于邯郸，截断了他的归路。并且还有一个故广阳王之子刘接，起兵蓟中，响应王郎。当时王郎移檄，通缉刘秀，史称“购光武十万户”。于是堂哉皇哉进入蓟县的刘大司马，现在不能不青衣小帽，从蓟县仓皇逃遁了。

“趋驾南旋”的刘大司马，就没有“奉命北徇”的威风了。在以前，是“所过郡县迎降”；在现在，是“晨夜不敢入城邑”。在以前，是沿途“吏民争持牛酒迎劳”；

在现在，是“舍食道旁”，以豆粥或麦饭充饥。据史载，他有一次在饶阳的传舍中，混吃官饭，几乎被捕。又有一次，在滹沱河，王郎追兵追近，如果不是河水结冰，他的历史就到此结束了。再有一次，在下博城西，迷失了道路，幸而遇到一个老农告诉他往信都（今定州境内）去的道路，因为信都为长安守，可以保护他。于是刘秀，遂驰赴信都，信都守任光开城出迎，直到此时，刘大司马才换过气来。这一幕悲剧，比起他九世祖刘邦在鸿门宴中所遭受的危险，也只有过之无不及也。

刘秀既入信都，即以信都为根据，重新打出大司马的旗帜，号召附近的郡县，募兵四千人。即以此四千人出击，占领堂阳、贳县。同时又派遣使节，联络王莽的和戎（今顺德所属）卒正（即太守）邳彤、昌城人刘植、宋子人耿纯，合兵攻陷曲阳，于是有兵数万人。即以此数万人北击中山（今唐县东北），拔卢奴（今定州）。所过发奔命兵（即敢死队）以为前锋；同时又号召郡县，共击王郎，郡县亦多起响应。遂连陷新市、真定、元氏、防子诸地，进而与王郎的大将李育在柏人（今邢州）发生了遭遇战。正当此时，上谷太守耿况，渔阳太守彭宠，各遣其将吴汉、寇恂，带领大队骑兵来会，更始也派遣尚书仆射谢躬带兵来讨伐王郎。于是刘秀乃大飨士卒，连兵围巨鹿，大败王郎之兵于南峦，遂进围邯郸，拔其城，追斩王郎。

刘秀既斩王郎，声势大震于河北，刘玄恐其尾大不掉，乃封之为萧王，令其罢兵回到长安。刘秀自其兄被杀以后，即日夜企图独树一帜，今既入河北，岂肯再回长安，自投罗网，加以其部下怂恿，劝其自取天下[1]，于是辞以河北未平，不奉诏命，从此遂脱离刘玄的政府，而与之对立。

刘秀既立志创造帝业，所以毫不犹豫地开始了屠杀饥饿农民——赤眉、铜马的军事行动。在更始二年的秋天，他亲统大军击铜马于鄡阵。又命吴汉将突骑，来会清阳，企图一举而歼灭河北的农民军。不料河北的农民军甚多，大有与这位候补皇帝决一死战之势，因而使得剿贼军"坚营自守"，不敢应战，只是采取封锁政策，

[1]《后汉书·耿弇传》弇曰："闻使者从西方来，欲罢兵，不可从也。"又《东观汉记·耿弇传》曰："百姓患苦王莽，苟刻日久，闻刘氏复兴，莫不欣喜，望风从化如去虎口，就慈母。倒戟横矢，不足以明喻。……天下至重，公可自取，无令他姓得之。"

绝其粮道，企图使饥民饿死。饥民因不得食，不得不逃遁。就在逃遁的当中，刘秀的大军出动了，追至馆陶，大加屠杀。正当此时，高湖、重连从东南来，和铜马的余众会合，与刘秀大战于蒲阳，结果，因为高湖、重连等农民军的领袖背叛了群众，大部分的饥民，都被骗而改编为刘秀的创业之军。由是刘秀遂有众数十万，故史称当时关西号光武为“铜马帝”。所谓“铜马帝”，即“贼帅”的别名。

刘秀之为贼帅，固不自此时始，他最初，就是凭借新市、平林“诸贼军”，才获得“将军”的称号；以后，还是从新市、平林“诸贼”所组织的更始政府，才获得“大司马”的头衔。现在，又依靠铜马“诸贼”的降附，才使他渐渐接近于皇帝的宝座。

刘秀既收编了铜马“贼众”，于是板起面孔，大发兵讨“贼”。据史载，他大破赤眉别帅与大彤、青犊于射犬。又于次年追击尤来、大抢、五幡于元氏，远至右北平，但最后为农民军大败于顺水（即徐水）北。以后刘秀复重整旗鼓，进至安次，大破农民军，屠杀了三千以上的农民。农民军退入渔阳，刘秀又遣将追至渔阳，连战于潞东与平谷，大破灭之。这样一来，河北的农民军，一部分被屠杀了，一部分转化为刘秀的军队，于是刘秀遂据有河北。

但是河北为四战之地，易于进取而难于保守。当时新市、平林，虽拥立刘玄，建号更始，但他们的底子，总还是农民军。此辈农民军，现在打起官军的旗帜占领了鄂北、豫西、陕西广大的地方，而且以大军据守洛阳，大有北伐河北之意。同时，赤眉、青犊之属，众数十万，还是蔓延于山东、皖北、河南一带，也大有随时窜入河北的可能。这些农民军对于刘秀，都是致命的威胁。

刘秀的时运真好，正当此时，赤眉、青犊之属，与新市、平林的政府，发生了裂痕。当时赤眉、青犊之属几十万人，分道入关，西向长安，在长安附近与新市、平林发生激烈的火并战争。赤眉之属，打破了长安，推翻了新市、平林的政府，再组织了赤眉的政府。而且以后赤眉、青犊与新市、平林的火并战争，还是继续进行。

鹬蚌相持，渔人得利。据史载，当时光武乃遣邓禹率六裨将，引兵而西，以乘更始、赤眉之乱。同时为了防止新市、平林溃入河北，又遣冯异扼守孟津以拒洛阳。

为了巩固河北北部的占领，刘秀又自徇燕、赵。此外，为了保守根据地及粮饷的来源，又命寇恂留守险要富实的河内。这样一个布置，当然是攻守咸宜，可进可退。

冯异之军，已经进抵长安附近，但被赤眉大败于郁夷，乃退至云阳以待其敝。当此之时，新市、平林因受赤眉压迫，其在河南者，果然北窜，但却被冯异、寇恂大败于温县。赤眉、青犊既西入关中，新市、平林又溃败于河南，自是大河以南的严重威胁解除了。

即于此时，刘秀的诸将议，为刘秀上尊号。他们说，天下无主，刘秀应为皇帝。刘秀听到这种空气，即由蓟县兼程而南，但他向诸将说："何将军出是言，可斩也。"至于中山，诸将又上尊号，大概说"天命不可以谦拒，惟大王以社稷为计，万姓为心"。但是因为还没有满"三推"之数，所以刘秀"又不听"。行到南平棘，诸将又劝进。史载耿纯劝进之言曰："天下士大夫，捐亲戚，弃土壤，从大王于矢石之间者，其计固望其攀龙鳞，附凤翼，以成其所志耳。今功业既定，天人亦应，而大王留时逆众，不正号位，纯恐士大夫望绝计穷，则有去归之思，无为久自苦也。大众一散，难可复合，时不可留，众不可逆。”现在是第三次了，所以刘秀说：“吾将思之。”

正当刘秀“考虑”之时，上帝的使者强华捧着《赤伏符》从关中而来。符文曰：“刘秀发兵捕不道，四夷云集龙斗野，四七之际火为主。”这《赤伏符》一到，当然是：“皇天大命”降临于刘秀之身，而刘秀也就不得不“恭承天命”，即皇帝位于今日之高邑县，是为光武。

现在，南阳的一个粮食商人，做了中国人民的皇帝，许多南阳的商人地主如李通等，都变成了新政府的要人。这个商人地主的新政府之成立，其意义，就是农民“叛乱”之彻底的消灭。果然新政府的打击，首先就加于叛乱的农民。他一方派遣大军围攻新市、平林于洛阳，用收买政策，诱降了朱鲔，于是“车驾入洛阳，幸南宫却非殿，遂定都焉”。一面遣岑彭击荆州的农民军，遣叔寿击五校于曲梁，遣吴汉率九将军击檀乡于邺东。除五校外，都被击溃。于是这些屠杀农民的英雄，皆“为列侯，大国四县，余各有差”。

关东的农民军，已经被刘秀屠杀殆尽，但是关中的赤眉，还是高据在皇帝的宝座。而且史称刘盆子即位以后，赤眉诸帅，“各闭营自守，三辅翕然称天子聪明。百姓争还长安，市里且满”。农民军的政府获得了广大人民的同情。又据《刘盆子传》云：“（盆子）时，掖庭中宫女，犹有数百千人，自更始败后，幽闭殿内，掘庭中芦菔根，捕池鱼而食之，死者因相埋于宫中……（盆子知之）使中黄门禀之米，人数斗，后盆子去（官军来），皆饿死不出。”由此可见农民军实在要比所谓“官军”好得多。但是后来因为刘秀与更始的大军，包围长安，赤眉不能从城外得到粮食，也许在城中有所征发。于是历史家书曰：“赤眉贪财物，复出大掠。”

赤眉因“城中食尽”，遂决计退去长安，为了掩护退却，因纵火烧宫殿，引兵而西，沿南山西入安定、北地。在阳城番须的道中，遇大雪，坑谷皆满，士兵多冻死，于是再折回长安。当时刘秀的大将邓禹打起大汉的旗帜，袭击赤眉于郁夷，因此激怒了赤眉，遂发掘汉代皇家的诸陵，扬其尸骨以泄其愤。于是历史家又大书曰：“赤眉发掘诸陵，取其宝货，遂污辱吕后尸。凡贼所发有玉匣殓者，率皆如生，故赤眉多行淫秽。”但是我们不懂赤眉何以放着活生生的满庭宫女，和满市的妇女，不去淫秽，而必淫秽那些腐臭的骷髅呢？

赤眉虽处于饥饿与包围之中，战斗力还是很强，更始残部和刘秀之军，仍然不是他的敌手。当时，更始将李宝招来了汉中贼延岑，企图反攻赤眉。赤眉大将逄安将十万人出城迎击，大败延岑、李宝的联兵于杜陵，延岑败走，李宝投降。当赤眉大军与延岑等激战杜陵之时，刘秀之军，在邓禹指挥之下，乘虚袭入长安，但是也在藁街的夜战中，被赤眉杀得大败而逃。

延岑虽败，不久又收集散卒，卷土重来，同时更始降将李宝，从赤眉内部倒戈，里应外合，夹攻赤眉。于是赤眉大败，自投川谷死者十余万人，逄安仅与数千人脱归长安。当此之时，“三辅大饥，人相食，城郭皆空，白骨蔽野，（邓禹）遣人往往聚为营保，各坚守不下，赤眉掠无所得。十二月，乃引而东归”。

刘秀知赤眉放弃长安，转旗东归，乃遣侯进屯新安，耿弇屯宜阳，分为二道，以截其归路。下令曰：“贼若东走，可引宜阳兵会新安；贼若南走，可引新安兵会宜阳。”明年正月，邓禹击赤眉于湖，大败，赤眉遂出关南向。冯异袭之于崤底，刘秀又盛兵于南阳，于是赤眉余众，乃降刘秀。同时，冯异又击败延岑于上林，刘秀之军遂占领长安。

现在农民叛乱，总算次第剿平，正确地说，现在农民，一部分在饥馑中饿死，一部分在战争中被屠杀，其余的，则转化为野心家部下的官兵。虽然如此，群雄割据，天下还是没有统一。为了统一天下，刘秀又展开了削平群雄的战争。

在群雄之中，最成为刘秀之威胁的是刘永。当时刘永雄据今日豫东、皖北，与山东的张步、苏北的董宪、庐江的李宪，连成一个很大的军事同盟。因而当时的刘永，实际上拥有山东、苏北、皖北、豫东广大的土地，专制东方，成为刘秀的劲敌。若说“天命”，当然不得而知；若说“正统”，他是梁孝工八世之孙，比起刘秀东扯西拉的谱系，还要“正统”得多，“真确”得多。因此刘秀首先就要对付刘永。

建武二年夏，讨伐刘永之军，在将军盖延的指挥之下出动了，盖延攻陷了刘永的首都睢阳，刘永败走山东兖州境内之湖陵。但睢阳的百姓，反出城迎刘永，刘永再回睢阳。后来盖延再围睢阳，城中食尽，刘永出走，为其部下所杀。刘永既死，其子纡继立，但不久又被诛灭。[1]接着张步[2]、李宪[3]、董宪[4]等亦先后为刘秀所击灭，刘永的势力，遂完全肃清。于是《光武帝纪》书曰："山东悉平。"

与讨伐刘永集团同时，刘秀又遣别军南征秦丰[5]，西击延岑[6]、田戎[7]，秦丰灭亡，延岑、田戎皆亡入蜀。[8]同时，并以卑劣手段，刺杀盘据河北之彭宠。[9]于是北

---

[1]《后汉书·光武帝纪》谓建武三年，盖延拔睢阳，获刘永，而苏茂、周建立永子纡为梁王。五年吴汉拔郯，获刘纡。

[2] 同上纪谓建武五年二月，遣耿弇率二将军讨张步，十月，耿弇等与步战于临淄，大破之。张步斩苏茂以降，齐地平。

[3] 同上纪谓建武四年八月，遣扬武将军马成率三将军伐李宪。九月，围宪于舒。六年正月，拔舒，获李宪。

[4] 同上纪谓建武五年七月，征董宪。吴汉进围董宪、庞萌于朐。六年二月大司马吴汉拔朐，获董宪、庞萌，山东悉平。

[5]《后汉书·光武帝纪》谓建武四年十一月，遣建义大将军朱祐围秦丰于黎丘。五年六月，拔黎丘，获秦丰。

[6] 同上书云："建武四年二月，遣右将军邓禹率二将军与延岑战于武当，破之。"

[7] 同上纪云："建武五年三月，遣征南大将军岑彭率二将军伐田戎于津乡，大破之。"

[8]《后汉书·公孙述传》云："建武五年，延岑、田戎为汉兵所败，皆亡入蜀。"

[9]《后汉书·光武帝纪》云："建武五年二月，彭宠为其苍头所杀，渔阳平。"详见《彭宠传》。

自幽燕，南至荆襄，皆已平定。而汉中诸农民军，亦告肃清。

东方虽平，但西南与西北，还是为野心家所割据。其中势力最大者为公孙述，其次为隗嚣，又次为卢芳。

当时公孙述据有益州之地，即今日四川、贵州和云南之大部分地方。资源丰富，地势险阻，北连隗嚣，东结延岑、田戎，称帝建号，以拒刘秀，并且他和刘秀一样，欢喜玩弄图谶，诈欺愚民。他从谶记中找出了汉运已尽，公孙当兴的预言，证明刘秀虽有《赤伏符》，也是枉然；反之，他却是上帝早就派好了来接受汉代天下的真命天子。[1]他常常把这样的宣传品送到中原，与刘秀作精神战。刘秀别的都不怕，就怕别人也找到做皇帝

[1]《后汉书·公孙述传》谓公孙述“妄引谶记，以为孔子作《春秋》，为赤制而断十二公，明汉至平帝十二代，历数尽也，一姓不得再受命”。这就证明了刘秀没有做皇帝的根据。同传又谓公孙述“又引《箓运法》曰：‘废昌帝，立公孙’；《括地象》曰：‘帝轩辕受命，公孙氏握’；援神契曰：‘西太守，乙卯金’；谓西方太守，而乙绝卯金（刘）也。五德之运，黄（王莽尚黄）承赤（西汉尚赤）而白（公孙述为西方太守，西方属白，故公孙述尚白，并将成都改为白帝城）继黄。金据西方为白德，而代王氏，得其正序。又自言手文有奇，及得龙兴之瑞。”从这些谶记中的预言和五德的轮回及身体上的特征，就证明了他自己是真命天子。

的根据来对销他的皇帝，所以写信给公孙述，说他歪曲谶语，并且劝他投降。[1]但是公孙述并不答复，仍然做他的白帝。

其次是隗嚣。当时隗嚣据有安定、陇西、武都、金城、武威、张掖、酒泉、敦煌诸郡。以今日地理言之，即据有甘肃全境。他南连公孙，北结卢芳，西通诸羌匈奴，粮草充足，士马强壮，进可以闯入关陕，退可以自保边陲。而且隗嚣"素谦恭爱士，倾身引接，为布衣交"，故"宾客掾史，多文学生，每所上（光武）事，当世士大夫皆讽诵之"，以是"名震西州，闻于山东"。

再次，是卢芳。当时卢芳，据有五原、朔方、云中、定襄、雁门五郡。以今日地理言之，即山陕北部一带。他所处的地带，虽较为贫苦，但有匈奴做他的后台。实际上，卢芳的汉帝，就是匈奴派的。而且卢芳也和刘秀一样，造成了一套假的谱系，宣言他是武帝的曾孙刘文

---

[1]《后汉书·公孙述传》云："（公孙述常将上述一套理论）移书中国，冀以感动众心，帝患之，乃与述书曰：'图谶言公孙，即宣帝也。代汉者当涂高，君岂高之身邪？乃复以掌文为瑞，王莽何足效乎？君非吾贼臣乱子，仓卒时，人皆欲为君事耳，何足数也。君日月已逝，妻子弱小，当早为定计，可以无忧。天下神器，不可力争，宜留三思。'署曰公孙皇帝。述不答。"

伯，常以此蛊惑愚众，皇帝应该是他的。

现在，摆在刘秀面前的任务，就是剿灭这三个野心家。他最初很想用政治方法诱降公孙述和隗嚣，结果都不成功。以后又用种种方法，企图拆散公孙述与隗嚣的联盟，然后各个击破，结果也不成功。刘秀乃知非武力解决不可，于是首先进攻隗嚣。据史载，建武九年正月，隗嚣死，其将立嚣子纯为王，刘秀乃乘机发动军事进攻，并收买窦融，命其以河西五郡之兵，与汉兵夹击隗纯。十年十月，中郎将来歙等，大破隗纯于落门，纯降，陇右平。

得陇望蜀，人之恒情。刘秀既灭隗纯，乃大发兵入蜀征公孙述。建武丨二年十一月，吴汉、臧宫与公孙述战于成都，大破之，述被刺创死，益州平。

最后剩下一个卢芳，因为有匈奴的外援，刘秀屡遣吴权、杜茂往击，均不克。建武十二年，卢芳知刘秀已统一中国，独力不能相敌，乃逃亡匈奴。十六年，又来投降，刘秀封为代王，十七年又叛，后死于匈奴。

现在，江山重归汉，天下再姓刘，中国的历史，又由纷乱转入统一的局面了。

第二节　东汉时国内各种族的活动及世界史的形势

上节所述，从种族的侧面看，乃是王莽之末汉族内部的大火并以及刘秀在大火并的局面中再建汉族统一政权的一幕历史大活剧。这种活剧，从整个中国历史运动上看来，只是一个局部的运动，不是全面的运动。为了要了解东汉时代中国历史的全面运动，我们必须放大眼光去瞭望因汉族的历史运动而引起之国内其他诸种族的运动，以及因此而引起的汉族与国内诸种族之间和诸种族相互之间的关系的改变。

在东汉时代，汉族以外之其他诸种族的社会经济乃至政治组织，较之西汉时代虽略有发展，但在大体上，还是相差不远。所不同的，只是由于西汉帝国之崩溃而引起的种族与种族间之形势的改变。换言之，即由以汉族为核心的全面运动转向离心的个别运动（插图四三）。

具体的史实指示出来，当王莽之末，中国四裔诸种族乘着汉族内部的农民暴动与野心家火并，群起叛变。光武虽然剿灭了暴动的农民，削平了割据的野心家，再建了汉

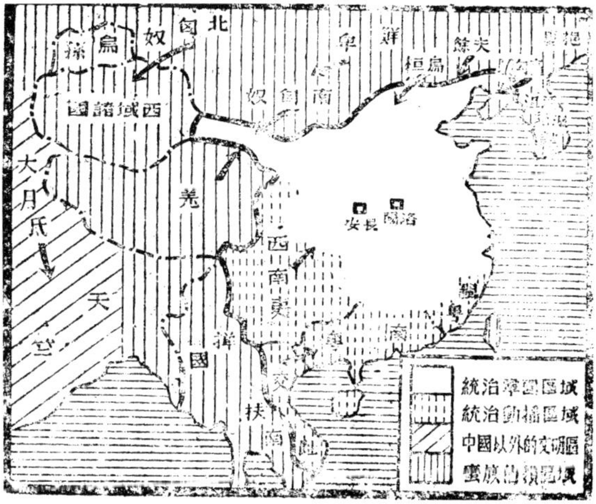

插图四三　东汉初中国形势图

族的统一政权，但是即因把力量消耗在内战之中，因而再没有余力去征服四裔诸种族，恢复西汉帝国的统治。

首先说到匈奴。

匈奴在王莽之末，即已叛变，王莽曾大发兵击匈奴而无功，已如前述。从这一时代起，于是“自宣帝以来，数世不见烟火之警，人民炽盛，牛马布野”的北方边境，数年之间，遂“野有暴骨矣。”[1]

[1]《汉书·匈奴传》云：“初，北边自宣帝以来，数世不见烟火之警，人民炽盛，牛马布野。及莽挠乱匈奴，与之构难，边民死亡系获。又十二部久屯而不出，吏士罢弊，数年之间，北边虚空，野有暴骨矣。”

建武初，野心家乘时纷起，企图乘农民“叛乱”，夺取政权。当时盘据渔阳的彭宠，盘据五原的卢芳，他们都勾结匈奴，借外族之力以进行内战。东汉政府虽然对匈奴赂遗金币，求通旧好，但匈奴单于比，以中国有机可乘，而又有现存的傀儡可以利用为入寇的前锋，所以他侵略北方边境如故。东汉政府也曾派兵征伐，但并没有获得胜利，反而引起匈奴之更大的侵略。当时匈奴一方面由山西北部及察哈尔一带侵入河北北部；另一方面由五原侵入甘肃及陕北。由是左部匈奴，遂复转居塞内。杀略钞掠，边境骚然，从此中国北方边境，袭来了严重的威胁。[1]

---

[1]《后汉书·南匈奴传》云：“南匈奴醢落尸逐鞮单于比者，呼韩邪单于之孙，乌珠留若鞮单于之子也。自呼韩邪后，诸子以次立，至比季父单于舆时，以比为右薁鞬日逐王，部领南边及乌桓。建武初，彭宠反叛于渔阳，单于与共连兵。因复权立卢芳，使入居五原。光武初方平诸夏，未遑外事。至六年（西纪三〇年）……赂遗金币，以通旧好，而单于骄踞，自比冒顿，对使者辞语悖慢。……匈奴数与卢芳共侵北边。九年，遣大司马吴汉等击之，经岁无功，而匈奴转盛，抄暴日增。十三年，遂寇河东，州郡不能禁，于是渐徙幽、并边人于常山关、居庸关以东，匈奴左部遂复转居塞内。朝廷患之，增缘边兵，郡数千人，大筑亭侯，修烽火。匈奴闻汉购求卢芳，贪得财帛，乃遣芳还降，望得其赏。而芳以自归为功，不称匈奴所遣，单于复耻言其计，故赏遂不行。由是大恨，入寇尤深。二十年，遂至上党、扶风、天水。二十一年冬，复寇上谷、中山，杀略钞掠甚众，北边无复宁岁。”

其次，说到塔里木盆地诸种族，即所谓西域诸国。

西域诸国，到哀、平之际，自相分割，已分化为五十五国。王莽篡汉，西域诸国，知中原有内乱，因不接受王莽的命令。适当时匈奴势力，侵入塔里木盆地东北，于是接近匈奴的焉耆，首先叛变。新莽建国五年，焉耆杀汉都护但钦。天凤三年，王莽遣五威将王骏、西域都护李崇将戊己校尉郭钦出西域，焉耆复杀王骏。郭钦引兵回国，李崇收余众退保龟兹。后数年，王莽死，中国大乱，李崇死于西域，从此西域不通。

自从中原的势力不及于西域以后，接近于匈奴的北道诸国，遂又役属于匈奴。[1]惟莎车甚强而又距匈奴较远，他统率南道诸国与匈奴相抗。[2]因而东汉初当中国内部大乱的时候，在塔里木盆地，也正表演着匈奴与莎车争霸的大活剧。史载当时莎车王康之父延，在西汉元帝时，曾为质于西汉，他乐慕中国，尝诫诸子："当世奉汉家，不可负也！"所以莎车王康继位，仍然执行亲

[1]《后汉书·西域传》序："王莽篡汉，贬易侯王，由是西域怨叛，与中国遂绝，并复役属匈奴。"

[2] 同上书《西域传》莎车国条云："匈奴单于因王莽之乱，略有西域，唯莎车王延最强，不肯附属。"

汉以抗匈奴的政策。即因莎车亲汉，于是莎车遂成为中国在西域残余的属地官吏之最后的避乱所，汉故都护吏士妻子千余口，皆赖其保护，得以不死。当时莎车王并“檄书河西，问中国动静，自陈思慕汉家”。时建武五年，光武已立，乃封康为莎车建功怀德王、西域大都尉。康卒，弟贤代立，莎车益强。是时北道诸国，苦于匈奴的赋敛，都想联络东汉以驱逐匈奴。建武二十一年，鄯善、车师前王、焉耆等十八国，都遣子入侍，献其珍宝，并请汉代复置都护。但是光武以国内统治尚未巩固，要以全力对内，不愿与匈奴开衅，遣还其侍子而不出兵。

东汉不出兵，塔里木盆地，仍然继续处于匈奴与莎车的争夺之中。莎车王贤因为拥有广大的沙漠田，人口较多，农产物丰富，于是东破鄯善，北灭龟兹，西逾葱岭，灭大宛，皆以为属国。又尽召南道诸国，如于阗、拘弥、姑墨、子合的国王而杀之，不再置国王，而派遣将军镇守其地，征收贡纳。自是莎车遂一跃而为塔里木盆地西南之一大国。

但是，这样的时间，并不很长，不久鄯善、龟兹便由莎车转入匈奴之手。以后于阗人亦不堪莎车之苛征暴敛，于明帝永平三年，叛变莎车，杀其所派之莎车守将，而拥立于阗贵族休莫霸为于阗王，并举兵西伐莎车。休莫霸死于伐莎车的战争中，但其兄子广德继立为于阗王，遂杀莎车王贤而并有其国。

于阗既灭莎车，又并渠勒、皮山，遂代莎车而为南道诸国之长。当时匈奴势力，不但统摄北道诸国，并通过鄯善而入小宛、精绝、戎卢、且末等南道东部诸国。匈奴见于阗渐强，乃遣五将发焉耆、尉犁、龟兹十五国兵三万余人，围攻于阗，于阗不能抵抗，投降匈奴。自是以后，整个塔里木盆地委诸匈奴之手者十余年。

再次，说到西羌。

西羌，部落散漫而又有广漠的青海草原，为其生活之尾闾，故每遇压迫，即行退却。在西汉时，北有匈奴，东有汉族，阻止了西羌向东北方向的发展。当此之时，他们或则远徙中亚，或则退保天山，或则南入川、康，其散处于甘肃、青海之交者，势力并不强大。虽然有时也驱其畜群，北向甘肃，但屡次皆遭汉族的驱逐。据史籍所载，羌族在西汉时，曾于宣帝神爵元年及元帝永光三年，先后举行叛乱，但为西汉将军赵充国、冯奉世等先后击破。故史称自永光以后，中国无羌患者六十余年。

王莽时，用政治手腕取得了西海之地（青海附近），置西海郡，筑五县，边海亭燧相望，把势力向青海推进。到王莽之末，势力衰微，于是“西羌寇边，遂入居塞内，金城属县，多为虏有”。建武初，隗嚣据陇西，招怀羌诸酋长，利用诸羌的力量，与光武相持于西北。[1]隗嚣死，西羌“五溪、先零诸种，数为寇掠，皆营堑自守，州郡不能讨”。自是诸羌之族，遂遍布于甘肃西南。

同时，分布于今日四川松潘一带的武都参狼羌，因为受公孙述的煽动，也发动叛乱，与甘肃、青海诸羌，联合一致，杀戮汉代所派的官吏，自由行动起来。[2]自是，中国的西北，遂袭来了诸羌的威胁。

当时诸羌之中，以先零、卑湳最为强盛。他们分布于洮河河谷一带水草肥美之地，“诸种有数万，屯聚寇钞，拒浩亹隘”以为守。[3]而武都参狼羌，其种人亦有

---

[1]《后汉书·来歙传》云：“初，王莽世，羌虏多背叛，而隗嚣招怀其酋豪，遂得为用。”

[2]《后汉书·马援传》云：“又武都氐人背公孙述来降旨……武都参狼羌与塞外诸种为寇，杀长吏。”

[3] 均见《后汉书·马援传》。

数十万户。但此等诸羌均于建武十一年至十三年为马援所击溃。但是到光武末年，分布于大允谷及小榆中（今平番导河诸县境）的烧当羌又继先零之后，变为强盛，永为东汉西陲之患。[1]

又次，说到东夷。

在东汉初，东北诸夷的分布，与西汉时无大差异。惟自王莽之末，汉族内乱，中原的势力，遂从朝鲜半岛退出，仅保辽东。自辽东以东北，皆为诸夷所有。而且诸夷乘中国之敝，多寇边境，渐成东北之患。

当时在朝鲜半岛者，有高句丽，东沃沮，秽貉及三韩[2]，而以高句丽最为强大。自西汉势力衰微以后，高

[1]《后汉书·西羌传》云："滇良者，烧当之玄孙也。……自烧当至滇良，世居河北大允谷，种小人贫，而先零、卑湳并皆强富，数侵犯之。滇良父子，积见陵易，愤怒，而素有恩信于种中。于是集会附落及诸杂种，乃从大榆入，掩击先零、卑湳，大破之，杀三千人，掠取财畜，夺居其地大榆中，由是始强。……中元元年……（滇良子）滇吾附落转盛，常雄诸羌。"

[2]《后汉书·东夷传》云："韩有三种：一曰马韩，二曰辰韩，三曰弁辰。马韩在西，有五十四国，其北与乐浪，南与倭接。辰韩在东，十有二国，其北与秽貉国接。弁辰在辰韩之南，亦十有二国，其南亦与倭接。凡七十八国，伯济是其一国焉。大者万余户，小者数千家，各在山海间，地合方四千余里，东西以海为限，皆古之辰国也。"

句丽遂役属东沃沮、涉貊及三韩，成为朝鲜半岛之支配势力。

西汉时，高句丽本为中国属国。“王莽初，发句骊兵以伐匈奴，其人不欲行，强迫遣之，皆亡出塞为盗寇。辽西大尹田谭追击，战死。莽令其将严尤击之，诱句骊侯驺入塞斩之……于是貊人[1]寇边愈甚。”[2]光武初，时寇边境，深入河北北部右北平、渔阳、上谷一带。

其在今日吉林境内者，有挹娄、北沃沮。挹娄即古之肃慎；北沃沮，一名置沟娄，此等种族，在东汉时，尚处于氏族制时代，与中原不通。

其在今日辽宁境内者，有扶余。扶余接近辽东，东汉初，曾遣使奉贡，以后亦常寇边。

其在今热河之南者有乌桓。在热河之北者有鲜卑。乌桓与鲜卑，本为同族，乃沿黑龙江东徙的“蒙古高原系”人种之一分支，后来族类繁殖，遂布满热河境内，史称东胡。西汉初，匈奴强盛，侵入热河，东胡之族，

[1]《后汉书·东夷传》云：“句骊，一名貊（耳）。有别种，依小水为居，因名曰小水貊。”故高句丽人，亦曰貉人。

[2] 见《后汉书·东夷传》高句丽条。

遂臣服匈奴。当此之时，有一部分东胡余类，退保乌桓山，因自号曰乌桓；又有一部分余类退保鲜卑山，因自号曰鲜卑。乌桓因在热河南部，在西汉时曾与中原接触；而鲜卑在西汉则未尝与内地相通。

据《后汉书·乌桓传》云：王莽时，兴十二部军伐匈奴，遣将军“严尤领乌桓、丁令兵，屯代郡，皆质其妻子于郡县。乌桓不便水土，惧久屯不休，数求谒去，莽不肯遣，遂自亡畔，还为抄盗，而诸郡尽杀其质，由是结怨于莽。匈奴因诱其豪帅为吏，余者皆羁縻属之”。建武二十一年，光武遣马援讨之而不克；二十二年，匈奴内乱，乌桓乘其危击破之。匈奴北徙数千里，由是乌桓遂西徙漠南，南入塞内，日益强大。

鲜卑在东汉之初，亦屡与乌桓联合，寇抄北边。及南匈奴附汉，北匈奴孤弱，鲜卑因蹑北匈奴之后，逐渐西徙。其始通于内地，则在建武二十五年。

最后，说到南太平洋系人种。

在西汉时，分布于中国南部的南太平洋系人种的诸种族，无论是东南沿海的百越之族，抑或是西南山岳地带的西南夷，都已完全屈伏于汉族的统治之下。王莽时，汉族内乱，句町王首先攻杀牂牁大尹周歆，举行叛变；跟着益州蛮夷也攻杀大尹陈隆，举行叛变。以后越巂、遂久、仇牛、同亭、邪豆之属，无不叛变。当时王莽虽曾先后派遣大军征讨西南夷，但士卒不服水土，疾疫死者什六、七，益州虚耗而不克。建武初，公孙述据巴蜀，王莽南征之军，遮断了归路，而公孙述又须以全力对付同族的政敌，无力征伐西南夷，于是那些南征的军队，大半死于黔滇山谷之间，其幸而不死者，则与西南之属地官吏，据险自守。自是以后，西南诸夷，遂完全脱离了汉朝的统治，终光武之世，东汉的势力，不及于西南。

继西南夷之后，分布于湖南西北一带的武陵蛮，也群起叛变，据《后汉书 · 南蛮传》云："光武中兴，武陵蛮夷特盛。建武二十三年，精夫（蛮语谓酋长为精夫）相单程等据其险隘，大寇郡县。（光武）遣武威将军刘尚，发南郡、长沙、武陵兵万余人，乘船溯沅水，入武溪击之……尚军大败，悉为所没。二十四年，相单程等下攻临沅，（光武又）遣谒者李嵩、中山太守马成击之，不能克。"以后虽为马援等所征服，但终东汉之世，时有叛乱。

与武陵蛮的叛变相先后，散布于南郡（荆州）一带的潳山蛮也发动叛乱，后经刘尚讨平，徙其种人七千余口，置江夏界中，这就是后来的沔中蛮。

同时，分布于今日安南北部一带的百越之族，也发动大规模的叛变。《后汉书·南蛮传》云：建武“十六年，交趾女子征侧及其妹征贰反，攻郡。征侧者，麊泠县洛将之女也，嫁为朱鸢人诗索妻，甚雄勇，交趾太守苏定以法绳之，侧忿故反。于是九真、日南、合浦、蛮里皆应之，凡略六十五城，自立为王。交趾刺史及诸太守，仅得自守。”这一叛乱，由安南沿海而北，一直扩大到广东的西部，后来马援率领大批的军队，远征交趾，总算把叛乱平定了。

根据以上所述我们可以看出，当西汉之末，东汉之初，汉族在中原一带自相残杀之时，中原四周的诸种族，已先后叛变，摆脱了汉族的统治，而且率其族类以向于中原。当此之时，若是临空俯瞰，我们将见在中国这块历史地盘上，正表演着怎样一幕可惊可叹的大活剧啊！

我们可以看到新市、平林等农民军，在杀向南阳，杀向洛阳，杀进长安。我们可以看到王莽在宣室避火，在渐台被围，最后，他的脑袋被切下来，悬在旗杆上面。我们可以看到刘玄在淯水沙滩上即位，从洛阳西幸，在长安做皇帝；不久，又把皇帝符玺献给刘盆子。我们又可以看到赤眉等农民军，分道西进，杀进潼关，杀进长安，刘盆子做了皇帝。我们又可以看到刘秀做粮食买卖，组织地方保卫团，投降新市、平林而为将军，又看到他在河北利用农民军，屠杀农民军。我们又可以看到许多野心家，相互攻战，最后剩下一个野心家刘秀由“贼将”一跃而为东汉的开国皇帝。总而言之，当时的中原，是汉族内部各阶层的人民，杀做一团，官兵杀“盗贼”，“盗贼”杀官兵，最后杀出一个新皇帝来，于是这幕活剧便在高呼新皇帝万岁万万岁的声音中闭了幕。

在当时中原的四周，我们可以看到匈奴的骑兵队，在与汉族的官僚地主彭宠、卢芳的勾结之中，驰向河北、山西、陕西的北部，又乘着中原在西域的势力之衰微，驰向天山北麓，驰向塔里木盆地。我们可以看到莎车的军队在征伐南道诸国，在越过帕米尔高原远征大宛。我们又可以看到于阗人灭莎车，匈奴人灭于阗，整个塔里木盆地归于匈奴人之手。我们同时可以看到分布于青海、甘肃、川北的诸羌，在隗嚣与公孙述的勾引之中，群起叛变，在中国的西部，掀起一个很大的变乱。可以看到乌桓、鲜卑正在蹑匈奴之后由热河向蒙古高原西进，高句骊、秽貉之族，正在由辽东侵入河北平原之北部。我们又可以看见分散于今日云南、贵州及湘北一带山谷之间的诸蛮夷，都在击杀汉代的殖民地官吏，摆脱汉族的隶属；安南北部一带的越族，在两个女子领导之下，沿海岸而北，杀向广东西部。一言以蔽之，常时中原四周的诸种族都脱离了汉朝的统治，这在汉族看来，乃是四夷背叛，而在其他诸种族自己看来，则是种族的解放运动。

这样看来，当刘秀捧着《赤伏符》而接受天命的时候，四周诸种族，却正在弯弓跃马，准备冲进中原。现在，指着刘秀的，不是农民的大刀，而是蛮族的锋刃了。

以上所述，是东汉初的中国的历史形势，这种形势，和西汉初实无二致。由此而知只要汉族一旦发生内乱，四周诸种族就会乘机而起，企图挤进中原。因为汉族是中国历史运动的核心，汉族内乱，则核心腐化，核心腐化，则消失了运转四周诸种族的历史热力，因而中国历史便不能继续一种全体性的运动而转向分子的个别运动。分子的个别运动，对中原的统治者来说，是中国史的离心运动；但站在整个中国历史的发展上看，则是各种族之平行的运动。在全体性的运动中，历史的热力，皆发挥于相互渗透之中；在个别运动中，历史的热力，则发挥于各种族的独特性之发展。中国的历史，就在全体性运动与个别运动的递嬗之中，获得其历史之一般性与独特性的辩证发展。中国的历史，也就在这种辩证发展的过程中，而日益丰富其内容，提高其水准。

现在，我们再看看东汉时代的世界。

首先我们看西方的世界。

如前所述，在西汉末，罗马曾经一度陷于群雄割据之混乱局面中，但不久即为新的胜利者屋大维所统一，罗马的历史，以此为出发点便走向全盛时代。虽然如此，终西汉之世（即屋大维的时代），罗马的疆界，向北只及莱茵与多瑙河而止，向东只及幼发拉底河而止，因而在北欧仍然是日耳曼人的世界，在中亚，则为安息、大月氏等角逐之场。当此之时，希腊的政治势力，已经从世界史上退出，希腊的本土，已经沦为罗马的殖民地。残余在中亚的希腊人，一部分北走帕米尔高原西麓，建国曰大宛；另一部分南走印度西北，建立短期的王朝。当时的印度，被大月氏堵住了北方的大门，但佛教文化，仍然在蛮族的刀锋与马蹄之间，缓缓流入中亚。当时分布于里海、黑海一带的伊兰种族，如康居、奄蔡等，他们在匈奴人的支配之下，过着游牧的生活。同时在罗马文化的边缘，阿拉伯人也建立了自己的国家。象这样的情形，正是西汉末年的西方世界之剪影（插图四四）。

到东汉时，西方世界的外貌，即种族的分布，与西汉末，并没有很大的差异。历史的重心，也没有改变。

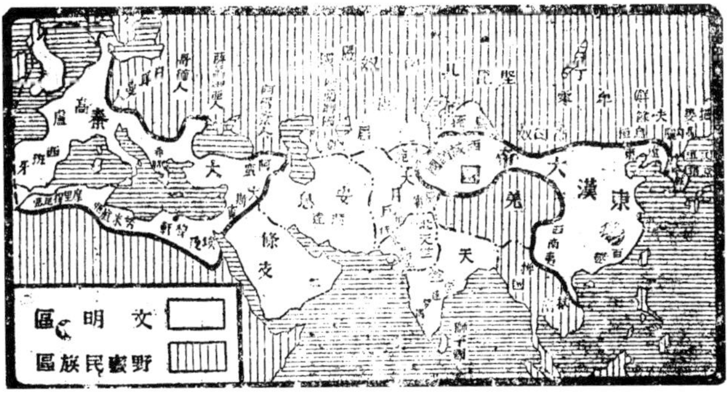

插图四四　东汉时的世界形势图

在西欧，还是以罗马为中心；在中亚，还是以大月氏为中心；一切种族的历史，都以这两个中心为发动力而转动。所不同的，只是这两个发动机的马力，更加强大了，因而他们能够转动更广大的世界，从而扩大了文明世界的范围，提高了世界史的水准。

首先说到罗马。当东汉之初，光武南平武陵、远征交趾之时，罗马的皇帝克兰丢（Clandius）也派遣远征军，开拓帝国的西疆，至于不列颠之南部。但是当东汉明帝之世（西纪五八年到七五年）罗马却发生了内乱，一年之中，四易其帝。最后，到惠斯巴西安（Vespasianus），才结束内乱，稳定帝位。

章帝之世（西纪七六年到八八年），惠斯巴西安之子提多（Titus）与杜密善（Domitian）相继为帝。自惠斯巴西安至杜密善，罗马史上称之曰“夫雷维王朝”（Plavian）。

以后尼尔华（Nerva）（西纪九六年）、图拉真（Trajan）（西纪九八年）、哈德良（Hadrian）（西纪一一七年）、安多尼（Antoninus Pius）（西纪一三八年）及奥理略（Marcus Aurelius）（西纪一六一年至一八〇年）等相继为帝，因为他们都没有血统关系而又次第继承，故罗马史上，称之曰继承皇帝。

在夫雷维王朝及其以后诸继承皇帝时代，罗马帝国的历史，仍然继续其光辉的发展。当惠斯巴西安之世，罗马的骑士，以极大的残忍蹂躏巴勒斯坦，他们曾毁耶路撒冷而夷其城。

在夫雷维王朝之末，罗马帝国的疆界，向北扩展至莱茵河与多瑙河所成之角地，而建为新省曰达西亚（Dacia），并扩大其占领，至于北不列颠。

到图拉真时，罗马的骑兵队，又转而东向，他们占领了亚美尼亚、亚述及米索不达米亚，并进而征伐安息。当此之时，罗马的兴盛，达到了项点。

到哈德良的时代，罗马扩张之势，便成过去。当时罗马的势力，已从北不列颠及小亚细亚一带退出，同时，代替前进政策的，是出现于莱茵、多瑙河间的栅栏，这种栅栏，当然是退守政策的象征。

虽然，在奥理略时，罗马又曾再度东进，于一六二年，大破波斯军，据波斯湾而有之。以后罗马因遭大疠疫和奴隶暴动的袭击，遂与东汉帝国同时走向衰落的前途。

总之，在东汉时，罗马是西欧历史的一个中心。当时的罗马帝国，领有全巴尔干半岛、小亚细亚、米索不达米亚、叙利亚、埃及、努米底亚、摩里得尼亚、西班牙、高卢、南德意志，北至不列颠之广大的领土，形成一个连跨欧亚非三洲的大奴隶国家。在战争的掠夺、贡纳的剥削与不等价的商业交换中，于是金银财宝以及一切的有价物，连人在内，都从它的殖民地或更远的世界，如阿剌伯、印度乃至中国运到罗马帝国的本土。这些巨大的财富，到了帝国本土以后，一部分体化为雄伟壮丽的建筑物，如神庙、戏院、竞技场等；另一部分，则浪费于骄奢淫逸的生活。那些掠来的异族人，则转化为奴隶，大部分用于手工业及农业生产，少部分则用于家庭的贱役乃至斗技比武。

当此之时，自约克（York）至危勒尼（Cyrene），自里斯本（Lisbon）至安提阿（Antioch），到处都可以看到巍峨的城郭；到处的城郭，都耸立着雄伟的建筑物和排列着繁华的市场；这样的城市，有几千座之多。总之在当时，几乎是所有西欧诸种族的人力与物力，都变成了罗马帝国历史发育的滋养品，而罗马帝国也就正象一丛有刺的蔷薇，在殖民地奴隶的鲜血灌溉之中，开出了美丽的鲜花。

与罗马帝国的发展平行，在巴勒斯坦点燃了种族革命的圣火。大约在纪元后一世纪初，犹太的破落农民和手工业者，即形成了一种暴动的集团，他们不断地袭击耶路撒冷的罗马官吏和奴隶主，以后便逐渐形成了一种有组织的团体，他们相信犹太人的救世主，即犹太语之“弥塞亚”、希腊语之“基督”将要到来，帮助犹太人从罗马的奴役中解放出来。

正当此时，耶稣便以救世主自命而出现为犹太解放运动的领导者。耶稣向犹太人宣传未来的解放以及脱离奴役和贫困的期望，这对于当时苦难的犹太人，当然是一种无上的精神慰安。因此在很短的期间内，便获得了广大的信徒，特别是下层社会分子，把耶稣的说教，当作圣经，这样就形成了原始的基督教。所以说，原始的基督教，是奴隶、自由民、穷人、无权利的人以及被罗马抑压或离散的人民之宗教，这种宗教，是被抑压者被奴役者之革命运动的旗帜。

耶稣不久便被犹太的罗马总督彼拉多（Pontius Pilate）钉死于各各他山（Golgotha）之十字架上，但是基督教并不因耶稣之死而消灭，反而一天天地发展，成为所有罗马东方殖民地奴隶反奴隶制度之革命的纲领。

即因原始基督教含有否定旧社会的意义，所以罗马的奴隶贵族把基督教徒视为人类的仇敌，社会安宁秩序的破坏者，革命的煽动者，奴隶暴动的领导者，而把他们投诸烈火，投诸猛兽。但是由于基督教具有客观的社会基础，这一切的凌虐残杀，反而助长了它的胜利。

与罗马帝国的发展同时，北欧的日耳曼人，也通过了罗马奴隶文化的电流，走进了家内奴隶制的历史阶段。这一个新生的历史细胞，他挟着青春健壮的活力，一天天成为罗马帝国北方之威胁。当时日耳曼人之于罗马，正如一个尖楔，只待匈奴人的铁锤一击，便楔入罗马帝国的心脏，而使这个帝国成为粉碎。

现在我们再说到中亚。当时罗马的势力，没有伸展到中亚，仅以骑兵一列，驻守幼发拉底河一带，因而在东汉时，中亚的原野，仍然保持西汉末年的局势。惟当纪元后一〇〇至一五〇年间，大月氏国王阎膏珍，南下开伯尔（Khyber）山路，征服印度西北部希腊人所建的王朝，一扫印度之希腊势力的痕迹。以后并深入印度东南三千余里，征服那里的东离国。[1]《后汉书 · 西域传》记其事曰："贵霜翖侯丘就却……年八十余死，子阎膏珍代为王。复灭天竺，置将一人监领之。月氏自此之后，最为富盛，诸国皆称之曰贵霜王。汉本其故号，言大月氏云。"

当时的印度，中国人称之曰身毒。据《后汉书 · 西域传》云："从月氏、高附国以西，南至西海，东至磐起国，皆身毒之地。"又云："身毒有别城数百，城置长，别国数十，国置王。虽各小异而俱以身毒为名。其时（东汉时）皆属月氏，月氏杀其王而置将，令统其人。"盖当时印度正在封建时期，诸侯割据，僧侣当权，而一般人民又皆"修浮图道，不杀伐"，所以一旦遭遇强劲的月氏人之侵略，遂无力抵抗而沦为臣属。虽然，印度的佛教，却借月氏人之征服而获得更广大之传播。

当时的安息，东有大月氏，西有罗马，处于两大国

[1]《后汉书 · 西域传》云："东离国……在天竺东南三千余里，大国也。其土气、物类，与天竺同，列城数十，皆称王，大月氏伐之，遂臣服焉。"

之间，环境本甚艰难，但是因为罗马的主力北向欧洲，而大月氏的兵马又南向印度，故得以安然无恙。在东汉时，它有“小城数百，户口、胜兵，最为殷盛”。

当时分布于里海、黑海之北的伊兰种族，仍然以康居、阿兰（即奄蔡）之名，见于中国史籍。惟当东汉时，这里已布散了匈奴种族，因而这一带的伊兰种族，已与匈奴人混血。在纪后一世纪，匈奴人显然已经走近欧洲的边缘，而在里海及乌拉岭间，安置他们的帐幕。由此往西，则为阿雷奈人、哥德人（Goths），西北则为斯拉夫人、芬兰人。更西则为日耳曼人。

以上所述，是东汉时西方世界的大概情形。现在我们再看看这一时代的东方世界。

当时的日本，仍然处于氏族制的历史阶段，许多氏族部落，分布于今日之三岛。据《后汉书》所载在当时的三岛之上，有女王国、侏儒国、裸国、黑齿国、拘奴国等部族，自成族聚，各不相属。他们男子则黥面文身，女子则披发屈紒，徒跣成俗，蹲踞为礼，歌舞为乐，鱼蛤为食，过着极原始的生活。

在会稽海外，有东鳀人，分为二十余国。又有澶洲及夷洲，其上有人民数万家。

此外，当时的南洋，与西汉时无大差异，惟印度和阿剌伯人的商船较前更多而已。

以上所述就是东汉时东方世界的大概情形。

当此之时，假若临空俯瞰当时之世界，则我们所看到的，是罗马的将军和骑士，到处奴役异族，罗马的贵族，望着野兽吞噬奴隶而拍手大笑；是耶稣在耶路撒冷的神殿演讲，是犹太人在耶稣之前高呼“和散那”（Hosanna），是钉死在各各他山十字架上的耶稣的尸体；是日耳曼人在企图冲破罗马帝国边疆的栅栏；是大月氏的南征，是匈奴人的西进，是里海、黑海之北的游牧种族的大移动，是日本、南洋一带的种族，在大海汪洋中的且歌且舞。

第三节　东汉的世界征服与第二世界帝国的建立

东汉王朝，就在上述的历史形势中，展开它的发展。在上述的历史形势中，显然可以看出，当东汉王朝建立之初，它已处于四周诸种族的包围之中，而不得与其他的世界发生接触。

东汉王朝，在四周种族包围的环境中，过度了半个世纪以上的时期。在这个时期中，东汉王朝，不断地遭受四周诸种族的袭击，特别是建武元年至二十一年间（西纪二五年至四五年），最为严重。当此之时，在北方，则匈奴寇上党、天水、扶风；在东北，则鲜卑寇辽东，乌桓寇代郡以东之边塞；在西方，则先零羌寇金城，参狼寇武都；在西南，则武陵蛮寇湘西，交趾蛮夷寇广东。在这些种族中，尤以匈奴最为强大，而又接近于当时中国的政治中心区域，因而他的侵略，最足以威胁东汉王朝；从而在当时中国的西北，又造成了一种与西汉初相同的严重局势。

当时的东汉政府，以中原初定，反侧堪虞，尚须以全力用于对国内人民的镇压，以巩固其新建立的统治。所以仅仅对于那些较弱的种族如羌族等采取军事的讨伐，而对于强劲的匈奴，则采取一种筑亭障以自保的退守政策。

关于建武初筑亭障的记载，《光武帝纪》云：建武十二年十二月，“遣骠骑大将军杜茂将众郡施刑，屯北边，筑亭候，修烽燧。”又《马成传》云：建武十四年，“（马成）屯常山、中山，以备北边，并领建义大将军朱祐营，又代骠骑大将军杜茂，缮治障塞，自西河至渭桥，河上至安邑，太原至井陉，中山至邺，皆筑堡壁，起烽燧，十里一候。在事五六年……”又据劳干《居延汉简考释》序云：“建武时的简，有建武三年一简，建武四年一简，建武五年一简，建武六年三简，并有一简的日月为六年七月，所以居延中的几个烽燧城障，至少在建武六年未罢去。”按居延在西汉时为中国防御匈奴的一个重要的军事据点，东汉初，因而守之，故有建武时的简。至于居延障塞之被废弃，恐不在建武六年或七年，必在二十二年匈奴北徙、东汉政府罢诸边郡亭候吏卒之时。由此种种史料，可知东汉初对匈奴仅有防御之备，而无反攻之力。

建武二十二年（西纪四六年）前后，蒙古高原发生了空前的大旱灾，“赤地数千里，草木尽枯”。游牧于这里的匈奴种族，“人畜饥疫，死耗太半”。在这样大饥馑大病疫的时期中，匈奴发生了内乱。一部分匈奴贵族，主张以和平的方式，即投降东汉，以求就食于中国西北边境以内。而另一部分匈奴贵族，则主张徙向西北，就食于准噶尔高原及塔里木盆地一带。两派意见，不能协调，结果，分道扬镳。一部分匈奴族类在呼韩邪单于的领导之下，款五原塞，投降东汉，是为南匈奴；另一大部分匈奴之族，则向西北徙去，是为北匈奴。自是以后，匈奴遂分南北，而沙漠以南之广大的原野，空无人畜。

北匈奴既北徙数千里，而南匈奴在后来亦南徙河西美稷一带，于是世居热河的东胡之族，乌桓、鲜卑之属，遂乘虚而西，渐徙于蒙古高原。自是以后，鲜卑、乌桓的势力，日益西渐。到东汉中叶以后，遂尽有匈奴故地。蒙古高原，从此换了新的主人，而中国北边的形势，也为之一变。

南匈奴虽然内附，但北匈奴因据有天山以北的草原与天山以南的沙漠田，仍然不时犯边。同时鲜卑亦渐次强大，成为东汉之新的敌人。在这种新的历史形势之下，东汉政府决定了新的对策。它一方面以巨大的军费（每年一亿九十余万）供给南匈奴[1]，使为西北的外围，以

[1]《资治通鉴》和帝永元三年，袁安上封事曰："汉故事，供给南单于费直岁钱一亿九十余万。"

抵抗北匈奴。另一方面，招抚乌桓使为东北缓冲，以阻止鲜卑的南下。[1]以后，又于五原、曼柏及美稷等处，驻屯重兵，名曰“度辽营”，以防止南北匈奴的秘密交通。[2]这样的措置总算妥当，但是北匈奴仍然屡寇边境，抄掠人畜。到明帝时，北匈奴寇抄益甚，焚烧边郡城邑，杀略甚众，终至河西一带城门尽闭。这一直到明帝永平十五年（西纪七二年），东汉政府才在西北展开积极的前进政策。

自东汉初至明帝末年，中国休养生息，已经半个世纪以上，不但国内的统治，业已巩固，而且当时中国的商业资本，又发展到需要冲破国界寻求世界市场的时代了，果然，在明帝永平十五年（西纪七二年）中国的远征军，又开始出发了。

---

[1]《汉书·乌桓传》云：建武“二十二年，匈奴国乱，乌桓乘弱击破之，匈奴转北徙数千里，漠南地空，（光武）帝乃以币帛赂乌桓。二十五年，辽西乌桓大人郝旦等九百二十二人，率众向北，诣阙朝贡……于是封其渠帅为侯王君长者八十一人，皆居塞内，布于缘边诸郡，令招来种人，给其衣食，遂为汉侦候，助击匈奴、鲜卑。”

[2]《汉书·南匈奴传》云：“永平六年……郑众北使报命……乃上言，宜更置大将，以防二虏交通。由是始置度辽营。以中郎将吴棠，行度辽将军事……屯五原、曼柏，又遣骑都尉秦彭，将兵屯美稷。”

自从南匈奴投降以后，天山北麓一带，即河西四郡的土地，即已重为东汉所有，但是东汉的势力，没有出玉门关一步，在玉门外的广大世界，都是北匈奴的天下。为了要重新打通到中亚的商路，必须要从天山南北驱逐匈奴人的势力，为了要从这一带驱逐匈奴人的势力，必须要在塔里木盆地树立一个军事据点，以为西进的根据。因此当时的东汉政府，打算一步就占领当时的伊吾庐（今日的哈密）。因为哈密是经过吐鲁番盆地进入天山南麓北道诸国的锁钥。从这条道路来往，可以避免横越天山而来的匈奴人之袭击。而且这里的沙漠田，又提供了军事上的重要性，东汉政府有鉴于此，所以于永平十六年（西纪七三年）二月，命窦固、耿忠等，以凉州的驻屯军去攻取白山（天山）伊吾庐之地。窦固等由酒泉出发，向天山东麓进军，在天山东麓，击破了匈奴呼衍王之军，并乘胜追击，至于蒲类海（今镇西县北巴尔坤湖）。于是占领了哈密，即于哈密置屯田官，曰宜禾都尉，留了一部分远征军在这里屯田，并巩固哈密的占领。

匈奴虽失哈密，但仍据天山东麓一带，役属车师诸部落的酋长，企图反攻哈密。为了防止匈奴的反攻，窦固、耿忠等，又于第二年（西纪七四年）由敦煌再北出昆仑塞，进击匈奴于蒲类海。在击走匈奴之后，又沿天山北麓而西，进攻车师后王的部落。后王投降。车师前王为后王之子，见其父降汉，亦来降。于是车师内附于汉，而天山东麓之匈奴势力，遂一扫而光。

东汉政府从西汉政府学得了一种很好的经验，它知道单纯的军事进攻，只能从天山南北排除匈奴人的统治，要想进一步在这一带建立自己的统治，则非同时采取政治的怀柔手段不可。所以当窦固第一次西征之时，东汉政府所派遣的政治使节也和远征军同时，到达了塔里木盆地。这一次所派的政治使节的领袖，是中国有名的历史人物班超。[1]

---

[1]《后汉书·班超传》云："班超字仲升，扶风平陵人，徐令彪之少子也。为人有大志，不修细节，然内孝谨，居家常执勤苦，不耻劳辱，有口辩而涉猎书传。永平五年，兄固被召诣校书郎，超与母随至洛阳。家贫，常为官佣书以供养。久劳苦，尝辍业投笔叹曰：'大丈夫无他志略，犹当效傅介子、张骞，立功异域，以取封侯，安能久事笔研间乎？'……久之，显宗问固，卿弟安在，固对为官写书受直以养老母。帝乃除超为兰台令史，后坐事免官。十六年，奉车都尉窦固出击匈奴，以超为假司马，将兵别击伊吾，战于蒲类海，多斩首虏而还。固以为能，遣与从事郭恂，俱使西域。"

班超是中国史上第二个大冒险家，颇通军事，很有胆气；又娴习政治，富于权谋。他到西域的使命，是招降西域诸国的酋长，并没有统率军队，只带吏士三十六人。班超一行，首先到达鄯善。当时鄯善因为失掉了匈奴的依靠，而又慑于东汉的军威，所以对班超“礼敬甚备”。但是三日以后，匈奴的使节亦到，鄯善有了匈奴做靠山，所以对班超的礼敬，忽然疏懈。班超察知其情，乃与其从者三十六人，夜攻匈奴使者而杀之，持其首以示鄯善王，于是鄯善降服。

班超因降服鄯善有功，由假司马，升司马，仍命其招抚西域。班超乃率其从者三十六人沿昆仑山北麓由南道而至于阗。时于阗王广德，役属于匈奴，匈奴派有总督监护其国。所以班超至于阗，于阗王不为礼，且信巫言，强索班超之马以祀神。班超佯许之，而嘱令巫自来取马，及巫来，班超斩之，以其首送于阗王。于阗王已闻班超在鄯善的壮举，乃斩匈奴所派的总督，投降东汉。

班超既降于阗，又再向西进，欲降疏勒。当时，疏勒方役属于龟兹，龟兹倚仗匈奴，雄张于北道，杀故疏勒王而立龟兹人兜题为疏勒王。故当时的疏勒，直接为龟兹的属国，而间接则受制于匈奴。班超至疏勒，乃派使者田虑，招降兜题，并告使者，如兜题不降，即前缚之。兜题果不降，田虑因缚之。班超乃招疏勒将吏，宣布龟兹的无道，因另立故王兄子忠为王，疏勒遂定。

西域自与汉绝六十五载，至是复通。于是汉置西域都护及戊己校尉。当时汉以陈睦为都护，耿忠为戊校尉，屯田车师后部金蒲城（今孚远县）之关宠为己校尉，屯田车师前部柳中城（今鄯善县鲁克沁），屯田的兵士各数百人。

但是第二年（西纪七五年），匈奴动员了两万以上的骑兵，反攻车师后部，七月，又围耿忠于疏勒城。[1]八月，明帝崩，东汉有大丧，救兵不能到。十一月，焉耆、龟兹攻没都护陈睦、副校尉郭恂，消灭了东汉在西域的军事首脑部。同时匈奴又围关宠于柳中城，车师后部亦叛。至是东汉在西域的势力，完全被匈奴摧毁了。章帝新立，不欲疲敝中国，以事四夷，乃于建初元年（西纪

[1] 耿忠被围之疏勒城，不是塔什马干沙漠西端的疏勒。此疏勒城在今喀什噶尔。按疏勒二字，突厥语为有水之义。疏为水，勒为有，今新疆回语，还是如此。故凡有水之地，皆曰疏勒。史称疏勒城有涧水，可以证明。

七六年）派兵七千击破匈奴，以二千人从天山之北迎耿忠还玉门，并罢都护及戊己校尉，下诏征班超回京。明年（西纪七七年）又撤退哈密屯田的军队。自是西域又不通，而塔里木盆地复转入匈奴之手。

明帝时，打通西北国际商路的努力，结局是失败了。一直到十三年以后，天山南北，又才再入东汉之手，西北国际商路，因以畅通。

塔里木盆地诸种族之再征服，班超是最主要的角色。而班超成功的要诀，即因西域之兵，就西域之粮，以制西域之变。一言以蔽之，即他告诉明帝的一句话："以夷制夷"。

当章帝建初元年（西纪七六年）东汉政府下令从西域总撤退之时，那时班超当然也要离开疏勒，启程回国。但是东汉的势力从塔里木盆地撤退，对于南道诸国，却是一个很大的恐怖，因为南道诸国，曾在东汉势力的勒逼之下，或斩匈奴的外交使节，或杀匈奴的监护总督，或推翻匈奴的傀儡政府，他们知道东汉的势力一旦撤退，匈奴必卷土重来，给他们以残酷的报复。因此，当班超离开疏勒的时候，疏勒的都尉黎弇，竟至引刀自杀；

班超行至于阗，于阗的王侯皆号泣，竟至互抱班超之马足，曰：“依汉如父母，诚不可去！”在这样的情形之下，班超知南道诸国，可以利用，乃决计勒马回头，暂不回国。但当他回到疏勒的时候，疏勒以为班超东归不返，已有两城，投降龟兹，而与尉头联兵，企图颠覆班超所建立的疏勒政府。班超既回至疏勒，乃以最敏捷果敢的手段，以疏勒兵击杀疏勒的叛徒，并击溃尉头军，再定疏勒，以巩固其经营塔里木盆地的根据地。

当时塔里木盆地诸种族分隶于两个主人。南道诸族隶属于东汉；北道诸族则隶属于匈奴。但南道诸国东通中原之路，已为匈奴所截断，而且在于阗与疏勒之间，还有一个莎车，是匈奴的与国。在这样的形势之下，匈奴在塔里木盆地，显然占着优势。因此，班超的努力，首先便是从他的根据地附近，排除匈奴势力的威胁，巩固自己的立足点。然后征服中梗南道交通的莎车，由西而东，打通南道。最后便以南道诸国之人力与物力，消灭北道诸国之匈奴势力，并从而征服之，以完成东汉在塔里木盆地的全面统治之建立。

班超的预定计划，在经过了很多艰苦斗争之后，都次第实现了。他首先在建初三年（西纪七八年）用于阗、拘弥、疏勒及康居兵一万余人，攻破姑墨。姑墨在当时役属于龟兹，亦即匈奴在北道之极西的据点。其地接近疏勒，故班超首先击灭之，以解除其北来之威胁。

班超在塔里木盆地的行动，东汉政府并不知道。当班超巩固了根据地以后，才上书政府，建议以夷制夷之策。章帝看到班超的奏折，知其可以成功，乃派徐干为假司马，将弛刑义从兵千人前往，以援应班超。当时疏勒以班超孤弱，受莎车之引诱而叛变，适徐干兵至，遂击败叛者，重定疏勒。

为了实现第二步的计划，班超又建议政府，主张联络天山以北之乌孙，牵制匈奴。政府从其议，并于元和元年（西纪八四年）再派和恭统兵八百西赴疏勒以接应班超。现在班超部下，前后共有汉兵一千八百人，于是他开始展开征服塔里木盆地的英雄事业。

班超首先发疏勒、于阗两国的军队，从东西两面夹攻莎车。当时莎车自知不敌，于是一面贿赂疏勒国王，要他从内部发动叛变，铲除汉军的根据地；另一面求援于龟兹。当班超出兵以后，疏勒果然叛变了，而龟兹亦发温宿、姑墨、尉头之军五万人以救莎车。但是班超终于平定了疏勒的叛乱，击溃了龟兹的援兵，征服了莎车。

莎车既定，南道遂通，但北道的龟兹、焉耆二国倚匈奴为后盾，负固不服。东汉政府，知欲通北道，非驱逐匈奴不可。和帝永元元年（西纪八九年），乃命窦宪征伐北匈奴。是年六月，窦宪大破北匈奴，登燕然山（今外蒙古三音诺颜部之杭爱山）树立了一块胜利的纪念碑，凯旋而归。其明年（西纪九〇年）五月，窦宪复遣阎槃带了两千骑兵，击破游牧于今日哈密一带的北匈奴部落，占领哈密，即以此为根据再征服车师诸部落。又明年（西纪九一年），窦宪再遣耿夔出居延塞，进击北匈奴于金微山（今阿尔泰山）大破北匈奴，俘北单于母阏氏及名王以下四千余人，出塞五千里而还，自汉出师以来，从未有如此之远者。自是北匈奴西徙，蒙古高原遂为鲜卑族所占领。以后北匈奴由里海、黑海之北，与以前西徙的匈奴族合流，逐渐西徙，到四世纪初，便出现于欧洲了。

正当东汉与匈奴作决定性的战争之时，月氏族亦欲染指塔里木盆地。和帝永元二年（西纪九〇年）五月，大月氏遣其副王谢统军七万，浩浩荡荡越过帕米尔高原而来，企图与北道诸国联兵消灭班超的势力，因而建立大月氏在塔里木盆地的统治。但结果为班超所败。大月氏因东进政策受了打击，从此以后，遂勒转马头，南向印度。

北匈奴既失败，西徙中亚；大月氏亦失败，南向印度，龟兹、焉耆等北道诸国，遂失掉了靠山，断绝了援应。于是在永元三年（西纪九一年）龟兹率姑墨、温宿降于班超。后三年（西纪九四年）班超又征服焉耆、危须、尉犁诸国，而北道以通。自章帝建初元年（西纪七六年）班超勒马回头，从事于西域之征服，至和帝永元六年（西纪九四年）班超平定焉耆，打通北道，其间凡十七年。经过十七年的长期斗争，西域五十余国，终于再度隶属于东汉统治之下，而班超因以官封定远侯。班超的名字和张骞一样，永远为西域人民所记忆。前有博望，后有定远，这在西域诸种族的历史中，是永不磨灭的两座纪念碑。

自从征服了天山南北以后，东汉的政治势力，继续向西扩展，不久就远达帕米尔高原以西的中亚高原，与安息发生了外交关系。和帝永元九年（西纪九七年），都护班超曾由其驻西域的营部，派遣其属吏甘英为聘问罗马的使节。这次甘英一行曾经到达条支，临大海，远至波斯湾头，本想渡海赴罗马，据说为安息西界船人所阻，由波斯湾头折回。[1]甘英一行，虽没有到达罗马，但中国的外交使节之出现于波斯湾头，甘英却是有史以来的第一个人。（前汉时，皆自乌弋以还，莫有至条支者。）（插图四五）

这次中国的使节之不克到达罗马，据中国史籍所载，系因安息人欲转卖汉之丝织物于罗马，不欲中国与罗马发生直接的外交关系乃至贸易关系。[2]但我以为甘英之不能达到罗马，尚有另一原因，即当时正值罗马皇帝图拉真东征之时，安息与罗马之间有战争。而且安息方与埃及联合，企图阻止罗马之东进。因而由波斯湾经

---

[1]《后汉书·西域传》安息条云：“和帝永元九年，都护班超遣甘英使大秦，抵条支，临大海欲度。而安息西界船人谓英曰：‘海水广大，往来者逢善风，三月乃得度；若遇迟风，亦有二岁者，故入海人皆赍三岁粮。海中善使人思土恋慕，数有死亡者。’英闻之，乃止。”同书又云：“自安息西行三千四百里，至阿蛮国；从阿蛮西行三千六百里，至斯宾国；从斯宾南行度河，又西南至于罗国九百六十里；安息西界极矣。自此南乘海，乃通大秦。”由此，因知甘英所临之大海，乃在邻近阿剌伯之于罗国，而于罗国则在两河之西，故余以为系今日之波斯湾也。

[2]《后汉书·西域传》大秦条云：“其王常欲通使于汉，而安息以汉缯綵与之交市，故遮阂不得自达。”

插图四五　东汉王朝建立的第二世界大帝国

红海以达罗马的海道，在当时，也许因战争的进行而一时不通。等到一六二年，罗马皇帝奥理略击败安息，占领波斯湾的时候，东汉已至桓帝之末，其时中国的势力已退出中亚，故中国与罗马又不克发生直接的政治接触。一直到延熹九年（西纪一六六年）奥理略才派遣使臣，由海道通于中国。[1]这种历史的参差，正是世界史

[1]《后汉书·西域传》云："桓帝延熹九年，大秦王安敦遣使自日南徼外，献象牙、犀角、玳瑁，始乃一通焉。"按桓帝延熹九年为西纪一六六年，此时罗马在位之皇帝为奥理略（一六一——一八〇年）。中国史家以"安"为安多尼·庇护（Antoninus pius）之译音，但考之罗马史，安多尼·庇护之统治时在一六一年以前，且在当时波斯湾尚在安息之手。如必以为是安多尼·庇护则只有一种解释，即罗马的使者在沿途有长期的耽误，直至奥理略之世，始到达中国。以当时航海技术而言，亦实有此种可能性也。

统一运动中的曲线。

班超“壮年竭忠孝于沙漠”，即西域既定，年已七十，衰老被病，深恐“疲老捐死于旷野”，乃上书和帝，请求回国。其书有曰：“臣不敢望到酒泉郡，但愿生入玉门关。”这真是英雄垂暮之语。和帝感其言，乃征超还。和帝永元十四年（西纪一〇二年）八月，班超荷着帝国的光荣，从辽远的西域回到别离了三十一年的洛阳。回洛阳以后之次月，就死了。

班超回洛阳以后，任尚代为西域都护，以峻急失诸国欢心，殇帝延平元年（西纪一〇六年）九月，诸国叛，攻任尚于疏勒。东汉政府得到了这种紧急的报告，一面派梁慬将河西四郡羌、胡五千赴援，一面调任尚回国，另派段禧继任都护。当时梁慬与段禧合兵八九千，与龟兹王白霸，共保于龟兹，但龟兹人民叛其王而与温宿、姑墨联兵，围攻龟兹城。以后龟兹的民变，虽经剿平，但甘肃西南，先零羌叛，切断了通达塔里木盆地的大道，于是东汉政府又于安帝永初元年（西纪一〇七年）再撤回都护及屯田吏卒，西域又不通。

当东汉放弃西域以后，游牧于天山与阿尔泰山之间的残余的北匈奴，又乘机再占领哈密，以兵威役属塔里木盆地诸国，并连兵入寇甘肃西北边郡。敦煌太守曹宗苦其侵略，乃于安帝元初六年（西纪一一九年）奏准政府，派遣长史索班将千余人，收回哈密，招抚诸国，于是车师前部及鄯善再降。但次年三月，北匈奴复率车师后部反攻索班，击走车师前王，并威胁鄯善。鄯善求救于敦煌太守曹宗，曹宗请政府出兵五千以援鄯善，但当时执政大臣以经营西域，岁费多至七千四百八十万[1]，都主张关闭玉门关，以绝西域。惟有班超之子班勇，主张收复西域，他向朝廷建议，主张（一）恢复敦煌故有驻屯军三百名，置西域副校尉，驻于敦煌。（二）派西域长史将五百人屯于楼兰，西扼焉耆、龟兹之咽喉，南壮鄯善、于阗之心胆，北捍匈奴，东卫敦煌。朝廷采纳了他的第一个建议，但未及实行，而匈奴与车师联兵，屡寇边境，于是闭关之议，又高唱入云，而班勇之议遂罢。

过了三年（西纪一二二年），敦煌太守张珰上书言“失西域，则河西不能自存”，因向政府建议三策。其上

[1] 见《资治通鉴》和帝永元三年袁安奏。

策，即出兵二千人，从蒲类海一带扫荡北匈奴的残余，并以鄯善之兵，收复车师后部。中策，即派军司马统五百人出屯柳中。其下策，即收抚鄯善诸国人民，徙入玉门关内。政府纳其议，于是以班勇为西长史，将弛刑士五百人，出屯柳中。

安帝延光三年（西纪一二四年）东汉的天兵，又第三次出现于塔里木盆地之中。东汉天兵的出现，就是匈奴的悲哀。当班勇的部队，开进鄯善以后，龟兹王即率同其属国姑墨、温宿来降，班勇因发龟兹等国之兵万余人，进击匈奴伊蠡王，收复车师前部。

第二年，班勇又发敦煌、张掖、酒泉三郡兵六千骑及鄯善、疏勒、车师前部兵，进攻车师后部，斩其王及匈奴使者于索班被害之处，以雪前耻。

第三年（顺帝永建元年）班勇之军进至天山以北准噶尔高原，诛东且弥王，于是车师六国悉平。以后又更发诸国之兵，追击匈奴呼衍王，俘单于从兄，降其从二万余人，单于西遁。自是以后，天山南北，又无匈奴的踪迹了。当此之时，整个的塔里木盆地，惟焉耆未降。

第四年（西纪一二七年）班勇发诸国兵四万余人，

会敦煌太守张朗的郡兵三千人，分两路进军，勇从南道，朗从北道，约期会师焉耆，以完成最后之一击。但张朗先有罪，欲邀功自赎，先期至焉耆，及班勇兵至，而焉耆已降。是于西域全部底定之日，亦即勇以后期下狱之时。

自是以后，西域诸国虽内附，而乌孙及葱岭以西遂绝，东汉的势力从中亚，退到葱岭以东了。同时汉在西域，亦不置都护，仅派长史，因而在塔里木盆地的声威，远不及前世的煊赫了。

到顺帝时，东汉经营西域的事业，日就衰败；但同时北匈奴的主力，也日益西徙，其残留于天山之北者，势力微弱。顺帝阳嘉三年（西纪一三四年）北匈奴甚至为车师后部所破，可以想见一般。到永和二年（西纪一三七年）敦煌太守裴岑，又大破北匈奴残部于蒲类海。在今日巴里坤城，还矗立着裴岑所树立的一块胜利纪念碑。[1]到桓帝元嘉元年（西纪一五一年）北匈奴的残部，

[1] 徐松《西域水道记》载《裴岑纪功碑》文云：“惟汉永和二年八月，敦煌太守云中裴岑，将郡兵三千人，诛呼衍王等，斩馘部众，克敌全师，除西域之灾，捐四郡之害，边境艾安，振威到此，立海祠以表万世。”此碑至今尚存巴里坤城西关圣庙中。

尚曾一度再入哈密，但为当时的敦煌太守司马达驱逐出去。从此以后，北匈奴的活动，遂不见于中国历史。

自桓帝以后，西域虽无匈奴之患，但东汉政权已趋腐化，国内积弱，对西域诸国已无力控制。自灵帝建宁元年（西纪一六八年）西域长史张晏最后一次远征疏勒“无功而还”以后，东汉在西域的统治，遂告结束。

东汉与西汉的西北形势略有不同，西汉的劲敌，只有一个匈奴，东汉则除匈奴之外，尚有诸羌之患。诸羌之为患，是对东汉政府残酷压榨异族人的回答。据《后汉书·西羌传》云：当时西北一带的羌族“皆为吏人豪右所徭役，积以愁怨”。他们早就要叛变，适逢“安帝永初元年（西纪一〇七年）夏，遣骑都尉王弘发金城、陇西、汉阳羌数百千骑征西域。弘迫促发遣，群羌惧远屯不还，行到酒泉，多有叛散。诸郡各发兵徼遮，或覆其庐落。于是‘勒姐’、‘当煎’、‘大豪’、‘东岸’等愈惊，遂同时奔溃。“麻奴兄弟”因此遂与种人俱西出塞。“先零”别种、“滇零”与“钟羌”诸种，大为寇掠，断陇道。时羌归附既久，无复器甲，或持竹竿木枝，以代戈矛，或负板案以为楯，或执铜镜以象兵。郡县畏懦不能制。”当时的诸羌就这样斩竿截木而起，东犯陕西，西犯甘肃，南犯四川，在平静的西北边境之外，卷起了巨大的浪涛。诸羌叛变，在东汉政府看来，是应该剿灭的。但在当时西羌想来，他们也应该有要求生存的权利，他们可以忍受汉人官吏和豪右的徭役，但决不能忍受覆其庐落的摧残。他们知道陕甘的土地，并不是上帝指定给汉族的，反之，而是他们的故乡，为甚么他们一旦进入陕甘，而汉族便大呼“羌人叛变呵”！

东汉政府为了羌患，不能不放弃远征西域的事业，动员大批的军队，开始对手执竹竿木枝的羌人之屠杀。当此之时，西北一带郡县官吏，多弃城逃亡，而移官署于内地。同时并迫令百姓内徙，“陇西徙襄武，安定徙美阳，北地徙池阳，上郡徙衙”。但是“百姓恋土，不乐去旧，遂乃刈其禾稼，发彻室屋，夷营壁，破积聚。时连旱蝗饥荒，而驱蹙劫略，流杂分散，随道死亡……丧其太半”。陕甘一带，不成世界了。

经过了十几年的战争，到安帝元初五年（西纪一一八年）陕北的诸羌始告肃清，而甘肃仍然未定，但转运委输，已用二百四十余亿。到顺帝永建元年（西纪一二六年）才平定甘肃诸羌，西域再通。

不久诸羌又叛，且冻、傅难种羌寇陕西，又寇武都，烧陇关；巩唐种羌寇陇西，掠关中；其他诸羌寇武威。这一次的羌叛，又经过十几年的战争，用军费八十余亿，才告平定。

后十余年，羌人又乱。桓帝延熹二年（西纪一五九年），烧当八种寇陇右；四年，先零、沈氐牢姐诸种并力寇甘肃西北；五年，沈氐诸羌寇张掖、酒泉，乌吾种寇汉阳；是年冬，滇那等复攻武威、张掖、酒泉。永康元年，东羌岸尾等连寇陕西，当煎寇武威。桓帝用段颎为护羌校尉，大肆挞伐，经过十一年的血战，到灵帝建宁二年（西纪一六九年）始将居于今日甘肃一带的诸羌追至青海河首积石山，其一部分被迫远徙于西藏高原，是为发羌。发羌者，即后来唐代吐蕃之祖先。又将居住于陕北一带的东羌蹙至西县（今甘肃天水县）山中，几乎完全杀死。于是对羌族的征伐，告一结束。但不久汉族内乱，羌人又起。

东汉时，东北诸种族在其历史的发展中，亦日益强大。当东汉之初，高句丽雄于朝鲜，夫余雄于辽东，乌桓、鲜卑雄于热河，这些种族，都向着中原的方向发展，他们或单独入寇，或连兵进犯，驱略边民，动以千数，凌逼边郡，成为当时中国东北之可怕的威胁。

东汉政府，虽亦曾致力于东北的开拓，但其在东北所建立的统治，始终只及于朝鲜半岛之西北，夫余、高句丽之属，或叛或服，历东汉之世，并未完全征服，至若秽貉、三韩，则以距中国较远，急则纳贡，缓则独立。他如沃沮之属，则远在北海之滨，又间以高句丽、夫余，东汉的势力，更不能达到。虽然如此，当东汉全盛之时，仍然支配着东北诸种族的历史命运。

东汉政府对东北的政策，是拉拢夫余以制高句丽，拉拢乌桓以制鲜卑。此外则在辽东、辽西置都尉官及太守，以资防守。但是夫余的力量，不足以制服高句丽，而乌桓则叛服无常，所以当东汉之世，辽东半岛乃至河北北部，常受东北诸种族之侵略。

当东汉中叶以后，在东北诸种族中，兴起了一个强大的势力，这就是鲜卑。如前所述，鲜卑原住热河北部，自和帝永元中，窦宪破走匈奴，北单于西徙，鲜卑因乘机西徙，进入蒙古高原，转据匈奴故地，自是族类渐盛。

安帝时鲜卑常劫高句骊、乌桓之兵，屡寇河北、山西北部诸郡。到桓帝时鲜卑酋长檀石槐，勇健有智略，尽据匈奴故地。“乃自分其地为三部，从右北平以东至辽东，接夫余、秽貉二十余邑，为东部。从右北平以西至上谷十余邑为中部。从上谷以西至敦煌，乌孙二十余邑为西部。各置大人主领之，皆属檀石槐。”(《后汉书·鲜卑传》)到灵帝时，河北、山西、陕甘边境，无不被其寇抄，东汉政府不能制。

最后说到东汉在西南的开拓。

如前所述，王莽之末，西南诸夷皆叛，直至光武建武初年，西南夷尚未向化。但自光武击败公孙述，东汉的势力，伸入四川以后，四川诸蛮，即先后归命。即散布于川康交界一带的旄牛、白狼、楼薄诸蛮及羌蛮杂种十七万口，皆来降附。其散布于贵州的夜郎诸大族，如龙、傅、尹、董诸姓，皆来纳贡。

即因四川贵州诸蛮相继内属，东汉的势力，遂得以逐步深入，进入云南。东汉的势力到云南以后，曾遇着蛮族的反抗。据《后汉书·西南夷传》云：“建武十八年，夷渠帅栋蚕与姑复、楪榆、梇栋、连然、滇池、建伶、昆明诸种反叛，杀长吏，益州太守繁胜与战而败，退保朱提。”但是第二年即为东汉将军刘尚所讨破，斩其渠帅，虏生口五千七百人，马三千匹，羊三万头，追至滇西之不韦而还，于是云南诸蛮平。

东汉势力继续南进，远至分布于今日滇、缅边境之哀牢亦来投降。据《后汉书 · 西南夷传》云:“(哀牢)种人皆刻画其身，象龙文，衣皆著尾。……乃分置小王，往往邑居，散在溪谷，绝域荒外，山川阻深，生人以来，未尝交通中国。……建武二十七年，(其王)贤栗(因攻鹿祁失败)等遂率种人户二千七百七十，口万七千六百五十九，诣越巂太守郑鸿降，求内属；光武封贤栗等为君长，自是岁来朝贡。永平十二年哀牢王柳貌遣子率种人内属，其称邑王者七十七人，户五万一千八百九十，口五十五万三千七百一十一……(明帝)以其地置哀牢、博南二县，割益州郡西部都尉所领六县，合为永昌郡。”由是东汉的南疆遂越澜沧江而西南了。当时行者苦之，歌曰:“汉德广，开不宾。度博南，越兰津。度兰仓，为他人。”实际上并不是“为他人”，而是“为自己”要向这些“穿鼻贯耳”之族，征收“布贯头衣二领，盐一斤”的岁贡。

由于滇、缅边境的诸蛮之向化，于是今日的缅甸，当时的掸国，国王雍由调也遣使者诣阙贡献。安帝封为汉大都尉。

在东汉初，交趾武陵蛮虽曾先后叛变，但均为马援所平定，因而当明帝、安帝之世，东汉的统治，已远及于今日安南之北部。

东汉之世，诸蛮之族，特别是分散于今日湘西及四川的诸蛮，经常发生叛乱，不象西汉时，那样驯服，这是甚么原因呢？非常明白，这并不是诸蛮忽然放肆，而是因为东汉的统治者更加深入到中国的西南。他们把西南山岳地带的少许耕地都占领了。例如东汉初，太守文齐在云南占田二千余顷，即其一例，因而使诸蛮族的生存，受了威胁。为了不愿再向深山退却，所以他们要保卫他们的生活根据地。

除此以外，东汉加于蛮族之经济收夺，政治压迫，也超过了蛮族所能忍耐的程度。《后汉书 · 南蛮传》述板楯蛮叛乱之原因曰：“(板楯蛮)忠功如此，本无恶心，长吏乡亭，更赋至重，仆役箠楚，过于奴虏。亦有嫁妻卖子或乃至自（颈）割，虽陈冤州郡，而牧守不为通理。阙廷悠远，不能自闻，含冤呼天，叩心穷谷，愁苦赋役，困罹酷刑，故邑落相聚，以致叛戾，非有谋主僭号，以图不轨。”所以当时益州（四川）蛮夷之谚曰：“虏来尚可，尹来杀我。”《后汉书》又载“中国贪其珍赂，渐相侵侮，故率数岁一反”。由此我们可以想见当时西南诸蛮，所遭受于东汉统治者的待遇。

总上所述，东汉对世界的政治影响，并不减于西汉的规模。至于其文化之所沾渐，声教之所周流，且超西汉而上之。由于东汉王朝的第二世界帝国之创立，不仅使中国境内诸种族的历史，又获得了一次综合的发展，因而丰富了中国史的内容；同时，又使东西两个世界的文化，在中亚一带获得了再度的直接接触，因而又促进了世界史的统一运动。特别是在东汉时代，由于东汉的压力，从东方世界的历史运动中，又抛掷出第二块历史碎片，这就是北匈奴。我们记得，由于匈奴的压力，曾经把大月氏，从中国历史中抛掷出去，现在抛掷者被抛掷了。从中国历史中抛掷出去的第一块碎片已经成为中亚的历史动力，而这第二块碎片，不久又将成为西欧历史的动力。这种种族的被抛掷，就正是世界史的脉胳之沟通。世界史就在这些种族移动的抛物线中，达到了它的统一运动之完成。因此，东汉的历史，对于世界史的发展，具有重大的意义。

第五章　东汉的社会经济构造

第一节　土地分配与农业生产的向上

西汉的土地问题，到哀平之际，便达到了最严重的关头。王莽的改良政策之最主要的目的，就是企图运用国家的权力，没收商人地主的土地，重新分配于农民，以缓和土地问题的严重性，从而消灭当时普遍全国的农民骚动。但是王莽的改良政策，特别是土地政策，因为大地主的反对，没有顺利地执行，所以不久便爆发了新市、平林、赤眉、铜马的大“叛乱”。这种大“叛乱”，就是土地问题的总爆炸。

新市、平林曾经组织了以刘玄为首的政府，赤眉、铜马曾经组织了以刘盆子为首的政府，但这两个政府，都在没有解决土地问题之前，先后覆灭。因而直至东汉之初，土地问题，仍然是一个没有解决的问题。

为了恢复封建社会的秩序，并从而稳定东汉的政权，解决土地问题，是东汉政府首要的任务。东汉政府解决土地问题的方法，当然还是和西汉政府一样，是以地主的土地还地主，以农民的犁锄还农民。但是不同的，是西汉的农民，多少得到一些土地，而东汉初的农民，则一无所得。

具体的史实指示出来，在新莽末农民大“叛乱”中，许多大商人地主，都纷纷起来，联合宗族，招纳流氓，组织地方自卫团，以保卫自己的土地与财产。例如昌城刘植[1]、宋子耿纯[2]皆率亲族宾客，占领城县。又如南阳樊宏“与宗家亲属作营堑自守，老弱归之者千余家”。[3]这些大商人地主的地方武装，跟着农民叛乱之

[1]《后汉书·刘植传》云:“刘植，字伯先，巨鹿昌城人也。王郎起，植与从弟喜、从兄歆，率宗族宾客，聚兵数千人，据昌城。”

[2]《后汉书·耿纯传》云:“耿纯，字伯山，巨鹿宋子人也。……巨鹿大姓……与从昆弟䜣、宿、植共率宗族宾客二千余人……奉迎（光武）于育。”

[3]同上书《樊宏传》云:“樊宏，字靡卿，南阳湖阳人也……为乡里著姓，父重，字君云，世善农稼，好货殖……开广田土三百余顷，其所起庐舍，皆有重堂高阁，陂渠灌注，又池鱼牧畜，有求必给。……赀至巨万，而赈赡家族，恩加乡闾……更始立……与宗家亲属作营堑自守……”

被扫荡而日益强固，逐渐成为直接统治农村的一种力量。

光武知道要恢复商人地主的政权，必须先要拉拢自己的伙伴，所以他对于商人地主的武装，特别优容。例如对南阳巨豪韩歆，则贳以为邓禹军师。[1]又如吴汉对鬲县五族的地主之反叛，不但不加讨伐，且收守长而使人谢城中。[2]在另一方面，当时的商人地主，因为光武在屠杀农民的战争中，已经表现出英雄的慫态，也都愿意支持他。例如光武在河北时，刘植、耿纯都带着自己的地方自卫团，参加他的征伐。[3]又如邓禹西征陕西时，王丹率宗族上麦二千斛。[4]这些史实，具体地指出光武在其建国过程中，与当时商人地主的武装，是保持怎样密切的联系。同时，也指出西汉末的地主并不象秦末的

[1]《后汉书·岑彭传》云："韩歆，南阳大人，可以为用，乃贳歆，以为邓禹军师。"

[2] 同上书《吴汉传》云："时鬲县五姓，共逐守长，据城而反。诸将争欲攻之。汉不听……使收守长而使人谢城中，五姓大喜。"

[3] 见《后汉书·刘植传》及《耿纯传》。

[4]《后汉书·王丹传》云："会前将军邓禹西征关中，军粮乏，丹率宗族上麦二千斛，禹表丹领左冯翊。"

地主，被农民完全赶入山林，而是武装自卫，死守着他们的田产。因而光武对于土地问题的处理，也不能象汉高一样，下一道命令便可以解决。

为了恢复农村秩序，土地问题总要设法解决。所以东汉政府于建武十五年下令清丈天下的田土。清丈田土的动机，一方面是为了核实田赋的征收，以图检举有田而不纳税的大商人地主；另一方面，则是企图从大土地所有者手中，没收一些土地，分配给那些退伍的士兵和贫苦的农民。关于这次的土地清丈，《后汉书·刘隆传》记其事云：

> 天下垦田多不以实，又户口年纪，互有增减。（建武）十五年，诏下州郡检核其事，而刺史太守多不平均，或优饶豪右，侵刻羸弱，百姓嗟怨。……帝见陈留吏牍上有书，视之云：'颍川弘农可问，河南南阳不可问。'……帝怒，时显宗为东海公，年十二，在幄后言曰：'河南帝城，多近臣；南阳帝乡，多近亲。……'帝令虎贲将诘问吏，吏乃实首服，如显宗对。于是遣谒者考

实，具知奸状。守令（河南尹张伋及诸郡守）等十余人，皆（坐度田不实，下狱）死。

由此而知这一次的田土清丈，由于大土地所有者的反抗，特别是洛阳的新贵近幸，南阳的皇亲国戚，使一般地方官，不但不敢核检其田土户籍，而且连问也不敢问他们一声。为了向政府销差，他们只好袒护豪右，侵刻羸弱，随便乱报。后来虽然囚死几个“度田不实”的地方官，但这次的田土清丈，总是没有得到结果。

即因地方官度田不实，第二年遂有中小地主的普遍叛乱。关于这次中农的叛乱，《光武帝纪》记其事云：

建武十六年，郡国大姓及兵长、“群盗”，处处并起，攻击在所，害杀长吏，郡县追讨，到则解散，去复屯结。青、徐、幽、冀四州尤甚。冬十月，遣使者下郡国，听群盗自相纠擿。五人共斩一人者，除其罪，……其牧守令长坐界内盗贼及而不收捕者，又以畏懦捐城季守者，皆不以为负。但取获贼多少为殿最，惟蔽匿者乃罪之。于是更相追捕，贼并解散。”

从这段记载中，我们可以看出这一次的“叛乱”，完全是由于地方官度田不实，侵刻中农所激成的民变。所以“叛乱”的领导者是“郡国大姓”及“兵长”，而其范围则普遍全国，尤以山东、河北及苏北一带为甚。东汉政府知道这次的“叛乱”，是度田不实所激成，所以，不但不加讨伐，而且不得不把激起民变的地方官置之极刑，以缓和中小地主之愤怒。至于此次变乱之平息，并非令盗贼自相斩获，而是由于后来政府派出的“谒者”，代为改正，然后“叛乱”才解散。这一次的“叛乱”，总算消灭了，但以后度田不实之事，仍然史不绝书。如鲍永为东海相，坐度田不实被征。河内太守牟长，亦以度田不实免官。由此足见在东汉之初，大地主与地方官，已经是一个鼻孔出气，他们的势力，支配着地方政治。

大地主的土地，连数目也不敢问，中小地主的土地还没有动，就发生变乱，在这样的情形之下，东汉政府，对于土地问题，自然无法解决。所以闹了几十年的土地问题，农民遗尸蔽野，而结果，他们仍然是死无葬身之地。

土地问题既没有解决，东汉的政权又怎能稳定呢？这就完全依于农民自己的死亡，减少土地要求者的数量，从而解除这个问题的严重性。

具体的史实，指示出来，自西汉哀、平之际，迄于东汉光武之初，其间二三十年的时间，饥馑荐臻，变乱相乘，农民除大部饿死沟壑以外，其被王莽及刘秀乃至其他豪族所屠杀者，当以百万计。以后在光武削平群雄的战争中，农民又身为前驱，当时肝脑涂地者，又不知有多少。最后，当光武统一天下以后，又发生了大疠疫。据史载，自建武十三年至二十六年之间，在扬、徐，在会稽，在南阳，以及其他各地，到处都发生疠疫。当时各地的人民染疫而死者，动以万计。[1]在这一动乱的时

[1] 关于建武时的疠疫，据《后汉书·五行志》引《古今注》云……“建武十三年，扬、徐部大疾疫，会稽、江左甚。”《后汉书·钟离意传》云：“建武十四年，会稽大疫，死者万数。”《后汉书·独行传》云：“李善，……南阳淯阳人，本同县李元苍头也。建武中疫疾，元家相继死没，唯孤儿续始生数旬，而资财千万，诸奴婢私共计议，欲谋杀续，分其财产。”又《后汉书·五行志》引《古今注》：“建武二十六年，郡国七大疫。”又据同上书《南匈奴传》谓：建武二十二年，“匈奴中连年旱蝗……人畜饥疫，死耗太半。”由此而知，此次疠疫流行的范围之广，盖南自会稽，北至蒙古，西自南阳，东至徐、扬，无处不蔽其灾，或全家疫死，或一地死亡，数以万计，实中国史上之一次大疠疫也。

代，农民不死于饥馑，便死于刀兵，死于疠疫，其幸而仅存者，人数已大减于西汉的全盛时代。应劭《汉官仪》曰："世祖中兴，海内人民，可得而数，裁十二三。边陲萧条，靡有孑遗；障塞破坏，亭隧绝灭。建武二十一年，始遣中郎将马援谒者分筑烽候堡垒；稍兴立郡县十余万户，或空置太守、令长，招还人民。上笑曰：'今边无人而设长吏治之，难如春秋素王矣。'"由此而知东汉初年人口之萧条，边境尤甚。按西汉时人口，最高数字不过五千九百多万，今仅存十之二三，则其数至多不过一千五百万了。耕地的总面积，并未减少，而人口的数量，则减少十分之七，这当然要缓和土地问题的严重性。

人口的减少，只是减轻土地问题的严重性，并不是土地问题的解决。所以终光武之世，虽然表面上，天下已归一统，而社会内部，仍然蕴藏着不安定的因素。据史载光武三十年，群臣以天下统一，奏请光武封泰山，昭告上帝。光武回答群臣曰："（余）即位三十年，百姓怨气满腹，吾谁欺，欺天乎！曾谓泰山不如林放乎？何事污七十二代之编录？"

光武的这几句话，真是由衷之言。盖当时天下虽已定于一，而在这已定于一的天下中，到处都是孤儿寡妇、疲癃残疾、贫穷不能自存之人。[1]象这样的天下，又怎能告无罪于上帝，而妄冀上帝来吃其牛肉乎？

旧的土地所有者的土地，既不能损其毫毛，同时新兴的贵族官僚，又挟其政治权力，纷纷收夺土地。例如将军吴汉，当他出征的时候，“妻子在后买田业，（吴）汉还，让之曰：‘军师在外，吏士不足，何多买田宅乎？’”象吴汉这一类多买田宅的新贵，在当时一定不少。不仅贵族官僚如此，当时光武皇帝，也忙着接收西汉皇家的田产，即所谓公田，把这些公田转移到新的皇家的管理之下。同时，光武皇帝虽然富有四海，但他并不以此为满足，还是要“修园庙，祠旧宅，观田庐”，去扩充他自己的私产。

在旧的地主的收回与新的贵族官僚的收夺之中，所有的土地，又重新插上某人所有的标牌了。现在，那些退伍的士兵和贫农们，只有望着田畔的标牌，去认定他们新的主人。

---

[1]《后汉书·光武帝纪》载：建武三十年及三十一年皆有赐天下鳏、寡、孤、独、笃癃、贫不能自存者粟之记载。

为了安定社会的秩序，必须要将那些脱离生产过程的流浪的农民，重新招回土地。但是当时的大地主，都拥有庞大的奴婢群，这些奴婢，大部分多用于家庭的贱役，少部分亦有用于农业生产者。即因有大量无偿劳动者之存在，因而对于流浪的农民之回到土地，大受排挤。所以自建武二年至十四年，东汉政府曾经发布了六次解放奴婢的命令。[1]这种政令的意义，一方面是解放被垄断的劳动力，另一方面，也是为了扫除农民复员的困难。但是这些命令，并没有发生甚么效力，因为直至明帝永平十二年，仍然是“游食者众”。

为了缓和社会的不安，明帝对于当时的“游食者”之群，采取积极和消极两种政策。在积极方面，明帝把皇家的公田和滨渠的下田，租给没有土地的贫民。[2]在消极方面，则沿用光武的恩惠政策，给那些失掉生产能

---

[1]《后汉书·光武帝纪》载：建武二年，六年，七年，十二年，十三年，十四年，皆有解放奴婢的诏令。

[2]《后汉书·明帝纪》载永平九年四月诏，“郡国以公田赐贫人”。永平十三年四月诏“滨渠下田赋与贫人，无令豪右得固其利。”同书同纪又载明帝中元二年，永平三年，九年，十二年，十七年，十八年，皆有赐粟于鳏、寡、孤、独、笃癃及贫不能自存者之记载。

力及贫不能自存的农民以赈济。这样，社会便渐渐安定下来。《汉书·刑法志》曰：“自建武、永平，民亦新免兵革之祸，人有乐生之虑，与高（帝）、惠（帝）之间同。……”

随着农村秩序的逐渐稳定，东汉的农业生产也慢慢发达起来了。农业生产的发达，固然要求社会秩序的安定，但主要地，还是依靠生产技术的提高。中国在西汉时已经普遍使用牛耕，而且人工灌溉的事业，也颇为发达。东汉时，牛耕与人工灌溉，仍然以西汉所达到的水准为基础，继续向前发展，这当然要把中国的农业生产，推向更高的发展阶段。

据《后汉书》所载，东汉章帝之世，曾经发生一次很大的牛疫，这次牛疫，给中国的农业以最大的打击。《章帝纪》建初元年诏曰：“比年牛多疾疫，垦田减少，谷价颇贵，人以流亡。”又建初八年诏曰：“自牛疫以来，谷食连少。”从章帝的诏书，可以看出当时牛在农业生产中的重要，若非普遍应用牛耕，则决不会因牛疫而减少田土的垦殖，从而减少粮食的收入，并因之而影响粮食的价格。

又《和帝纪》永元十六年诏曰："遣三府掾分行四州，贫民无以耕者，为雇犁牛直。"这又说明了当时农民，无犁牛则不能耕种。而牛耕之被普遍应用，实毫无可疑。

在西汉时，牛耕虽已普遍于中原，但中原以外的世界，并未普遍。据史载，直至东汉之初，"江淮之有猛兽，犹北土之有鸡豚也。"[1]而且这样的情形，一直继续到东汉的中叶。[2]至若东南沿海一带，南至交趾，还是处于火耕水耨的阶段。[3]东北方面，虽间知种植，但大半亦系人耕。惟西北方面，因西汉屯田，已使用牛耕，但亦不甚普及。到东汉时，牛耕的方法，才逐渐向中原以外之落后的地方推广。

据《后汉书》所载，今日安徽庐江一带的人民，直

[1]《后汉书·宋均传》云："（宋均）迁九江太守，郡多虎豹，数为民患，常募设槛阱而犹多伤害。均到，下记属县曰：'夫虎豹在山，鼋鼍在水，各有所托，且江淮之有猛兽，犹北土之有鸡豚也。'"

[2]《后汉书·法雄传》云："迁（雄）南郡太守……郡滨带江沔，又有云梦薮泽，安帝永初中（西纪一〇七——一一三年）多虎狼之暴，前太守赏募张捕，反为所害者甚多。"

[3]《东观汉纪》云："九真俗烧草种田。"

至东汉之初，虽已知耕植，但尚不知牛耕。到建初八年（西纪八三年）才由一位贤良的太守王景教以牛耕之法。从此“垦辟倍多，境内丰给”。[1]同书又载，今日安南北部一带，当时的九真，人民皆以狩猎为生，不知牛耕。后来也是由于一位贤明的边防官吏，才告诉他们铸作田器，学习牛耕。[2]这些史实，就指明了牛耕的方法，在东汉时已逐渐从黄河流域扩展到长江流域乃至珠江流域了。

除牛耕普遍应用以外，东汉政府对于水利事业也很注意。据《后汉书·许杨传》云：“汝南旧有鸿却陂，成帝时，丞相翟方进奏毁败之。（到东汉光武）建武中，（建武十八年）太守邓晨欲修复其功，闻（许）杨晓水脉，召与议之。（中略）因署杨为‘都水掾’，使典其事。

[1]《后汉书·王景传》云：“建初八年，迁（景）庐江太守。先是百姓不知牛耕，致地力有余而食常不足。郡界有楚相叔孙敖所起芍陂稻田（注云陂在今寿州安丰县东，陂经百里，灌田万顷）。景乃驱率吏民，修起芜废，教用犁耕，由是垦辟倍多，境内丰给。遂铭石刻誓，令民知常禁。又训令蚕织，为作法制，皆著于乡亭，庐江传其文辞。”

[2]《后汉书·任延传》云：“诏征（延）为九真太守，……九真俗以射猎为业，不知牛耕，民常告籴交趾，每致困乏。延乃令铸作田器，教之垦辟，田畴岁岁开广，百姓充给。”

杨因高下形势，起塘四百余里，数年乃立，百姓得其便，累岁大稔。”按“起塘四百余里”，并非一个水塘的面积，占有四百余里，而是因地势之高下，由高地以至低地，四百里之间，兴筑许多水塘，将高塘之水，引至低塘，以灌溉四百里内之田地。据《邓晨传》云：“鸿却陂（溉）数千顷田，汝土以殷，鱼稻之饶，流衍它郡。”

又据《鲍永传》云：（永平中）鲍昱“拜汝南太守，郡多陂池，岁岁决坏，年费常三千余万。昱乃上作方梁石洫，水常饶足，溉田倍多，人以殷富。”按此所谓汝南陂池即系指“鸿却陂”而言。如上所述，因知鸿却陂池在后来年年皆有溃决之患，防患之费每年多至三千余万。在永平时，又曾加造方梁石洫，所谓方梁石洫，即用以节制水量的石作水门。即因加造石作水门，故塘水不致浪费，因而水常饶足，溉田倍多。这里值得注意的是“方梁石洫”，因此种水利工程，直到现在，尚为节制水量之最好的方法。从兴筑陂池到建筑方洫，乃系人类由知道储蓄水量到管制水量，这在人工灌溉的技术上，是一个很大的进步。

又据《何敞传》云：“永元时……何敞迁汝南太

守……修理鲖阳旧渠，百姓赖其利，垦田增三万余顷。”此所谓鲖阳旧渠，亦系指鸿却陂而言，由此而知鸿却陂，在和帝时又曾增修，由溉田数千顷增至三万余顷了。

除鸿却陂的池塘以外，在广陵亦有水利建设。《马棱传》云："章和元年，棱迁广陵太守。时谷贵民饥，奏……兴复陂湖，溉田二万余顷，吏民刻石颂之。"

又在下邳所属之徐县北界，原有蒲阳陂。东汉时张禹为下邳相，亦为之增筑水门。《张禹传》云："(元和)三年，(张禹)迁下邳相。徐县北界有蒲阳坡，傍多良田，而堙废莫修。禹为开水门，通引灌溉，遂成孰田数百顷。劝率吏民，假与种粮，亲自勉劳，遂大收谷实，邻郡贫者归之千余户，室庐相属，其下成市。后岁至垦千余顷，民用温给。"

到东汉末，水利灌溉并推广至江南会稽一带。《通典》云："(后汉)顺帝永和五年，马臻为会稽太守，始立镜湖筑塘，周回三百十里，灌田九千余顷。"

除牛耕水利的普遍发展以外，东汉的地方官吏亦多有提倡农业者。关于这一类的记载，《后汉书》史不绝书。例如《杜诗传》云：建武"七年，(杜诗)迁南阳太守……

善于计略，省爱民役，造作水排，铸为农器，用力少，见功多，百姓便之。又修治陂池，广拓土田，郡内比室殷足，时人方于召信臣，故南阳为之语曰：‘前有召父，后有杜母。’”

又如《张堪传》谓：“（堪）乃于狐奴开稻田八千余顷，劝民耕种，以致殷富。百姓歌曰：‘桑无附枝，麦穗两岐，张君为政，乐不可支。’”

《秦彭传》云：“建初元年，（彭）迁山阳太守……兴起稻田数千顷。每于农月，亲度顷亩，分别肥瘠，差为三品，各立文簿，藏之乡县。于是奸吏跼蹐，无所容诈。”

《崔骃传》云：“崔瑗……举茂材，迁汲令，在事数言便宜，为人开稻田数百顷，视事七年，百姓歌之。”

以上诸史实，说明了东汉时的地方官吏，到处在鼓舞农民的劳动热情，希望农民支出超额的劳动，以繁荣农业的生产，增加地主的地租和国家的赋税。实际上，东汉时的农民，他们因为没有土地，要想在缴纳地租以后，再有一点剩余的生产物以为自己的生活资料，也非支出超额的劳动不可。

由于农业生产技术的提高，与政府对农业劳动之鼓舞，于是不仅增加原有的土地之报酬，而且扩大了耕地的面积。因为由于技术的提高，东汉的农民，就有了可能去开垦西汉时认为可垦而未垦的土地。这种事实，我们可以从东汉垦田的数字看得出来。

据《东汉会要·田制篇》记载，东汉和帝永兴元年，垦田七三二〇一七〇顷八〇亩一四〇步。安帝延光四年，垦田六九四二八九二顷一三亩八五步。顺帝建康元年，垦田六八九六二七一顷五六亩一九四步。冲帝永嘉元年，垦田六九五七六七六顷二〇亩一〇八步。质帝本初元年，垦田六九三〇一二三顷三八亩。总计东汉所垦之田为二二五七八五七九顷二三二亩五二七步。这个垦田的总数，较之西汉的垦田总数八二七〇五三六顷，已经超过二点八倍以上。这种垦田的超过额，就说明了东汉时代农业劳动的生产性，较之西汉时代的水准，已经提高了将近三倍的程度。同时，也就指明了东汉的人民已经扩大了对自然的占领，已经能生活于西汉时的人民所不能生活的地方。

由于农业生产的发达，人口也就渐渐增殖起来了。

据《后汉书·郡国志》所载，顺帝永和五年（西纪一四〇年），人口总数为户九三三六六六六，口四七八六一三八二。虽然尚没有恢复西汉全盛时代的人口总数，但较之东汉初叶，已经增加了三倍以上。

东汉人口较之西汉，差不多减少了五分之四，特别是西北人口的减少，令人可惊。例如在西汉时，右扶风的人口为八十三万，到东汉则减为九万；西汉时并州人口为三百三十余万，到东汉则减为六十九万。凉州在西汉时的人口为一百二十八万，到东汉，把武威郡划归凉州，而人口反减为四十一万，若除去武威郡的人口八万余，则减为三十三万了。幽州在西汉时的人口为三百九十九万余，到东汉则减为二百万。此外，豫、兖、青、徐四州的人口，都有减少。惟荆州的人口，由西汉之三百五十九万余增至六百二十万余。扬州的人口由西汉之三百二十万余增至四百三十三万余。益州的人口，由西汉之四百七十八万余增至七百二十四万余。这些人口数字的增减，说明了一个事实，即东汉时中国北部的人口，尤其是西北的人口，较西汉时为少，而在今日江苏、安徽、江西、湖北、四川等省的人口则较西汉时增多，换言之，即黄河流域的人口较为减少，而长江流域的人口较为增多。这种情形就指明了到东汉时，中国的经济势力向南扩展的事实。

东汉的人口既不及西汉之多，而耕地面积，又较西汉为广，若以所有的耕地平均分配于当时的人民，则东汉就不会发生甚么土地问题。但是在封建社会中，人们从没想过，耕者是应该有其田的。因而即使人口更少，耕地更多，还是有大多数人得不到土地。

第二节　土地兼并、赋税、徭役与农民的赤贫化

与农业生产技术平行发展，是土地的兼并。据史载，东汉王朝创立以后，并没有给小农以一个喘息的时间，土地兼并，又在新朝的社会经济基础之上，展开新的发展。

早在光武之世，那些开国将军、贴肉外戚就开始利用政治的权力，行使对中小农民的土地之收夺。例如邓禹将军在前线打仗，他的夫人就在后方买田；前线的士兵吃饭不饱，而邓禹将军却田连阡陌。又如光武的外家

樊氏，倚仗着皇帝外甥的势力，收夺民田至三万余亩。在他的庄园之内，有重堂高阁的庐舍，有鱼池、牧场、森林、陂渠灌注，世称樊氏陂。[1]这不过是一二例子，此外洛阳一带的官僚近幸，南阳一带的皇亲国戚，其“田宅逾制，不可为同”者，尚不知有多少。

明帝时，兼并之风益炽。据《后汉书》所记，当时马援的儿子马防兄弟，依托他父亲的余荫，各人皆收买洛阳附近的膏腴美田，资产巨万，奴婢千人以上。[2]象这样的功臣子弟，当然不仅马氏兄弟，而是一般的现象。我们看到马防兄弟的豪富，因疑“薏苡明珠之嫌”，或

[1]《后汉书·樊宏传》云:“(宏)父重，字君云，世善农稼，好货殖……其营理产业，物无所弃。课役僮隶，各得其宜。故能上下戮力，财利数倍。至乃广开田土三百余顷。其所起庐舍，皆有重堂高阁，陂渠灌注，又池鱼牧畜，有求必给。常欲作器物，先种梓漆，时人嗤之，然积以岁月，皆得其用。向之笑者，咸求假焉。赀至巨万。”又郦道元《水经注》亦有关于樊氏之记载，其述樊氏陂曰:“湖水支分，东北为樊氏陂，陂东西十里，南北五里，俗谓之凡亭。陂东有樊氏故宅。樊氏既灭，庚氏取其陂。故谚曰:‘陂汪汪，下田良，樊氏失业庚氏昌。’其陂至今犹名为樊陂，在今邓州新野县之西南也。”

[2]《后汉书·马援传》云:“防兄弟贵盛，奴婢各千人以上，资产巨亿，皆买京师膏腴美田。”

非“巧言之伤类也。”[1]

又当时外戚如阴党、阴博、邓叠等，无不巧取豪夺，皆一变而为大地主。特别是章帝的内弟窦宪，仗着他妹子的裙带关系，竟至收夺到沁水公主的园田。后来被章帝知道了，大怒曰：“今贵主尚见枉夺，何况小人哉？”从窦宪收夺沁水公主园田的故事，我们一方面知道当时皇家的亲属，都拥有广大的土地，这种土地，当然也是从农民收夺而来。另一方面，我们又知道当时农民手中的土地，大概都收夺得差不多了，所以收夺者也被收夺了。[2]

由于新贵族新官僚土地收夺的结果，大部分中小农民，又失掉了土地，变为贫不能自存者。明帝曾经亲眼

[1]《后汉书·马援传》云：“初（马）援在交趾，常饵薏苡实，用能轻身省欲，以胜瘴气。南方薏苡实大，援欲以为种，军还，载之一车。时人以为南方珍怪，权贵皆望之。援时方有宠，故莫以闻。及卒后，有上书谮之者，以为前所载还皆明珠文犀。”

[2]《后汉书·窦宪传》云：“宪持宫掖声势，遂以贱直请夺沁水公主园田。主逼畏不敢计，后肃宗（即章帝）驾出过园，指以问宪，宪阴喝不得对。后发觉，帝大怒，召宪切责曰：‘深思前过，夺主田园时，何用愈赵高指鹿为马？久念使人惊怖。昔永平中，常令阴党、阴博、邓叠三人，更相纠察，故诸豪戚莫敢犯法者。而诏书切切，犹以舅氏田宅为言，今贵主尚见枉夺，何况小人哉？’”

看见过农民叛乱，他看到贫农一天天加多，就回想到赤眉、铜马的恐怖时代。因此，他不得不大破悭囊，一面把郡国公田赐给贫民；一面又以得之于农民的谷物，当作恩惠，赐给贫农。这样，就把由土地兼并所带来的危机，暂时弥缝了。

到章帝时，土地兼并，仍然继续进展。据《济南王康传》所载："建初八年，康遂多殖财货，大修宫室，奴婢至千四百人，厩马千二百匹，私田八百顷，奢侈恣欲，游观无常。"由此可以想见一般。

章帝时，又发生牛疫，流行极广，农民的耕牛，大半染疫而死。当此之时，农民既被豪强夺去了土地，又被瘟疫夺去了耕牛，复被重税和饥馑夺去了种子，一言以蔽之，他们被剥夺了一切生产手段，变为有力无处用的流民了。这样的现象，当然非常严重。为了解除这种严重的现象，章帝采取消极与积极两种政策。

所谓消极政策，就是赈济。《后汉书·章帝纪》记章帝建初元年诏曰：诏三州郡国，"方春东作，恐人稍受禀，往来烦剧，或防耕农。其各实核。尤贫者，计所贷并与之。流人欲归本者，郡县其实禀，令足。还到，听过止官亭，无雇舍宿。长吏亲躬，无使贫弱遗脱，小吏豪右得容奸妄。”

所谓积极政策，即开放公田与勒令垦荒。前者如元和元年二月诏曰：“其令郡国募人无田欲徙它界就肥饶者，恣听之，到所在，赐给公田，为雇耕佣，赁种饷，贳与田器。勿收租五岁，除算三年。其后欲还本乡者勿禁。”后者如元和三年二月诏曰：“今肥田尚多未有垦辟，其悉以赋贫民，给予粮种，务尽地力，勿令游手。”

土地兼并，就象一部磨谷的机器，成天地旋转，而农民之离开土地就象糠秕之离开米粒一样，一批跟着一批被扬弃出来。所以到和帝时，流民之多，已可骇人。为了安置这些流民，政府不能不采取积极的政策，因而和帝在位十七年，赐予农民生产手段的诏令，竟达十五次之多。或资以犁牛，或假以土地，或贷以种子，或给以衣履釜鬵，或免其假税刍藁，或复其田租、更赋及贩卖者之租税。这如果不是社会不安定的现象达到极点，是决不会有这样“仁慈的皇帝”出现的。

从以上的史实看来，东汉的土地问题，至和帝时，已经非常严重，然而社会秩序何以尚能稳定？这主要的原因，是因为东汉自明帝末年起就发动了对外战争，这个战争，一直继续到和帝时，而且到和帝时，并以更大的规模而展开。在这长期的对外战争中，那些从土地上被排除出来的贫苦农民，成千成万地被送到塔里木盆地，送到天山和阿尔泰山的山麓，送到蒙古沙漠，送到辽东半岛，送到湖南、四川、云贵乃至今日之安南。这些被送到国际战场上去的贫农，很少有生还故国的。即因如此，所以就减少了国内的危险分子。换言之，即把社会内部的矛盾引向对外的矛盾，而又以对外的矛盾，减轻社会内部的矛盾。

与对外征战的同时，开发边疆的屯田事业，也跟着发展起来了。考东汉的屯田，光武时即已行之。《光武帝纪》谓："（光武）遣谒者分将施刑，补理城郭，发遣边民在中国者，布还诸县，皆赐以装钱，转输给食。"明帝时对于边疆屯田，更加积极发展。《明帝纪》谓明帝于永平八年"诏三公募郡国中都官死罪系囚，减罪一等，勿笞。诣度辽将军营，屯朔方、五原之边县，妻子自随，便占著边县。父母同产欲相代者恣听之。……凡徙者赐弓弩衣粮。"到和帝时，由于对外战争之开展，屯田事业，更为发展。据《后汉书·西羌传》云:(和帝)永元十四年，安定降羌烧当种反，曹凤请广设屯田，隔塞羌、胡交关之路，及省委输之役。上乃拜凤“为金城西部都尉，将徙士屯龙耆。后金城长史上官鸿上开置归义、建威屯田二十七部，侯霸复开置东西邯屯田，增留逢二部，帝皆从之，列屯夹河合三十四部”。由此看来，当时又有不少的贫农，投向边塞，从事于屯垦事业。

此外，在内地以及长江流域，也到处发动垦荒事业，这从和帝时的垦田数字，达到七百三十余万顷，与长江流域的人口之增加，即可证明。因此之故，所以在和帝时，东汉社会内部的矛盾虽已紧张，但并未破裂。

到安、顺之际，诸羌叛变，西北边境秩序大乱。以前屯田，皆被废弃。虽在顺帝时尚有屯田之事[1]，但仅系一种临时的军事性质。同时，因为东汉帝国在西域的统治，已经开始动摇，许多商人都带着雄厚的资本，从

[1]《文献通考·田赋考》云:“顺帝(永建五年)校尉韩皓转湟中屯田，置西河间，以逼群羌。羌以屯田近之，恐必见图，乃解仇诅盟，马续上移屯田湟中，羌意乃安。至阳嘉元年，以湟中地广，增置屯田五部，并为十部。”又云:“永建六年，以伊吾膏腴之地，旁近西域，匈奴资之以为抄暴，复令开设屯田，如永平故事。”自顺帝以后，终东汉之朝，遂无边境屯田。

边塞回到祖国，开始与国内的贵族官僚，作土地兼并的竞赛。据《后汉书 · 陈龟传》云：“（顺帝）时，三辅强豪之族，多侵枉小民。龟到，厉威严，悉平理其怨屈者，郡内大悦。”这些三辅豪强之族，虽不一定都是从边塞回国的商人，但总有商人在内。因为这一带，是西域商人回国的第一站。

即因商人和贵族官僚开始了土地兼并的竞赛，权力与金钱，就以疾风扫落叶之势，把残存于土地上的农民，一扫而光之。适值安帝时又袭来了普遍全国的天灾[1]，于是流民满天下，到处都发生人吃人的惨剧。[2]在人吃

[1]《后汉书 · 安帝纪》谓安帝永初元年郡国十八地震，郡国四十一雨水，或山水暴至，郡国二十八大风雨雹。二年，又有郡国十二地震，六州蝗。这样的天灾，几乎每年都有。

[2] 同上记载安帝时的流民。如永初元年“禀司隶、兖、豫、徐、冀并州贫民”。永初二年“禀河南、下邳、东莱、河内贫民”。同年“分行冀、兖二州，禀贷流民”。同年又“禀济阴、山阳、玄菟贫民”。同年又“禀东郡、巨鹿、广阳、安定、定襄、沛国贫民”。永初三年“京师大饥，民相食”。同年“并、凉二州大饥，人相食”。永初四年“禀上郡贫民各有差”。永初七年“赈给南阳、广陵、下邳、彭城、山阳、庐江、九江饥民”。由此我们可以看出，当时西自今日的陕甘，北自今日的山西、河北、辽宁，东自今日的山东和江苏北部，南自湖北、安徽和江西的北部，在这一个广大的区域之内，充满了饥民和流民。

人的情形之下，便发生了张伯路[1]、杜琦、王信[2]等所领导的农民叛乱。农民叛乱，到顺帝[3]时，便更加扩大了。所以《后汉书·陈忠传》曰："自（安）帝即位以后，频遭元二之厄，百姓流亡，盗贼并起，郡县更相饰匿，莫肯纠发。"

到桓、灵之际，土地的两极分化，达到极点，崩溃决裂，已经不可收拾。所以桓帝时，崔寔主张"立井田之制"，恢复土地国有的制度。[4]在未能实现土地国有以前，宜"徙贫人不能自业者于宽地"，以调节人口与

---

[1]《后汉书·安帝纪》云："永初四年，海贼张伯路复与渤海、平原剧贼刘文何、周文光等攻厌次，杀县令。"

[2] 同上纪云："永初五年九月，汉阳人杜琦、王信叛，与先零诸种羌攻陷上邽城。"

[3]《后汉书·顺帝纪》载顺帝"阳嘉元年，扬州六郡妖贼章河等寇四十九县。杀伤长吏。"永和三年，"九江贼蔡伯流寇郡界及广陵，杀江都长"。汉安元年，"广陵盗贼张婴等寇郡县"。汉安二年，扬、徐盗贼攻烧城寺，杀略吏民"。建康元年三月，"南郡、江夏盗贼寇掠城邑"。八月，"扬、徐盗贼范容、周生等寇掠城邑"。十一月，"九江盗贼徐凤、马勉等称无上将军，攻烧城邑"。十二月，"九江贼黄虎等攻合肥"。又"是岁群盗发宪陵"。

[4]《后汉书·崔寔传》记崔寔之言曰："必欲行若言，当大定其本，使人主师五帝而式三王。荡亡秦之俗，遵先圣之风，弃苟全之政，蹈稽古之踪，复五等之爵，立井田之制。"

土地的分配。[1]但是崔寔的主张，没有引起当局的注意，而当时的贵族，仍然多为不法，侵占官民田地。[2]

灵帝时，仲长统又倡为土地国有之议[3]，并主张在现实土地国有之前，开放官有荒地，移民开垦，以为救急之计。惟对于官荒之领垦，须设限制，以杜兼并。[4]但是说者谆谆，听者藐藐。当时官僚如侯览之兄参，前后夺人田宅三百八十一所，田百一十八顷，起立第宅十有六区。[5]此外，豪族多不法，到处夺人田宅者，依然

[1] 又《崔寔政论》有云：昔圣人分口耦耕，地各相副。今青、徐、兖、冀人稠土狭，不足相供，而三辅左右及凉、幽州内附近郡，皆土旷人稀，厥田宜稼，悉不垦发。今宜遵故事，徙贫人不能自业者于宽地，此亦开草辟土赈人之术也。"

[2]《后汉书·公沙穆传》云：（桓帝）时，"缯侯刘敞……所为多不法……穆到官……乃上没敞所侵官民田地。"

[3]《后汉书·仲长统传》云："今欲张太平之纪纲，立至化之基趾，齐民财之丰寡，正风俗之奢俭，非井田实莫由也。"

[4] 同上传云："今者土广民稀，中地未垦。虽然，犹当限以大家，勿令过制。其地有草者尽曰官田。力堪农事，乃听受之，若听其自取，后必为奸也。"

[5]《后汉书·侯览传》云：灵帝时"览兄参为益州刺史，民有丰富者，辄诬以大逆，皆诛灭之，没入财物，前后累亿计。……建宁二年……督邮张俭，因举奏览贪侈奢纵，前后请夺人宅三百八十一所，田百一十八顷，起立第宅十有六区……。"

如故。[1]

到灵帝时，黄巾大起，东汉的天下，已经到了末日。为了抢救政权，荀悦又主张依照人口，分配土地，即所谓“以口数占田”。[2]并主张这种分配给人民的田土，只有使用权，而无所有权，禁止人民自由买卖土地，以杜绝土地的兼并。[3]但是太迟了，因为到这一时代，不仅贵族、官僚、豪族、商人已经拥有广大的土地，不肯接受这种平均地权的政策，就是灵帝，身为皇帝，看到灭亡就在眼前，也要在河间买田土起第宅，并以私产数千万，藏寄在他的家奴手中，准备亡国以后的生活。[4]东汉果然亡了，可是献帝的准备，却是多余的。结果土

[1]《后汉书·苑康传》云:“(康)皆迁太山太守，郡内豪姓多不法，康至，……先所请夺人田宅，皆遽还之。”

[2]《文献通考》引荀悦之言曰:“且夫井田之制，不宜于人众之时，田广人寡苟为可也。然欲广之于寡，立之于众，土地布列在豪强，卒而革之，并有怨心，则生纷乱，制度难行。……既未悉备井田之法，宜以口数占田，为之立限。人得耕种，不得买卖，以赡贫弱，以防兼并。且为制度张本，不亦善乎？”

[3]《申鉴·时事篇》云:“诸侯不专封，富人民田逾限，富过公侯，是自封也。大夫不专地，人卖买由己，是专地也。或曰，复井田欤？曰，否。专地非古也，井田非今也。然则如之何？曰耕而勿有，以俟制度可也。”

[4]《后汉书·张让传》云:“(灵帝)又还河间买田宅，起第观。帝本侯家，宿贫，每叹桓帝不能作家居，故聚为私藏，复藏寄小黄门常侍钱各数千万。”

地问题，还是由农民自己来解决。

与土地兼并同时而来的是赋税。土地兼并，是剥夺农民的生产手段；赋税，则是剥夺农民的生产物或生产物的价值。前者是个别的收夺，而后者，则是全面的收夺。从表面上看来，赋税的负担，即土地所有者也不能避免，但在实际上，土地所有者所负担的赋税，最后还是转嫁到直接生产者的身上，因而结果还是羊毛出在羊身上。

东汉的赋税制度，大概都沿袭着西汉的旧制。首先说到土地税。土地税之最主要者为田赋，西汉的田赋在名义上都是三十税一。东汉光武初兴之时，以军费浩大，用度不足，曾行十一之征。但不久，又恢复三十税一的旧制。[1]

三十税一的土地税，实在过于轻微，但当时土地所有者，尚觉太重，常常隐匿土地的数量，逃避租税。[2]光武曾经大举度田，希图核实。但当时地方官迫于土地

[1]《后汉书·光武帝纪》六年诏曰："顷者师旅未解，用度不足，故行十一之税；今军士屯田，粮储差积，其令郡国收见田租三十税一，如旧制。"

[2]《东汉会要·田制篇》云："西汉土地宏阔，故土地征课正重，民间诱于地利，希图脱税，常报虚田。"

所有者的权势，“多以诈巧，不务实核”。[1]所以东汉时，漏税的土地非常之多。

西汉的田赋，不分土地的品质，一律三十税一。东汉至章帝时，已依于土地之肥瘠，差为三品，各为立簿，藏之郡县，按土地之等级，定田赋之多少。[2]这较之西汉只依土地的面积，不管土地的品质的田赋，在土地税的征收上，是一种很大的进步。

东汉的田赋到桓帝时，又有一个很大的发明，这就是“田赋附加”。据《后汉书·桓帝纪》所载，桓帝延熹八年，于常赋之外亩敛税钱，每亩征十钱。以后至灵帝中平二年，又税天下亩十钱，以为铸铜人及修宫室之用。

西汉时有假税与藁税。假税乃系对渔采于山林川泽

[1]《东观汉纪》云：“刺史太守多以诈巧，不务实核。苟以度田为名，聚人田中，并度庐屋里落。”

[2]《后汉书·秦彭传》云：“(彭)兴起稻田数千顷，每于农月，亲度顷亩，分别肥瘠，差为三品，各立文簿，藏之乡县，于是奸吏跼蹐，无所容诈。彭乃上言，宜令天下齐同其制。诏书以所立条式，班令三府，并下州郡。”按此所谓簿，即后来之钱粮册，西汉时谓之“租挈”。《汉书·沟洫志》谓武帝元鼎六年上曰：“今内史稻田租挈重，不与郡同。”师古曰：“租挈，收田租之约令也。”

者所征收之一种土地使用税。藁税在西汉时常与田租并提，如贡禹云：“已奉谷租，又出藁税”，则亦系土地税之一种。此两种名称之税，东汉时仍沿袭之。在东汉每当荒年，即有免假税[1]或藁税[2]之诏令，由此而知在平时必有此种税收无疑。

其次说到人口税，即算赋、口赋等。这些，在东汉时都一律承继。例如章帝元和二年诏曰：“人有产子者，复勿算三岁，令诸怀妊者赐胎养谷人三斛。复其夫勿算一岁，著以为令。”是东汉时亦有“算赋”。又如安帝元初元年有除三辅口算之诏令；元初六年，有除会稽口赋之诏令；灵帝时，有敛天下口四十钱以治宫室之事，是东汉时亦有“口赋”。又如《晋书·食货志》云：“显宗（明帝）即位，天下安宁，民无横徭，岁比登稔……作

[1]《后汉书·和帝纪》载永元五年诏云：“其官有陂池，令得采取，勿收假税二岁。”九年诏云：“其山林饶利，陂池渔采，以赡元元，勿收假税。”十一年诏云：“令得渔采山林池泽，不收假税。”十五年诏云：“令百姓鳏寡渔采陂池，勿收假税二岁。”

[2] 同上纪载永元九年诏云：“今年秋稼为蝗虫所伤，皆勿收租、更、刍藁。”又十五年诏云：“天下皆半入今年田租、刍藁，其被灾害者以实除之，贫民受贷种粮及田租、刍藁皆勿收责。”

贡尤轻。”此所谓“贡”，就是“献赋”。

东汉时，徭役仍然繁重，若不服徭役，必须缴免役费。《后汉书·虞诩传》谓：“永平、章和中，州郡以走卒钱给贷贫人。”注云：“此言钱者，令其出资钱，不役其身也。”故当时所谓走卒钱，即指卒更之免役钱而言。所谓给贷贫人，即以此免役费另雇贫人代服徭役而言。又《安帝纪》云：“永和四年诏以三辅比遭寇乱，人庶流冗，除三年逋租、过更、口算、刍藁。”又《顺帝纪》亦云：“永建五年，郡国贫人被灾者，勿收责今年过更。”是东汉时亦有“更赋”。

此外，西汉时所有的苛捐杂税，在东汉时，无不应有尽有，甚至贫民的衣履釜鬵，亦无不有税。这诚如灵帝时吕强所云：“天下之财，莫不生之阴阳，归之陛下。”

当时的农民，除把自己所有的一切，奉献于陛下及陛下的使用人以外，尚不能告无罪于上帝。他们还要遭受贪官污吏的诬害，诉讼拖累，转死于黑狱之中。王符在其《爱日篇》中，说得痛快淋漓。他说：

中才以上，足议曲直，乡亭部吏，亦有任

决断者，而类多枉曲，盖有故焉。夫理直则恃正而不桡，事曲则谄意以行赇；不桡故无恩于吏，行赇故见私于法。若事有反复，吏应坐之，吏以应坐之故，不得不枉之于庭，以羸民之少党，而与豪吏对讼，其势得无屈乎？县承吏言，故与之同，若事有反覆，县亦应坐之，县以应坐之故，而排之于郡，以一民之轻，而与一县为讼，其理岂得申乎？事有反覆，郡亦坐之，郡以共坐之故而排之于州，以一民之轻，与一郡为讼，其事岂获胜乎？既不肯理，故乃远诣公府，公府复不能察，而当延以日月。贫弱者尢以旷旬，强富者可盈千日，理讼若此，何枉之能理乎？正士怀怨结而不见信，猾吏崇奸轨而不被坐，此小民所以易侵苦，而天下所以多困穷也。……自三府州郡，至于乡县典司之吏，辞讼之民，官事相连，更相检对者，日可有十万人。一人有事，二人经营，是为日三十万人废其业也。以中农率之，则是岁三百万人受其饥也。然则盗贼何从而销，太平何由而作乎？

第三节 手工业发展与科学的发明

随着农业生产的向上，社会消费力之一般地提高，东汉的手工业生产，又在原有的规模与技术基础之上，再展开了新的发展。

东汉政府，对于手工业的管理组织，与西汉时虽间有改变，但大抵还是承袭西汉之旧。这主要的原因，是因为东汉手工业生产的发展，尚没有达到需要改变原来的管理组织之必要的程度。

据《后汉书·百官志》所载，东汉手工业管理的官吏，有如次的各种，如：太尉属下，“金曹主货币、盐、铁事”；太仆属下，考工令一人，“主作兵器弓弩刀铠之属”，“及主织绶诸杂工”；大司农属下，平准令一人，“主练染，作采色”；少府卿属下，御府令一人，“典官婢作中衣服及补浣之属，丞、织室丞各一人”。又尚方令一人，“掌上手工作御刀剑诸好器物”。此外，又有将作大匠一人，“掌修作宗庙、路寝、宫室、陵园木土之工”。到“章、和以下，中官稍广，加……考工，别作监”。从以上的记录看来，我们一方面可以看出东汉时手工业的管理机构，已经相当完备；另一方面又可以看出，东汉时，不仅货币的铸造，盐铁事业的经营，仍归国家，而且纺织、染色、制衣、制武器、玩好以及土木建筑等，均有国营的工场。

又据同书同志引《汉官》所载，东汉手工业管理机关所用的人员，颇为众多。如考工令有员吏一百零九人，平准令有员吏一百九十人，御府令有员吏七人、从官三十人，尚方令有员吏十三人、从官六人。从这些人员的数字，可以看出这些机关的组织，相当的庞大，因而又指明了当时工业行政事务的繁忙。

东汉时，对于工人的管理组织，与西汉没有甚么差别。《通典·职官》典云："前汉唯置左右校，后汉因之，掌左右工徒。"《后汉书·百官志》亦谓在将作大匠之下，置左校令一人，掌左工徒；右校令一人，掌右工徒。又同书《五行志》，灵帝熹平三年，有"右校，别作"之语，《庞参传》有"拜左校令"之语。由此，又知东汉时仍以左、右校令为掌管工人之官。

左、右校令为中央官吏，其在地方，则工人管理隶属于所在地的工官管理之下。关于这一点，从晚近发现于朝鲜乐浪王旴墓中之光武时代的两个漆杯的铭文中，可以看出当时各官营工场中，皆有非常系统化的工人管理组织。

乐浪出土的漆杯之一铭云：“建武二十八年，蜀郡西工造乘舆侠纻量，二升二合，羹棓，素工回，髹工吴，洎工文，汜工廷，造工忠，护工卒旱，长汜，丞庚，掾翕，令史茂主。”

其另一漆杯铭云：“建武二十一年，广汉郡工官造乘舆髹洎木侠纻杯，客二升二合，素工伯，髹工鱼，上工广，洎工合，造工隆造，护工卒史凡，长匡，丞䎼掾恂，令史郎主。”

从以上两铭文中，可以看出当时一个漆杯的制造，须经过许多具有专门技术的工人之手，如素工，髹工，洎工，汜工，上工及造工等，这就证明了当时手工业分工的精细，无怪《盐铁论·散不足》说：“一杯汜棬用百人之力”。同时，又可以看出当时管理工人之具体的组织，如由护工而长，而丞，而掾，而令史，构成对工人之层层叠垒的管理组织。

现在我们说到东汉的冶铁业。

东汉的冶铁业仍由国家经营，已于前述。但当时的国营铁场，设在一些甚么地方，《后汉书·郡国志》并无此种记载。同书《百官志》对于铁官的设置，也仅有“出铁多者置铁官，主鼓铸”一语，亦未列举某郡某县置铁官。但以常理推之，东汉王朝建立以后，对于西汉的国营铁场和矿场，必然全部接收过来。因而凡西汉时有铁矿铁场之处，东汉政府亦必派遣铁官就原有的规模，继续经营。而且在东汉时，可能还有比西汉更多之国营铁厂的存在。

冶铁技术，经过西汉两百多年的发展，到东汉时，已经有了很大的进步，这就是水力鼓风炉的发明。《后汉书·杜诗传》谓建武七年（三一年）杜诗迁南阳太守，“造作水排，铸为农器，用力少，见功多，百姓便之。”注云：“（水排者）为排以吹炭，今激水以鼓之也。”这里所谓水排，即应用水力以鼓冶铁风箱，而这在西汉时期是没有发明的。按应用水力鼓风，《后汉书》谓为南阳太守杜诗发明，我以为杜诗倡导此种水力鼓风炉则有之，而发明者必系南阳的铁工。因为南阳自秦汉之际，即为冶铁事业的中心，这里冶铁的历史甚久，冶铁的工人最多，而且如前所述，这里人工灌溉的水渠，又到处都是。每当水门打开的时候，工人们看到那种激流的冲击力，可以推动横在他们前面的一切东西，因而联想到这种水力，一定也可以推动鼓风炉，所以把它引用起来，经过了若干的试验，最后才达到成功。因此，我以为水力鼓风炉的发明，完全是由于历史经验的蓄积，地理条件的凑巧和无数工人之不断的试验，而决非杜诗太守坐在官署中所能想得出来的。

水力鼓风炉的发明，是中国第一次把自然力应用于工业生产。由于水力之被引用，一方面可以增大铁的冶铸量；另一方面，又可以减少铁的生产成本。由于铁的冶铸量之增大与生产成本的减低，当然又要扩大铁器的使用范围，从而发展铁器的制造事业，乃至开采铁矿的事业。可惜《后汉书》上，没有关于这种水力鼓风炉的装置之详细记载，因而我们无从得悉此种原始机械之构造。但是由“水排”二字，已使我们可以推想东汉时的冶铁技术，较之西汉已大为进步了。

其次说到铸铜的手工业。

东汉的铸铜事业，似不及西汉的发展，这从表面上看来，好象是手工业部门的萎缩，但是实际上，东汉的铸铜业，并不亚于西汉，不过铜器到东汉时已不复为贵族所宝，它已经是普遍民间的日用器皿，所以在皇家的财产目录中，不占重要的地位。同时，由于铁器的使用之更加普遍，原来用铜制的许多生产工具，到东汉时，都改用铁制了，因而铜器在生产的领域内，又不占重要的地位了。这不是手工业退化而是手工业进步的结果。

虽然如此，从东汉时铜器的铭文中，我们仍然可以看出当时还是有国营铜器场的存在。例如当时有若干铜器上都镂刻着各级监造官吏的姓名，即其证明。铭文中亦镂刻着制器的工人之姓名，但仅署工某，而没有象漆器上所署某工某，由此又证明当时铸铜业并没有象漆器制造那样精细的分工。[1]这种理由非常明白，即到东汉

[1]《博古图录》卷十二《汉太官壶铭》云："太官铜钟容一斛，建武二十年，工伍舆造，考工令史由、丞或令通主、太仆监掾苍省。"又《独笑斋金石文考》录汉弩机三具。其一铭云："（安帝）延光三年闰月书言政作六石饥郭，工锻贤，令磨守，丞射乘巨，史训主。"其二铭云："（章帝）建初五年。考工郎造八石饥，郭工张祖初作，祭酒史伸时临，掾福，令延，丞臬，掾史扶。"其三云："（桓帝）延熹六年八月，书言作丁未诏书六石钒郭，工李宾，史韩忠，掾都行，丞赵穌，令口尝，太仆瑞，掾亩作。"

时，铜器的制造，已由艺术的性质进于日用器皿的性质了。[1]

在东汉时，铜的最大用途，还是铸钱。当时铸钱之业，仍为国家所专有，不过主管铸钱的机关，不属于水衡，因东汉时已无水衡衙门，水衡所管理的上林苑，已改隶于少府，铸钱事业，究属那个机关主管，尚待察考。

至于其他贵金属的工业，亦甚发达。东汉时，贵族官僚地主，非常奢侈，凡宫室衣服车马、器皿，多用金银为饰。例如琅邪孝王“京都莒，好修宫室，穷极伎巧，殿馆壁带，皆饰以金银”。(《光武十王传》) 又如“广平、巨鹿、乐成王车骑朴素，无金银之饰”(《马皇后纪》)，而当时的人，则认为是一种美德。由此足见当时贵金属之装饰品制造，一定非常繁荣。当时蜀、广汉二郡，皆设有金银器制造场，专门为皇家制造奢侈品、装饰品，所谓“蜀汉釦器”者是也。所谓釦器者，即以金银镶边的器皿，这较之纯铜的器皿，当然要美观得多。

如前所述，漆器在东汉时也很发达。乐浪中所录四器，皆系后汉之物。其署款为建武二十一年、二十八年

[1] 所谓日用器皿者，即铜镜、铜灯盘、铜尺勺、盘、锅、盆、匜、杯等之属。

者各一器，永平十二年者二器。除建武二十一年漆器，为广汉郡工官制造者外，余皆为“蜀郡西工”制造品。漆器上的署款，除永平二器较为简单外，内容大抵相同。惟建武二器多一“素工”，少一“画工”。由此又知蜀、广汉二郡的工官，除主金银器外，又兼主漆器。漆器在东汉时已代铜器而兴，为贵族所宝了。

在西汉时用工人各数千人，经费巨万的齐三服官，到东汉时还是继续存在。《后汉书·章帝纪》载建初二年有“诏齐相省冰纨、方空縠、吹纶絮”等物的诏令，可以证明。

关于冰纨、方孔縠、吹纶絮等，《章帝纪》注云：“纨，素也；冰，言色鲜洁如冰。《释名》曰：“縠，纱也；方孔者，纱薄如空也；或曰空，孔也，即今之方目纱也。纶，似絮而细，吹者，言吹嘘可成，亦纱也。”由此，我们又可以想见当时纺织物已达到相当精致的程度。

西汉时，长安的东、西织室，皆在宫廷之内，本系专门供给皇家的织物而设。东汉迁都洛阳，东西织室，是否与西汉宫阙同归废弃，不得而知。但《后汉书·百官志》少府属下有御府令，典官奴婢作中衣服及补浣之属，而且有织室丞一人，则东汉时亦必有皇家织场之存在。惟岁用经费若干，则史无所载。

纺织业在西汉时，已成为普遍民间之手工业，到东汉时，自然要更加发展。据《后汉书》所载，在东汉时，凡皇帝赏赐臣民或人民赎罪，均用谷帛或缣布。赐缯之数，多者至万匹，以缯帛赎罪者，亦数十匹不等。织物既如此广泛而大量地被使用，当然非有大量的生产不可。

在西汉时，织物之中，固“非独蜀汉之布，齐陶之缣也”。但总以蜀布齐缣，最为有名。到东汉时，蜀锦已成为当时有名的织物。《后汉书·左慈传》记曹操语曰：“吾前遣人到蜀买锦。”故知锦为蜀之特产。又据同书《陆续传》所述，陆续常着越布单衣，光武见而好之，自是遂敕令会稽常献越布。由此又知当时越人已学会了纺织。

不仅越人已知纺织，在东汉时，中国四周诸种族，大抵皆已知纺织。其在东北诸种族，例如挹娄已知织麻布[1]，辰韩、倭人知道织缣布[2]，秽貊、沃沮也知道织绵

[1]《后汉书·东夷传》云：“挹娄……有五谷麻布。”

[2] 同上传云：“辰韩……知蚕桑，作缣布。”又云：“大倭王居邪马台国……土宜禾稻、麻纻蚕桑，知织绩，为缣布。”

布。[1]其在西南诸种族，例如黔中、武陵蛮以布为贡，谓之賨布。[2]巴郡蛮夷亦以布为贡，谓之幏布。[3]甚至今日滇缅边界之哀牢种人，亦“蚕桑，知染采文绣、罽毲、帛叠、蓝干细布，织成文章如绫锦”。[4]其在西北五原一带，直至东汉之初，尚不知纺织，后来也由东汉的官吏崔寔教以纺织之术。[5]四周诸种族之知道纺织，有些固然是从汉族学习而知，但大多数则是自发地发明。因为跟着农业的发展，人类便自然而然地熟悉了某些植物是有纤维的，最初是编制粗的纤维，以后便逐渐知道把植物的纤维一丝一丝地抽出来而加以纺织；最后又知道利用蚕丝织成织物。中国的史家，总欢喜过分地夸张，认为四周诸种族的一切文明，都是从汉族中学习而来的，果如此说，则无异只承认历史的影响作用，而否认历史

[1]《后汉书·东夷传》云：“秽及沃沮……知种麻、养蚕，作绵布。”

[2]《后汉书·南蛮传》云。“武陵蛮……（汉）岁令其大人输布一匹，小口二丈，是谓賨布。”

[3] 同上传云：“（巴郡蛮夷）……其君长岁出赋二千一十六钱，三岁一出赋千八百钱，其民户出幏布八丈二尺。”

[4] 见同上书《西南夷传》。

[5] 见同上书《西南夷传》。

的创造作用。因此，我以为这样的说法，是非常危险的。

特别值得指出的，是东汉时棉花已经由马来半岛传到今日的云南。[1]《后汉书·西南夷传》云哀牢“有梧桐木华，绩以为布”。此所谓梧桐木华，即系指棉花而言，因当时中国人初见此种植物，不知其名，以其叶类梧桐，故以名之。

又东汉时中国有一个很大的发明，即纸的制造。据《后汉书》所记，在中国最初发明纸的制造者是和帝时的一个宦官蔡伦。[2]《蔡伦传》云：“自古书契多编以竹简，

[1] 按稻米与棉花，皆今日中国人民以食以衣之主要的生活资料，但这两种植物，原来皆不生于中国，而系马来半岛的两种野生植物。在传说中之夏以前，中国尚无稻米，在东汉以前，中国尚无棉花。这两种植物，均系经过南太平洋系的人种之手，慢慢移植到中国来的。

[2]《后汉书·宦者列传·蔡伦传》云：“蔡伦，字敬仲，桂阳（属湖南）人也。以（明帝）永平末始给事宫掖，为小黄门。及和帝即位，转中常侍，豫参帷幄。伦有才学，尽力敦慎，数犯严颜，匡弼得失。每至休沐，辄闭门绝宾，暴体田野。后加位尚方令。永元九年（西纪九七年）监作秘剑及诸器械，莫不精工坚密，为后世法。……（安帝）元初元年（西纪一一四年）邓太后以伦久宿卫，封为龙亭侯，邑三百户。后为长乐太仆。四年帝以经传之文，多不正定，乃选通儒谒者刘珍及博士良吏诣东观，各雠校（汉）家法，令伦监典其事。伦初受窦太后讽旨，诬陷安帝祖母宋贵人。及太后崩，安帝始亲万机，敕使自致廷尉。伦耻受辱，乃沐浴整衣冠，饮药而死。国除。”

其用缣帛者谓之为纸。缣贵而简重，并不便于人。伦乃造意，用树肤（即树皮）、麻头及敝布、鱼网以为纸。（和帝）元兴元年（西纪一〇五年）奏上之。帝善其能，自是莫不从用焉，故天下咸称‘蔡侯纸’。”[1]

关于纸的发明，中国史家皆以为中国发明最早，实则早在战国时代，雅典与亚历山大里亚皆有书摊出售用埃及草纸所书写之各种抄本书籍。不论埃及草纸如何粗劣，但总是一种最原始的纸。而此种草纸之出现，则早在中国纸出现之前四百年以前。

还有一件事实，必须指出，即斯坦因曾经在古长城一座烽燧尘封堆积的室中，发见了八封干干净净用古窣利文字体写在纸上的书函。斯氏在其所著《西域考古记》中说：

> （这些用纸写的书函）其中有些找到时外面用绢包裹，有些只用绳缠住。这种字体，因为过于弯曲以及其他原故，极难认识。现在知道这是中亚一带商人到中国以后发回的私人

[1]《后汉书·宦者列传·蔡伦传》注引《湘州记》云：“耒阳县北有汉黄门蔡伦宅，宅西有一石臼，云是伦舂纸臼也。”

通讯，他们显然很喜欢用新发明的纸作书写材料，而不喜用中国人所墨守着的木简。

斯氏在同书中又说：

据造纸史权威冯魏斯勒尔（Uonweisner）用显微镜考察的结果，证明这些书函的材料，是现在所知道的最古的纸，制法是把麻织物弄成浆，然后由浆以造纸。正同中国史所纪西元后一〇五年纸初发明时采用的方法一样。

斯氏的意思，大概认为这种书写窣利文字的纸，就是中国最初发明的纸。但是有一个相反的事实，我必须指出。即在居延某一个单独的烽台中，发现了永元年间的木简。这就指明了当中国发明了纸的时代，而政府的文书，还是使用木简。诚然，一件新的东西发明以后，不见得马上就能大规模制造，同时又为一般人民所采用，因为习惯对新的事物，具有一种顽强的阻力，特别是政府的文书更具有刻板式的传统程式，好象它的效力，就发生在这种固定的程式之中，所以不能轻易改变。因而东汉政府在永元年间之仍用木简书写文书，并不能否定当时尚没有纸的发明。不过奇异的，是为甚么这种初发明纸的，反为中亚人所采用，假如中亚人也和中国人一样，在以前没有用纸的习惯，当然也不会用纸书写信札。因此，我以为这种书写窣利文的纸，可能是当时中国最初发明的纸，也可能是从西方带来的纸。总之，在纪元二世纪初，中国已经有了纸的应用，而这就提供了中国文化的发展与传播以更好的物质条件。

除“纸”以外，东汉时又发明浑天仪与候风地动仪。所谓浑天仪就是测量天文的仪器；所谓候风地动仪，就是测验地震的仪器。据说这两种仪器的发明者，是东汉时的一位有名的文学家张衡。[1]

---

[1]《后汉书·张衡传》云：“张衡字平子，南阳西鄂人也。世为著姓。祖父堪，蜀郡太守。衡少善属文，游于三辅，因入京师，观大学，因通《五经》，贯六艺。……永元中，举孝廉不行，连辟公府不就。时天下承平日久，自王侯以下，莫不逾侈。衡乃拟班固《两都》作《二京赋》，因以讽谏，精思傅会，十年乃成。……安帝雅闻衡善术学，公车特征拜郎中，再任为太史令。……顺帝初，再转，复为太史令……永和初，出为河间相。……视事三年，上书乞骸骨，征拜尚书。年六十二，永和四年卒。”

《张衡传》云:“衡善机巧，尤致思于天文、阴阳、历算，常好玄经⋯⋯遂乃研核阴阳，妙尽璇玑之正。作浑天仪，著《灵宪算罔论》，言论详明。⋯⋯（顺帝）阳嘉元年（西纪一三二年），复造候风地动仪。”

关于浑天仪的构造，《后汉书·张衡传》上没有说明，但对于候风地动仪的构造，在其本传中，曾有如次的描写:

> 以精铜铸成，员径八尺，合盖隆起，形似酒尊，饰以篆文山龟鸟兽之形。中有都柱，傍行八道，施关发机。外有八龙，首衔铜丸。下有蟾蜍，张口承之，其牙机巧制，皆隐在尊中，覆盖周密无际。如有地动，尊则振龙，机发吐丸，而蟾蜍衔之。振声激扬，伺者因此觉知。虽一龙发机，而七首不动，寻其方面，乃知震之所在，验之以事，合契若神。自书典所记，未之有也。

象这样一种复杂而精巧的仪器之出现，固然是由于张衡的巧思，然而要把这样巧妙的构意实现出来，如果没有精致的手工业工艺，是决不可能的。因而除开这个仪器的科学价值不说，它的制作技术，又具体地指明了当时手工业制造的技术水准，已经达到了前所未有的程度。至于这个仪器，是否准确呢？《后汉书·张衡传》曾经举了一个实例。其言曰："尝有一龙机发而地不觉动，京师学者咸怪其无征，后数日，驿至，果地震陇西，于是皆服其妙。"

此外，在献帝时代，还有两种手工业上的发明，即"天禄虾蟆"与"翻车渴乌"。

关于这两种奇异的东西，何人发明，构造如何，《后汉书》并无详细的说明。仅在《张让传》中有云："（献帝时）铸天禄虾蟆，吐水于平门外桥东，转水入宫。又作翻车渴乌，施于桥西，用洒南北郊路，以省百姓洒道之费。"

《后汉书》的记载，虽然简略，但由此可以看出，所谓"天禄虾蟆"，就是一种喷水机，或转水机。所谓"翻车渴乌"，就是一种洒水机。象这一类机械的出现，不论怎样原始，总是手工业上的一种新的发明。

第四节　商业、都市、钱币与国际贸易的再展开

西汉末，中国的商人，曾经遭受了接二连三的打击，首之以新莽政府的抑商政策，继之以相挺而起的农民叛乱，而终之以残民以逞的群雄混战。在这些相继而来的政治抑压与战争动乱中，城市零落，农村萧条，生产停顿，交通阻绝，中国的商业，当然要陷于消沉之中。

消沉的时期，很快就过去了。随着农民叛乱的平息，群雄混战的闭幕与东汉政权的建立，那些在西汉末受过历史惩戒的商人，现在又抬起头来了。据《后汉书·桓谭传》云："今（光武时）富商大贾，多放钱货，中家子弟，为之保役，趋走与臣仆等勤（贫民则更无论矣），收税与封君比入（封君又更无论矣），是以众人慕效，不耕而食，至乃多通侈靡，以淫耳目。"由此可以想见，当光武之世，商人已经是何等的豪富，何等的威风！

我们记得，在西汉初，中国的商业，曾经经过一个相当长久的沉滞时期，一直到农业、手工业生产在新朝的社会经济基础上发达以后，才再展开它的活动。我们又知道在光武时，土地问题尚未解决，农民尚未复员，

“四方盗贼未尽归服”，同时，一般下级官兵，“既无重赏，以相恩诱，或至虏掠，夺其财物，是以兵长渠帅，各生狐疑，党辈连结，岁月不解”。[1]当此之时，正如光武自己所云：“天下初定，人民怨气满腹。”然而中国的商人，何以就在这样一个疮痍未复的残破局面中，再展开了他的活跃呢？这岂不是历史的奇迹吗？

但是只要我们对于西汉末年的史实，略加回忆，便会知道这并不是甚么历史的奇迹，而是历史发展之必然趋势。

我们知道，王莽的改良政策之主要的目的，固然是在于打击当时商人之土地兼并、囤积居奇及高利贷盘剥等，以图抢救临于灭亡的政权，但是结果，胜利并不属于王莽，而是属于当时的商人。换言之，王莽的改良政策，并没有实现，结果还是被迫而与商人站在一面，回复到压榨农民的政策。所以西汉末的商人，虽然在王莽改良政策之下，遭受了一时的抑压，但很快就在政治的反攻中获得了胜利。他们失于改良政策之下的财产，不久在这个政策取消以后就加倍地收回了。

[1] 见《后汉书·桓谭传》。

我们又知道，西汉末的农民“叛乱”，并没有象秦末的农民叛乱那样的集中，那样的统一，形成一个整个的“叛乱”集团，而是各地的饥民，在不同的地域形成无数的“叛乱”小组。不但小组与小组之间，缺乏应有的联络，而且北方的赤眉、铜马与南方的新市、平林，还发生相互的火并。在这样的情形之下，当然没有统一的指挥，更不会有一致的行动。同时，当时的商人地主，也不象秦末的商人地主，只是聚保山谷，而是利用农民“叛乱”力量的分散，各人皆以城市或乡村为根据，组织军队，武装自卫，死守他们的田园和商店，保障他们商路的交通。因此，他们在农民“叛乱”中所受到的损失，较之秦末的商人，实在要少得多。而且有时他们甚至傍火打劫，去抢劫农民，例如光武在南阳时大肆抢劫，即其一例。

我们又知道西汉末的群雄，并不象秦末的群雄，是出身于旧贵族、小地主和流氓等各种不同的社会层，而都是西汉的贵族、官僚和土豪，换言之，都是商人地主。他们的起义，并不象项羽一样，含有阶层复仇的意义，而是从农民“叛乱”中发动的自救运动。他们不但不打击商人，而且他们的目的，就是保护商人。在农民“叛乱”的当中，每一个“英雄”割据的区域，都是商人的避乱所。同时，西汉末的群雄混战，也不象秦末一样形成了两个势均力敌的军事集团，进行生死的斗争，而是一个大的军事集团对许多小的军事集团的讨伐战争，因而战争的进行，并不象楚汉战争那样激烈，从而战争的破坏，也没有那样厉害。所以当时的商人，在群雄混战中所受到的损害，也比较轻微。

我们又知道，东汉王朝的创立者刘秀，不象西汉王朝的创立者刘邦是一个半路出家的商人地主，而是丝毫不假的一个商人地主。同时，东汉的衮衮开国元勋，也不象西汉一样是一群小地主和流氓无产者，而是南阳和其他各地的富商大贾。因此东汉的统治者，一开始便能“鸾辂龙旗”、“朱轮华毂”，摆出贵族的派头，决不象西汉之初，“自天子不能具钧驷，而将相或乘牛车”。即因东汉开国者集团，本身就是富商大贾，所以他们用不着学西汉的开国者集团一样，必须要抑压前代的商人，一直到那一群贫穷的新贵也变成了商人地主以后，才废除抑商政策，而是一开始就让商人自由发展。当时桓谭不知道这种道理，他还看西汉初年的古时皇历，向光武建议要他施行抑商政策。桓谭说：“夫理国之道，举本业而抑末利，是以先帝禁人二业，锢商贾不得宦为吏，此所以抑兼并，长廉耻也。……今可令诸商贾自相纠告，若非身力所得，皆以臧畀告者，如此，则专役一己，不敢以货与人，事寡力弱，必归功田亩，田亩修，则谷入多而地力尽矣。”桓谭真是一位书呆子，他向光武建议“锢商贾不得宦为吏”。他忘记了今日的皇帝，正是昨日的谷商，所以结果碰了一个大钉子，几乎丧了性命。

即因以上的种种原因，所以当光武削平农民“叛乱”与群雄割据以后，当时的商人很快就把门面修理好了，贴出了开张大吉的条子。正在这个时候，那些得不到土地的贫苦农民和退伍士兵，也一群群地拥进城市，他们或自卖于豪富之家为奴婢，或投入手工业作坊为徒弟，或佣于商店为伙计，或流浪于街头巷尾为劳动的后备军。由于这大量廉贱劳动力的存在，于是手工业生产日益发达，而商业也就跟着繁荣起来了。

但是如前所述，当时的社会，是一个没有恢复元气的社会，所以虽然多余的是劳动生产力，而缺少的却是商品的销路。即因如此，不久便发生了商品过剩的现象。为了倾销过剩的商品，中国的商人，又再度鼓动了开辟国际商路的战争。

在明帝末年，对周边民族的战争发动了。商人地主的政府把那些多余的劳动生产力（流浪者、盗贼、罪犯）从街头巷尾，从穷乡僻壤，从各处的牢狱中，一齐集中起来，编制起来，武装起来，开赴东南西北的战场，为着替商人打通周边商路而效命。自明帝末年历章、和以至安、顺之世，大约有七十年的光景，对周边民族的战争，继续的进行，同时东汉的商人，也就在军队的保护之下，再出现于周边各地市场。

由于周边商路的打通所引致的结果，一方面，是对国内过剩的劳动力之大扫除，因而肃清了社会内部的危险分子；另一方面是东汉的商人，从各处搜刮了大量财富，送回中原，因而又增殖了中原的富力。由于这两种原因的结合，中国社会内部的矛盾，遂因之而缓和。

但是新的发展，又引起新的矛盾。因为这些从周边各地运回的财富，并不是属于当时全体的人民，而是属于最少的贵族官僚和富商大贾。这些人并不把他们的财富，用于社会贫困之救济，而是相反地用于对国内人民之再榨取，以加深社会的贫困。因而财富愈增大，人民愈贫困。新的财富，又造成了更多的新的危险分子。

到桓、灵之际，社会内部的矛盾加深了，国势日益陵替，政府的力量，不足保障周边市场，于是东汉的商人，又不得不纷纷下旗回到中原，庞大的商业资本，象潮水一样向国内倒灌。国内的市场，当然不能容纳这样庞大的商业资本，因而这些资本遂摇身一变，而以高利贷资本的形式出现于贫困的农村。现在，在中国的历史上，又再演着贵族、官僚、商人地主土地兼并竞赛的活剧。农民交出了所有的土地，贵族、官僚、商人地主，变成了地下财富的主人。

现在，我们说到东汉的都市。

如前所述，在西汉时，中国已有着无数商业繁荣的都市。这些都市，或是古代都邑的更新，或是新兴口岸的长成。特别是京师长安和洛阳、成都、邯郸、临淄、宛这五个都市，更为繁荣。王莽时，把这五个都市，命名为东南西北中五都，各都皆置市长一人，交易丞五人，钱府丞一人，以征收商税，推行新币。由此可知这五个都市，在西汉末是中国境内的几个商业中心城市。

这几个有名的都市，到东汉时，仍然继续占有商业上的重要地位，不过因为东汉建都洛阳，跟着政治中心的迁移，商业的中心，也由长安转到洛阳。洛阳居中国之中，绾毂东西南北，自春秋、战国以来，即为黄河流域重要的商业城市。秦汉以来，这里是长安的外府。自东汉建都于此，城市的规模，日益扩大。班固《东都赋》谓当时的洛阳："超大河，跨北岳。"张衡《东京赋》亦谓当时的洛阳："溯洛背河，左伊右瀍，盟津达其后，太谷通其前。回行道乎伊阙，邪径捷乎轘辕。"真是："京邑翼翼，四方所视。"王符《潜夫论·浮侈篇》亦云："今察洛阳，资末业者什于农夫，虚伪游手什于末业。"这里所谓"末业"，即指商人；所谓"虚伪游手"，即指失业的流浪之群。由此可以想见当时的洛阳，不仅是皇亲国戚、达官贵人逍遥自在之所，也是舍本务末的富商大贾逐臭之场，同时，又是流浪者之群乞丐游食之地。

长安在王莽末虽遭农民军与"官兵"之先后破坏，但破坏的程度，并不如历史家所记的那样厉害，所以到东汉时又渐渐回复了。东汉虽不建都长安，但长安并不因此而废弃，因为这个城市，既有悠久的历史，而在地理上又是西北贸易的东方出发点。《后汉书·第五伦传》谓："时长安铸钱多奸巧，乃署伦为督铸钱掾领长安市。"由此可知这里在东汉时仍然是一个手工业和商业的繁荣城市。

成都，在西汉时，就是西南贸易的中心。这里的手工业，特别是纺织业和五金竹木之类的工业，最为发展。《后汉书·公孙述传》谓成都"女工之业，覆衣天下，名材竹干、器械之饶，不可胜用，又有鱼盐铜银之利"。由此可知到东汉初，成都的手工业，更加发展。至于商业交通，亦甚方便。同上书云：成都"北据汉中，杜褒、斜之险；东守巴郡，拒扞关之口"。顺江而东，可通荆、扬；崎岖而南，可达黔、滇。商品萃聚，舟车四达。故在东汉时，仍为工业的中心城市，亦为西南贸易的重冲。

临淄，在西汉时，即有人口十万户，市租千金，人众殷富，巨于长安。邯郸在王莽时，号称北都，繁华亦可想见。这两个城市虽在王莽之末遭受战争的灾难，但以它们都是山东、河北商品聚散的中心，所以到东汉时，仍然不失其商业上的重要性。

在东汉时南阳一带，因为是皇家的故乡，皇亲国戚，挟其政治势力，经营非法买卖。所以宛县、汝南，皆发展为繁荣殷富的城市。

由于首都的东迁，政治势力的南渐，长江流域与中原的贸易，也比西汉时更加紧切了。当时由会稽溯江而上，如丹阳、豫章、江夏、荆襄等地，都发展成为商业的口岸。

此外，东南沿海一带，因为没有遭受西汉末内乱的蹂躏，仍然继续过去的发展。当东汉时，福建的冶县（今闽侯）、广东的番禺（今广州）、南海、徐闻、合浦都是海洋贸易的口岸。

至于甘肃西北的武威、张掖、酒泉、敦煌，所谓河西四郡，到东汉中叶，复成为西北国际商路上的重要城市。惟至顺帝以后，因为羌族的叛乱，商路断绝，因而又萧条起来。

除此以外，东汉时又有些新兴的小市聚，例如《张霸传》云："张楷阬居弘农山中，学者随之，所居成市。"又如《张禹传》云："（张禹）迁下邳相，'……邻郡贫者归之千余户，室庐相属，其下成市。'"这不过是一二例子，象弘农山中和下邳一样的新兴小市，一定很多。

东汉时又有军市。例如《祭遵传》云：祭遵“从征河北，为军令市。”又如《东观汉纪》云：“永元十二年，冬十一月癸酉夜，白气长三尺，起国东北，诣军市。”象这样的军市，在西北边境一带，一定也很多。

总之，东汉至中叶时，都市勃兴，商业繁荣。当时的情景，正如王符《潜夫论·浮侈篇》所云：“今举俗舍农桑，趋商贾，牛马车舆，填塞道路，游手为巧，充盈都邑，务本者少，浮食者众。”因此，商人十倍于农夫，而流浪者又十倍于商人。象这样的情形，不仅大都市为然，“天下百郡千县，市邑万数，类皆如此”。

商业发达的结果，自然要产生无数的富商大贾，惜《后汉书》的作者，没有替那些货殖者作列传，以是无从考察。仲长统虽曾有关于豪人生活的记录，但皆系就一般的现象而言，至于那些豪人姓甚名谁，他并没有指出。虽然如此，但我们仍然可以从《后汉书》上找出一些代表人物。例如：

李通，“南阳宛人也，世以货殖著姓。……居家富逸，为闾里雄，以此不乐为吏”。(《后汉书·李通传》)

樊宏，“南阳湖阳人也。……为乡里著姓，父重，……世善农稼，好货殖，……赀至巨万”。（《后汉书·樊宏传》）

夏馥，“陈留圉人也，……同县高氏、蔡氏并皆富殖，郡人畏而事之”。（《后汉书·党锢列传·夏馥传》）

“宛有富贾张汎者，桓帝美人之外亲，善巧雕镂玩好之物，颇以赂遗中官，以此并得显位”。（同上《岑晊传》）

杜笃，“京兆杜陵人也……子硕豪侠，以货殖闻”。（《后汉书·文苑列传·杜笃传》）

后汉一代二百余年中，以经营商业而致富者，当然不只上述数人。可惜他们虽豪于当时，而没世无闻。以一般情势而论，东汉时社会趋末之风，较之西汉，当更有甚焉，甚至皇帝也不惜屈万乘之尊，为贱丈夫之事。例如灵帝即曾于光和四年，“作列肆于后宫，使诸采女贩卖”。皇帝如此，贵族官僚可知。盖东汉时贵族、官僚、商人地主已经是三位一体，无从分别，如果要写货殖列传，第一位就应该是“卖谷于宛”的汉光武。

关于商业的种类，凡西汉时已有者，东汉时无不有之。而且东汉时手工业更加进步，商品的种类必然更多，制作亦必更为精巧，特别是奢侈品，充盈都市。王符《潜夫论·务本篇》云："今工好造雕琢之器，巧伪饬之，以欺民取贿，……以任用为要，以坚牢为资，今商竞鬻无用之货，淫侈之币，以惑民取产。虽于淫商有得，然国计愈失矣。"

除奢侈品以外，还有其他各种的买卖。如《后汉书·朱俊传》云："朱俊少孤，母常贩缯为业。"《光武帝纪》云："光武避吏新野，因卖谷于宛。"《韩康传》云：韩康"常采药名山，卖于长安市"。《赵岐传》云："赵岐卖饼北海市中。"《王符传》云："或作泥车瓦狗诸戏弄之具，以巧诈小儿。"《王充传》云：王充"家贫无书，常游洛阳市肆，阅所卖书"。由此看来，当时都市中，凡丝绸、粮食、药物、熟食、儿童玩具的买卖，无不应有尽有，而且在文化中心的洛阳市上，且有贩卖手抄本书籍的书店了。

东汉时，高利盘剥，极为盛行，桓谭所言："今富商大贾，多放钱贷"，"收税（利息）与封君比入"，即指此而言。《后汉书·陈重传》云：雷义"举孝廉，重与俱在郎署。有同署郎负息钱数十万，责（债）主日至，诡求无已，重乃密以钱代还”。从陈重的故事，可以想象当时高利盘剥者之一般。

不仅富商大贾，高利盘剥，贵族官僚也同时私放公款，盘剥人民。《后汉书》中曾载有因私放民债而致贬迁的事实。例如《窦融传》云：窦瓌“坐禀假贫人，徙封罗侯，不得臣吏人。”《虞诩传》云：“永平、章和中，州郡以‘走卒钱’（更赋）给贷贫人，司空劾案，州及郡县，皆坐免黜。”举此二例，即可以想见当时贵族官僚不仅以超经济强制剥削人民，而且也善于以超经济强制之所得，从事于财富之再生产。

除此以外，还有一种相反的现象，即政府向人民借钱。《后汉书·庞参传》云：“比年（永初四年左右）羌寇特困陇右，供徭赋役，为损日滋，官负人责数十亿万。”《顺帝纪》永和六年，“诏假民有赀者户钱一千”。汉安二年“贷王、侯国租一岁”。《桓帝纪》延熹四年，“贷王侯半租”。五年，“假公卿以下奉”。

这些借款，是否有利息呢？《翟酺传》云：“顺帝即位，翟酺迁将作大将，损省经用，岁息四五千万。”

这就足以证明官借民债，也是有利息的。

现在，我们说到东汉时的货币。

东汉初，承王莽之后，货币使用布帛金粟之属，而公孙述在四川，又铸铁钱，百姓不便，皆思恢复五铢钱，因而当时有“黄牛白腹，五铢当复”之民谣。马援看到这种情形，曾上书光武，请“如旧铸五铢钱”，但以三府不赞同而止。到建武十六年，马援再申前议，光武才批准了他的建议，再铸五铢钱，自是以后，天下皆用五铢钱，百姓以为便。

自光武以后迄灵帝以前，《后汉书》上没有铸钱的记载，至灵帝中平三年，才新铸四出文钱。《张让传》云：“又铸四出文钱，钱皆四道。”到献帝初平中，又更铸小钱。《献帝纪》云：“董卓坏五铢钱，更铸小钱。”《董卓传》云：卓“又坏五铢钱，更铸小钱。悉取洛阳及长安铜人、钟虡、飞廉、铜马之属，以充铸焉。故货贱物贵，谷石数万。又钱无轮廓文章，不便人用。”《晋书·食货志》云：“献帝初平中，董卓乃更铸小钱，由是货轻而物贵，谷一斛至数百万。”《魏志》亦云：“卓铸小钱，大五分，无文章，内外无轮廓，不废炉。”由此而知此种小钱之恶劣了。

东汉铸钱的记载，大概如上所记。东汉时铸币之权，仍操于政府，但盗铸钱币者所在皆有。如第五伦为长安市长时，长安市盗铸钱者多奸巧。长安如此，其他各地当然也有。即因盗铸私钱，过于恶劣，因而钱贱物贵。所以到章帝时张林建议主张“可尽封钱”，纳税卖买，悉用布帛。《后汉书·朱晖传》载张林之言曰：“今谷所以贵，由钱贱故也。可尽封钱，一取布帛为租，以通天下之用。”张林的建议，因为朱晖反对没有实行。后来陈事者复重述林议，章帝居然下诏施下。施行了好久，不得而知，但在章帝时确曾实行过征实的政策。以后政府虽取消了征实的政策，而官吏们以征实有利可图，常有私自征实之事。

从张林“一取布帛为租，以通天下之用”的主张之施行，我们又明白了另外一个问题，即东汉时皇帝的赏赐多用布帛的问题。我们知道西汉时，皇帝对臣下的赏赐，多用黄金，但在东汉时则大抵皆用布帛，于是论者皆谓东汉时黄金减少。赵翼并且找出了黄金减少的原因。他在《二十二史札记》中云：“后世黄金日少，金价亦日贵，盖由中土产金之地已发掘净尽，而自佛教入中国后，塑像涂金，大而通都大邑，小而穷乡僻壤，无不有佛寺，即无不用金涂。以天下计之，无虑几千万万，此最为耗金之蠹，加以风侈靡，泥金写经，贴金作榜，积少成多，日消月耗。故老言黄金作器，虽变坏而金自在，一至泥金涂金，则不复返本，此所以日少一日也。”

我以为东汉皇帝赏赐之用布帛，并不能成为当时货币或黄金缺乏的说明，而是征收实物的结果。因为在当时既以布帛为租，则掌握在皇家手中的，都是布帛，于是皇帝因之以赐臣下，这是非常自然的事情。至于东汉政府之所以实施征实的政策，也并不如有些论者所云，是因为缺乏货币，回到物物交易，恰恰相反，而是铸币的数量太多，品质太劣，不如征实之有利。我们从当时用钱的数目，即可以看出钱不值钱。例如《中山简王焉传》云：“皇子，始封薨者，皆赙钱三千万。”又云：“嗣王薨，赙钱千万。”又如《济北惠王寿传》云：“始封王薨，减赙钱为千万。”又云：“嗣王薨，五百万。”从这里，我们不但可以看出钱不值钱，又可以看出当时已不用黄金为单位，而皆以钱币为单位，故史载赐金之事甚少。

黄金之不大用于赏赐，并不是货币缺乏，正是货币经济发达的现象。

即因铸币太轻，到和帝时又有人主张改铸大钱。当时有刘陶者，曾上书反对。《刘陶传》记刘陶之言曰：

当今之忧，不在于货，在乎民饥。夫生养之道，先食后货，是以先王观象育物，敬授民时，使男不逋亩，女不下机，故君臣之道行，王路之教通。由是言之，食者乃有国之所宝，生民之所贵也。

窃见比年以来，良苗尽于蝗螟之口，杼柚空于公私之求，所急朝夕之餐，所患靡盐之事，岂谓钱货之厚薄，铢两之轻重哉？就使当今沙砾化为南金，瓦石变为和玉，使百姓渴无所饮，饥无所食，虽皇羲之纯德，唐虞之文明，犹不能以保萧墙之内也。盖民可百年无货，不可一朝有饥，故食为至急也。

议者不达农殖之本，多言冶铸之便，或欲因缘行诈，以贾国利，国利将尽，取者争竞，造铸之端，于是乎生？盖万人铸之，一人夺之，犹不能给；况今一人铸之，则万人夺之乎？虽以阴阳为炭，万物为铜，役不食之民，使不饥之士，犹不能足无厌之求也。

夫欲民殷财阜，要在止役禁夺，则百姓不劳而足。陛下圣德，愍海内之忧戚，伤天下之艰难，欲铸钱齐货以救其弊，此犹养鱼沸鼎之中，栖鸟烈火之上。水木本鱼鸟之所生也，用之不时，必至燋烂。愿陛下宽锲薄之禁，后冶铸之议，听民庶之谣吟，问路叟之所忧……天下之心，国家大事，粲然皆见，无有遗惑者矣。

我们读了刘陶的这篇议论，因知当时物价之高，固由于钱币贬值，也是由于年岁不登，物质缺乏的原因。所以刘陶不主张改铸钱币，而主张彻底振兴农村经济，以培养社会经济的根本。

最后，我们说到东汉时代的国际贸易。

东汉的国际贸易，最主要的市场，还是在今日塔里木盆地和中亚方面。我们记得，王莽末年，西域诸国相继叛变，中原商人纷纷从西域撤退。当此之时，虽然敦煌太守窦融，保住河西四郡，但中原的商人，因为有匈奴的侵袭，仍不敢出玉门关一步。以后隗嚣据陇西，窦融以河西四郡降于隗嚣，但隗嚣的目的在于东向长安，与光武争夺天下，没有余力，西向发展。更后光武击灭了隗嚣父子，河西四郡，遂隶于东汉政府的统治之下，但光武亦以天下初定，须以全力镇压国内可能的“叛乱”，不肯把力量分一部分出来对外。这一直到明帝末年（西纪七三年）东汉的军队才出现于塔里木盆地。自此以后，历章帝、和帝之世，西域诸国，遂又再度隶属于东汉王朝。

中原的商人不到西域，已经五六十年了。现在他们又走上西北的国际商路。一批一批的商队，由洛阳或长安出发，蹈着他们祖先的足迹，经由武威、张掖、酒泉以至敦煌。到了敦煌以后，或走南道，或走北道，以进入塔里木盆地。或由当时之伊吾庐，今日之哈密，以入天山以北之准噶尔盆地。其中有些商队则逾越帕米尔高原，远贾于中央亚细亚，其前锋甚至到达今日之波斯湾头。当此之时，我们可以看到一批一批的骆驼队，通过一望无涯的盐泽大沙漠，通过吐鲁番盆地，沿着天山的南麓和北麓，沿着昆仑山的北麓，慢慢地西进。我们也可以看到在帕米尔高原的雪山中，在中亚的原野里，到处都是贩卖丝绸的中国商人。西汉时代的商人，遗留在沙漠中或雪山中的尸骨，现在却变成了他们子孙们最可靠的指路碑了。

塔里木盆地和准噶尔高原的光景，和西汉时并没有甚么不同，只是人口比较繁殖了，特别是车师后部（由四千七百七十四人增至一万五千人），于阗（由一万九千人增至八万三千人），焉耆（由三万二千人增至五万二千人），疏勒（由一千五百一十户增至二万一千户）。因为附近有较大的沙漠田，所以人口增加得更多。人口的增多，就指示了城市经济的繁华和消费力的增大。由此也可以想见东汉时天山南北的贸易，较之西汉一定更为兴旺。

中央亚细亚的光景，也没有甚么改变，只是大月氏的印度商人更多，安息的罗马商人更多而已。此外在中亚的许多城市，出现了一些佛教的寺院。

当时中国商人运到西方市场上去的商品，大半都是中国的手工业制造品，特别是西方人所喜好的丝织物。斯坦因在《西域考古记》中说到他在古楼兰的废墟中，曾经发见“一块堆绒的羊毛地毡残片和保存得很好的一小捆黄绢。此后又找得一些木制的度量器具，以及一块有字的绢边，使我能够证明这一小捆黄绢正常的宽度是十九吋，以及古代中国工业中，这种有名的出产运到西方希腊、罗马的真正形式”。（第九七页）

斯坦因在同书中又云，他在古楼兰废址中，曾“得到金属、玻璃，以及石质的小件不少，其中有背部往往刻镂很精的青铜镜残片，金属扣，石印之类。拾得的玻璃的以及石质的珠子也不少”。在这些东西之中，除玻璃系输入的商品，其余大抵皆系中国的出门货。斯氏在同书中又云，在古楼兰废址中，“汉代方孔式铜钱散布之多，很为重要。由此可以想见这种小钱流布之广而且多，以及普通由钱币指示的贸易之盛”。（第九八页）

东汉时，中国商人在塔里木盆地的贸易之盛，已经由许多遗址和遗物的发见而获得确证。至于中国商人在帕米尔以西的世界之活动，尚没有甚么实物发现。据《后汉书·班超传》所载，东汉的政治使节在西方所达到之最远的地方，是安息与条支交界处的海口，即今日的波斯湾。他们本想聘问罗马，据说为安息西界船人所阻。同书《西域传》也说，当时罗马皇帝常欲与汉相通，也因安息商人想垄断中国丝织物的贸易，将罗马与中国的关系遮断。这样说来，东汉时，中国的商人，似乎没有到达罗马的本土。

但据同书所载，当时中国的商人，又已经知道，从安息到罗马的陆路交通。《西域传》云："从安息陆路，绕海北行，出海西，至大秦，人庶连属，十里一亭，三十里一置，终无盗贼寇警，而道多猛虎狮子，遮害行旅，不百余人，赍兵器，辄为所食。"象这样的情形，如果不是从安息人间接听到，便是当时曾有中国商人身历其境。

总之，东汉时的中国商人，是否到达罗马本土，无从确知，但他们的足迹，已经蹈到西汉时中国商人所没有蹈进的世界，则是毫无可疑的。盖西汉时，中国商人，"皆自乌弋以还，未有至条支者也"。而东汉的商人，则远至安息的西界与条支接境的海岸。惟当时中国人所知道的西方世界，仅以罗马为止，他们以为自罗马而西，则以为大地尽头之处，“几于日所入也”。

当中国商人远征中亚之时，中亚和印度的商人，也纷纷来到中国。这种事实，晚近已从考古学的发现获得了确证。

据斯坦因《西域考古记》所述，斯氏在古楼兰的废墟中发现了许多写在木简、纸片及绢上的古窣利语文（Sogdian）的文书。同样字体的文书，也发见于古长城的废垒。据斯氏说，这种窣利语文，是“公元后起初几世纪流行于今撒马尔干（Samarkan）和布哈拉（Bakhara）地方的古康居（Sogdiana）一带的文字”。以年代计算，正相当于东汉时代。这种文字的文书之发现于塔里木盆地的东端乃至甘肃的西部，就证明了当东汉时，康居、奄蔡以及里海以北一带的商人，已经深入中国的境界。

斯氏在同书中，又谓在古尼雅的废墟中曾经发见无数佉卢文的木简。他说，在尼雅所发见的佉卢文木简“除去少许长方形的而外，那一天所得木牍全作楔形，长七吋至十五吋不等，原来显然是每两块缚在一起”。“读法自右至左，较长部分，则作平行式，写在木牍的里面，外边的牍，有一下陷的凹形槽，中钤一封泥印，可以证明这是当作一种信封套用的。凹形槽的旁边常有很简单的记录，成单行，这应是住址或发信人的姓名。”据斯氏考察，这种古佉卢文，是印度贵霜王朝（Kushana or Indo – scythian Dynasty）的石刻所通用的字体。按贵霜诸王，在公元初开始的三世纪间，统有旁遮普以及印度河西边的一些地方。由此又证明中亚东南、印度西北一带地方的商人，在东汉时，也往来贸易于塔里木盆地一带。

斯氏在同书中又云：“（在尼雅）又幸而发见同样一片木牍，佉卢文以外，并且还用贵霜王朝时期的印度婆罗谜文写上数行。”这种木简与中国东汉时的古钱在同一地址发见。这又是印度商人的足迹，也曾蹈进塔里木盆地的证据。

据斯氏考察，所有这些外国文的简牍，除了一少部分是政府的文书（大约是东汉边防属地对中亚诸国的外交文件）和私人的信札以外，“其中大多数字体排列不齐，写成小小的行列，末尾缀以数目字，书法不一，删削屡屡，既不是文书，也不是联络的报告，大概是一些备忘录、账簿、草稿及随笔之类”。这又证明了这些木简，大都是外国商人留下来的。此外还有许多希腊、罗马式艺术品的发见（详第七章），又证明当时罗马商人曾经到达中国西部的事实。

斯氏在同书中，又引据托勒美（Ptolemy）《地理志》中所保存的推罗的马林努斯（Marinus of Tyre）的记录，谓大约就在中国商人到达波斯湾头的时候，马其顿商人狄兴努斯的商业代理人也同时穿过那被称为“斯克泰外伊摩”的塔里木盆地，到达今日中国本部的“丝国”。马林努斯的记录，就是记载当时罗马的商队从“丝国”回到西方所经行的大道的报告。这样看来，当时安息的商人，并没有完全做到遮断中国与罗马直接贸易的企图。

自西汉中叶以后，从红海到印度洋的海道即已畅通，中亚与西欧的贸易，多改由海道。据吉本（Gibbon）《罗马帝国之衰亡》（*Decline and Fall of the Rome*）一书有云：“罗马搜集邻国之所有，以供其奢华之生活。皮货来自塞国林中，琥珀来自波罗的海沿岸及多瑙河一带……巴比伦地毯与其他东方产品，需要甚多。而与通商最盛之外邦，则首推阿剌伯与印度。每岁约当夏至节边，一百二十艘商船，自迈奥霍穆（Myoshormos）出发，是乃红海岸旁埃及之一海港。因信风之助，四十日可渡大洋。马拉巴（Malabar）海岸及锡兰岛，乃其寻常停泊之处，亚洲远邦商贾，多麇聚于这些地方，以待罗马商人之来，与之交易。十二月或一月为其预定归期，回到非洲后，乃卸货于骆驼背上，自红海至尼罗河以达亚历山大里亚港口，然后再由此渡地中海，输入罗马都城。”由此而知到东汉末叶，中国与罗马贸易的中介人，已由安息商人转入印度商人之手了。

又据《后汉书》所载，桓帝延熹九年，大秦王安敦遣使自日南徼外献象牙、犀角、玳瑁。据此，则当时罗马的商船队，已越印度洋而东经今日之荷属东印度、英领新嘉坡一带，到达了今日安南广东沿海岸了。这样一来，中国的商人当西北商路断绝之后，又在南方沿海，获得了与罗马、印度直接贸易的机会，而且对南洋群岛的贸易，也因之而更加发展了。

当时中国与罗马的贸易，还有一条路线，这就是通过当时的掸国，今日的缅甸。据《后汉书·西南夷传》

所载，掸国之通于中国，早在和帝永元九年，到安帝永宁元年，“掸国王雍由调复遣使者诣阙朝贡，献乐及幻人……数乃至千，自言我海西人，海西，即大秦也”。大秦，即罗马也。从这段记载中，我们又知道当时罗马商人在今日缅甸者，一定很多，不然，掸国的国王，又焉得“数乃至千”的大秦幻人而献于中国呢？（插图四六）

至于东北方面，除与朝鲜半岛诸国有着密切的商业关系，与当时倭奴国，今日的日本，也有着繁盛的往来。《后汉书·东夷传》云：“建武中元二年，倭奴国奉贡朝贺，使人自称大夫，倭国之极南界也，光武赐以印绶。安帝永初元年，倭国王帅升等献生口百六十人，愿请见。桓、

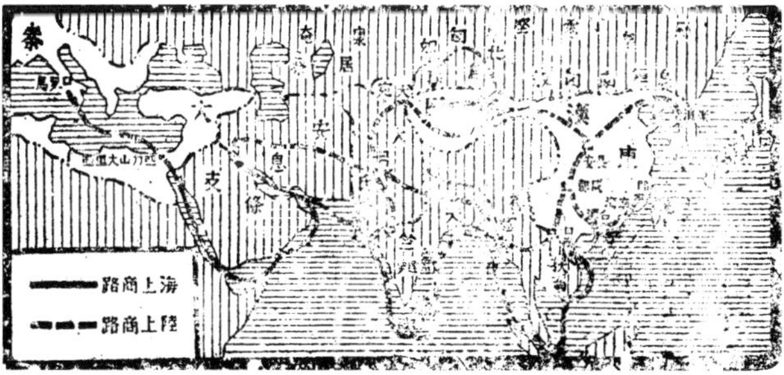

插图四六　东汉时的海陆商路图

灵间，倭国大乱，更相攻伐，历年无主，有一女子，名曰卑弥呼，年长不嫁，事鬼神道，能以妖惑众，于是共立为王，…… 自女王国东渡海千余里，至拘奴国，虽皆倭种，而不属女王。自女王国南四千余里，至侏儒国，人长三四尺。自侏儒东南行船一年，至裸国、黑齿国。使驿所传，极于此矣。”以上所述各国，我们虽不能正确考知其属于今日何地，然以方位及距离计之，大抵总在今日日本三岛一带。这些地方，既皆为汉之外交使节所曾到达，当然亦有中国商船队来往。实际上商船队乃是政治使节的先锋。

当时日本与中国的交通，大抵浮海至朝鲜，然后由陆路以入中国本部。《后汉书 · 东夷传》谓：“马韩之西，海岛上有州胡国，其人短小，髡头，衣韦衣，有上无下，好养牛豕，乘船往来，货市韩中。”

《东夷传》又云：“会稽海外有东鳀人，分为二十余国，又有夷洲及澶州，传言秦始皇遣方士徐福，将童男女数千人入海，求蓬莱神仙不得，徐福畏诛，不敢还，遂止此洲。世世相承有数万家，人民时至会稽市。会稽东冶县人有入海行遭风，流移至澶洲者。”按此所谓东鲲人、夷洲、澶洲者，大概就是今日浙江海外诸小岛乃至琉球群岛。如《后汉书》所云，则当时的会稽，乃是东海诸小岛上的人民与东汉贸易的一个中心城市。

总上所述，我们知道东汉的国际贸易，无论在西方抑或在东方，无论在大陆，抑或在海洋，较之西汉时代，都大大地发展了。这种发展，一方面，因然是由于中国社会经济的发展，同时也是世界史发展的总和。

第六章　东汉政权的性质、组织、发展及其崩溃

第一节　东汉政权的性质及其组织

东汉的政权是西汉政权的继续。这里所谓“继续”，不是指统治者的血统而言，而是指政权的性质。

如前所述东汉的开国皇帝刘秀，本人就是南阳的一个大商人地主，刘秀个人的社会属性，固然不足以决定东汉政权的属性，但刘秀的集团，大抵皆系南阳的豪民富商，而且刘秀之乘时而起的动机，并不是有甚么存亡继绝的大志，只是因为迫于农民暴动，南阳一带豪民富商的财产受了威胁，大家推他出来组织地方保卫团，以保卫南阳豪民富商的财产。以这种性质的地方保卫团为基础而成长起来的东汉政权，当然是

商人地主的政权。

刘秀的集团，最初本想利用农民反对王莽反动政策的心理，而把农民革命军的力量，因势利导于自己的政治目的，所以不惜降志屈身，加入新市、平林的“贼伙”。但是终因身份的悬殊，决定了这个集团从新市、平林中脱离出来，揭起自己的旗帜；也决定了这个集团在后来与河北的商人地主的武装及王莽的残余势力联合一致，共同剿灭河北的赤眉、铜马等农民革命军。就因为刘秀集团的旗帜鲜明，于是上帝的使者才捧着“赤伏符”来到刘秀的司令部，替这位“剿匪的英雄”，送来了一顶华美的皇冠。

天命降临到商人地主领袖的头上，这件事就意味着农民革命的行将灭亡。不久，刘秀就对河北的农民革命军，展开残忍的扫荡，而将其蹙之于陕西。陕西，原为南方的“叛乱”农民麇集之地，一旦河北山东一带的暴动农民窜进潼关，于是为了争夺生活资料，遂发生了大规模的火并战争。就在南北农民革命军火并战争的当中，刘秀的官军，遂奉若天命，结束了农民的革命。

农民暴动虽然消灭，而贵族、官僚、商人地主的武装集团，仍然所在皆有。所以接着“剿匪”之后，刘秀便扳起皇帝的面孔，开始讨伐叛逆的战争。不久，和刘秀同时起事的那些“逆贼”，都先后为刘秀所破灭。于是整个的天下，又回到商人地主的手中。

农民暴动，已经成了过去，现在，遗留下来的世界，只有千百万具农民的腐尸，他们沉静地躺在血泊之中。也间或有些孤儿寡妇的哭声，但这种微弱的哭声，已经被洛阳城里高呼万岁万万岁的声音盖住了。安眠吧！可怜的冤魂饿鬼们，你们总算在中国史上，又加上了鲜红的一页呵！

洛阳城上，又飘扬着大汉的旗帜，新的胜利者，挤满了这新的首都。现在，残余的农民，放下了他们的武器，垂头丧气地走回了自己的故乡。没有土地，没有耕牛，没有住宅，当他们投到新主人面前的时候，回忆到昨天的事变，真象噩梦一场。

农民虽然没有分到土地，但是西汉时代所有的赋税、人头税、徭役税，以及一切苛捐杂税，仍然一样不少，压到他们的头上。特别是见税十五的地租，必须按时送到地主的谷仓，否则第二年便没有土地可以耕种。即因如此，所以光武说：当时“百姓怨气满腹”，他不敢到泰山顶上去参见上帝，谎报太平，自欺欺天。

即因光武深知“百姓怨气满腹”，所以虽然西域诸国派遣代表来到洛阳，请他保护，他也加以拒绝；虽然匈奴压境，他也宁肯退让，而必须集中全力来对付这“怨气满腹”的国内人民，

对付农民最好的方法，是武装镇压，所以光武于统一天下以后，山东、河北一带，农民暴动最厉害的地方，经常派遣驻屯军，以防备可能发生的事变。[1]同时在新政府的首都，则仍袭西汉旧制，组织庞大的南、北军，以巩固中央政府的安全。[2]但因地方军多系王莽时代的旧有部队，不大可靠，所以不久又将他

[1]《文献通考·兵考》曰：“光武以幽、冀并州兵，克定天下，始于黎阳立营，……以谒者监之。”

[2]《文献通考·兵考》云“（东汉时），京师南、北军如故，于北军则并胡骑、虎贲二校为五营，以北军中侯易中垒以监之。于南军，则光禄勋省车户骑三将及羽林令。都尉省旅贲及卫士一丞。”

们解散[1]，而加强中央军的组织以代替地方军。[2]惟不久又组织了新的地方军，以控制人民的异动。但至中叶以后，随着东汉政权的衰落，无论中央军与地方军都趋于腐化，所以每遇寇警，则临时征兵，这种临时征来的兵士，当然没有战斗的训练，因而无论抗敌或剿匪，“每出辄败”。[3]到东汉末叶，这种用以控制人民的武装，反而为其自己的家奴所掌握，一变而为挟制朝廷的工具。[4]

---

[1]《后汉书·光武帝纪》云：“建武六年，是岁初罢郡国都尉官。”又云：“七年三月，诏罢轻车、材官、楼船士及军假吏。”注引《汉官仪》云：“军假吏，谓军中权置吏也。令悉罢之。”

[2]《文献通考·兵考》云：“光武罢都试而外兵不练，虽疆场之间，广屯增戍，列营置坞，而国有征伐，终藉京师之兵以出。盖自建武迄于汉衰，匈奴之寇，鲜卑之患，岁岁有之。或遣将出击，或转兵留屯，连年暴露，奔命四方，而禁旅无复镇卫之职矣。”

[3] 同上书云：“至安帝永初间，募入钱谷，得为虎贲羽林提骑营士，而营卫之选亦衰矣。桓帝延熹间，诏减羽林虎贲不任事者半俸，则京师之兵，亦更弱矣。外之士兵不练，而内之卫兵不精，设若盗起一方，则羽檄被于三边，兴发甲卒，取办临时，战非素具，每出辄北。”

[4] 同上书云：“至东汉以来，又举五官郎将、羽林虎贲，以职属大夫。议郎、谒者、仆射以文属。分属之后，政令不行于其间。而又光禄大夫不在宿直，议郎不与执戟，惟不在宿直执戟之列，则凡为禁卫者，皆非士人之流，而郎官三省尽为黄门之庐耳。故宦内典门户，外与政事。”

灵帝虽曾一度作收回兵权之举，设西园八校尉。[1] 但这种新羽林军，仍然是以宦官为元帅。到献帝时，大批的“黄巾贼”，竟然在官军密布的天下之中，造起反来。由此而知武装镇压，可靠而又不可靠。

其次对付农民的另一有效的方法，便是刑罚的威吓和惩戒。东汉政府一开始便以严刑峻法，临于人民。《后汉书 · 循吏传 · 序》谓光武以“天下已定，务用安静，解王莽之繁密，还汉世之轻法”。但是所谓“汉世之轻法”，就是那种具五刑、夷三族的轻法，象这样的刑法而谓之轻法，则不知如何而始为重法。

果然，到和帝时，重法出现了。当时律令有死刑六百一十条，耐刑一千六百九十八条，赎罪以下二千六百八十一条。其时廷尉陈宠建议，主张略加删改，也没有

[1]《后汉书·何进传》云:(灵帝中平）五年……诏使（何）进悉领兵屯于（平乐）观下，是时，置西园八校尉，以小黄门蹇硕为上军校尉……特亲任之，以为元帅。督司隶校尉以下，虽大将军，亦领属焉。”按西园八校尉者，即上军校尉、中军校尉、下军校尉、典军校尉、助军校尉、右校尉、左校尉、佐军校尉是也。

施行。[1]至汉末，应劭删定律令为《汉仪》，捐除重复，为之节文，但亦并未减轻，不过以类相从，章目更为分明而已。[2]

东汉的刑法，除西汉所有者，全部承袭以外，又添加了许多新的花样。如殊死[3]、耐罪、亡命[4]、右趾[5]、轮

[1]《后汉书 · 陈宠传》云：和帝永元六年，廷尉陈宠“钩校律令条法……曰：今律令死刑六百一十，耐罪一千六百九十八，赎罪以下二千六百八十一，……汉兴以来三百二年，宪令稍增，科条无限，又律有三家，其说各异。宜令三公、廷尉平定律令，应经合义者，可使大辟二百，而耐罪、赎罪二千八百，并为三千，悉删除其余令。……未及施行……及宠免后遂寝。而苛法稍繁，人不堪之。（宠子）忠略依宠意，奏上二十三条为《决事比》，以省请谳之弊。”

[2]《后汉书 · 应劭传》云：应劭“删定律令为《汉仪》。建安元年乃奏之曰：‘……逆臣董卓，荡覆王室，典宪焚燎，靡有孑遗……窃不自揆，贪少云补，辄撰具《律本章句》、《尚书旧事》、《廷尉板令》、《决事比例》、《司徒都目》、《五曹诏书》及《春秋断狱》，凡二百五十篇，捐去复重，为之节文。又集驳议三十篇，以类相从，凡八十二事。其见《汉书》二十五，《汉记》四，皆删叙润色，以全本体。其二十六，博采古今瑰玮之士，文章焕炳，德义可观。其二十七，臣所创造。……’献帝善之”。

[3] 同上《光武帝纪》：建武七年“非犯殊死，皆一切勿案其罪。”注云：“殊死，谓斩刑殊绝也。”

[4] 同上建武七年，诏“耐罪、亡命，吏以文除之”。注云：“犯耐罪而背名逃者。”

[5]《后汉书 · 明帝纪》：“右趾……至司寇作。”注云：“右趾，谓刖其右足，次刖左足，次劓，次黥。”

插图四七　东汉时的狱吏和囚徒

作司寇[1]、轮作右校[2]、输作若卢[3]、施刑[4]、女徒雇山[5]、女子宫[6]等，都是东汉政府的新典宪（插图四七）。

赋税、徭役、武装的压迫和刑法的威吓，这就是东汉政府对于当时农民的恩典。在这样浩荡的皇恩之下，当时的农民，如果不愿一声不响地饥死，那就只有两条

[1]《后汉书·明帝纪》云："前书谓之罚作，一岁刑也。"

[2]《后汉书·韦彪传》注云："左校、署名、属将作。"

[3]《后汉书·庞参传》：参"拜左校令，坐法，输作若卢。"注云："若卢，狱名。"

[4]《后汉书·光武帝纪》，建武十二年十二月，"遣骠骑大将军杜茂将众部施刑，屯北边。"注云："施读曰弛，谓有赦令，……去其钳釱赭衣。"

[5] 同上纪建武三年诏曰："女徒雇山归家。"注云："女子犯徒，遣归家，每月出钱雇人，于山伐木，名曰雇山。"

[6] 同上纪云，建武二十八年，"诏死罪系囚，皆一切募下蚕室，其女子宫。"注云："谓幽闭也。"

出路：不是自卖为奴婢，便是合伙为盗贼。所以东汉时的奴婢与盗贼，他们正象一对孪生的兄弟，是同一母胎中孕育出来的。

东汉在光武一代，曾发布六次解放奴婢的诏令，光武时的奴婢，还可以说是前代的遗留。但后来明帝、安帝都有解放奴婢的诏令[1]，而且在整个的东汉时代，贵族官僚都拥有大群的奴婢[2]，这就证明了当时仍然有卖儿卖女卖妻以致自卖的农民之存在。惟东汉时的奴婢，和西汉时的一样，不是生产的奴隶，而是家庭的贱奴。[3]他们有时也穿着华美的衣服，或者骑着高大的骏马，当作主人之活的装饰品。[4]这当然不是甚么奴隶制度之下

[1]《后汉书·明帝纪》记明帝诏曰："边人遭乱，为内郡人妻，在己卯赦前，一切遣还边，恣其所乐。"又《后汉书·安帝纪》记安帝永初四年诏云："建初以来，诸袄言他过坐徙边者，各归本郡，其没入为官奴婢者，免为庶人。"

[2]《后汉书·窦融传》云："窦融自祖及孙，官府邸第，相望京邑，奴婢以千数。"《后汉书·马援传》云："（马）防兄弟贵盛，奴婢各千人已上。"《后汉书·光武十王传》云："济南安王康奴婢至千四百人。"《后汉书·方术列传》云："（折国）有赀财二亿，家僮八百人。"《后汉书·梁冀传》云："冀或取良人悉为奴婢，至数千人，名曰自卖人。"

[3]《后汉书·宦官列传》云："（张）让有监奴，典任家事，交通赂赂，盛形煊赫。"

[4]《后汉书·安帝纪》云："至有走卒奴婢，被绮縠，著珠玑，京师尚若斯，何以示四远！"《后汉书·宦官列传》云：单超，徐璜，具瑗，左悺，唐衡皆竞起第宅，"其仆从皆乘牛车而从列骑"。

的奴隶，而是封建社会的历史奢侈品。

东汉政权承王莽之后，先天本来不足，而又没有很好地解决土地问题，进行复员工作，所以这个政权一开始建立，便伴随着广大的流民。据史载，和帝在位十七年，为了安辑流民，曾颁布了十五道诏令，由此可以想见一般。到安帝时，流民遂突破了东汉的赈济政策，开始集团的暴动。《后汉书 · 陈忠传》曰：“自（安）帝即位以来，频遭元二之厄，百姓流亡，盗贼并起。”安帝永初五年的诏书中亦谓当时“灾异蜂起，盗贼纵横”，以后历顺、冲、质以至桓、灵之际，农民暴动，以日益高涨之势，向前发展。至于灵帝，便达到了顶点。东汉时的农民暴动，当然也不是甚么奴隶造反，而是在封建虐政的铁锤之下，迸裂出来的火花。

现在，我们再看东汉政府对于商人地主是何等的温存、体贴和诚心诚意的提携。首先是减轻他们的赋税负担，其次是培养他们的文化教育，最后，则以各种方法，使他们走上政治舞台。

具体的史实，指示出来，东汉平定天下以后，第一个“仁政”，便是轻赋政策，换言之，即减轻商人地主的土地税。建武六年诏曰："顷者师旅未解，用度不足，故行什一之税。今军士屯田，粮储差积，其令郡国收现田租三十税一，如旧制。"不仅减轻土地税，而且在以后的时代，东汉政府，屡有减赋及免赋之事。例如章帝建初元年，免兖、豫、徐三州地主的土地税。最滑稽的是元和二年，因为有七郡的地主都说看见了一只凤凰，一条黄蛇，遂免其土地税二年。以后，在和帝永元九年，免天下田赋一年；十三年，减天下田赋一半；十四年，减兖、豫、荆三州田赋一半；十六年，又减收天下田赋一半。在这种轻赋减赋乃至免赋的仁政之下，当时的商人地主，自然一天比一天出落得更为肥胖。

为了培养继续支持这个政权的干部人才，东汉政府同时进行对商人地主的子弟之文化教育的工作。于京师设太学及宫邸学，于地方设郡国学，以训练各级商人地主的子弟。

中国的商人地主，经过了西汉两百多年的教育，已经不象西汉初叶，是一些只认得黄金白银的文盲；反之，他们已经把古典的中国文化，从初期封建社会的旧贵族手中承继过来，并且加以新的发展。同时，东汉光武也不象西汉高祖一样，是一个毫无文化教养的小土豪，而是一个曾在新莽时代学礼长安的商人地主，因此他并没有做出那种以儒冠为溺器之粗野的举动，而是在剿匪的工作一经完毕之后，便“营起太学，车驾幸太学，赐博士弟子各有差”。到他的儿子明帝，并亲临太学讲学，据说当时“冠带缙绅之人，圜桥门而观听者，盖亿万计”。(《儒林传》)由此可以想见当时天子的门生之多，而且可以知道当时天子的门生，都是“冠带缙绅之人”。

据史载，当时太学的学生，都是大将军下至六百石的子弟，六百石以下的子弟，就没有进太学的资格。在安帝时，太学的学生，多至三万余人。到顺帝时，又将太学学舍，更加扩大，建筑了二百四十栋大房，共有一千八百五十个房间。这种规模，真是不小，可是从此以后，学生之中，也就掺进一些小所有者的子弟，因而到后来，东汉政府文化政策的结果，反而训练了一批反对自己的“清流”。[1]

[1]《后汉书·儒林传·序》云:“永初元年，梁太后诏曰:‘大将军下至六百石，悉遣子就学。’……自是游学增盛，至三万余生。”又云:“顺帝……乃更修黉舍，凡所造构二百四十房，千八百五十室。试明经下第补弟子，增甲乙之科员各十人。”

为了对皇家及贵族子弟，灌输一种治人者的特殊教育，东汉又有宫邸学之设。明帝曾为外戚樊、郭、阴、马四姓小侯设立学校。[1]安帝亦曾为诸王及外戚子弟设立学校。[2]

为了教育郡国一般商人地主的子弟，东汉政府又于各地，设立郡国学。如李忠为丹阳太守时，“为起学校”。明帝于永平十年回到南阳故乡，“召校官子弟”。宋均补辰阳长，“为立学校”。寇恂“为汝南太守，修乡校，教生徒”。卫飒为桂阳太守，“修庠序之教”。任延为武威太守，“造立校官，自掾吏子孙，皆令诣学受业”。这些都是具体的例子。

以上各级学校的学生，都是官僚的候补人。他们可以由射策或其他考试，走上政治舞台。除此以外，东汉商人地主的子弟，和西汉一样，还可以由地方的贡举和政府的特征而获得官职。

---

[1]《后汉书·明帝纪》：永平九年，“为四姓小侯开立学校，置五经师。”注云：“四姓为外戚樊氏、郭氏、阴氏、马氏诸子弟。”

[2]《后汉书·桓帝邓皇后传》：安帝元初六年，“邓太后诏征和帝弟济北、河间王子男女年五岁以上，四十余人，又邓氏近亲子孙三十余人，为开邸第，教学经书，躬自监试。”

东汉时的贡举，有贤良、方正、孝廉、秀才、明经诸科，孝廉是每年由郡国按人口数目贡举[1]，此外则依政府临时的诏令而举行。至于特征，则系对负有盛名的岩穴之士行之。[2]这些由贡举及特征而来之士，率拜为郎，而属之于光禄勋。再经过铨叙手续，然后补官。[3]

一方面，是农民沦为奴婢，起为“盗贼”；另一方面是商人地主走进学校，贡于王庭；这就是在东汉政权的支配之下社会关系的升沉。

我们明白了东汉政权的性质，再说到作为这个政权

[1]《后汉书·百官志》云：“举孝廉，郡口二十万举一人。”《后汉书·丁鸿传》云：“（和帝）时，大郡口五六十万举孝廉二人，小郡口二十万并有蛮夷者，亦举二人，帝以为不均，下公卿会议，鸿与司空刘方上言：‘凡口率之科，宜有阶品，……自今郡国，率二十万口岁举孝廉一人，四十万二人，六十万三人，八十万四人，百万五人，百二十万六人，不满二十万，二岁一人，不满十万，三岁一人。’帝从之。”又《后汉书·和帝纪》：永元十三年十一月，“诏郡口十万以上岁举孝廉一人，不满十万，二岁举一人”。

[2]《后汉书·和帝纪》：永元六年，诏“昭岩穴，披幽隐，遣诣公车”。《后汉书·逸民传·序》云：“光武侧席幽人，求之若不及，旌帛蒲车之所征贲，相望于岩中矣。”

[3]《通典·选举》云：“凡郡国之官……调属僚及部人之贤者，举为秀才廉吏而贡于王庭，多拜为郎。”又云：“郎吏，岁举秀才廉吏，出为他官，以补缺员。”

之实践的统治机构，即政治组织。

东汉的政治组织和西汉虽稍有损益，但大抵相同。东汉的中央政府，还是以三公九卿组织而成。三公者，即太尉、司徒、司空。太尉掌军事，司徒掌民政，司空掌四方水土功课。惟在西汉时，有太师、太傅、太保，谓之上公，东汉则仅有太傅一人，不设师、保。

西汉时，以太常、光禄勋、卫尉、太仆、廷尉、大鸿胪、宗正、大司马、少府为九寺大卿。东汉时亦有九卿，其所掌职务，与西汉同。惟东汉九卿，分属三公。《文献通考·职官考》注云："太常、光禄勋、卫尉三卿，并太尉所部；太仆、廷尉、大鸿胪三卿，并司徒所部；宗正、大司农、少府三卿，并司空所部。"这样看来，东汉的三公，似乎不仅是坐而论道而是起而做事的大臣了。但是事实上殊不尽然，东汉的政治大权，完全操之于"尚书台"，所谓三公者，备位而已。

尚书的官职，创于秦代。不过在秦时，所谓尚书，只是少府属吏，他的任务，仅仅主管在殿中传达诏令，其时皆以知书的士人为之。至汉武帝改尚书为中书，任以宦官。成帝时，又复尚书旧名。尚书之由来，虽然已久，但直至西汉之末，在中央政府中，并不重要，不过是宫廷的收发而已。

至东汉光武，为了推行绝对的独裁政治，对于自己钦命的三公，也不信任，他把国家大权完全集中到自己的手中[1]，为了处理政务，那些侍从左右的尚书，便是他最好的助手。自此以后，尚书的权威，日益高涨。《文献通考·职官考》曰："至后汉则（尚书更）为优重，出纳王命，敷奏万机，盖政令之所由宣，选举之所由定，罪赏之所由正，斯乃文昌天府，众务渊薮，内外所折衷，远近所禀仰。"

非常明白，所谓尚书台者，就是皇帝宫廷的办公厅，这是实现独裁政治的一种必要的政治机构。因为独裁政治，必须要把国家大权，集中中央，再由中央政府，集中到自己的御案之前。因而宫廷的办公室，遂取中央政府而代之，而皇帝的侍从，也就一跃而居于三公之上了。

因为尚书的职权扩大，所以尚书台的组织也扩大了。当时的尚书台设主官一人，曰尚书令；副主官一人，

[1]《后汉书·仲长统传》云："光武皇帝愠数世之失权，忿强臣之窃命，矫枉过直，政不任下，虽置三公，政归台阁，自此以来，三公之职，备员而已。"

曰尚书仆射；其中分六曹，一曰三公曹，二曰吏曹，三曰民曹，四曰二千石曹，五曰南主客曹，六曰北主客曹。每曹各置尚书一人，左右丞各一人，侍郎六人，令史三人。由此可以窥见其组织之庞大与职掌之广泛，实等于中央政府的缩影。

除三公、九卿、尚书台以外，东汉又有各级将军，亦为中央大员。《后汉书·百官志》云："此公者四：第一大将军，次骠骑将军，次车骑将军，次卫将军，又有前、后、左、右将军。"到中叶以后，母后临朝，外戚执政，每假兵权以自重，而大将军遂为最高之官，合太傅三公称为五府。

东汉的地方政府，最初亦为郡县两级制，同于西汉。每州设刺史一人，其首都所属之一州，设司隶校尉一人。[1]州之下为郡，每郡设太守一人[2]，首都所在之河南郡，则不称太守而称尹。[3]其边郡，则设属国都尉。[4]

[1]《后汉书·百官志》："刺史……成帝更为牧，秩二千石。建武十八年，复为刺史，十二人各主一州。其一州属司隶校尉。"

[2] 同上书云："每郡置太守一人，二千石……王国之相亦如之。"

[3] 同上书云；"中兴都洛阳，更以河南郡为尹。"

[4] 同上书云："边郡往往置都尉及属国都尉，稍有分县，治民比郡。"

郡以下为县，邑或道，大县置令一人，千石；其次置长，四百石；小者置长，三百石。侯国的丞相，其官阶如县令或县长。在县长之下，置县丞一人，县尉一人或二人。[1]县邑之下为乡，乡置有秩，三老，游徼，但小乡则仅置啬夫一人。[2]乡之下为亭，亭置亭长。[3]亭之下为里，里置里魁。里之下有什长[4]，什长之下有伍长，伍之下则为最基层的人民。这样就构成了由上而下之层叠式的行政机构，东汉的政府就以尚书台为政治的司令塔，利用各级的地方政治机构，行使其对中国之全面的统治。

东汉时地方官之权，较之西汉时要大得多。例如东

---

[1]《后汉书·百官志》云："每县、邑、道，大者置令一人，千石；其次置长，四百石；小者置长，三百石；侯国之相，秩次亦如之。……丞各一人，尉大县二人、小县一人。……边县有障塞尉，本注曰：掌禁备羌夷犯塞。"

[2] 同上书云："乡置有秩、三老、游徼。本注曰：有秩，郡所署，秩百石，掌一乡人。其乡小者，县置啬夫一人。皆主知民善恶，为役先后，知民贫富，为赋多少，平其差品。三老掌教化，凡有孝子顺孙，贞女义妇，让财救患，及学士为民法式者，皆扁表其门，以兴善行。游徼掌徼循，禁司奸盗。又有乡佐，属乡，主民收赋税。"

[3] 同上书云："亭有亭长，……本注曰，亭长，主求捕盗贼，承望都尉。"

[4] 同上书云："里有里魁，民有什伍，善恶以告。本注曰：'里魁掌一里百家，什主十家，伍主五家，以相检察。民有善事恶事，以告监官。"

汉的司隶校尉，不仅外辖其所属的郡县，而且“无所不纠，唯不察三公”，他能出席中央的“廷议”，并且他的坐位，在九卿之上。据《后汉书·宣秉传》云：“光武特诏御史中丞与司隶校尉、尚书令会同，并专席而坐，故京师号曰‘三独坐’。”

又如刺史在西汉时，本是中央派遣的一种视察官，他的任务是周行郡国，刺探政情，原非固定的行政官吏。但至东汉时，刺史已有一定的治所和自己的衙门。至灵帝时，改刺史为州牧，自是以后，刺史遂由中央派遣的视察官，一变而为地方行政官，而东汉地方行政，也就由郡县两级制，一变而为州、郡、县三级制了。

又据《百官志》所载，建武六年：“省诸郡都尉，并职太守。”按都尉治郡兵，太守治郡政，为西汉旧制，东汉以都尉并于太守，则东汉的太守，不仅听郡政并且典郡兵了。所以东汉的太守，又曰郡将。

最后，说到东汉的封建问题。

东汉对于宗室及功臣，也有王侯等爵位之封。其封王者，如光武所封宗室四王，又光武十子皆封为王，明帝亦封子八人为王，章帝八子亦皆封王。其封侯者则更多，据《光武帝本纪》所载，建武十三年“其宗室及使绝国封侯者，凡一百三十七人”。同年，“功臣增邑更封，凡三百六十五人，其外戚恩泽封者四十五人”。自此以后，世有封爵。降至末叶，宦官亦得封侯。

但是东汉的王侯不过徒拥虚号，其所属封国的政治，皆由中央所派之傅相主持，而所谓王侯的傅相，实际上，就是中央派遣的地方行政官。据《百官志》所载，王国的傅相，同于太守，侯国之相，同于县令。这些王侯的傅相，并不从属于王侯，而是对中央负责。所以东汉的王侯傅相权柄甚大，中央往往根据傅相的报告，予王侯以除国或更严厉的处分。而且中叶以来，王侯多不就国，留住京师，名为“奉朝请”，实则等于软禁。因而东汉的王侯，他们的特权，不过每年坐领一定户数的赋税而已。

第二节　东汉政权的发展及其在边疆地区统治的加强

东汉政权的发展，不象西汉。在西汉，是经过一个长期的地方分权的时代，然后才达到中央集权政治体制的建立；在东汉，则是一开始便是中央集权。

东汉之所以能够一开始便完成中央集权政治体制的建立，这主要地是因为东汉初没有新旧商人地主不协调的社会内容之存在。东汉初为甚么没有这样的社会内容存在？一句话可以答复，即东汉之新的统治者，正是西汉末之旧的商人地主。从社会关系上看来，他们是一而二、二而一的东西，这当然不会发生甚么不协调的事情。即因如此，所以东汉虽亦有王侯之封建，但不能再演西汉初七国叛变的悲剧。

自然，我们也不应漠视光武之主观的政治运用。光武在平定天下以后第一件事，便是剥夺功臣的兵权。但是他所采取的方法，和他远祖高帝不同，高帝是采取屠杀政策，而光武则“以柔道行之”。据《光武帝本纪》云：“(光武)自陇、蜀平后，非儆急，未尝复言军旅。皇太子尝问攻战之事，帝曰：‘昔卫灵公问陈，孔子不对，此非尔所及。’”这当然是对当时拥兵诸将的一种暗示。自从这种暗示广播出来以后，那些开国元勋如邓禹、贾复等，皆“知帝欲偃干戈，修文德，不欲功臣拥众京师”，乃相率剽甲兵，敦儒术，于是“帝深然之”。

不仅如此，光武又不令功臣参加政治，他常“思念欲完功臣爵土，不令以吏职为过”，遂罢左右将军官，耿弇等也被迫交出大将军印绶。皆以列侯就第，加位特进，奉朝请。这样一来，所有的开国元勋，都交出兵权，空手回家，或“阖门养威”，或“教养子孙”。就是那位芜蒌亭送豆粥、滹沱河送麦饭的冯异，也被迫“令与妻子西还”。然而当此之时，光武却“侧席幽人，求之若不及，旌帛蒲车之所征贲，相望于岩中矣”。但是光武所求的幽人，若薛方、逢萌，则聘而不至；严光、周党、王霸，则至而不屈。功臣既罢，隐士不来。于是国家大事，只好一手独裁。

功臣的兵权，虽然已经解除了，但是地方兵还是存在。于是光武又下令撤裁各郡的都尉，而以太守兼典郡兵，并解散一部分地方兵，太守为文官，文官带兵，自然没有危险，而况兵额又减少了。与削弱地方武装同时，又扩大禁卫军的编制以加强中央的力量。由是中央的权威，遂蒸蒸日上。

为了把政权更集中起见，光武又把中央政府的事权，完全剥夺，以之归属于他宫廷的办公室，完成了政权之最后的集中。关于这一点，当时朱浮有一段话，说得很明白。他说："窃见陛下疾往者上威不行，下专国命，即位以来，不用旧典，信刺举之官，黜鼎辅之任，至于有所劾奏，便加退免。覆案不关三府，罪谴不蒙澄察。陛下以使者为腹心，而使者以从事为耳目，是为尚书之平，决于百石之吏，故群下苛刻，各自为能，兼以私情容长，憎爱在职，皆竞张空虚，以要时利，故有罪者心不厌服，无咎者坐被空文，不可经盛衰，贻后王也。"这就是光武时代独裁政治的内容。

光武就以这种独裁政治，致其全力于国内人民之镇压。当时臧宫、马武以匈奴屡次入寇，请光武北伐。光武的答复是："吾恐季孙之忧，不在颛臾，奈何延之于萧墙之内也？"由此可以看出光武对外敌的压迫，是何等的漠视，而对国内的人民，是何等的害怕。

光武在位三十三年就死去了，继承大统的是他的儿子明帝。明帝还是秉承他父亲的政策，完全致力于国内的社会秩序之建立。为了巩固中央集权，明帝首先假借所谓"飞书"[1]的事件，逼死广陵王荆。以后楚王英因为

[1] 见《后汉书 · 光武十王传 · 广陵思王荆传》。

刻了一个金龟和玉鹤，也诬之为谋反叛逆，逼其自杀。并且穷治楚王之狱，遂至累年，其辞语相连，自京师亲戚、诸侯，州郡豪杰及考案吏阿附坐死徙者以千数，而系狱者尚数千人，自是以后，中央政府的威严，更加提高。

自光武至明帝之末，其间有五十余年，在这五十余年中，东汉的政权，皆以集中的形式而发展。既未发生过内战，亦无封建割据，于是商业资本，便获得了长足的发展。跟着商业资本的发展，开辟国际市场的战争，又提到东汉政府的议事日程上了。果然，不久洛阳城里，吹响了远征军的号角，中国的商业资本，又开始第二次的世界活动了。

明帝十五年（七二年），东汉政府颁布了远征匈奴的动员令，窦固将军，被任命为远征军的总司令，他在凉州成立了远征军的总部。[1]现在，牢狱之门打开了，

[1]《后汉书·窦融传》谓“窦固（融之弟）字孟孙，少以尚公主为黄门侍郎。好览书传，喜兵法，贵显用事。……显宗（明帝）即位，迁中郎将，监羽林士（即禁卫军司令），后坐从兄穆有罪，废于家十余年。时天下乂安，帝欲遵武帝故事，击匈奴，通西域，以固明边事，十五年冬，拜为奉车都尉。以骑都尉耿忠为副，谒者仆射耿秉为驸马都尉，秦彭为副，皆置从事、司马，并出屯凉州”。

所有因饥饿而囚禁的贫农们，都被编成军队。[1]郡县的衙门热闹了，所有因失业而被抛弃于街头巷尾、穷乡僻壤的流民们，都被招收起来。这些囚犯和流民，从各郡各县出发，一队一队开赴凉州。此外，还有许多西羌及归化中国的匈奴的骑兵，也纷纷向凉州集中。除凉州以外，在今日山西北部，当时的平城，也集结了大批的中国军队和鲜卑、乌桓的骑兵。总之，当此之时沿着西北的国际大道，可以看到络绎不断的兵车和马队；沿着西北万里长城一带的烽燧和堡垒，可以看到到处都挺立着守望的戍兵。沉寂了几十年的西北，现在又再呈现了战争紧张的现象。

第二年的春天，大汉的远征军，对匈奴发动了全面的攻势（插图四八），在将军窦固耿忠等指挥之下，分兵四路，同时出击。一路由山西北部，两路由甘肃西北，同时北进，另一路则由天山北麓，远征天山，大汉的天兵，又再度出现于蒙古沙漠和塔里木盆地了。四路大军，有三路没有碰着敌人，只有窦固所领导的西征天山之一

[1]《后汉书·明帝纪》：永平十五年、十六年，皆有大赦天下囚徒诣军营徙戍边塞的诏令。

插图四八　东汉时战争画像

路，遇着了匈奴呼衍王之军。当时窦固大败匈奴于天山东麓，追至蒲类海而还，于是留兵屯戍今日之哈密，以巩固军事的占领，并作为进取塔里木盆地的根据。

第三年的冬天，窦固再出敦煌，大破匈奴于蒲类海上，遂入车师。于是东汉政府遂于塔里木盆地设置西域都护及戊已校尉，行使对边疆的统治。同时，中国史上有名的冒险家班超，也就以大汉政治代表的资格，走进塔里木盆地，开始政治和军事的活动。

正当东汉势力昂扬西进之时，不幸明帝的讣告，送到大汉驻塔里木盆地的远征军营部。匈奴知东汉有大丧，乘机反攻，攻没了西域都护陈睦和副校尉郭恂，击溃了戊己校尉的戍兵，同时，车师也与匈奴连兵，背叛了东汉。三年来的努力，又被匈奴粉碎了。

章帝即位，首先便下令撤回西域都护戊己校尉及政治代表。章帝为甚么要放弃塔里木盆地的事业，这主要地是因为当时国内牛疫盛行，饥馑成灾，社会非常不安，必须以全力对内。但是命令虽然下了，而班超仍然没有奉命回国，他仍然留在疏勒，运用以夷制夷的方法，作政治的捭阖和军事的操纵。由于班超的努力，南道的交通，始终没有被匈奴截断，东汉的商人，仍然可以沿昆仑山北麓西入中亚。

章帝章和二年（八八年），匈奴遭受新兴的鲜卑之压迫，有五十八部，自动投降中国。这时，东汉政府又乘机再展开了远征匈奴的战争，这一次远征军的总司令是窦宪[1]，他带领北军五校、黎阳、雍营、缘边十二郡骑士，及南匈奴、东乌桓、西羌诸蛮兵，浩浩荡荡，由天山北麓而西。当此之时，“长毂四分，云辎蔽路，万有三千余乘”。而“鹰扬之校，螭虎之士”，更不知有多

[1]《后汉书·窦宪传》云：“宪字伯度，父勋被诛，宪少孤。建初二年，女弟立为皇后，拜宪为郎。”

少。在蛮兵中，并且还有中亚一带的人[1]，这大概是被战争遮断了归路的中亚商人。

远征军出发的当年，章帝就死了。章帝死，和帝继立。和帝即位之年，不过是十岁的孩子，窦宪的姐姐以太后的资格临朝，因此远征军仍然持续西进，就在当年的秋天，大汉的士兵，又再度出现于天山以北，大败匈奴于稽落山，追至私渠北鞮海。在这次战役中，斩杀匈奴名王以下万三千级，获生口马牛羊骆驼百余万头，降匈奴部落八十一，人口二十余万，出塞三千里，登燕然山，树立了一块胜利纪念碑，然后凯旋而归。

配合窦宪对匈奴之空前的胜利，班超以疏勒为根据，从塔里木盆地的西端，对北道诸国同时发动了攻势。他胜利地征服了龟兹、姑墨、温宿、焉耆诸国，打通了北道的交通和由天山以北通达中亚诸国的商路。自是以后，东汉的声威，遂远及于中亚。

与西进政策相先后，东汉政府又征服了西南夷、交

[1] 斯坦因《西域考古记》载在古长城的废址中，曾发现有些文书，提到土官名称的，如有一木简上写明“玉门显明燧蛮兵铜镞百完”字样。又于半段木简上发见书有古撒马尔干和布哈喇通行的古撒利语，并发见用最古的纸书写的窣利语文的私人函札，因此证明当时的兵籍中有中亚的夷兵。

趾、高句丽等，当此之时，真可以说："东南西北，无思不服。"班固《东都赋》为之颂曰："（东汉政府）目中夏而布德，瞰四裔而抗稜。西荡河源，东澹海漘，北动幽崖，南耀朱垠。殊方别区，界绝而不邻，自孝武之所不征，孝宣之所未目，莫不陆詟水慄，奔走而来宾，遂绥哀牢，开永昌，春王三朝，会同汉京。是日也，天子受四海之图籍，膺万国之贡珍，内抚诸夏，外绥百蛮。……德广所及，僸佅兜离，罔不具集。"《后汉书·西南夷传》亦为之论曰：当东汉全盛之时，其"文约之所沾渐，风声之所周流，几将日所出入处也。著自山经、水志者，亦略及焉。虽叛服难常，威泽时旷，及其化行，则缓耳雕脚之伦，兽居鸟语之类，莫不举种尽落，回面而请吏；陵海越障，屡译以内属焉。故其录名中郎、校尉之署，编数都护、部守之曹，动以数百万计"。

在这样的局面之下，中原的商人，或外交使节的车马，走到东汉政治势力所达到或文约所沾渐的地方。他们或攀山逾岭，深入四川云贵，乃至安南、缅甸；或浮海乘槎，东至朝鲜、日本，乃至南洋群岛；或绝沙漠，逾葱岭，西至中亚、印度乃至波斯湾头。他们把中国的丝织物及其他手工业制品带到世界各地。又把世界各地的特产带回中国。于是“藏山隐海之灵物，沉沙栖陆之玮宝”，莫不转输于中国，而中国手工业者所织的丝织物，则已出现于罗马市上了。

在这样一种繁盛的国际贸易之中，庞大的财富，源源不绝地流进中国，中国的商人和官吏，从不等价交换中与掠夺中变成了巨富。这些财富大部分都用于土地的收夺和工商业的扩张，小部分，则浪费于奢侈的生活享乐。

现在的洛阳，又耸立起无数高入云霄的雄伟的建筑物。象、魏两观[1]巍然双峙于城内，与西郊的平乐观，遥遥相望，鼎立而三。[2]长安故宫的飞廉铜马，现在已经搬到平乐观前[3]，这种瑰异谲诡的艺术品，仍然发出灿烂炳焕的光辉。

---

[1] 张衡《东京赋》中有云：“建象、魏之两观，旌六典之旧章。”李善注云：“象、魏，阙也，一名观也。”

[2] 同上云：“其西有平乐都场、示远之观。”李善注云：“平乐，观名也……在城西也。”

[3] 同上云：“龙雀蟠蜿，天马半汉。”李善注云：“龙雀，飞廉也；天马，铜马也；……华峤《后汉书》曰：‘明帝至长安，迎取飞廉并铜马，置上西门平乐观也。’”

从南方的端门，一直往北，是一条大街；大街到应门为止，应门之内，则为皇城。[1]皇城之内，“宫室光明，阙庭神丽。”[2]最大的宫殿，有含德、章台、天禄、宣明、温饬、迎春、寿安、永宁诸宫。宫殿与宫殿之间，皆有架空的阁道，彼此相通。[3]据班固说，这些宫殿，“奢不能逾”，由此可以想见其建筑之富丽堂皇。

在皇城之内，有皇家的御花园。在御花园内，有芳林苑、濯龙池，和许多人工堆砌的溪谷。夏天有荷花覆水，秋天有兰草被涯，可以看鱼跃，可以看龟鳖游泳。[4]

在内宫之前，有德阳殿，德阳殿之南有灵台，灵台之南有和驩、安福二殿。再往南，则靠近了皇城南边的城河。在这一带，有冰室，有水榭，有各种奇花果树。[5]

---

[1] 张衡《东京赋》云：“启南端之特闱，立应门之将将。”李善注云：“端门，南方正门；应门，中门也。”《洛阳宫舍记》云：“洛阳有端门。”

[2] 见班固《东都赋》。

[3] 见张衡《东京赋》。

[4] 张衡《东京赋》云：“濯龙芳林，九谷八溪。”李善注引《洛阳图经》曰：“濯龙，池名。故歌曰，濯龙望如海，河桥渡似雷。芳林，苑名。九谷八溪，养鱼池。”

[5] 同上云：“于南则前殿灵台，和驩安福，謻门（冰室门也）曲榭，邪阻城洫，奇树珍果，钩盾所职。”李善注云：“灵台，台名也。和驩、安福，二殿名，并在德阳殿之南。”

在九龙门内，有一座嘉德殿，没有什么雕刻。[1]这大概是东汉初建筑的。

在洛阳的四郊，有无数皇家的苑囿池沼。《班固·东都赋》曰："外则因原野以作苑，填流泉而为沼，发苹藻以潜鱼，丰圃草以毓兽。"由此可以想见一般。当时洛阳城东三十里外的地方，有一个很大的池沼，名曰洪池，绿水澹澹，丛生着芦苇和菱芡，有各种的水鸟和鱼鳖之类，可以供皇家的庖厨。[2]在洛阳的西郊，有一个很大的苑囿，名曰西园。其中有山曰少华。从城内到西园，沿路都建有亭子，站着警戒的兵士。[3]在这些城郊的苑囿内都有离宫别馆。其中有一座永安离宫，最为幽雅。在这座离宫的周围，生长着成林的修竹，有清冷的泉水，有幽静的阴池，有各种鸟雀在树林里，替消夏的皇帝，奏出天然的音乐。[4]

---

[1] 张衡《东京赋》云："九龙之内，实曰嘉德，西南其户，匪雕匪刻。"

[2] 同上云："于东则洪池清蘌（蘌者，捕鸟之具），绿水澹澹，内阜（阜者多也）川禽，外丰葭菼。献鳖蜃与龟鱼，供蜗蠯与菱芡。"李善注云："洪，池名也，在洛阳东三十里。"

[3] 同上云："西登少华，亭候修敕。"李善注云："西园中有少华之山。"

[4] 同上云："永安离宫，修竹冬青，阴池幽流，玄泉洌清，鹎鶋秋栖，鹘鵃春鸣，鴡鸠丽黄，关关嘤嘤。"

插图四九　东汉时的马车画像

除皇家的宫殿苑囿以外，在洛阳城内，还有无数的官署。此外城里城外又有无数贵族、官僚、商人地主的邸第和别墅。在洛阳城内的大街上，都有桐梓之类，列于道侧。[1]在这些树荫之下，开列着各种手工业作坊和店铺。在大街的中间，有朱轮华毂，驰驱而过（插图四九），在大街的两旁，有有伤帝国体面的乞丐，啼饥号寒。总之，当时的洛阳，已经装点得象西汉时的长安一样了。

洛阳的繁华，当然是象征着帝国的兴盛。可是洛阳城里的建筑物日益壮丽，同时，全国农村的土屋草舍，

[1]《后汉书·百官志》谓将作大匠并掌“树桐梓之类，列于道侧”。

也就日益倒塌，因为这些壮丽的建筑物，固然有一部分是外国贸易中的利润之结晶，而大部分，则仍然是全国农民所缴纳的租税之所体现。

现在我们再看看东汉全盛时代自天子以至于庶人所过的生活。

当时的皇帝，不用说，他是最高权力的象征，是人民的上帝，是东方世界的太阳。他穿的是“火龙黼黼”，戴的是“垂珠冕琉”，真是“穆穆皇皇，宜君宜王”。当其临朝受贺之时，张崇牙，树云旗，撞洪钟，伐灵鼓，郎将司阶，虎戟交错，伏俯于殿下者数万人。当其宴享群臣之时，则庭实千品，旨酒万钟，列金罍，班玉觞，御以嘉珍，飨以太牢。管弦钟鼓，异音齐鸣，九功八佾，同时并舞。当其出外游猎之时，则千乘雷起，万骑纷纭，元戎竟野，戈铤彗云，羽旄扫霓，旌旗拂天，焱焱炎炎，扬光飞文，吐焰生风，欱野歕山，日月为之失明，丘陵为之摇震。当其宴居宫庭之时，则粉黛三千，争妍斗媚，奴才万数，趋侍奉承。其威风如此，其快乐又如此。

当时的贵族，他们都建筑堂皇壮丽的宫室，雕画刻桷，穷极伎巧，殿馆壁带，皆饰以金银。[1]在宫室之内，陈列着犀象珠玉、琥珀玳瑁，石山隐饰，金银错镂。他们有钦赐的虎贲官骑，兵弩厩马，有成群的妻妾，苍头奴婢。[2]他们的奴婢都穿着各种名贵的丝绸和锦绣的衣裳。[3]至于他们自己的衣服车舆，那就更不用说了。

当时贵族嫁娶，真是惊人的阔绰。当嫁聚时，贵族的眷属，乘着油画的軿车，朱轮青盖，车上建节[4]。这种軿车延长数里之远。在軿车之前，有仪仗队导行，缇

[1]《后汉书·光武十王传》谓琅邪孝王京"好修宫室，穷极伎巧，殿馆壁带皆饰以金银"。

[2]《后汉书·孝明八王纪》记梁节王畅因犯罪自陈之词曰："臣畅小妻三十七人，其无子者，愿还本家。自选择，谨敕奴婢二百人，其余所受虎贲、官骑及工技、鼓吹、苍头奴婢、兵弩厩马，皆上还本署。"

[3] 王符《潜夫论·浮侈篇》云："今京师贵戚，衣服、饮食、车舆、文饰、庐舍，皆过王制，僭上甚矣。从奴仆妾，皆服葛子升越，筩中女布……。犀象珠玉，琥珀玳瑁，石山隐饰，金银错镂，獐麂履舄，文组彩緤，骄奢僭主，转相夸咤。"

[4]《后汉书·舆服志》云："大贵人、贵人、公主、王妃、封君，油画軿车。大贵人加节画辀，皆右騑而已。皇太子，皇子皆安车，朱班轮，青盖，金华蚤，黑櫨文，画轓文辀，金涂五末。皇子为王，锡以乘之，故曰王青盖车。"

插图五〇　东汉时贵族仪仗队画像

插图五一　骑奴侍童夹毂引行画像

帷竞道。在辀车的两旁，有骑奴侍童，夹毂并引。[1]

一个贵族死了，也是不得了。东汉政府，对于一个第一任诸侯王的死，照例给治丧费五千万，以后减为一千万，但亦有多至一万万的。于是用这种治丧费大起坟墓，建筑祠堂，多埋珍宝，殉葬死人。光武的儿子，中

[1] 王符《潜夫论·浮侈篇》曰："富贵嫁娶，车辀各十，骑奴侍童，夹毂节引。富者竞欲相过，贫者耻不逮及，是故一飨之所费，破终身之本业。"这简直是一种对穷人的示威游行呵！

山简王焉死，政府动员了一万多人，为他修冢茔，起神道，平夷百姓的祖坟以千数。把常山、巨鹿、涿郡的松柏、黄杨、杂木都斫尽了，还不够用，后来又征发其他州郡的农民和手工业者，替他从他处运木料，并参加建墓工程，这一次的葬事，据说动摇了六州十八郡的人民（插图五〇、五一）。

说到贵族所用的棺木，也真够奢侈了。他们所采用的木料，必需江南的檽梓，豫章的楩枬。这些木料，出产的地方既远，又生于深山穷谷，求之不易，斫伐亦难，要很多人才能从山上抬下来，要用牛车才能拖到江边。渍油入海，连淮逆河，要经过几千里，才能到洛阳。到了洛阳以后，工匠雕刻，又要经年累月才能成为一具棺木，一具棺木的成功，将近浪费一万个人的劳动力。象这样的棺木，重且万斤，非大众不能举，非大车不能挽。然而东至乐浪，西至敦煌，万里之中，相竞用之。象这样为了一个死人而费功伤农，岂不是和穷人开心吗？[1]

当时的官僚，其奢侈与贵族相上下，惟舆服稍受体

[1] 见王符《潜夫论·浮侈篇》。

制上的限制。[1]因为当时奢侈已成风习，自中央大员以至“边远下士，亦竞相仿效”。据王符说：“（当时）宠臣贵戚，州郡世家，每月丧葬，都官属县，各当遣吏赍奉，车马帷帐，贷假待客之具，竞为华观。”其送死如此，养生可知。

当时的商人地主，其奢侈僭于王侯，故王符把他们与贵族相提并论。王符说：“今京师贵戚，郡县豪家（商人地主），生不极养，死乃崇丧。或至刻金镂玉，檽梓楩柟，良家造茔，黄壤致藏，多埋珍宝，偶人车马，起造大冢，广种松柏，庐舍祠堂，崇侈上僭。”

关于当时东汉在西域的官吏和商人所过的生活，中国史籍上，几乎没有这类的记录，但是由于晚近考古学的发现，却把他们所过的生活，具体地再现出来。

斯坦因曾经在尼雅废址中，发现一座东汉时代在西域的官署。[2]这座官署，有土耳其斯坦式的大客

[1]《后汉书·舆服志》谓东汉官吏舆服有等差之别。车制，中二千石、二千石皁缯盖朱两轮。千石、六百石皁缯盖朱左轮。三百石以上布皁盖。二百石以下，白布盖。此外冠带、佩刀亦有等差，所以别尊卑、章等级也。

[2]斯坦因《西域考古记》谓这里所发现的古佉卢文字体，是西纪初三世纪间即贵霜朝诸王时代流行于印度西北一带的文字，而与此际适相值者，正是东汉时代。

厅[1]，靠客厅的南边，有一个大土炕。在大客厅之南北，皆有一排厢房，在北厢房中有大的砖灶，灶旁有用作凳的土台。所有的墙壁，都是用木料和灰泥造成的，所以能抵抗风蚀，保存到现在。在这里发见许多用古佉卢文字写的木简，有一类的木简，一开始总是写着同一公式的文句，即“大王陛下敕书”（Mahanunava Maharaya Lilaiti），这大概都是准备送到当时印度西北诸国的外交公文。还有一些，则是那服务于东汉官署的翻译官自己留下来的笔记和日用账之类。此外，也有中国文字的木简。在这个官署之南约两哩左右，一个地势较为开广的地方，发现破陶器，用厚芦苇圈成的篱笆，一排死果树和白杨树干，指出这是古代的一个村落，也许就是当时的兵营？

斯氏在尼雅又发现一所更大的官署。这所官署，有一间更大的“中央大客厅，长四十呎，宽二十六呎。承屋顶的大白杨木梁，长达四十呎，象安放正梁的斗拱一

[1] 斯坦因《西域考古记》云：“有一似乎供仆人用的小室，小室之外，联一大室。大室二十六呎见方，三面有一隆起的灰质平台，很像近代土耳其斯坦家屋中的客厅。现存八根柱子，排成方形，显出中间地方，在以前曾有一隆起的屋顶，为通光透气之用。”

插图五二　东汉时边塞属地官署大客厅遗迹

样，上面都有美丽的雕刻。石灰涂的墙壁，还保存了很高的一堵，上面以用胶质颜料绘成的大卷花作为装饰”。从发现于这里的一块毛毡残片，知道这是以前铺在大客厅中的一张地毯之一部（插图五二）。从残片上，还可以看出地毯上作细致的几何图案，配以和谐调融的颜色。在一间类似仓库的房间里，发现许多弓盾之类的武器。在厨房中现了许多残余的木器，其中有一张木椅，有着非常精致的雕刻。从这些遗物，我们可以想见这个大客厅在当时是何等的富丽堂皇。

斯氏在这所官署的附近，又发现了一所大住宅的遗址。在这里，除发现有字的木简，还有空白的木简，红

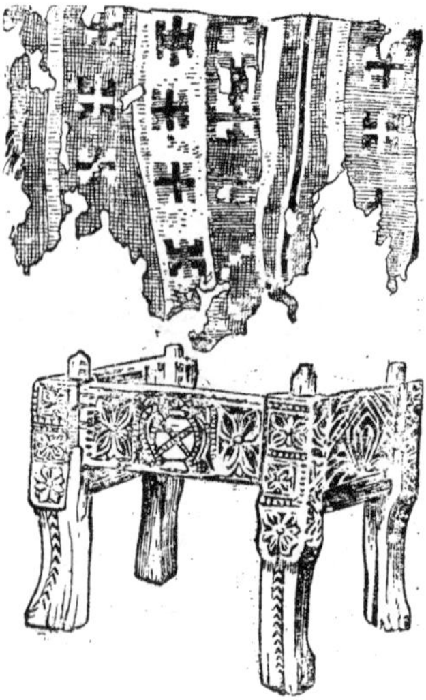

插图五三　东汉时边塞属地官署的地毡和木椅

柳木笔，以及今日中国通用的饭箸之类。此外还有保存得很好的一张六弦琴的上半部，和一张雕刻精美的靠椅（插图五三）。椅腿作中国式的立狮形，扶手作希腊式的怪物，全部保存原来鲜妍的颜色。这大概就是当时当地东汉官吏的私人住宅。

在这个住宅的旁边，还有一座花园（插图五四）。从至今露出地面八呎到十呎的白杨树干，尚可以看出在古代，这些白杨是排成小小的方形，围绕两边的荫道。

除白杨以外，沿着其他的荫路，还种着桃、梅、杏、苹果、桑树之类的果木，这些果树的枯干，至今还倒在原来生长的地方。两边平行的芦苇篱笆，至今还是一条村道，和十七个世纪以前的状态没有改变。我们从这样的私人住宅和花园，也就可以想象一千七百年前这个住宅和花园的主人，是何等的舒服，何等的阔绰。

斯氏在尼雅又发见了若干古代住宅的遗址，他从各方面证明，其存在的时间，是相当于东汉时代。其中有一所住宅墙壁是用泥土作的，下部还存在，褪了色的破柱，依然高耸。从残存的木柱间架可以看到住宅的构

插图五四　东汉时边塞属地官署花园遗址

造，有一间长四十一呎，宽三十五呎的厅堂，有门房和厅房。在一个原来用以盛垃圾的木箱中，发见许多奇异的废物。如丝绵混合织成的毯、铜印、骨印、绣花的皮、木质的笔、漆器残片、木质破用具等。此外还有一小堆成捆的谷，在谷旁有两个僵化了的鼠尸。在这里发见了一打以上书法精美的汉字木简，这些木简，有一大部分，原来是附在赠送当地长官家属礼物上的。其中一片，是写给当地长官夫人的。由此而知这所房子，如果不是一个东汉官吏的住宅，便是中国商人住过的。

此外，斯氏在另一住宅遗址中，发见许多单室中，都备有火炉，舒服的炕，碗柜等物。在又一住宅遗址中，发见许多木制的家具和农具，其中有一张刻着希腊式佛教美术风格的木椅，最为可爱。此外有织布机、熨斗、大食盘、靴、捕鼠夹等物。据斯氏说，古代尼雅一带的房屋附近，几乎一律都有围以篱笆的花园和两旁列植白杨及果树的荫道，有些房屋附近，还有美丽的葡萄园。由此我们又知东汉时经营西域贸易的汉族商人所过的日子，也另有一种幽美的异国情调。

最后，我们看看当时农民的生活。我们还记得那些因失掉土地而流浪于都市或乡村的贫农，很早就从中原开赴四方八面的战场，这些农民，大部分都死在商人地主胜利纪念碑的脚下了。残余在土地上的农民，他们过的甚么日子呢？不消说，一切额定的租税，是要按期缴纳的，额定的徭役，是要按期报到的。但是除此以外，还有许多无妄之灾。

首先便是战争的征发。明帝中元二年诏曰："郡县每因征发，轻为奸利，诡责羸弱，先急下贫。"由此而知当时地方官吏，假借对外战争，侵削农民，而当时权门，则以请托而免。所以明帝也知道："百姓愁怨，情无告诉。"

其次便是额外的徭役。当时地方官"轻用人力，缮修宫宇，出入无节，喜怒过差"。明帝虽知"人（民）冤不能理"，但对于"（官）吏黠不能禁"。

再次，则为贵族的白昼行劫。例如当章帝时，任城守王安"性轻易贪吝，数微服出入，游观国中，取官属车马刀剑，下至卫士米肉，皆不与值"。

除此以外，当时一般贪官污吏，以刑罚为工具，敲诈农民，则为普遍的现象。关于这一点，我们只要把当时皇帝的诏令写在下面，就明白了。

章帝建初五年诏曰："今吏多不良，擅行喜怒，或案不以罪，迫胁无辜，致令自杀者，一岁且多于断狱，甚非为人父母之意也。"

章帝元和二年诏曰："而今富奸行赂于下，贪吏枉法于上，使有罪不论，而无过被刑，甚大逆也。夫以苛为察，以刻为明，以轻为德，以重为威，四者或兴，则天下有怨心。吾诏书数下，冠盖接道，而吏不加理，人或失职，其各安在？"

和帝永元五年诏曰："在位不以选举为忧，督察不以发觉为负，非独州、郡也。是以庶官多非其人，下民被奸邪之伤。"

永元十二年诏曰："数诏有司，务择良吏，今犹不改，竞为苛暴，侵愁小民，以求虚名，委任下吏，假势行邪。是以令下而奸生，禁至而诈起，巧法析律，饰文增辞，货行于言。罪成乎手，朕甚病焉。"

以上都是当时皇帝自己的供辞，当然不是假的。在这样的虐政之下，而又益之以天灾，自然要使"黎民流离，困于道路"。诚如殇帝诏所云："夫天降灾戾，应政而至。”虽然如此，而郡县地方官并不报灾。殇帝延平元年诏曰:“间者，郡国或有水灾，妨害秋稼，朝廷惟咎，忧惶悼惧，而郡国欲获丰穰虚饰之誉，遂覆蔽灾害，多张垦田，不揣流亡，竞增户口，掩匿盗贼，令奸恶无惩，署用非次，选举乖宜，贪苛惨毒，延及平民。刺史垂头塞耳，阿私下比，不畏于天，不愧于人……”这样的政治，其结果，便是把农民推向饥馑流亡的道路。

一方面是商人地主之膏田满野，另一方面是农民之穷困转死，这就是东汉帝国全盛时代的社会内容。在这样不协调的社会中，当然会发生出轧轹的声音来啊!

第三节　边疆各族的叛变与东汉统治的动摇

东汉的政权，到和帝时，便发展到全盛时代的顶点。当此之时，帝国的光辉，正如丽日中天，照射瀛寰。“北燮丁零，南谐越裳，西包大秦，东过乐浪，重舌之人九译，佥稽首而来王。”

即因帝国之胜利的征服，因而造成了东方世界之暂时和平，助长了国内外诸种族之交换的发展与经济的繁荣，从而使中国历史，向前再进一步。

可是这样的全盛时代，并不久长。跟着和帝一死，安帝即位，东汉的政权便开始腐烂的过程。自安帝而后，历顺、冲、质以至桓、灵之际，这个政权，便以日益疾速的步调，向着没落的前途迈进。跟着一代接一代的母后称制，外戚专政，宦官祸国，于是这个庞大的帝国，就在小所有者的抗议、农民暴动与殖民地叛变之中，趋于瓦解了。

从开国以来就没有解决的土地问题，到和帝时跟着贵族、官僚、商人地主之收夺，已经达到了严重的阶段。当时社会经济的矛盾之所以没有决裂，一方面是因为其时方当盛汉之隆，帝国的政府，还能发挥出强大的政治强制力，行使其高压政策；另一方面，也是由于帝国政府，还掌握着庞大的生活资料，得以行使其恩惠政策。但是最主要的，还是由于当时中国的商业资本之世界的活跃，促进了国内手工业生产的发达，扩大了手工业生产的规模，使一部分失掉了土地的贫农，可以把手工业作坊，当作他们临时的避乱所。换言之，在当时，商业资本一面从农村中驱逐农民，一面又在城市中收容农民，虽然被收容者不及被驱逐者的数目之多，但总是收容了一部分。剩下来的一部分，或则在政府的高压政策之下，投入牢狱，放诸四裔，乃至绑赴刑场；或则在政府的恩惠政策之下，沦为奴婢，流离道路，乃至转死沟壑。这就是和帝时社会经济的矛盾应该决裂而没有决裂的原因。

这样看来，东汉的社会，到和帝时，已经全身发炎，不过还没有溃烂而已。所以一到安帝时，这个脓包便溃烂了，历顺帝以至桓、灵之际，于是东汉的社会，便是脓血淋漓，满身烂疮了。

东汉的社会，何以自安帝时起便开始溃烂呢？历来的史学家，都以为其原因是由于母后称制，外戚事政，宦官祸国。诚然，母后、外戚、宦官这一类身份的人物之出现为政治上的要人，确是政权腐败之鲜明的标帜。但是这些人物之所以出现，并不是政权腐败的原因，而是政权已经腐败了的表象。他们正如烂疮中的蛆虫，蛆虫固然可以使烂疮扩大，但必须先有烂疮，而后蛆虫始能发生，所谓“物必先腐而后虫生之”，正是这个道理。

具体的史实，指示出来，在东汉初，也有母后、外戚和宦官，但都没有成为政治上的要人，这就是因为当时东汉的政权，尚未腐败。非常明白，母后的称制，就指明了英明的君主之消灭；而外戚、宦官等之登上政治舞台，就指明了当作一个社会层的政权，已经缩小到皇帝的亲戚和家奴的手中。所谓英明的君主之消灭，并不是皇族中忽然生出一些蠢子或白痴，而是从皇族中有意选定一个蠢子或白痴放在宝座上。因为只有如此，在皇帝宝座的后面，才有母后的座位。只有母后出现于皇帝宝座的背后，然后外戚才能缘着裙带的关系，爬上金銮宝殿，同时那些宫廷中的男女奴才们，也才有口衔天宪的机会。

同时母后、外戚、宦官之出现为政治上的要人，还有两个必要具备的条件，第一，必须在集权政治之下，第二，必须集权政治临于腐化之际。因为在集权政治之下，皇帝的一条小狗，都是人民的上帝，何况他的奴才，何况他的亲戚，更何况他同床共枕的皇后。但是在集权政治的全盛时代，这一类的人物，也不过被皇帝奴蓄而婢养。正如章帝之骂窦宪："国家弃宪，如孤雏腐鼠耳。"只有当集权政治腐化之时，即当皇帝不但不相信农民，而且对自己的任何臣属也不相信的时候，这些人物，便成了政治上的主角。反之，只要这些人物一出台，这个王朝，也就准备闭幕了。明乎此，然后我们才能理解东汉中叶以后的历史。

作为东汉政权走向崩溃的主要原因，非常明白，首先是由于诸羌的叛变。诸羌的叛变，不仅崩坏了东汉帝国的一角，而且截断了中原通达塔里木盆地及中亚的国际商路，动摇了东汉对西域的统治。据史籍所载，东汉自安帝时起，诸羌之族，如勒沮、当煎大豪东岸、麻奴兄弟、滇零、钟羌诸种，因不堪东汉官吏和商人的压榨，群起叛变，大为寇掠，遮断陇道。安帝曾派遣大军，前往讨伐，但被羌人杀得大败。自是诸羌声势大震，乘胜进袭，西据甘肃，南入四川，东犯陕西。其势汹汹，不可制服。[1]以后东汉政府，被迫而改取守势，坚壁清野，

[1]《后汉书·西羌传》云："冬，遣车骑将军邓骘，征西校尉任尚副，将五营及三河、三辅、汝南、南阳、颍川、太原、上党兵合五万人，屯汉阳。明年春，诸郡兵未及至，钟羌数千人先击败骘军于冀西，杀千余人。……其冬，骘使任尚及从事中郎司马钧，率诸郡兵与滇零等数万人战于平襄，尚军大败，死者八千余人。于是滇零等自称'天子'于北地，招集武都、参狼、上郡、西河诸杂种，众遂大盛。东犯赵、魏，南入益州，杀汉中太守董炳，遂寇钞三辅，断陇道，湟中诸县粟石万钱，百姓死亡不可胜数。朝廷不能制，而转运难剧，遂诏骘还师，留任尚屯汉阳为诸军节度。"

与羌族相持。当此之时，边塞属地官署撤退了，所有汉人都逃入内郡，流离分散，转死道路。过去繁荣的西北国际大道，现在已经一变而为戎马驰驱的战场了。[1]经过了十几年的战争，陕西和四川的羌患，才告肃清，然而“军旅之费，转运委输，用二百四十余亿，府帑空竭，延及内郡。边民死者不可胜数，并、凉二州，遂至虚耗”。

即因羌族叛变，截断了陇道，因此安帝时，西域不通。但是，当时的西域是中原手工业制品最大的销场，也是中原商业资本活动的最大舞台。西域一旦不通，则中原手工业制品，便失掉了市场，因而国内的手工业作

[1]《后汉书·西羌传》云：“五年春，任尚坐无功征免，羌遂入寇河东，至河内，百姓相惊，多奔南度河。使北军中候朱宠，将五营士，屯孟津。诏魏郡、赵国、常山、中山缮作坞候六百一十六所。羌既转盛，而二千石、令、长，多内郡人，并无守战意，皆争上徙郡县，以避寇难，朝廷从之。遂移陇西徙襄武，安定徙美阳，北地徙池阳，上郡徙衙。百姓恋土，不乐去旧，遂乃刈其禾稼，发彻室屋，夷营壁，破积聚，时连连旱蝗饥荒，而驱蹙劫略，流离分散，随道死亡……丧其太半。”又同上传云：“元初二年，遣任尚为中郎将，将羽林、缇骑五营子弟三千五百人……屯三辅。……明年夏，度辽将军邓遵率南单于及左鹿蠡王须沈万骑，击零昌于灵州……任尚遣兵击破先零羌于丁溪城……四年……冬，任尚将诸郡兵……进北地，击狼莫……大破之……自零昌、狼莫死后，诸羌瓦解，三辅、益州，无复寇儆。”

坊，有不少便要缩小规模或停闭，在这样一种生产紧缩的过程中，那些因为被剥夺了土地而投入手工业作坊的贫农，现在又从避难所中被驱逐出来了。

至于那些从手工业生产中被抛出来的资本，商人们还是依照他们祖传的方法，把它转化为高利贷资本去收夺农民的土地。我们知道，保留在农民手中的土地，已经太少了，现在又再加以收夺，那就是驱逐所有的农民都离开自己的土地。

事情真凑巧，自安帝即位以来，又有继续不断的天灾，水旱虫蝗，风雹疠疫，地震山崩，应有尽有，这些天灾都以猛烈的姿式，普遍地袭击当时贫困的农村。在安帝在位的十九年中，每年都有地震，最厉害的一次，是元初六年二月的一次，这次地震延及的地方，达四十二郡之多，而且有些地方，地或坼裂，水泉涌出，人民受害者不可胜数。此外发生大水灾十一次，大旱灾五次，大蝗灾六次，大风灾三次，大雹灾五次，大疠疫两次，山崩两次，海啸一次。在这些严重的天灾中，造成了普遍的饥馑，因而在《安帝纪》中，遂出现了“民相食”的记载。然而当时的政府，对于这种天灾的对策，不是积极的赈济，而是委咎三公，因而每有天灾，便罢免三公，以为向皇天谢罪之表示，岂不冤哉。

农民既被剥夺了土地，复被逐出了工场，而又因之以战争的征发，加之以天灾的迫害，于是“讹言相惊，弃损旧居，老弱相携，穷困道路”。其中有些不愿委骨沟壑的流民，便以饥寒起为“盗贼”。据《安帝纪》所载：永初三年，“海贼张伯路等寇掠缘海九郡。”四年，“海盗张伯路复与渤海、平原剧贼刘文河、周文光等攻厌次，杀县令”。五年，“汉阳人杜琦、王信叛，与先零诸种羌攻陷上邽城”。这些叛乱，在东汉帝国万里的江山中，当然只是星星之火，但他们却指出了一个事实，即东汉帝国的核心，已经腐烂了。

跟着核心的腐烂，四周诸种族，亦纷起叛变。在北方，则鲜卑、乌桓叛变，自五原而东，山西、河北的北部，东至辽东一带，每年遭其侵略。南匈奴也叛变了，他东引乌桓，西收羌戎及诸胡等数万人，为寇于西北。在东北，则高句丽、秽貉、马韩连兵寇辽东，而夫余族亦入塞，杀伤吏人。在西南，则蜀郡夷寇蚕陵，杀县令；越巂夷寇遂久，杀县令；旄牛夷寇灵关，杀县令。此外，武陵、澧中南至苍梧、郁林、合浦诸蛮夷，无不叛变。虽然这些种族时叛时服，但他们的叛变，却说明了一个事实，即东汉帝国的统治，已经动摇了。

当时的情势，正如安帝自己的诏书所云："灾异蜂起，盗贼纵横，夷狄猾夏，戎事不息，百姓匮乏，疲于征发。重以蝗虫孳生，害及成麦，秋稼方收，甚可悼也。"

在这样一个险恶的环境中，即使有英明的君主，也不易转危为安，而况安帝当即位之时，尚不过是一个十二岁的孩子。初由母后邓氏听政，邓氏死，外戚继之。于是其舅邓隲、邓悝、邓弘、邓阊皆为列侯，又封其亲生母耿贵人之兄耿宝为羽林军车骑，封其妻阎后兄弟显、景、耀，并典禁兵，此外，外戚为卿校、侍中者不知若干人。这样一来，满朝文武，都是琐琐姻娅了。当时豫章生芝草，郡人唐檀慨乎其言之曰："方今外戚豪盛，阳道微弱，斯岂善瑞乎？"

安帝又认为除亲戚以外，最可靠的便是他的家奴，因而宦官、乳母，都一齐变成政治上的要人。当时宦者江京、李闰皆为列侯，与中常侍樊封、刘安、陈逵及帝之乳母王圣，王圣女伯荣，煽动内外，竞为侈虐。这些奴才，仗着他们主人的威势，真是无恶不作。入则“进出宫庭，传达奸赂”。出则“威动郡县，王侯二千石至为伯荣独拜车下，……缮理亭传，……征役无度，……赂遗仆从，人数百匹。”故当时尚书仆射陈忠上书曰：“伯荣之威，重于陛下，陛下之权，在于臣妾。”司徒杨震亦上书曰：“方今九德未事，嬖幸充庭……外交属托，扰乱天下，损辱清朝，尘点日月。”

安帝时的政治，就是一群外戚、走狗、奴才的政治，他们所注意的是皇帝的脸色，是贿赂的数目，那里会知道当时已经是“人吃人”的世界。

安帝死，顺帝继立。顺帝初年，曾因西域长史班勇之努力，恢复塔里木盆地的统治。[1]同时羌族的叛乱，也一时平息，因而西北的国际商路又曾一度打通。即因有这一次的西北国际商路之打通，以前隔绝在西域的东汉商人，才能带着他们的财富，回到中原。也就因为这

[1]《后汉书·西域传·序》云：“顺帝永建二年，班勇（班超之子）击降焉耆（先已击平车师）；于是龟兹、疏勒、于阗、莎车等十七国皆来服从，而乌孙、葱岭以西遂绝。六年，帝以伊吾旧膏腴之地，傍近西域，匈奴资之，以为抄暴，复令开设屯田，如永元时事，置伊吾司马一人。”

一大批发了财的商人回到中原，于是在中原的农村中，又出现了一批土地收夺者的生力军。但是这一次的被收夺者，已经不是农民而是小所有者。这并不因为他们不收夺农民的土地，而是农民已经没有土地提供于这些来得太迟的主人了。

可是不久羌族又叛，且冻、傅难及其他杂种羌胡，东入山、陕，南入四川，西北的国际商路复闭而不通。当时的政府曾以马贤为征西将军，统领十万大军，讨伐叛羌；但结果马贤败死，而羌势转盛。自是巩唐种、罕种及诸种羌纷起叛变，自陕而西，西至武威，完全为羌人的世界。[1]以后护羌校尉赵充，虽曾屠杀不少的羌人，但不久赵充亦

[1]《后汉书·西羌传》云：顺帝永和"五年夏，且冻、傅难种羌等遂反叛，攻金城与西塞及羌中杂种羌胡，大寇三辅，杀害长吏……于是发京师近郡及诸州兵讨之。拜马贤为征西将军，以骑都尉耿叔副，将左右羽林、五校士及诸州郡兵十万人屯汉阳。又于扶风、汉阳、陇道作坞壁三百所，置屯兵，以保聚百姓。且冻分遣种人寇武都，烧陇关，掠苑马。六年春，马贤将五六千骑击之，到射姑山，贤军败，贤及二子皆战殁。……于是东西羌遂大合。巩唐种三千余骑寇陇西，又烧园陵，掠关中，杀伤长吏……武威太守赵冲追击巩唐羌，斩首四百余级，……羌二千余人降。诏冲督河西四郡兵，为节度。罕种羌千余，寇北地，北地太守贾福与赵冲击之，不利。秋，诸种八九千骑寇武威，凉部震恐。"

为羌人所杀。[1]直至顺帝死后之次年（冲帝永嘉元年），西羌之乱，才由两个贤明的边地官吏之怀柔而暂告平息，然而战争十余年，所用的军费又达八十余亿。[2]

与西羌的叛变平行，鲜卑的侵略，亦日益加紧。[3]匈奴、乌桓亦与西羌相结，连兵寇陕北。[4]此外，自武陵南至象林、日南、九真、交趾一带的蛮夷均叛。[5]在

---

[1]《后汉书·西羌传》云："汉安元年，以赵冲为护羌校尉，冲招怀叛羌，罕种乃率邑落五千余户诣冲降。……唯烧何种三千余落，据参䜌北界。三年夏，赵冲与汉阳太守张贡，掩击之，斩首千五百级。……冬，冲击诸种，斩首四千余级。……冲复追击于阿阳，斩首八百级。于是诸种前后三万余户，诣凉州刺史降。建康元年春，护羌从事马玄遂为诸羌所诱，将羌众亡出塞……赵冲复追叛羌……遇羌伏兵，与战殁。冲虽身死，而前后多所斩获，羌由是衰耗。"

[2] 同上传云："（冲帝）永嘉元年……以汉阳大守张贡代为校尉，左冯翊梁并，稍以恩信招诱之，于时离湳、狐奴等五万余户诣并降，陇右复平……自永和叛，至乎是岁，十余年间，费用八十余亿。"

[3]《后汉书·顺帝纪》：永建元年八月，鲜卑寇代郡。二年二月，鲜卑寇辽东，玄菟。三年九月，鲜卑寇渔阳。四年十月，鲜卑寇朔方。阳嘉元年九月，鲜卑寇辽东；二年八月，鲜卑寇代郡。

[4] 同上纪：阳嘉四年，乌桓寇云中，围度辽将军耿晔于兰池。永和三年九月，匈奴、乌桓、西羌连兵寇上郡。汉安元年八月，匈奴左部反。

[5] 同上纪云："永和元年十二月，象林蛮叛。二年正月，武陵蛮以太守加租叛，围充县，又寇夷道。五月，日南蛮叛，攻郡府。七月，九真、交趾二郡兵叛。建康元年十月，日南蛮夷叛。

这样四周诸种族的叛变中，征兵征饷，当然又要加深人民的灾难。

天灾仍然继续流行，特别是西北一带的地震，与中原一带的旱灾。据《顺帝纪》载，阳嘉二年三月，洛阳地裂八十五丈。汉安元年（西纪一四二年），凉州地震一百八十次。平均每两日有一次地震。在地震的地方，山崩地坼，水泉涌出，人畜埋死。中原一带连年旱灾，加以蝗虫，禾稼枯槁，野无青草。会稽一带，淫雨成灾，大水泛滥。这种现象，是何等的惨淡！

然而顺帝站在这种局面之前，不思振刷政治，挽救危急，仍然秉承他父亲的政治作风，委政于外戚与宦官，而自己却空出时间，为声色狗马之乐。有一天他忽然神智清醒，露坐德阳殿求雨，因问尚书周举以消灾之术。周举说："陛下废文武之法，而循亡秦奢侈之欲，内积怨女，外有旷夫。……自枯旱以来，弥历年岁，未闻陛下改过之效，徒劳至尊暴露风尘，诚无益也。……出后宫不御之女，理天下冤枉之狱，除太官重胜之费，慎宫人，去贪佞。"由周举之言，我们就可以想见顺帝之荒淫。

因为梁后的关系，梁后之父梁商遂被封为大将军，总揽大政。梁商之子冀，亦被封为河南尹，专制京畿。梁商死，梁冀又代为大将军，而以冀弟不疑为河南尹。父子禅代，兄弟更替，梁氏一门，威权震主。至于宦官孙程、王康、王国等十九人，皆封为列侯，食邑自千户以至万户[1]，并令得以养子袭爵。而宦官程璜、陈秉、孟生、李闰等，亦狐假虎威，无恶不作，致令百官侧目。此外，又封乳母宋娥为山阳君。在当时，可以说，满朝朱紫贵，尽是亲戚与奴才。

这些人物一旦登台，自然要造成从上而下的贪污政治。但是这些外戚宦官，却假装做出整顿吏治的样子，于汉安元年，派遣大使，徇行郡国，考察风俗。其中有一位年轻的使者张纲，独埋车轮于洛阳都亭，不肯出

[1]《后汉书·宦者列传·孙程传》云:“其封（孙）程为浮阳侯，食邑万户。（王）康为华容侯，（王）国为郦侯，各九千户。黄龙为湘南侯，五千户。彭恺为西平昌侯，孟叔为中庐侯，李建为复阳侯，各四千二百户。王成为广宗侯，张贤为祝阿侯，史汎为临沮侯，马国为广平侯，王道为范县侯，李元为褒信侯，杨佗为山都侯，陈予为下隽侯，赵封为析县侯，李刚为枝江侯，各四千户。魏猛为夷陵侯，二千户。苗光为东阿侯，千户。”“是为十九侯。加赐车马金银钱帛各有差。”

发。他说:“豺狼当道，安问狐狸！”并且上了一封奏折，指斥外戚。奏曰:“大将军冀、河南尹不疑，蒙外戚之援，荷国厚恩，以刍荛之质，居阿衡之任，不能敷扬五教，翼赞日月，而专为封豕长蛇，肆其贪叨。甘心好货，纵恣无底，多树谄谀，以害忠良，诚天威所不赦，大辟所宜加也。谨条其无君之心十五事，斯皆臣子所切齿者也。”

有了贪污，必然就有骄奢淫侈。例如梁冀，“少为贵戚，逸游自恣，性嗜酒，能挽满、弹棋、格五、六博、蹴鞠、意钱之戏，又好臂鹰走狗、骋马斗鸡”。由梁冀的生活，就可以想到其他贵戚的生活。又如梁商之丧，皇帝赐以“东园朱寿之器，银镂、黄肠、玉匣、什物二十八种，钱二百万，布三千匹”。皇后又赐“钱五百万，布万匹”，“及葬，赠轻车介士”。由梁商之丧，就可以想到其他贵戚之丧。但是我们应该记得，当贵戚们乐生荣死的时候，也正是农民求草根树皮而不可得的时候。

在这样的天灾人祸之中，农民的暴动，自然要更加增多。据《顺帝纪》所载，当时的盗贼蜂起，到处攻陷郡县，杀戮长吏，甚至发掘皇陵。如:

阳嘉元年二月，海盗曾旌等寇会稽，杀句章、鄞、鄮三县长，攻会稽东部都尉。

同年三月，扬州六郡妖贼章和等，寇四十九县，杀伤长吏。

阳嘉三年三月，益州盗贼劫质令长，杀列侯。

永和元年八月，江夏盗贼杀邾长。

永和二年四月，九江贼蔡伯流寇郡界及广陵，杀江都长。

汉安元年九月，广陵盗贼张婴等寇郡县。

汉安二年十二月，扬、徐盗贼，攻烧城寺。

建康元年三月，南郡、江夏盗贼，寇掠城邑州郡。

同年八月，扬、徐盗贼范容周生等寇掠城邑。

同年十一月，九江盗贼徐凤、马勉等，称无上将军，攻烧城邑。

同年十二月，九江贼黄虎等攻合肥。

同年群盗发宪陵。

与农民之攻烧城邑、杀掠长吏同时，小所有者则走入深山，于是而出现了所谓“隐士”。在中国史上，所有的隐士，大半都是有教养的智识分子，他们原来都有足够衣食的田园，因而他们得以从肉体的劳动中解放出来，从事于文化的活动。在太平盛世，这些智识分子，本来可以被商人地主的政府选拔出来，充当政治使用人，否则亦可粗衣淡饭，度过一生。所谓：“穷则独善其身，达则兼善天下”者，正是指这一社会层的人物。但到顺帝时，小所有者，一方面遭受商人地主的收夺，失掉了“独善其身”的土地；另一方面，又遭受外戚宦官的排斥，阻绝了“兼善天下”的政治出路。当此之时，他们进不能致身朝堂，退亦不能自存乡里，于是只有相率穷蹙于深山，是为隐士。所以我以为隐士的出现，乃是小所有者在经济上被收夺，在政治上被排斥的表征。

据《后汉书》所载，顺帝曾屡征隐士，如永建二年，征隐士樊英于壶山，又征隐士广汉杨厚、江夏黄琼。策书玄纁，往来于山谷；坛席几杖，高设于朝堂；抑若求贤惟恐不及，实则欲罗致一二盛名之士，作为政治花瓶。当时隐士也有应征而至者，如杨厚、黄琼，但终以嬖佞当朝，不能有所匡救。但大多数则拒命不来，如法真四征不至，天下高之。樊英入殿不屈，曰：“臣见暴君，如见仇雠。”又曰：“非礼之禄，虽万钟不受也；若申其志，虽箪食不厌也。”由此而知到顺帝时，有正义感的智识分子，宁愿饿死深山穷谷，亦耻与外戚、宦官为伍。

隐士之不肯出山，可以说是小所有者对外戚宦官政治之消极的抗议。但是生活决定了小所有者没有农民那样不知死活，因饥寒即起为盗贼，冒万死以求一生。然而他们都读过圣贤之书，知道“危邦不入，乱邦不居”的教训，所以他们虽没有勇气谋反叛逆，也决不肯降志屈身，去侍候皇帝的亲戚和家奴。他们痛恨这个政权，又无力推翻这个政权，结果只望着昏君乱臣祸国殃民，而瞑目梦想尧舜之君，羲皇之世。仲长统之言曰：“（当东汉末际）清洁之士，徒自苦于茨棘之间，无所益损于风俗也。”但是他们为甚么要自苦呢？这是仲长统所不了解的呵！

由上所述，可知东汉政权发展至安、顺之际，已经不仅为农民所痛恨，也为小所有者所厌恶了。一个政权发展到为小所有者所厌恶的时候，它的寿命，就快要结束了。

第四节 外戚、宦官、党锢之祸与东汉政权的腐烂

自冲、质以至桓帝时代，东汉的社会经济，便达到了崩溃决裂的阶段。

从安帝时就开始了边疆各族的叛变，到桓帝即位之初，已经四十年了。在讨伐这些种族的战争中，特别在讨伐诸羌的战争中，东汉政府，不知消耗了多少人力和物力，结果，不但不能挽救东汉帝国的崩溃，并且因此而加深了中原地区社会经济的危机。

桓帝时，中原地区，已经袭来了四周诸种族的威胁。当此之时，鲜卑之族，崛起于北方，继匈奴之后，成为蒙古沙漠之主人。他占有东自辽东，西迄天山这一个广大的地理区域[1]，压迫南匈奴，役属辽东诸种族，以压倒之势，侵入今日陕西、山西及河北之北部，成为帝国

[1]《后汉书·鲜卑传》云："桓帝时，鲜卑檀石槐者……勇健有智略……尽据匈奴故地，……寇北边。……朝廷积患之而不能制。……乃自分其地为三部：从右北平以东至辽东，接夫余、秽貊二十余邑为东部；从右北平以西上谷十余邑为中部；从上谷以西至敦煌、乌孙二十余邑为西部。各置大人主领之，皆属檀石槐。"

北方之最可怕的邻人。在西南，不仅日南、九真、交趾，已经摆脱了东汉帝国的统治，而且分布于今日四川的板楯蛮、犍为蛮，分布于今日湘西的武陵蛮，乃至分布于今日鄂西的江夏蛮，也群起叛变，捣毁了帝国在西南的统治。在西北，诸羌之族，如烧当、零吾、先零、沈氏、牢姐、乌吾，滇那、岸尾、当煎诸种，又同时大举叛变，西犯甘肃，南入四川，东侵陕西、山西乃至河北，楔入帝国的心脏。万里无云的碧空，现在从它的四周，又升起乌黑的浓云，这四周的浓云，逐渐向中天流动，太阳的光彩，已经黯淡了。

同时，帝国的本部，也溃烂不堪。从安帝时就开始了的土地之急剧的兼并，到桓帝即位之初，已经有四十年了。在这四十年中，农民手中的土地，几乎全部被剥夺，甚至小所有者的土地，也有一部分被迫交出来了。到桓帝时，土地兼并，仍然继续进行。例如缯侯刘敞，曾侵占民田官田无数；宦官侯览，曾夺人土地一百一十八顷。但在这一时代的兼并，大概不是侵没官地，便是大鱼吃小鱼了。总之，当此之时，贵族、官僚、商人、地主几乎占有了全国的土地，而农民则变成了赤贫，甚至一部分小所有者，也零落到“食无求饱”的境遇了。这样，就把土地所有者与农民之间的矛盾，伸引到小所有者之间了。

其次，从安帝时就开始了的严重的天灾，到桓帝时不但没有止息，而且以更猛烈的阵势，继续袭击当时萧条不堪的农村。普遍全国的大饥馑，到处都发生人吃人的惨剧，成千成万的人在流冗道路，成千成万的人灭门绝户的饿死。[1] 同时，疠疫之魔，也张开了血口，到处吞噬那些垂死的人民。[2] 饥饿的呼号与死亡的恐怖，正是这一时代的特征。

从安帝时就开始了的讨伐诸羌的战争，到桓帝延熹二年（西纪一五九年）仍在继续，当时中国的将军段颎、胡闳、皇甫规、张奂都出现为西征的英雄。经过了十一

[1]《后汉书·桓帝纪》：建和元年二月，“荆、扬二州人多饿死。”元嘉元年四月，“任城、梁国饥民相食。”永兴元年，“郡国三十二蝗，河水溢，百姓饥穷，流冗道路至有数十万户（数百万人），冀州（河北）犹甚。”永寿元年二月，“司隶、冀州饥，人相食。”延熹九年，“司隶、豫州饥，死者什四五，至有灭户者。”

[2] 同上纪：元嘉元年正月，京师疾疫；二月，九江、庐江大疫。延熹四年正月，大疫。按这次瘟疫流行的时期最长，一直到三国时代之初，才达得它的顶点。又与中国东汉末的大瘟疫同时，罗马亦遭大瘟疫之袭击，当时中国的瘟疫与罗马的瘟疫，是否有关联，尚待考证。

年的血战，到灵帝建宁二年（西纪一六九年），战争总算得到了报酬。他们把分布于陕北一带的东羌迫蹙到今日甘肃秦安县山中，几乎完全杀光；将分布于甘肃一带的西羌，迫至今日青海境内河首积石山，乃至西藏边境。但是去掉诸羌，又来了填防的鲜卑，结果战争的胜利，不过替鲜卑肃清了南入陕、甘的大道而已。然而在这十一年的战争中，却用了军费四十四亿，这种军费的负担，就榨出了当时农民最后的一滴血液。而且为了进行战争，征兵拉夫，几乎把所有的壮年男子，都送上战场，种田的都是女人。桓帝之初，天下童谣曰："小麦青青大麦枯，谁当获者妇与姑，丈人何在西击胡。吏买马，君具车，请为诸君鼓陇胡。"

战争的呐喊，起于四国；饥饿的呼号，遍于中原；这正是冲、质以至桓帝时代的内外形势，但在这样的形势之下，东汉的政治，又是怎样呢？一言以蔽之，关着大门杀穷鬼。

东汉自冲帝以至桓帝的中叶都是外戚的天下，到桓帝中叶以后，宦官诛灭了外戚，大汉的天下，又落到自己家奴的手中。这种狗咬狗的把戏，看起来，似无关重要，但它却指明了一个事实，即东汉统治者内部已经透底地腐烂了。

具体的史实指示出来，当顺帝死，梁太后抱着他两岁的儿子，置之宝座之上，是为冲帝。冲帝在位一年，夭死。为了利用幼弱，梁太后与梁冀会商的结果，又从皇族中选定一个八岁的孩子，作为政权的象征，是为质帝。但是质帝幼而聪明，他在八岁的时候，便认识梁冀是一个“跋扈将军”，因而不合傀儡的条件，所以不到一年，这个可爱的孩子，遂被他的“跋扈将军”毒死。接着而来的，是一个白痴的孩子，这就是桓帝。

桓帝即位以后第一道诏令，便是大封外戚。他增加梁冀的封邑一万三千户，又增加梁冀所领大将军府的官属，倍于三公；又封梁冀的兄弟和儿子皆为万户侯。[1]隔了三年，再增封梁冀一万户，合以前所封，共为三万户。[2]并封梁冀妻孙寿为襄城君，兼食阳翟租，岁入五千万。加赐赤绂，和长公主同等待遇。第二年，又增梁

[1]《后汉书·梁统传附梁冀传》云：“建和元年，益封冀万三千户，增大将军府举高第茂材，官属倍于三公。又封（冀弟）不疑为颍阳侯，不疑弟蒙西平侯，冀子胤襄邑侯，各万户。”

[2] 同上传云：“和平元年，重增封冀万户，并前所袭，合三万户。”

冀之封为四县，赏赐梁冀金钱、奴婢、彩帛、车马、衣服和甲（等的）第（宅），并且特许梁冀“入朝不趋，剑履上殿，谒赞不名”。朝会时，不与三公站在同一席子上，十天到尚书台办公一次。从此以后，事无大小，都要经过梁冀决定，才能执行。不但文武百官的升迁，要先到梁府去谢恩，就是皇帝的近侍，也都由梁冀派遣，皇帝的一举一动，都要报告梁冀。[1]又隔了两年，梁冀的孙子和侄孙也封了侯。[2]总计“（梁）冀一门，前后七封侯，三皇后，六贵人，二大将军，夫人、女食邑称君者七人，尚公主三人，其余卿、将、尹、校五十七人（子弟宾客，布在列郡，其奴泰宫，亦官至太仓令），在位二十余年，穷极满盛，威行内外，百僚侧目，莫敢违命，天子恭已而不能有所亲豫。”[3]

[1]《后汉书 · 梁统传附梁冀传》云：“元嘉元年，帝以冀有援立之功，欲崇殊典，乃大会公卿共议其礼。于是有司奏冀入朝不趋，剑履上殿，谒赞不名，礼仪比萧何。悉以定陶、阳成余户，增封为四县，比邓禹。赏赐金钱、奴婢、彩帛、车马、衣服、甲第，比霍光。以殊元勋。每朝会，与三公绝席，十日一入，平尚书事，宣布天下，为万世法。冀犹以所奉礼薄，意不悦。专擅威柄，凶恣日积，机事大小，莫不谘决之。宫卫近待，并所亲树，禁省起居，纤微必知。百官迁召，皆先到冀门，笺檄谢恩，然后敢诣尚书。”

[2] 见同上传。

[3] 见同上传。

外戚的权势高涨，宦官的威风，就相形见拙，因而形成了外戚与宦官之间的矛盾。这种矛盾，到延熹二年，跟着梁后死，裙带断，便决裂了。当时皇帝与宦官同盟，发动了政变，把梁氏一门，无分长少，都斩尽杀绝了。但是从外戚手中接受政权的，不是皇帝，而是宦官。

当时主谋诛梁冀的宦官，单超、徐璜、具瑗、左悺、唐衡五人，同日封侯，世称之曰五侯。又小宦官刘普、赵忠等八人亦封为乡侯。[1]此外，以冒诛梁冀之功而封侯者，尚有侯览。[2]宦官登台以后，其威风亦不减于外戚。单超之丧，皇帝除追封为车骑将军，又赐东园秘器，棺中玉具，赠侯将军印绶，并赐国葬。葬后，又派禁卫

[1]《后汉书·宦者列传·单超传》云："单超，河南人；徐璜，下邳良城人；具瑗，魏郡元城人；左悺，河南平阴人；唐衡，颍川郾人也。桓帝初，超、璜、瑗为中常侍，悺、衡为小黄门史……延熹二年，皇后崩，……（以诛冀功）封超新丰侯，二万户；璜武原侯，瑗东武阳侯，各万五千户，赐钱各千五百万；悺上蔡侯，衡汝阳侯，各万三千户，赐钱各千三百万。五人同日封侯，故世谓之'五侯'。又封小黄门刘普、赵忠等八人为乡侯。自是权归宦官，朝廷日乱矣。"

[2]《后汉书·宦者列传·侯览传》云："侯览者，山阳防东人……托以与议诛梁冀功，进封高乡侯。

军和侍御史护丧。[1]由其死，可以想见其生。从此以后，四侯骄横，天下为之语曰："左回天，具独坐，徐卧虎，唐两堕。"

桓帝时的政治，是外戚、宦官的政治，这种政治唯一的特色，是贪污无耻。这一时代的贪污，除了剥削贫穷人民，又公然绑架豪富。据史载，当时梁冀一次绑架，便得钱一亿七千余万。[2]至于四方调发，岁时贡献，都有梁冀一份，而且他的一份，比皇帝的还要值钱。至于吏人赍货求官者，道路相望。[3]所以梁冀诛死以后，政府拍卖他的财产，其价值竟达三十余万万，以充王府经费，减天下租税之半。

---

[1]《后汉书·宦者列传·单超传》云："超病，帝遣使者就拜车骑将军。明年薨，赐东园秘器，棺中玉具，赠侯将军印绶，使者理丧。及葬，发五营骑士，将军侍御史护丧，将作大匠起冢茔。"

[2]《后汉书·梁统传附梁冀传》云："扶风人士孙奋，居富而性吝，冀因以马乘遗之，从贷钱五千万，奋以三千万与之。冀大怒，乃告郡县，认奋母为其守臧婢，云盗白珠十斛、紫金千斤以叛，遂收掠奋兄弟，死于狱中，悉没赀财亿七千余万。"

[3]同上传云："其四方调发，岁时贡献，皆先输上第于冀，乘舆乃其次焉。吏人赍货求官请罪者，道路相望。"

在上者贪污，在下者必有甚焉。因为梁冀贪污，所以梁冀所引用的亲戚宾客无不贪污。例如梁冀的妻党孙氏，冒名而为中央及地方官吏者十余人，皆贪污残暴，此辈各派遣家奴逮捕其属县的富人，勒索钱财，出钱少者，则诬以他罪，致之于死。[1]当时宛县的县令吴树，一次就杀了梁冀的宾客之为人害者数十人。[2]自然梁冀的宾客，不仅宛县才有，而是布满朝廷，散在郡县。当梁冀诛死以后，“其他所连及公卿列校刺史二千石死者数十人，故吏宾客免黜者三百余人，朝廷为空。”由此足见当时上自中央政府的大员，下至郡县的地方官，大半都是贪污害人，绑票勒索的匪徒。

从外戚政治到宦官政治，其意义只是宣告贪官污吏的换班而已。据《单超传》所载，当时五侯“又养其疏属，或乞嗣异姓，或买苍头为子，并以传国袭封。兄弟姻戚，皆宰州临郡，辜较百姓，与盗贼无异。超弟安为

[1]《后汉书·梁统传附梁冀传》云:“冀用（其妻孙）寿言，多斥夺诸梁在位者，外以谦让，而实崇孙氏宗亲，冒名而为侍中、卿、校尉、郡守、长吏者十余人，皆贪叨凶淫，各遣私客籍属县富人，被以他罪，闭狱掠拷，使出钱自赎。赀物少者，至于死徙。”

[2] 同上传云:“(宛令吴）树到县，遂诛杀冀客为人害者数十人。”

河东太守，弟子匡为济阴太守，璜弟盛为河内太守，悺弟敏为陈留太守，瑗兄恭为沛相，皆为所在蠹害。璜兄子宣为下邳令，暴虐犹甚”。据说宣因求汝南太守下邳李暠女不得，后为下邳令，竟发吏捕暠女至署，戏射杀之。对于堂堂政府官吏的家属，尚敢如此，对于百姓，可想而知。又如《侯览传》谓：“（览）倚势贪放，受纳货遗，以巨万计。”又云：“览贪侈奢纵，前后请夺人宅三百八十一所，田百一十八顷。”又云：“小黄门段圭，家在济阴，与览开立田业，近济北界。仆从宾客，侵犯百姓，劫掠行旅。”总之，当时“五侯宗族宾客，虐遍天下”。其他有权的宦官，亦类多如此。郡守、县令，“发求民间，至夜不绝，或狗吠竟夕，民不得安”。稍有资产者，多逃入山中，隐姓亡名，以避剥削。[1]而豪族大姓，则与外戚、宦官的宾客勾结，互为奸利，结果，最后回账的还是农民。

现在，我们看看那些吸饱了民脂民膏的外戚、宦官

[1]《后汉书 · 刘宠传》云：“（宠为会稽太守），将离任，有五六老叟自若邪山谷间出，人赍百钱送宠。……曰：‘山谷鄙生，未尝识郡朝，它守时吏发求民间，至夜不绝，或狗吠竟夕，民不得安；自明府下车以来，狗不夜吠，民不见吏，年老遭值圣明，今闻当见弃去，故自扶奉送。’”

所过的生活。

在洛阳城里，梁冀“大起第舍，而（其妻孙）寿亦对街为宅。殚极土木，互相夸竞。堂寝皆有阴阳奥室，连房洞户，柱壁雕镂，加以铜漆。窗牖皆有绮疏青琐，图以云气仙灵（插图五五）。台阁周通，更相临望；飞梁石磴，

插图五五　东汉时的云气仙灵画像

陵跨水道”。(《梁翼传》)在这两座富丽堂皇的第宅里面，各有“藏室”，在“藏室”里，堆满了“金玉玑珠，异方珍怪”。又各有厩房，在厩房里，豢养着“汗血名马”。

“又广开园囿，采土筑山，十里九坂，以象二崤，深林绝涧，有若自然；奇禽驯兽，飞走其间。”（同上）每当春秋佳日，“冀（与其妻）寿共乘辇车，张羽盖，饰以金银，游观第内，多从倡伎，鸣钟吹管，酣讴竟路，或连继日夜，以骋娱恣。”（同上）（插图五六）当此之时，梁冀着“埤帻狭冠，折上巾，拥身扇，狐尾单衣”。（同上）其妻孙寿本来色美而又“善为妖态，作愁眉，啼妆，堕马髻（堕马髻者，侧在一边，髻若坠然），折腰步，龋齿笑（若齿痛然），以为媚惑”。（同上）若于此时，“客到门，

插图五六　东汉时鸣钟吹管歌吹竞路画像

不得通，皆请谢门者，门者累千金。”（同上）

“又多拓林苑，禁同王家，西至弘农，东界荥阳，南极鲁阳，北达河、淇。包含山薮，远带丘荒，周旋封域，殆将千里。又起菟苑于河南城西，经亘数十里，发属县卒徒，缮修楼观，数年乃成。移檄所在，调发生菟，刻其毛以为识，人有犯者，罪至刑死。尝有西域贾胡，不知禁忌，误杀一菟，转相告言，坐死者十余人。”

“又起别第于城西，以纳奸亡，或取良人悉为奴婢，至数千人，名曰自卖人。”（同上）“又遣客出塞，交通外国，广求异物，因行道路，发取妓女御者，而使人复乘势横暴，妻略妇女，驱击吏卒，所在怨毒。”（同上）但是淫人妻者，人亦淫其妻，梁冀之妻孙寿，亦与其监奴秦宫私焉。

再看当时宦官的生活。

当时五侯，单超早死，其余四侯“皆竞起第宅，楼观壮丽，穷极伎巧。金银罽毦，施于犬马。多取良人美女，以为姬妾，皆珍饰华侈，拟则宫人。其仆从皆乘牛车而从列骑”。（《单超传》）

当时侯览“起立第宅十有六区，皆有高楼池苑，堂阁相望，饰以绮画丹漆之属。制度重深，僭类宫省。又

豫作寿冢，石椁双阙，高庑百尺。破人居室，发掘坟墓，虏夺良人，妻略妇子”。（同上）

由于外戚与宦官之轮班收夺，于是天下财富，从农村集中首都，从政府的国库，转移到私人的钱柜。洛阳变成了金穴，而全国农村，则变成了一片沙漠；外戚、宦官变成了倾国的豪富，而政府则不能发出一般小官吏的薪俸。所以当时陈蕃说：今国家“有三空之厄哉！田野空，朝廷空，仓库空，是谓三空。”

膏药贴不住地震，赈济政策也糊不住百孔千疮的社会，因而与外戚宦官之虐政平行，农民暴动，便继续爆发了。据史籍所载，当冲帝在位的数月中，农民暴动发生了四次[1]，质帝在位的一年中，农民暴动，发生了七次。[2]自桓帝即位之元年至灵帝中平元年，黄巾大暴动

[1]《后汉书·冲帝纪》载：建康元年九月，徐、扬贼范容攻杀扬州刺史尹耀，九江太守邓显。十一月，九江盗贼徐凤、马勉等称“无上将军”，攻烧城邑。十二月，九江贼黄虎等攻合肥。是岁群盗发宪陵。

[2]《后汉书·质帝纪》载：永嘉元年正月，广陵贼张婴等复反，攻杀堂邑、江都长。九江贼徐凤等攻杀曲阳、东城长。三月，九江贼马勉称皇帝。四月，丹阳贼陆宫等围城，烧亭寺。七月，庐江盗贼攻寻阳，又攻盱眙。十二月，历城贼华孟，自称黑帝，攻杀九江太守杨岑。

之前，这三十七年中，农民暴动，共发生了二十二次。[1]当冲、质的时代，饥饿的农民，已经在范容、徐凤、马勉、张婴、陆宫等的领导之下，把当时的徐、扬、九江，今日皖北、苏北一带的社会秩序，捣毁无余。至桓帝以迄灵帝之初，则农民暴动，已经发展到普遍全国的范围。如刘文、李坚、陈景、裴优、李伯、公孙举、劳丙、叔孙无忌、李研、胡兰、朱盖、盖登、戴异、许生等都先后或同时出现为当时农民暴动的领导人物，他们在今山

[1]《后汉书·桓帝纪》载：建和元年十一月，清河刘文反，杀国相谢暠。同月，陈留盗贼李坚自称皇帝。二年十月，长平陈景，自号黄帝子，署置官属。又南顿管伯亦称真人，并图举兵。和平元年二月，扶风妖贼裴优自称皇帝。永兴二年九月，蜀郡李伯诈称宗室，当立为太初皇帝。十一月，太山琅邪贼公孙举等反叛，杀长吏。永寿二年七月，太山贼公孙举等寇青、兖、徐州。延熹三年九月，太山、琅邪贼劳丙等复叛，寇掠百姓。十一月，太山贼叔孙无忌攻杀都尉侯章。五年四月，长沙贼起，寇桂阳、苍梧。五月，长沙、零陵贼起，攻桂阳、苍梧、南海、交阯。八月，艾县贼焚烧城邑，寇益阳，杀县令。六年七月，桂阳盗贼李研等寇郡界。十一月，南海盗贼寇郡界。八年六月，桂阳贼胡兰、朱盖等复反，攻没郡县，转寇零陵。同月，苍梧太守为盗所执。十月，渤海妖贼盖登等称太上皇帝。九年正月，沛国戴异得黄金印，无文字，遂与广陵人龙尚等共祭井，作符书，称太上皇。永康元年五月，庐江贼起，寇郡界。《灵帝纪》载：建宁二年九月，丹阳“山越贼”围太守陈夤。三年九月，济南贼起，攻东平陵。熹平元年十一月，会稽人许生自称皇帝。以上都是黄巾大暴动以前的农民暴动。

东、河南、安徽、江苏、陕西、四川、湖南到处发动暴动，攻陷城市，诛杀贪官污吏。到桓帝末年，甚至在堂堂的首都，也有“火光转行”了。象这样的情形，当然是农民大暴动的预告。

在这样危急的局面之中，小所有者阶层中的智识分子起来了。他们展开了反宦官政治的斗争。而这到后来，便酿成了中国史上有名的党锢之祸。

被称为士大夫的智识分子之出现于政治斗争的前线，这件事，就指明了当时政治的暴虐与黑暗，已经不仅为贫苦的农民所痛恨，也为小所有者所不能忍受了。所以在中国史上，每当农民叛乱总爆发的前夕，往往出现士大夫的政治抗争。士大夫的政治抗争，不是为了推翻这个政权，只是要求政治的改良以挽救这个政权。但是当士大夫的政治抗争出现之时，必然是这个政权临于没落之际。当时的统治者，是最反动的一群，他们不仅害怕农民，也害怕小所有者，不仅反对革命，也拒绝任何政治改良的建议。正犹一个垂危的病人，看见了医生，也当作是魔鬼。因此之故，历史决定了士大夫的政治抗争，留下来的，只是一些血肉狼藉的纪录。虽然如此，士大夫政治抗争的失败，也有他的积极的历史作用，因为他们的鲜血，就无异是一篇悲壮淋漓的政治宣言，他们向人民宣告，政治的改良已经绝望，除了用武装推翻这个政权，再没有任何期待了。所以跟着士大夫政治抗争的失败而来的，再不是士大夫的慷慨就义，而是农民的武装暴动，这在中国史上，是屡见不爽的。东汉的党锢之祸，正是东汉政权走到终点的一块路碑，也是黄巾大暴动的一声信号。跟着党锢之祸而来的，再不是屠杀者的胜利，而是屠杀者被屠杀了。

外戚、宦官走进朝堂，士大夫就必然退回田里，这几乎也是中国史上的一个定律。如前所述，自顺帝时起，当时的士大夫就相率毁裂冠带，避祸深山，到桓帝时，跟着政治之进一步的黑暗，那些有教养的小所有者，他们要逃去这个罪恶的世界，就象逃去地狱一样，因而更加扩大了这个零落的小所有者之群。这些智识分子，逃入山林以后，或躬自耕稼，非其力不食；或苦身修节，隐居讲学；自以为与世无涉，与人无争。谁知现实是逃避不了的，你要逃避它，它要追逐你。不久安车玄纁，又络绎于深山穷谷之中，要征请这些逃避者去替宦官政治歌功颂德。但是这些智识分子，究竟读过圣贤之书，知道何谓廉耻，所以宁肯饿死，亦耻与宦官为伍。史载桓帝曾以安车玄纁征处士徐稺、姜肱、袁闳、韦著、李昙五人，皆不至，又征安阳魏桓，亦不至。他们不但不与这个贪污的政府合作，而且进而批评当时的政治。《后汉书·党锢列传》云："逮桓、灵之间，主荒政缪，国命委于阉寺，士子羞与为伍。故匹夫抗愤，处士横议，遂乃激扬名声，互相题拂，品核公卿，裁量执政，婞直之风，于斯行矣。"

智识青年，往往出现为革命的先锋，这在中国史上，也是数见不鲜的。而中国的智识青年第一次出现于政治斗争的前线的，便是东汉末的太学生。东汉至桓帝时，太学生已达三万余人，其中有不少小所有者家庭出身的子弟。他们感到自己家世的零落，和政治前途的黯淡，对于这个政权，自然也感到怨恨。就在这个时候，郭泰、贾彪遂出现为这一批学生的领导人。郭泰等一方面在太学中进行反宦官政治的组织和宣传，另一方面，又从社会上吸引小所有者的子弟，进入太学，以扩大自己的阵容。例如陈留、茅容本为农夫，巨鹿孟敏，本为担卖陶器的小贩，陈留、申屠蟠本为油漆工人，鄢陵庾乘，本为看门的厮役，皆因郭泰的援引，进入太学为学生。此外出身于屠沽卒伍之士，因郭泰之援助而入太学者，尚不知有若干人。因此之故，当时的太学，便变成了小所有者政治活动的中心。

在桓帝末年，太学生曾经发动两次大规模的政治请愿。第一次是在永兴元年七月，这一次是为了朱穆的案子。据史载朱穆为冀州刺史，时冀州民饥，流亡者数十万，而宦官赵忠，丧父归葬，僭为玉匣，穆下郡案验，吏发墓，剖棺出之，帝闻大怒，征穆诣廷尉，罚作苦工。于是太学生刘陶等数千人走到皇宫之前请愿，并上请愿书为穆讼冤。其书有曰："中官近习，窃持国柄，手握王爵，口含天宪。运赏则使饿隶富于季孙，呼噏则令伊、颜化为桀、跖。而穆独亢然不顾身害，非恶荣而好辱，恶生而好死也。徒感王纲之不摄，惧天网之久失，故竭心怀忧，为上深计，臣愿黥首系趾，代穆校作。"第二次，是在延熹五年，这一次是为了皇甫规的案子。皇甫规平羌有功，因宦官徐璜、左悺向之敲诈货赂不遂，因诬陷以侵没军饷之罪，也是要罚作苦工。于是太学生张凤等三百余人，又走到皇宫之前大请愿，皇甫规因而得以赦免。由此看来，当时的太学生，是以何等英勇的姿态，出现于东汉末年的历史。

在下级乃至中级的官吏中，仍然有不少出身于小所有者家庭的子弟。这些人虽然参加当时的政治，但在当时统治者中间，是最受压迫的一群。他们既受宦官的压迫，又受商人地主的压迫。前者如白马令李云，弘农掾杜众，即因奏劾宦官而被处死刑；后者如南阳太守陈球，即因劾举豪右而征诣廷尉抵罪。即因如此，这一类中下级的官吏，也对现状感到不满。他们一旦看到有处士的横议和学生的抗愤，也就敢于站在自己的岗位，执行自己的职权，这就是说敢于用国法去制裁宦官以及与宦官狼狈为奸的商人地主。据史载，当时河东太守刘祐，其属县令长，大半皆系宦官子弟，百姓患之。祐到，黜其权强，平理冤狱。魏朗为彭城令时，宦官子弟为相国，多行非法，朗更相章奏，以弹劾之。苑康为太山太守，时郡内豪姓多不法，苑至，奋威怒，施严令，莫有干犯者，先所请夺人田宅者，皆退还之。诸如此类的事件，不胜枚举。

由于在野的处士、在朝的中下级官吏和太学的一部分学生这三种力量之平行发展，相互声援，于是遂形成了小所有者反宦官政治的高潮。而当时有一位出身于小所有者而官至太尉的陈蕃，就出现为这个反宦官斗争的总领导者。斗争一天天地发展下去，接连又发生了几件更严重的事件。据史载，当时南阳太守成瑨，与其功曹岑晊，诛杀了一个与宦官勾结，“用势纵横”的商人地主张汎。太原太守刘瓆，诛杀了一个“贪横放恣”的小黄门赵津。山阳太守翟超与其督邮张俭，籍没了宦官侯览老家的资财。东海相黄浮，诛杀了射杀太守李暠之女的宦官徐宣一门老幼。这当然要引起官宦与商人地主的愤怒，于是宦官与张汎的家属，就因缘谮诉于桓帝的御前，而这位白痴的皇帝，也就居然龙颜大怒，逮以上诸人下狱，成瑨、刘瓆论死，翟超、黄浮髡钳，罚作苦工。当时陈蕃曾上书极谏，但是结果成瑨、刘瓆诚心去恶而伏殴刀，翟超、黄浮奉公不挠而并蒙刑坐，天下之人，无不冤之。

宦官的反攻，一天天地凶猛了。恰好又发生了张成的事件，于是黑天的党锢之祸，遂开始了。据《党锢列传》序言云;“时河内张成，善说风角，推占当赦，遂教子杀人。李膺为河南尹，督促收捕，既而逢宥获免，膺愈怀愤疾，竟案杀之。”张成本以方伎与宦官相交通，桓帝亦颇信其占卜，宦官遂教张成弟子牢修，上书诬告李膺等:“养太学游士，交结诸郡生徒，更相驱驰，共为部党，诽讪朝廷，疑乱风俗。于是天子震怒，班下郡国，逮捕党人，布告天下，使同忿疾，遂收执膺等。其辞所连及陈寔之徒二百余人。或有逃遁不获，皆悬金购募，使者四出，相望于道。”当此之时，皇帝的诏令，迫切州郡，髡笞掾史，从事坐传舍，钩捕党人，州郡为了报命，则乱捕善良，每一州郡，所捕党人多者至以百数。唯平原相史弼，独未捕一人。使者责曰:“青州六郡，其五有党，……平原何理而得独无？”弼曰:“先王疆理天下，画界分境，水土异齐，风俗不同，它郡自有，平原自无，胡可相比？若承望上司，诬陷良善，……平原之人，户可为党，相有死而已，所不能也。”

这件大案，要经过三府，当时陈蕃为太尉，不肯署名。他说:“今所考案，皆海内人誉，忧国忠公之臣，此等犹将十世宥也，岂有罪名不彰而致收掠者乎？”但是陈蕃即因此而罢免。

当时外戚窦武为城门校尉，也感受宦官的压迫，同情太学生反宦官的运动。太学生首领贾彪，见事态扩大，乃潜入洛阳，求援窦武。窦武乃上疏曰："膺等建忠抗节，志经王室，此诚陛下稷、契、伊、吕之佐，而虚为奸臣贼子所诬枉，天下寒心，海内失望，唯陛下留神澄省，时见理出，以厌人鬼喁喁之心。"同时尚书霍谞等亦为所谓"党人"者讼冤，于是遂于次年（永康元年）赦党人二百余人，皆放归田里，书名三府，禁锢终身。从此以后，正直废放，邪枉炽结。虽然如此，而天下士大夫，皆高尚其道，而汙秽朝廷。《后汉书·党锢列传》序曰："（当时）海内希风之流，遂共相摽搒，指天下名士，为之称号，上曰三君，次曰八俊，次曰八顾，次曰八及，次曰八厨，犹古之八元、八凯也。窦武、刘淑、陈蕃为三君，君者，言一世之所宗也。李膺、荀昱、杜密、王畅、刘祐、魏朗、赵典、朱寓为八俊，俊者，言人之英也。郭林宗、宗慈、巴肃、夏馥、范滂、尹勋、蔡衍、羊陟为八顾，顾者，言能以德行引入者也。张俭、岑晊、刘表、陈翔、孔昱、苑康、檀敷、翟超为八及，及者，言其能导人追宗者也。度尚、张邈、王考、刘儒、胡毋班、秦周、蕃向、王章为八厨，厨者，言能以财救人者也。”

桓帝死，灵帝立，胜利的宦官，威权更大。当时侯览、曹节、王甫、郑飒、公乘昕等与灵帝乳母赵娆及诸女尚书相互奸姘，秽乱宫廷；操弄国柄，荼毒海内。其时陈蕃为太傅，窦武为大将军，孤立朝廷，一筹莫展，乃相与计议诛杀宦官，但事机不密，反为宦官所杀。在这一次事变中，太学生与宦官肉搏而死者数十人。

士大夫的斗争失败了，跟着而来的是宦官对士大夫的大屠杀。建宁二年十月，大兴党狱，于是李膺、杜密、虞放、朱寓、荀昱、翟超、刘儒、范滂等百余人，俱被诬杀，妻子皆徙边，天下豪杰及儒家有行义者，宦官一切指为党人，其死、徙、废、禁者，又六七百人。当时郭泰以不为危言，得免于祸，目极同辈沦于惨死，私为之恸曰：“《诗》云：‘人之云亡，邦国殄瘁。’汉室灭矣，但未知瞻乌爰止，于谁之屋耳！”

士大夫的灾难还没有终了，熹平五年，永昌太守曹鸾上书为党人讼冤。其书曰：“夫党人者，或耆年渊德，或衣冠英贤，皆宜股肱王室，左右大猷者也。而久被禁锢，辱在涂泥，……所以灾异屡见，水旱荐臻，皆由于斯，宜加沛然，以副天心。”这一封奏书，又激怒了宦官，除将曹鸾掠死于狱，又诏州郡，更考党人门生、故吏、父子、兄弟在位者，悉免官禁锢，爰及五属。自此以后，当时有气节的智识分子，几无遗类，中国的文化，也为之凋残。

所有者的政治抗争失败了，但跟着而来的，便是黄巾大暴动。到这一时候，东汉的政府，为了对付更可怕的敌人，才下令解除党禁，但是已经太迟了。

第五节　黄巾大暴动与东汉王朝的灭亡

西纪一六八年正月己亥日，洛阳夏门外的万寿亭，挤满了文武百官，并且停着一辆漂亮的王子的青盖车。百姓们知道这是欢迎从河间接来的新皇帝。

不久，一连串的白盖小车，在羽林军的护卫之中，驰向洛阳而来，看热闹的小孩们都唱起来了:“白盖小车何延延，河间来合谐，河间来合谐！”

所有的白盖小车都停在万寿亭了。在一辆白盖小车中，走出一位十二岁的孩子，换乘了青盖车，于是这辆青盖车和其余的白盖小车，在文武百官和羽林军的拥护之中，驰入皇宫。第二天，这个十二岁的孩子，即皇帝位，是为灵帝。[1]

百姓们对于这位新皇帝，或者还知道得不清楚，但确切地知道他有一个爱钱的母亲，这就是后来的永乐太后。所以当时京师的儿童又为之谣曰："车班班，入河间，河间姹女工数钱，以钱为室金为堂，石上慊慊舂黄梁，梁下有悬鼓，我欲击之丞卿怒。"

灵帝又是一个蠢而又昏的孩子。当他即位之元年，宦官曹节等欲再兴党狱，屠杀士大夫，请他批准，因谓党人欲图谋不轨，他竟不知道："何谓不轨？"到后来，他的年龄已经很大，常登永安侯台，宦官恐其望见他们华美的第宅，因使尚但谏曰："天子不当登高，登高则百姓虚散。"自是他竟不敢复登台阁。象这样一块材料，

[1]《后汉书·灵帝纪》云："孝灵皇帝讳宏，肃宗玄孙也。曾祖河间孝王开，祖淑，父苌，世封解渎亭侯，帝袭侯爵。……桓帝崩，无子，皇太后与父城门校尉窦武，定策禁中，使守光禄大夫刘儵持节，将左右羽林至河间奉迎。建宁元年春正月壬午，城门校尉窦武为大将军。己亥，帝到夏门亭，使窦武持节，以王青盖车迎入殿中。庚子，即皇帝位，午十二，改元建宁。"

用以支持行将倾覆的大厦，当然没有不倒塌的道理。

如前所述，在灵帝即位的元年，宦官们就大兴党狱，把当时的士大夫，几乎屠杀殆尽，因而当灵帝初年，宦官的权势，达到绝顶的高扬。据史载，当时因屠杀士大夫有功而封侯的宦官，有王甫、曹节等十八人。[1]以后因诬杀桓帝弟渤海王悝有功而封者又十二人。[2]此外张让、赵忠、夏恽、郭胜、孙璋、毕岚、栗嵩、段圭、高望、张恭、韩悝、宋典这一大群宦官，皆为中常侍，封侯贵宠。这真如当时一位善良的宦官所云："陛下不悟，妄授茅土，开国承家，小人是用。"

宦官既高据朝堂，于是他们遂"割裂城社，自相封赏，父子兄弟，被蒙尊荣，素所亲厚，布在州郡，或登九列，或据三司。不惟禄重位尊之责，而苟营私门，多

[1]《后汉书·宦者列传·曹节传》云："长乐食监王甫为黄门令，将兵诛武、蕃等……节迁长乐卫尉，封育阳侯，增邑三千户。甫迁中常侍，黄门令如故。（朱）瑀封都乡侯，千五百户。（共）普、（张）亮等五人各三百户。余十一人，皆为关内侯，岁食租二千斛。"

[2]同上传云："（曹）节遂与（王）甫等诬奏桓帝弟渤海王悝谋反，诛之，以功封者十二人。（王）甫封冠军侯，（曹）节亦增邑四千六百户，并前七千六百户。"

蓄财货，缮修第舍，连里竟巷，盗取御水，以作鱼钓，车马服玩，拟于天家。群公卿士，杜口吞声，莫敢有言，州牧郡守，承顺风旨，辟召选举，释贤取愚。”这真是好威武的奴才呵！

不仅如此，他们看到太学的学生不可靠，一律禁锢不用，而另设鸿都门学[1]，专门训练一批走狗。鸿都门学的学生，都是由州郡或三公保举而来，绝对没有危险分子。在鸿都门学受过训练的学生，出则为刺史、太守，入则为尚书、侍中，亦有封侯者，但当时的正人君子，则耻与为列。

不仅如此，他们又窃取兵权，组织武装。据《后汉书·何进传》所载：中平五年，是时置西园八校尉，以小黄门蹇硕为上军校尉，并任之以为元帅，督司隶校尉以下，虽大将军亦领属焉。

从训练爪牙，组织武装等创举看来，灵帝时的宦官，较之他们的前辈已经进步得多了。即因如此，所以当时

[1]《后汉书·灵帝纪》：光和元年，“始置鸿都门学生”。注云：“鸿都，门名也，于内置学。时其中诸生，皆敕州、郡、三公举召，能为尺牍、辞赋及工书鸟篆者（即毫无思想之人），相课试至千人焉。”

的中国，就变成了匪类的天下，而当时的洛阳，则是匪类的窟穴。

现在我们看东汉的皇帝在做甚么？光和元年，他大开西邸卖官。二千石，二千万；四百石，四百万。县令县长，当面议价；因为缺有好坏，价有高低。富者交现款，贫者到差以后，加倍缴纳。又私令左右卖公卿，公千万；卿五百万。除皇帝不卖，自关内侯、虎贲、羽林，都有一定的行市。

此外，“刺史、二千石及茂材孝廉迁除，皆责‘助军修宫钱’，大郡至二三千万，余各有差。当之官者，皆先至西园谐（协议也）价，然后得去。有钱不毕者，或至自杀。其守清者，乞不之官，皆迫遣之。时巨鹿太守河内司马直新除，以有清名，减责三百万。直被诏，怅然曰：‘为民父母，而反割剥百姓，以称时求，吾不忍也。’……即吞药自杀。”（《张让传》）

不仅如此，又据《吕强传》云：“时帝多蓄私藏，收天下之珍，每郡国贡献，先输中署，名为导行费。”

灵帝把他在各种名义之下敲索而来的钱财，一部分拿到他原来的封邑河间去买田宅，起第观；一部分则窖藏在他的奴才们家里[1]；另一部分则用于浪费。当时吕强看到灵帝贵为天子，富有四海，还要蓄私产，曾上疏谏曰："天下之财，莫不生之阴阳，归之陛下，归之陛下，岂有公私？而今中尚方敛诸郡之宝，中御府积天下之缯，西园引司农之藏，中厩聚太仆之马，而所输之府，辄有导行之财。"吕强不知道，这正是亡国之君的作风，因为亡国之君，总要替自己准备后事，他总以为国亡而家尚可保，所以移国就家，准备在亡国以后去享受。灵帝之公私分明，正是为了这种原因。

灵帝又大兴土木，光和三年作罼圭、灵昆苑。[2]光和五年，起四百尺观于阿亭道。中平二年，造黄金堂于西园。光和三年，复修玉堂殿，铸铜人四，黄钟四，及天禄、虾蟆。为了修宫殿，灵帝"令敛天下田，亩税十钱"，"又发太原、河东、狄道诸郡材木及文石，每州郡

[1]《后汉书·宦者列传·张让传》云："又还河间买田宅，起第观。帝本侯家，宿贫，每叹桓帝不能作家居，故众聚为私藏。复（藏）寄小黄门常侍钱各数千万。"

[2]《后汉书·灵帝纪》：光和三年，是岁作罼圭、灵昆苑。注云："罼圭苑有二，东罼圭苑周一千五百步，中有鱼梁台。西罼圭苑周三千三百步，并在洛阳宣午门外。"

部送至京师。黄门、常侍辄令谴呵，不中者，因强折贱买，十分顾一，因复货之于宦官，复不为即受，材木遂至腐积，宫室连年不成。刺史太守，复增私调，百姓呼嗟。”

宫室既成，“灵帝乃于宫中西园驾四白驴，躬自操辔，驱驰周旋，以为大乐。于是公卿、贵戚，转相仿效，至乘辎軿以为骑从，互相侵夺，（驴价）贾与马齐。”[1]而当时马价一匹至二百万。[2]

“帝作列肆于后宫，使诸采女贩卖，更相盗窃争斗，帝著商贾服，饮宴为乐。”[3]

“又于西园弄狗，着进贤冠，带绶”，以为笑乐。据说当时有一冠带之狗，走入司徒府门，或见之者，莫不惊怪。《五行志》曰：“司徒，古之丞相，一统国政，天诫若曰：宰相多非其人，尸禄素餐，莫能据正持重，阿意曲从，今在位者，皆如狗也，故狗走入其门。”又曰：“灵帝宠用便嬖子弟，永乐宾客，鸿都群小，转相汲引，公卿牧守，比肩是也。……实狗而冠者也。”

---

[1] 见《后汉书 · 五行志》

[2]《后汉书 · 灵帝纪》：“光和四年春正月，初置騄骥厩丞，领受郡国调马。豪右辜榷。马一匹至二百万。”

[3] 见《后汉书 · 灵帝纪》。

现在我们再看当时外戚、宦官的奢侈。《吕强传》云："今外戚四姓贵倖之家，及中官公族无功德者，造起馆舍，凡有万数。楼阁连接，丹青素垩，雕刻之饰，不可单言。丧葬逾制，奢丽过礼，竞相仿效，莫肯矫拂。"再看当时商人地主的生活。《仲长统传》载《理乱篇》云："（当时）豪人之室，连栋数百。膏田满野，奴婢千群，徒附万计。船车贾贩，周于四方；废居积贮，满于都城。琦赂宝货，巨室不能容；马牛羊豕，山谷不能受。妖童美妾，填乎绮室；倡讴伎乐，列乎深堂（插图五七）。宾客待见而不敢去，车骑交错而不敢进。三牲之肉，臭而不可食；清醇之酎，败而不可饮。睇盼，则人从其目之所视；喜怒，则人随其心之所虑。此皆公侯之广乐，君长之厚实也。苟能运智诈者，则得之焉，苟能得之者，人不以为罪焉。"

插图五七　倡讴伎乐列乎深堂画像

不仅京师如此，当时豪富的商人地主，遍于全国。同上传《损益篇》云:“(当时)豪人货殖，馆舍布于州郡，田亩连于方国。身无半通青纶之命，而窃三辰龙章之服；不为编户一伍之长，而有千室名邑之役。荣乐过于封君，势力侔于守令。财赂自营，犯法不坐。刺客死士，为之投命。”

最后，我们看看这个金碧辉煌的社会之另一面农民的生活。《仲长统传》云:“弱力少智之子，被穿帷败，寄死不敛，冤枉穷困，不敢自理。”《吕强传》云:“比谷虽贱而户有饥色，案法当贵而今更贱者，由赋发繁数，以解县官，寒不敢衣，饥不敢食，民有斯厄而莫之恤。”所以结果演成人吃人的惨剧。《灵帝纪》云:“建宁三年，河内人，妇食夫；河南人，夫食妇。”就在这样一个时代，而宦官的血手，还在扼住农民的咽喉，要他们再吐出一些油水来。这还是人的世界吗?

太阳熄灭了，黑暗笼照整个的社会。在黑暗中，可以听到魔鬼们胜利的欢呼，也可以听到农民们饥饿的悲号。他们用不协调的声音，奏出人类历史的进行曲。就在这沉沉的黑暗当中，张角就出现为苦难人民的救星。

张角，巨鹿人。他的家世不得而考，但知他最初出现在农民大众面前，是一个慈祥的教主。他奉事黄老道，是中国太平道一派的道教的创始人，当时的农民都称他为“大贤良师”。

张角虽然是一位教主，但他并不告诉农民把希望寄托在天国、在死后；反之，而是告诉农民要争取这现实的世界，及身的时代。

这位青年的教主，具有拯救人类的热情和反对罪恶的勇敢。他具有推翻当时暴虐的政治的决心。他看到当时士大夫改良运动的失败，是因为没有把他们的运动和农民大众的力量结合起来，他知道要推翻这个政权，需要力量，而唯一的力量，就是农民。他又知道，要唤起这些苦难的农民，使他们由悲哀而愤怒，需要一种刺激，而宗教就是最好的工具，因为宗教可以给苦难的农民以一种新的希望。因此，这位青年的教主，披起宗教的外衣，走进农民大众的队伍。

灵帝时，正是中国史上的一个大疠疫时代。疠疫之神，翱翔中国，人民死亡，绝家灭户，于是张角乃用神道的符咒，宗教的圣水，去替当时的农民医病。本来有些农民，实在就是患的一种饥饿病，一旦得到一种宗教的慰安，也就豁然而起。张角就用这样的神道，在广大的人民当中，获得了信仰，因而得以进行革命的组织，不久他就团结了不少的干部在他的周围。这些干部也和他一样，用符水咒术分道进行革命的组织。于是这位青年的教主，遂一变而为农民暴动的组织人。

不要误会了，黄巾的暴动，是张角用魔术煽动起来的。在任何时代，农民暴动，都不能用一杯符水灌出来，也不能用几句咒语咒出来，只有贫穷饥饿和杀人的政治，才能把他唤起来。如果没有广大的饥民存在，则张角的符水咒术，决不会在农民大众中起着政治作用的。而且事实证明，在张角出现之前，即在没有宗教的鼓舞之前，当时的农民，已经到处暴动了。

过去农民“叛乱”的历史，教训了这位革命的教主，他知道，没有组织的暴动，是要失败的。他看到当时全国各地，都有农民在暴动，全国各地的农民暴动，都各不相属，以致有许多都被各个击破，这样的情形，显然是重复了过去的失败路线。因此，他派了八个干部，使于四方，进行统一组织的工作。经过了十余年的努力，竟然把散布于青、徐、幽、冀、荆、扬、兖、豫八州零碎的暴动集团，组织起来，合计人数已有数十万，于是把这些暴动集团，重新编制，分为三十六方（方，犹方面也）。大方万余人，小方六七千，各立渠帅，而皆隶属于张角的统一指挥之下。

为了动员更广大的农民，这位革命的教主发出了神道的号召。他向农民宣言："苍天已死，黄天当立，岁在甲子，天下大吉。"跟着在京城寺门、州郡官府的墙壁上，就到处出现了用白土书写的"甲子"字样。这对于当时的统治者，自然是一种神经的攻势。

为了更妥慎起见，荆、扬方面的渠帅马元义，又常常往来洛阳，探听政府的动静，并且收买了宦官封谞、徐奉，要他们在京师发动"叛乱"，响应农民暴动。一切都准备好了，暴动的总部，决定了在中平元年三月五日，内外俱起。

这次的准备，较之过去几次的农民暴动，总算要精密得多。但是不幸在革命的集团中，出现一个名叫唐周的叛徒，他把起义的日期和一切里应外合的秘密，报告了政府，当作他投降的礼物。于是马元义车裂于洛阳，此外，宫廷的卫士和被指为奉事张角道教的人民，也有一千多人被捕杀。

当灵帝发现他最忠实的宦官与黄巾私通的时候，他才知道宦官比士大夫更不可靠。《张让传》记灵帝责张让之语云：“汝曹常言，党人欲为不轨，皆令禁锢，或有伏诛。今党人更为国用，汝曹反与张角通，为可斩未？”

不幸的消息，很快就传到农民暴动的总部。这种消息就无异警告张角，再犹豫，就是等着被屠杀。夜已深了，洛阳政府中的要人，正在调兵遣将，准备明天的大屠杀；州郡的贪官污吏们，正带着昨天的宿酒，做着明天搜刮的好梦。即于此时，这位革命的教主，在灯光之下，一连写了三十六封檄文。然后派遣了可靠的干部，教他们将这些檄文，星夜飞送诸方渠帅，约定于檄文到达之日，立即起义。凡属同盟的诸方，士卒皆用黄巾缠头，以为共同的标帜。所以当时的人民，称之曰“黄巾”，东汉政府称之曰“黄巾贼”。

传达命令的使者，分道出发以后，这位革命的教主，立即召集左右的干部，命令他们就在夜晚准备明天的大起义。

太阳出来了，在巨鹿，飘起了三树大旗。一树写着“天公将军”张角，一树写着“地公将军”张宝，一树写着“人公将军”张梁。号角之声，响彻云霄，成千成万的农民，都扎上了黄巾，拿起了武器，集中到这三树大旗的下面。革命的教主走到旗下，他用了一颗贪官的脑袋，祭告天地，这就是历史上所载黄巾“杀人祭天”的内容。最后，这位革命的教主，念了一篇咒语，把宗教的圣水，洒向群众，于是群众疯狂了。

革命的行动，很快地由巨鹿向四方八面展开了。同时，南阳黄巾在张曼成领导之下，杀了郡守褚贡。汝南黄巾，击败太守赵谦于召陵。广阳黄巾攻杀幽州刺史郭勋及太守刘卫。颍川黄巾，占据郡城，其他各地的黄巾，无不先后相铤而起。此外安平甘陵人亦各执其王，以响应黄巾的起义。他们到处燔烧官府，杀戮富豪，其势勇猛，所至披靡。于是“州郡失据，长吏多逃亡，旬日之间，天下响应，京师震动”。把汉家的天下，打得七零八落了。

这个消息，传到了洛阳，灵帝乃召集紧急会议，商讨应变方策。当时全场一致都主张武装剿灭。惟有吕强主张，应释放党人，先收民心。他说："党锢久积，人情怨愤，若久不赦宥，轻与张角合谋，为变滋大。"这个建议，灵帝算是接受了，但是不久吕强即为宦官所诬陷，自杀而死。又有郎中张钧主张诛杀宦官，以谢人民，则不动干戈，而大乱自平。他说："窃惟张角所以能兴兵作乱，万人所以乐附之者，其源皆由十常侍多放父兄、子弟、婚亲、宾客典据州郡，辜榷财利，侵掠百姓。百姓之冤，无所告诉，故谋议不轨，聚为盗贼。宜斩十常侍，悬头南郊，以谢百姓。又遣使者，布告天下。可不须师旅而大寇自消。"（张让传）但是灵帝的回答是："此真狂子也，十常侍固当有一人善者不？"结果，忠心耿耿的张钧被宦官替他加上了一个通黄巾的罪名，亦被诬杀。

最后的决定，还是要剿。于是"诏敕州郡，修理攻守，简练武器，自函谷、太谷、广城、伊阙、轘辕、旋门、孟津、小平津诸关，并置都尉"。(《皇甫嵩传》）现在，灵帝也大破悭囊，把中藏的私钱，西园的私马，也拿出来作为军事之用。又调集五校、三河的骑士并招募新兵合四万余，令皇甫嵩、朱儁各统一军，开始屠灭饥饿农民的战争。

战争展开了。朱儁的官军进至颍川境内，便遇着了波才所指挥的一个黄巾支队的迎头痛击，杀得大败而回，只好转进长社。波才又引黄巾围长社。当时皇甫嵩的官兵，已经骇得发抖，眼看黄巾围长社而不敢救。在这一个战役中，波才将军本有把官军完全消灭的可能，但因黄巾究竟是一群没有经过战斗训练的农民，他们冲锋有余，而机动不足。当他们围攻长社之时，依草结营，而又没有警戒，不幸有一天大风，皇甫嵩乃因风纵火，鼓而奔其阵。当时，骑都尉曹操也带来一支生力军，加入了皇甫嵩的战斗，同时朱儁也打开了城门，冲杀出来。在这样一个里应外合的攻击之中，于是黄巾遂转胜为败。这一役，皇甫嵩等屠杀了几万以上的农民，嵩因功封都乡侯。

现在，东汉的官军又在皇甫嵩等的指挥之下，乘胜进击波才于阳翟，彭锐于西华，皆破之。自是颍川、汝南、陈国的黄巾溃散。

官军又再进击东郡黄巾卜己于仓亭，卜己被俘。这一役又屠杀农民七千余人。

同时，另一支官军，在朱儁的指挥之下，进击南阳的黄巾。其时南阳黄巾的渠帅张曼成已经战死，继起的领导者为赵弘，拥众十余万人，占据宛县。朱儁以八千人围宛县，两月不能拔，不久赵弘以出城应战死，韩忠继之，据宛县如故。以后黄巾被诱出城，终为官军所败。这一役，韩忠被俘，农民被屠杀者万余人。但是黄巾复以孙夏为首领，再攻占宛县，旋以迫于官军的攻势，退向鄂西精山，在退却中，为官军所乘，农民被屠杀者又万余人。以后这一支黄巾，遂散为小股，出没于豫鄂边区。

与皇甫嵩、朱儁之进讨河南的黄巾同时，中郎将卢植与东中郎将董卓也在以大军进讨张角，但史称他们“并无功而还”。当河南黄巾剿平以后，灵帝乃复派皇甫嵩前往进讨张角的集团，据《皇甫嵩传》云：“嵩与角弟梁战于广宗，梁众精勇，嵩不能克。明日乃闭营休士，以观其变。知贼意稍懈，乃潜夜勒兵，鸡鸣，驰赴其阵，战至晡时，大破之。”这一役，张梁战死，农民被屠杀者三万余人，被驱赴河死者五万余人，焚烧农民车辆三万余辆，俘虏农民妻子儿女无数。其时张角已病死，也从坟墓里斩棺暴尸，传首京师。

最后，皇甫嵩又与巨鹿太守郭典连兵，共攻张宝于下曲阳，大破之。这一役，张宝战死，农民被屠杀者十余万人。据史载，皇甫嵩将军用农民的尸骨“筑京观于城南”，以纪念他对农民的胜利。

以上都是中平元年的事，这一篇血账结下来，总计皇甫嵩和朱儁所屠杀的农民共达三十万人以上，至于那些被官军所俘虏的无数的农民的妻子儿女，后来如何发落，《后汉书》上没有下文。因为屠杀农民的丰功，战事结束以后，朱儁、皇甫嵩都得了重赏。皇甫嵩官至左车骑将军，领冀州牧，封槐里侯，食槐里、美阳两县，合八千户。朱儁封西乡侯，迁镇贼中郎将，以后又封光禄大夫，增邑五千，更封钱塘侯。皇甫嵩到了冀州以后，大得豪族欢心，当时豪家为之歌曰：“天下大乱兮市为墟，母不保子兮妻失夫，赖得皇甫兮复吾居。”

黄巾暴动的高潮，虽然已成过去，但并非完全消灭。因当时的饥民，遍于全国，没有那样多的刀斧手可以把他们斩尽杀绝。贫困产生暴动，消灭暴动，要扫除贫困，不是压迫人民忍受贫困。东汉政府却反其道而行之，所以屠杀了一批饥民，又出现了第二批饥民。中平二年，黄巾的余众和各地饥民，又打着各种各样的旗帜，出现于河北原野。《朱儁传》云：

> 自黄巾贼后，复有黑山、黄龙、白波、左校、郭大贤、于氐根、青牛角、张白骑、刘石、左髭丈八、平汉、大计、司隶、掾哉、雷公、浮云、飞燕、白雀、杨凤、于毒、五鹿、李大目、白绕、畦固、苦哂之徒，并起山谷间，不可胜数。其大声者称雷公，骑白马者为张白骑，轻便者言飞燕，多髭者号于氐根，大眼者为大目。如此称号，各有所因。大者二三万，小者六七千。
>
> 贼帅常山人张燕，轻勇矫捷，故军中号曰飞燕，善得士卒心，乃与中山、常山、赵郡、上党、河内诸山谷寇贼，更相交通，众至百万，号曰黑山贼。河北诸郡县，并被其害，朝廷不能讨。燕乃遣使至京师，奏书乞降，遂拜燕平为难中郎将，使领河北诸山谷事，岁得举孝廉、

计吏，燕后渐寇河内，逼近京师，于是出儁为河内太守，将家兵击却之。其后诸贼，多为袁绍所定。

从以上的记录中，我们可以看出继黄巾而起的暴动集团之多，而且每个“叛乱”集团都团结了六七千以至二三万的农民。特别是“黑山贼”张燕，聚众至百万，朝廷不能讨。由此可知当时暴动的农民，其数量已超过黄巾暴动的高潮时代。但是他们为甚么不能象黄巾暴动时代一样，形成一个整然的阵势，卷起一个暴动的高潮呢？这就是因为他们已经失去了统一的组织和统一的领导，因而又回复到黄巾暴动以前那种各不相属的分散状态，从而不能集中力量，整齐步伍，向着他们的敌人进军。虽然张燕曾有与诸山谷寇贼更相交通之事，然而他并不能把他们领导起来。而且张燕并不象张角一样，是一个具有拯救人民的热情的人物，而是一个意志不坚定的人。当他起事之初，非常勇敢，所以“善得士卒心”，到他做了平难将军以后，也就不能控制他的部下不“渐寇河内，逼近京师”了。即因没有张角那样的领导人物，所以继黄巾而起的农民暴动，便又回复了原始的性质，这从他们的命名，就可以看得出来。所谓原始的性质，即饥则求食，饱则退入山谷，所以当时称之曰山谷诸盗。换言之，他们完全以直接掠夺生活资料为目的，并没有推翻生活资料之垄断者的政治企图了。所以这就决定了他们在后来被袁绍、曹操、公孙瓒等各个击破。虽然，他们的出现，也就说明了一个事实，即社会的贫困，不是武力所能剿灭的。

到中平五年，黄巾复起。据《灵帝纪》所载：是年二月，黄巾贼郭太等起于西河，寇太原、河东。四月，汝南葛陂黄巾攻没郡县。六月，益州黄巾马相攻杀刺史郗俭，自称天子，又寇巴郡，杀郡守赵部。九月，青、徐黄巾复起，寇郡县。黄巾的暴动，继续了十年，一直到献帝初平四年（西纪一九三年）才没入豪族的部伍中。而黑山贼则直至献帝建安十年（西纪二〇五年）才由张燕率领投降了曹操，转化为官军。此外与黄巾暴动同时，在蜀郡，张修、张鲁也造作五斗米道，煽起叛乱。这一个叛乱集团，一直到建安二十年（西纪二一五年）才为曹操所平定。

农民暴动，镇压下去了，但东汉的天下，也被这些平乱的英雄瓜分了。自灵帝死后，东汉政府，内部发生了政变。大将军何进诛宦官，反为宦官所杀。宦官杀了何进，劫少帝出走北芒，跟着董卓勒兵入京，闭宫门，逮捕所有的宦官，无少长皆诛戮之，几二千余人。宦官绝了种，权臣又登台。董卓废少帝，另立陈留王为帝，是为献帝。董卓把献帝送到长安，而以大军屯驻潼关之外，欲挟天子以令诸侯，于是中原豪族以讨董卓为名，乘时蜂起。天下大局，遂由农民暴动转入豪族混战的局面。所以献帝在位虽然有三十一年，实际上，东汉王朝已经等于灭亡了。

第七章　两汉时代的意识诸形态

第一节　崇儒术黜百家与文化思想的再审判

适应于两汉时代社会经济和政治的发展，作为这一时代之时代精神的意识诸形态，如文化思想、宗教艺术等，正犹影之随形，也都跟着向前发展了。

说到这一时代的文化思想，探本索源，不由我们不回想到秦代统治者焚书坑儒的惨剧。因为我们知道，汉代所接受的文化遗产，只是一堆古典文化的黑灰，要从这一堆黑灰中，抓出中国的文化，那是非常艰难的。

屠灭中国古典文化的主犯，当然是秦始皇和他的丞相李斯，但平心而论，汉代的太祖高皇帝，也不能不负点责任。我们记得，秦代的统治者，并没有等到焚尽天下之书，坑尽天下之儒，自己就灭亡了。当他灭亡以后，珍藏在他皇家图书馆的全部古典文献，并没有焚毁，还有许多博士和诸生，也并没有坑尽。这仅有的一库中国古典文献，和那些残余的智识分子，就是秦代的文化凶手留给后来中国人类唯一的文化遗产。怎样保护这种珍贵的文化遗产，这是“先入关者”的责任。可惜汉代的太祖高皇帝，是一位毫无文化教养的小土豪，他一到咸阳，只知搜集阿房宫中的珍宝、美人和田赋户口的册籍，对于这唯一的一座古典文化的宝库，竟视若无睹。以致后来项羽入关，再来一把大火，而这一库仅存的古典文献，也就化为灰烬了。假使当时这位先入关者，也把这库古典文献和珍宝美人田赋户口的册籍，同时搬到霸上军中，先秦的文化，也许藉此保存。

自然，这也是我们多余的惋惜，我们不能以文化上之存亡继绝的事业，希冀于一位“以儒冠为溺器”的“长者”。实际上，这位“长者”之痛恨文化，并不减于他的前辈秦始皇和李斯。据史载，“偶语诗书者弃市”这一条智识分子惩治法，在汉高祖的时代，还是继续有效的。虽然如此，我们还是应该原谅这个“长者”。因为无论在客观上和主观上，他都应该仇恨古典文化。从客观上说，他亲眼看见过旧贵族的叱咤风云，亲身尝试过过旧贵族的酸甜苦辣，他总觉得古典文化，还是旧贵族的一种反动的精神武器，这种精神武器，对于汉代商人地主的政权，还是一种危险的东西。从主观上说，他根本不知道何谓文化，他以为他的天下，是从马上得来，他相信只要有了刀剑，万事都可解决，还要甚么文化。特别是叔孙通一流的卑劣智识分子，替他制礼作乐，使他更感到所谓文化者，不过是告诉人们顿首、稽首呼万岁而已，因而使他愈看不起文化。

其实中国的旧贵族这一个阶层，在乌江之役，已经最终地从中国历史上委蜕了，剩下来的古典文化，已经成了无主的游魂。而且古典文化，也不是全部都是属于旧贵族的，为了害怕旧贵族而遂摧毁全部的古典文化，这未免有些神经错乱。同时，象叔孙通那一流的三朝元老，专以起朝仪为职业的博士，也不能代表当时的智识分子，因为当时的智识分子，并不在新皇帝的脚下，而是隐逸在山林之中，他们不知道起朝仪，只知道从秦火灰中，寻求断简残编，致力于古典文献之辑佚的工作。因而把叔孙通一流的博士当作智识分子，把朝仪当作文化，这也未免有些滑稽。

挟书之律的废除，是在惠帝四年。但是自秦始皇三十四年挟书律的宣布，至于是年，其间有三十三年的时间（自西纪前二一三年至一九一年），在这个时期中，中国的人民，读书是犯死罪的。当时中国智识分子所遭受的抑压、侮辱和屠杀，在人类史上，是很难找到比例的。

惠帝时虽除挟书之禁，但是历文景之世，西汉的统治者，并不提倡文化，挟书之禁的流毒余烈，至武帝之初，尚未消灭。当时董仲舒对武帝的策问有曰："秦……重禁文学，不得挟书，捐弃礼谊而恶闻之，其心欲尽灭先王之道，而专为自恣苟简之治，故立为天子十四岁而国破亡矣。自古以来，未尝有以乱济乱，大败天下之民如秦者也。其遗毒余烈，至今未灭，使习俗薄恶，人民嚣顽，抵冒殊扞，孰烂如此之甚者也。孔子曰：'腐朽之木，不可雕也，粪土之墙，不可圬也。'今汉继秦之后，如朽木粪墙矣，虽欲善治之，无可奈何。"又曰："陛下亲耕藉田，以为农先，夙寤晨兴，忧劳万民，思惟往古，而务以求贤，此亦尧舜之用心也，然而未云获者，士素不厉也。夫不素养士而欲求贤，譬犹不瑑（琢）玉而求文采也。”又曰：“今以一郡一国之众，亡对无应书者，是王道往往而绝也。”由此而知自汉兴至武帝初六十余年间，当时的政府对于文化，还是如此的冷淡与漠视。

“野火烧不尽，春风吹又生。”文化正是这样的东西。当时秦代的统治者以为经过他们的文化大屠灭以后，天下后世，将永无文化。曾几何时，一旦陈涉起义，而孔鲋出现为陈王的博士。即至楚汉之际，丰衣博带而道儒墨者，遍天下皆是也。当汉高祖举兵围鲁，而鲁国诸儒，正在相与讲诵习礼，弦歌之声不绝。这些智识分子在劫后的出现，对于秦代的文化屠灭者，正是一种冷酷的讽刺呵！

“春草自绿，春水自波”，文化也是一样。不管汉代的统治者怎样继续地保留挟书之律，怎样地侮辱文化、蔑视文化，而文化仍然在统治者禁令的缝隙中，在一群毫无智识的商人地主的侮辱与轻蔑中，自发地再生起来。在汉初，天下除了一部《易经》和几种种树之书，没有其他的典籍。[1]但是自惠帝除挟书之律至武帝

[1]《汉书·刘歆传》云：“汉兴，去圣帝明王遐远，仲尼之道又绝，法度无所因袭，时独有一叔孙通略定礼仪，天下唯有《易》卜，未有它书。”

之初，这半个世纪中，学者们已不断地从秦火的灰烬中，抓剔出一些没有烧完的断简，又从民间搜集一些私藏的残篇，再加以自己的记忆，渐渐将中国的古典文献，逐一的整理出来。《汉书·刘歆传》谓文帝时“天下众书，往往颇出，皆诸子传说”。这里所谓天下众书，就是汉兴以来，学者编辑出来的古书之新版。

即因当时学者，各依所据，各凭所记，是以同一古书，而有各种版本，同一学说，而有各种学派。即以儒家学说而言，其派别亦至为纷歧。《汉书·儒林传·序》有曰：“汉兴，言《易》自淄川田生。言《书》，自济南伏生。言《诗》，于鲁，则申培公；于齐，则辕固生；燕则韩太傅（婴）。言《礼》，则鲁高唐生。言《春秋》，于齐则胡毋生；于赵则董仲舒。”《隋书·经籍志》亦云：“（汉）惠帝除挟书之律，儒者始以其业行于民间。（然）犹以去圣既远，经籍散佚，简札错乱，传说纰缪，遂使《书》分为二，《诗》分为三，《论语》有齐、鲁之殊，《春秋》有数家之传，其余互有踳驳，不可胜言。”虽然如此，我们由此仍可以看出，当时儒家学说，已卓然复兴。

不仅儒家学说如此，其他诸子百家的学说，也同时蓬勃地再生起来。《汉书·艺文志》中载有道家之书三十七家，九九三篇；法十家，二一七篇；名七家，三六〇篇；墨六家，八六〇篇；纵横十二家，一〇七篇；杂二〇家，四〇三篇；农九家，一一四篇；小说十五家，一三八〇篇。这些诸子百家之书，虽然不一定完全都是武帝以前出现的，而且其中还有许多是后来西汉时代的学者的作品，但武帝以前，诸子百家的学说，已经风靡一时，我们可以从武帝罢黜百家的事实，得到证明。武帝策问董仲舒的诏令有曰："今士大夫待诏百有余人，或道世务而未济，稽诸上古之不同，考之于今而难行，毋乃牵于文系而不得聘与？将所繇异术，所闻殊方与？"从武帝的这个策问中，我们显然可以看出当时一百多位待诏之士，诸子百家的学者无所不有，所以他们对于历史的看法、政治的主张各不相同。

即因各种古典文化在新的历史基地上之再生，到武帝时，商人地主的政府，又不得不再来一次文化思想的大审判了。这一次的提议者，是《春秋》专家董仲舒。他向武帝说：

《春秋》大一统者，天地之常经，古今之通谊也。今师异道，人异论，百家殊方，指意不同，是以上亡以持一统，法制数变，下不知所守。臣愚以为诸不在六艺之科、孔子之术者，皆绝其道，勿使并进。邪辟之说灭息，然后统纪可一，而法度可明，民知所从矣。

武帝听了他这一段“至理明言”，于是“卓然罢黜百家，表彰儒术”。董仲舒的办法，从表面看来，似乎比李斯的办法要和平得多，因为他不用火烧，也不用活埋。但在实际上董仲舒的办法比之李斯的办法，更要刻毒，因为李斯的办法，是盲目地毁灭文化，而董仲舒的办法，是有意识地统制文化。换言之，董仲舒用文化反对文化，用智识分子反对智识分子。他一方面把于统治阶级有利的文化，抬举到一尊的地位，同时又把于统治阶级不利的文化指为邪辟之说而皆绝其道。这样就在中国文化史上开辟了儒家学说独裁的局面，阻碍了中国文化自由发展的道路。其流毒所及，直至我们的今日，尚被其害。

自从董仲舒的建议批准以后，汉代初叶再生出来的一切文化思想，都要站在儒家学说的法庭之前，遭受审判，判定其生存或宣布其死刑。儒家哲学，变成了封建制度之最高的政治原理，变成了衡量文化思想之标准的尺度。一切与这种原理相冲突的古典的学说，即使比儒家学说含有更多的真理，也要从头到尾被摧毁。从这一时代起，孔子便从诸子百家之中超升出来，变成了东方世界之罗马教皇，而儒家哲学也就变成永恒不变的真理。谁要批判儒家哲学，谁就是名教的罪人、文化的叛逆。

西汉的政权和秦代的政权一样，同样是商人地主的政权，为甚么同样的商人地主，在秦代那样仇视儒家哲学，至于焚其书而坑其人，一到汉代反而把儒家哲学捧成了自己的圣经呢？非常明白，这主要地是因为儒家哲学有着两面性，即特殊性与一般性。从其特殊性上看，它是哲学地辩护初期封建制之合理的存在；从其一般性上看，它又是贯通封建社会全时代而皆准的政治指导原理。即因儒家哲学有其特殊性，所以在秦代，当那些残余的旧贵族尚在企图利用它的特殊性以进行反动的复古主义时，商人地主，便要打击它。即因儒家哲学有其一般性，所以到汉武帝时，当它的特殊性已经失掉了实践的基础时，商人地主便要利用它的一般性以为巩固封建等级制度的堤防。由此而知商人地主，在秦代打击儒家学说，到汉代又反过来拥护儒家哲学，并不矛盾，这正是商人地主的政权从创立到巩固之历史过程在文化思想运用上之反映。

同时，在人类史上，政治的独裁与文化思想的独裁，是血肉相连的。因为一个独裁的皇帝，他不仅要求统制臣民的肉体，也要求统制臣民的灵魂。所以只要独裁政治一旦出现，跟着文化思想也就被统制了。西汉至武帝时，中央集权的政治已经确立，征伐四夷的战争，已经展开，当时的商人地主正需要一种“尊周室、攘夷狄”的“大一统主义”、“大种族主义”的理论，来辩护他们的政治方向和行动，而儒家哲学，恰恰适合于这种需要，所以它就在商人地主的身上借尸还魂了。

借尸还魂的儒家哲学，和原始的儒家哲学，已经大大的不同，这就是它以前为了辩护初期封建制的合理而发出来的一切说教，到现在都把它们一般化、原则化，解释为辩护一般封建制度的说教。例如儒家所谓春秋大一统，是反对五霸的割据，拥护周天子的统一，但是到现在却解释为“天地之常经、古今之通谊”了。又如儒家所拥护的封建等级制度，是要农奴和商人地主服从当时的等级支配，而到现在，则解释为要封建时代的臣民，都要服从等级支配了。总而言之，儒家哲学自汉代起便消失了它原始的政治实践性，而被抽象为辩护一般封建制度之原则性的教条。即因它变成了原则性的教条，所以在以前在实践意义上本来是帮助旧贵族反对商人地主的一些说教，到现在却反而被商人地主利用，而以为反对和统治自己的臣民的工具。即因儒家学说变成商人地主的政治工具，变成了支持封建社会的大经大法，所以它就从被火烧的虐待中，被砍头的禁抑中，解放出来成为商人地主的圣经。而且从此以后几千年来，都被封建统治者所尊崇，用以为统治地上的财富、统制人和人的思想之永恒不变的最高原则。它是封建社会内文化思想的堤防，也是人类生活行动的轨范。

我们已经说明了汉代为甚么崇儒，现在再说到儒家哲学在两汉时代的发展。

儒家哲学自从被雄才大略的汉武帝尊崇以后，它很快就从私家学者的书斋，走进了大汉帝国的皇家大学。当时的皇家大学，分《诗》《书》《易》《礼》《春秋》五系，除儒家学说以外，没有其他科目。从这一时代起，儒家学说，才从一般学说中超升出来而被尊为经。但当时儒家典籍中之尊称为“经”的，也只有《诗》《书》《易》《礼》《春秋》五种，当时统称之曰“五经”。至于后来列入十三经中之《论语》《孟子》《孝经》《尔雅》，虽亦系儒家学说，但汉代尚未称之为经。

如前所述，在汉初儒家哲学，因为师承不同，已经分为许多学派。这些学派，究竟谁是正统，谁是旁门，圣人已死，原书不存，无从判别。好在皆系昌明圣道，小异而大同，无关宏旨。所以武帝采取兼容并蓄的政策，对于当时有名的儒家学派，皆为之在大学设一讲座，谓之学官。

据史载，当时设立学官者易有三派，曰施氏[1]、孟

[1]《汉书·儒林传》:“施雠，字长卿，沛人也……从田王孙受《易》。田王孙为博士，复从卒业。”

氏[1]、梁丘氏[2]。书有三派，曰欧阳氏[3]、大夏后氏[4]、小夏后氏[5]。诗有三派，曰鲁申公[6]、齐辕固生[7]、燕韩婴[8]。礼有一家曰后氏[9]；春秋有二派，曰公羊严氏[10]、穀梁江公[11]。这种学官，在西汉全时代，都没有改变。直

---

[1]《汉书·儒林传》云："孟喜，字长卿，东海兰陵人也……从田王孙受《易》。"

[2] 同上传云："梁丘贺，字长翁，琅邪诸人也。……从大中大夫京房受《易》，房者，淄川杨何弟子也。房出为齐郡太守，贺更事田王孙。

[3] 同上传云："欧阳生，字和伯，千乘人也，事伏生。授倪宽，宽又受业孔安国。"

[4] 同上传云："其先夏后都尉，从济南张生受《尚书》，以传族子始昌，始昌传胜（按大夏后氏即夏侯胜，字长公，鲁东平人也）。胜又事同郡荀卿。荀卿者，倪宽门人。"

[5] 同上传云："胜传从兄子建，建又事欧阳高。……（按小夏后氏即夏侯建，字长卿。）由是《尚书》有人小夏后之学。"

[6] 同上传："申公，鲁人也，……事齐人浮丘伯受《诗》。"

[7] 同上传："辕固，齐人也。以治《诗》，孝景时为博士。"

[8] 同上传："婴，燕人也。孝文时为博士，景帝时至常山太傅。婴推诗人之意，而作内外传数万言，其语颇与齐、鲁间殊，然，归一也。……燕、赵间言《诗》者，由韩生。"

[9] 同上传："后苍，字近君，东海郯人也。事夏侯始昌，始昌通五经，苍亦通《诗》、《礼》。"

[10] 同上传云："严彭祖，字公子，东海下邳人也。与颜安乐俱事眭孟。"又《汉书·艺文志》云："《公羊传》十一卷。"注："公羊子，齐人。师古曰，名高。"

[11] 同上传：瑕丘江公，受《穀梁春秋》及《诗》于鲁申公。"又《汉书·艺文志》："《穀梁传》十一卷。"注："穀梁子，鲁人。师古曰，名喜。"

至东汉时，还是承西汉之旧，惟增设了几个学官，如于《易》则增京氏[1]，于《礼》则增大戴氏、小戴氏[2]，于《春秋》则罢穀梁而增公羊颜氏[3]。

儒家学说自从得到政府的倡导以后，遂获得了广大的传播。在两汉四百余年间，经学大师，如董仲舒、公孙弘、孔安国、刘向、刘歆、扬雄、贾逵、马融、许慎、郑玄、何休、服虔等，接踵辈出，疏证训诂，极一时之盛。然而即以此故，以前本来是一种生动的实践的哲学，到西汉之末，便变成了一种死板的繁琐哲学了。《汉书·儒林传·赞》曰："自武帝立五经博士，开弟子员，设科射策，劝以官禄，迄于（平帝）元始，百有余年，传业

[1]《汉书·儒林传》："京房（字君明，东郡顿丘也）受《易》梁人焦延寿。"

[2] 同上传："汉兴，鲁高堂生传《士礼》十七篇，……（宣帝时）仓说《礼》数万言，号曰《后氏曲台记》，授……梁戴德延君、戴圣次君，沛庆普孝公。……德号大戴，……圣号小戴。……由是《礼》有大戴、小戴、庆氏之学。"

[3] 同上传云："颜安乐，字公孙，鲁国薛人。"《隋书·经籍志》云："汉初，有公羊、穀梁、邹氏、夹氏，四家并行。王莽之乱，邹氏无师，夹氏亡。初齐人胡毋子都传《公羊春秋》，授东海嬴公，嬴公授东海孟卿，孟卿授鲁人眭孟，眭孟授东海严彭祖、鲁人颜安乐。故后汉《公羊》有严氏、颜氏之学。"

者寖盛，枝叶蕃滋，一经说至百余万言，大师众至千余人，盖禄利之路然也。”自是学者多有白首穷经，而至死不通者，然而为了官禄，也只好寻章摘句，以备射策之用。

儒家哲学之变为繁琐的哲学是必然的，因为一种学说，到了只许赞扬，不准批判的时候，这种学说就会停止它的发展。我们知道儒家学说是在百家争鸣的局面中成长起来的，在当时，它受它的论敌的批判，也批判它的论敌，所以它是一种生动而活泼的战斗哲学——不管它为了甚么政治目的而战斗。但是到汉代，它已经被捧上文化思想的王座，它已经信化为永恒不变的真理，而且汉代的统治者，把它当作一种材料，筑成了一条文化思想的狭路。在狭路的起点，写着智识分子由此入口；在狭路的终点，堆积着大堆的禄米。为了获得禄米，必须通过这条唯一的狭路，因此，在当时，这条狭路中，便挤满了利禄之徒。他们口里念着圣经贤传，心里想着高官厚禄。为了多领禄米，总得东扯西拉，说些“子曰诗云”，这样一来，儒家学说的“枝叶”遂日趋“繁茂”，以致“一经说至百余万言”。

第二节 儒家哲学的发展

一 经今、古文派之争与儒家哲学之分派

西汉末哀、平之际，在儒家哲学的内部，发生了经今、古文派之争，稍后又出现了谶纬之学，到东汉初，王充发表了他的《论衡》。这三件事，看起来，似乎各不相干，实则这是两汉哲学思想之一连串的发展。从经今、古文派之争到谶纬之出现，是儒家哲学从分派到玄学化的发展过程，而王充的《论衡》之出现，则是儒家哲学发展到绝顶的玄学化时所引起之文化思想的反击。

这三个文化思想的浪涛之所以一个接着一个出现，并非偶然，这正是西汉末以至东汉初这一个急剧的变乱时代之社会经济和政治运动之反映。今、古文派之争，正是反映着西汉末土地所有者内部的分裂。谶纬的出现，正是反映着西汉末贵族地主企图托古改制与东汉初新兴的商人地主企图从圣经中寻找天命之事实。至于王充的《论衡》之出现，则是反映着东汉初农民的意识之觉醒。

说到经今、古文派之争，我们必须回溯这个问题的渊源，即古文经出现的故事。自武帝崇儒术，设太学，

置博士，选弟子，慨然以恢宏圣道为己任以后，他同时也就设立一座大规模的皇家图书馆。其中有天禄阁、延阁、广内、秘室等藏书室。其时武帝通令天下，征求图书，又置写书之官，抄写简牍，于是当时的皇家图书馆，遂粗具规模。[1]

到成帝时，又再派谒者陈农，求遗书于天下，从此皇家图书馆的图书，日益丰富。汉代政府，虽罢黜百家，但百家之书在图书馆中，还是无所不有。成帝以图书既多，乱杂无章，乃派员分别整理，而以刘向总其事。据史载，成帝派“光禄大夫刘向校经传诸子诗赋，步兵校尉任宏校兵书，太史公尹咸校数术（天文五行卜筮之书），太医监李柱国校方技（医药之书）。每一书（校）就，（刘）向辄撰为一录，论其旨归，辨其讹谬，叙而奏之”。[2]这算是对中国古典文献作了一次大清算的工作。

刘向在没有完成这种古典文献的校评工作就死了，

---

[1]《隋书·经籍志》云：“武帝置太史公，命天下计书，先上太史，副上丞相。开献书之路，置写书之官，外有太常、太史、博士之藏，内有延阁、广内、秘室之府。”

[2] 见《隋书·经籍志》。

其子刘歆也是一位博极群书的大学者，为了完成校书的事业，哀帝又命刘歆“嗣父之业，乃徙温室中书于天禄阁上。歆遂总括群篇，撮其要旨，著为《七略》：一曰《集略》，二曰《六艺略》，三曰《诸子略》，四曰《诗略》，五曰《兵书略》，六曰《术数略》，七曰《方技略》，凡三万三千九十卷”。[1]由此可知西汉末年，汉代皇家图书馆已经有三万卷以上的书籍，而且出现了类别分明的图书目录。可惜这些图书，到王莽之末，又被焚毁了。不过到东汉时，石室蘭台，东观及仁寿阁，又充满了图书，一直到东汉末年，两京大乱，这些图书馆的书籍，才被当时豪族的军队，毁灭无余。[2]但这与经今、古文之争，已无关系了。

经今、古文的争议之发生，是在刘歆襄助他父亲校书的时代。据说有一天，刘歆忽然在皇家图书馆的秘室

[1] 见《隋书·经籍志》。

[2] 同上书同志云：“光武中兴，笃好文雅，明、章继轨，尤重经术。四方鸿生巨儒，负袠自远而至者，不可胜算。石室、蘭台，弥以充积。又于东观及仁寿阁集新书，校书郎班固、傅毅等典掌焉。并依《七略》而为书部，固又编之，以为《汉书·艺文志》。董卓之乱，献帝西迁，图书缣帛，军人皆取为帷囊。所收而西，犹七十余载。两京大乱，扫地皆尽。”

中，发现了一部用古体字写的《春秋左氏传》，问题就此发生了。因为当时汉代所流行的经籍，都是用通行于当时的今体文字抄写的，现在忽然发现了一部古体文字的经籍，而且是从来没有看见过的经籍，这当然要在当时学术界引起一个波澜。

刘歆发现了这部古文《春秋左氏传》以后，就想表扬这部书。他的理由是："以为左丘明好恶与圣人同，亲见夫子；而公羊、穀梁，在七十子后。传闻之与亲见之，其详略不同。"（《汉书·刘歆传》）但是我们知道孔子自己并没有说他曾作《春秋》，而司马迁在《史记》中两次提到左丘明，也只说："左丘失明，厥有国语。"并没有提到他传《春秋》的事。因而这部古文的《春秋左氏传》，就有些来历不明了。[1]

刘歆在寻出一部《春秋左氏传》以后，接着又发现了一部《毛诗》，一部《逸礼》，一部《古文尚书》。这些都是以前没有见过的书。当他继任父职以后，就请求政府将他所发现的古文经都在太学设置学官，采为教科

[1] 关于这一问题，可参看清·崔适的《春秋复始》及《史记探源》，刘逢禄的《左氏春秋考证》，康有为的《新学伪经考》。

书。当时哀帝要刘歆先与博士们讨论，但其时“诸博士或不肯置对”。于是刘歆致书博士，这封信主要的命意，是申述他所发现的古文经、传有来有历。他说：“及鲁恭王坏孔子宅，欲以为宫，而得古文于坏壁之中，《逸礼》有三十九，《书》十六篇。天汉之后，孔安国献之，遭巫蛊仓卒之难，未及施行。及《春秋》左氏丘明所修，皆古文旧书，多者二十余通，藏于秘府，伏而未发。孝成皇帝闵学残文缺，稍离其真，乃陈发秘藏，校理旧文，得此三事。以考学官所传，经或脱简，传或间编。传问民间，则有鲁国（柏）公、赵国贯公、胶东庸生之遗学与此同，抑而未施。此乃有识者之所惜闵，士君子之所嗟痛者也。”

刘歆在提出了他的古书的证据以后，然后对当时的诸博士，大加痛斥。作为这封信的结论，他说：

> 往者缀学之士，不思废绝之阙，苟因陋就寡，分文析字，烦言碎辞，学者罢老，且不能究其一艺。信口说而背传记，是末师而非往古，至于国家将有大事，若立辟雍、封禅、巡狩之

仪，则幽冥而莫知其原。犹欲保残守缺，挟恐见破之私意，而无从善服义之公心。或怀妒嫉，不考情实，雷同相从，随声是非。抑此三学，以《尚书》为备，谓《左氏》为不传《春秋》，岂不哀哉！今圣上德通神明，继统扬业，亦闵文学错乱，学士若兹，虽昭其情，犹依违谦让，乐与士君子同之。故下明诏，试《左氏》可立不？遣近臣奉旨衔命，将以辅弱扶微，与二三君子比意同力，冀得废遗。今则不然，深闭固距，而不肯试，猥以不诵绝之，欲以杜塞余道，绝灭微学。夫可与乐成，难与虑始，此乃众庶之所为耳，非所望士君子也。且此数家之事，皆先帝所亲论，今上所考视，其古文旧书，皆有征验，外内相应，岂苟而已哉。夫礼失求之于野，古文不犹愈于野乎？往者博士，《书》有欧阳，《春秋》公羊，《易》则施、孟，然孝宣皇帝犹复广立穀梁《春秋》，梁丘《易》，大小夏侯《尚书》。义虽相反，犹并置之，何则？与其过而废之也，宁过而立之。传曰：'文武之道，未坠于地，在人；贤者志其大者，不贤者志其小者。’今此数家之言，所以兼包大小之义，岂可偏绝哉。若必专已守残，党同门，妒道真，违明诏，失圣意，以陷于文吏之议，甚为二三君子不取也。

我之所以要转录刘歆长篇大论的信札，为的是要揭示刘歆对古文经传之来历所提的证据，及当时经今、古文的争议之激烈。争议的激烈，上文已可看出。惟他所提的证据不合史实。第一，孔壁出书之事，不见于《史记·孔子世家》。其次，鲁共王死于武帝元朔元年，巫蛊之狱发生于征和二年，其间有三十六年的时间，即使孔安国有献书之事，亦不能说遭巫蛊之难，未及施行。这些都是刘歆没有塞住的漏洞。

古文经在哀帝时始终没有设立官学。哀帝死，平帝立，王莽辅政，刘歆一跃而为典文章的要人，于是他所发现的《左氏春秋》、《毛诗》、《逸礼》，都被立为官学了。

为了要宣传古文经，于是于平帝四年，“王莽奏起明堂、辟雍、灵台，为学者筑舍万区”，然后“立《乐经》，益博士员，经各五人。征天下通一艺教授十一人以上，及有《逸礼》、古《书》、《毛诗》、《周官》、《尔雅》、天文、图谶、钟律、月令、兵法、《史篇》文字，通知其意者，皆诣公车。网罗天下异能之士，至者前后千数，皆令记说廷中，将令正乖缪，一异说云。”（《王莽传》）这样倡导的结果，古文经遂得到广大的传播。

自是以后，不仅《诗》、《书》、《礼》、《春秋》有古文本，《易》、《论语》、《孝经》也有了古文本。[1]而且这些古文经传都有历相传授的渊源了。[2]由是而中国儒家经典，遂有今、古文之别。

古文经是真是假，闹了两千年，还没有闹清楚。以我看，即使是真的，也经过了刘歆的改窜。实在说来，恐怕是假造的。不管它是真是假，这个问题，留待经学家去讨论，我的任务，是在说明经今、古文派的争议之所以发生的历史原因。

---

[1]《汉书·艺文志》载：古文《易经》，民间费氏经与之同。古文《尚书》四十六卷、五十七篇。《毛诗》二十九卷。《礼》古经五十六卷。《周》官经六篇，《春秋》古经十二编，《左氏传》三十卷。古文《论语》二十一篇。《孝经》古孔氏一篇，二十二章。

[2] 参看《汉书·儒林列传》。

非常明白，经今、古文派的争议，是儒家学说内部的分派。儒家哲学的分派，是商人地主阶层内部之分裂的反映。我们记得，西汉至哀、平之际，由于商人地主之政治的与经济的收夺，逼出了普天下的农民暴动。当时商人地主中以王莽为首之一部分执政的贵族，企图以打击一般商人地主的政策缓和农民暴动，并从而抢救西汉的政权。这样便形成了商人地主阶层内部的分裂。这种分裂，反映到哲学上，便是经今、古文派之争。

商人地主阶层内部的分裂，为甚么会反映为经今、古文派的斗争呢？这就是因为在西汉时，儒家学说，已经起着很大的支配作用，它不仅拘束人类的思想，也限制人类的行动。当时的人，对于政治上的任何措施，都要用儒家经传去衡量，甚至用《春秋》决狱，用《禹贡》治水。合于经传者则善之，不合于经传者，则群起而非之。在这样的情形之下，如果当时的贵族地主要以篡汉的方法，集中政权以展开其打击商人地主的政治行动，在儒家经传上没有这一条，因而商人地主及其代言人，必然引经据典，用神圣的教条来压制贵族地主。为了预防商人地主之教条的攻势，所以首先就要推翻他们教条的神圣性，说他们那种口传的经典，不足为凭，我们现在已经发现了真正原本古文的圣经。毫无疑义，这种古文的圣经，是依照贵族地主自己的政治需要编出来的，即不然，也是把这种古文本的圣经修改得合于贵族地主当时的需要，然后贵族地主就用教条主义去反对教条主义。这就是为甚么古文经在哀帝时不被承认，一到王莽辅政，马上就变成了官学的原因。

具体的史实指示出来，王莽的一举一动，是怎样合于儒家的经典。此如他之敢于做衡宰，是因为伊尹做过阿衡，周公做过太宰。他之敢于接受九锡，也是根据《周官》、《礼记》等书的规定。他之一面辅孺子婴而又敢于同时践天子之位，也是奉行周公的故事。至于他之敢于公然地篡汉，也是因为《尚书》上说过“天之历数在汝躬”，他不敢不“奉若天命”。他做了皇帝以后，对于一切典章制度的改革，也无不合于儒家的经典，官制遵照《周礼》，地名合于《禹贡》。最后，没收商人地主的土地，也是恢复“一夫授田百亩”的“井田制”。王莽就这样在圣经的掩护之下，逐步地实现了他的政治理想。谁要反对他，就是反对儒家经典，谁要反对儒家的经典，就是文化的叛逆，名教的罪人。所以眼睁睁望着他篡了汉朝的天下，还要称赞他是圣人。

到东汉时，跟着商人地主的胜利，今文派又抬头了，东汉一代，博士十四人，皆系传今文经。但是古文经并没有消灭，东汉时几个最有名的经学大师如贾逵、服虔、马融、郑玄，都是古文学家，但同时也研究今文。这一直到黄巾叛乱的前夕，商人地主为了对付共同的敌人，团结一致，因而反映在哲学上，经今、古文派的争议也就熄灭了。史称灵帝熹平四年“乃诏诸儒，正定《五经》，刊于石碑”，“树之学门，使天下咸取则焉”。正是说明这一事实。

二　谶纬的出现与儒家哲学的玄学化

与古文经的出现同时或稍后，大约在西汉末至东汉初的这一时期中，又出现一种谶纬之学。《四库提要》说：“纬者，经之支流。”这种“经之支流”和古文经同时出现，是值得注意的。

谶和纬，虽然是二而一的东西，但谶之被称为纬，则是长期发展的结果。因为所谓谶，即是当作神灵启示人类的一种预言，实际上，天何言哉，故所谓谶者，也不过是某一特定时代的人民或统治者对于自己的愿望之宣言。而纬则是对经而言，纬而谓之谶纬，即总集过去所有的具有一定性质的预言，而用以解释一般性质的儒家经典，使那些预言与儒家经典相交织，在儒家哲学的经线上，加上一些预言做纬线。换言之，即把预言紧紧地织进儒家哲学之中，使圣人的教条与上帝的启示，合而为一。这样，圣经就变成了天书，孔子就变成了神人。

预言而以谶之名出现于中国史，始于秦穆公一梦。据史载秦穆于梦中会见上帝，上帝告以“晋国将大乱，五世不安，其后将霸”。“秦谶于是出矣”。自是以后，在秦代也出现了不少的谶语，如“亡秦者胡也”，“明年祖龙死”，“始皇死而地分”，这些，都是当时人民假上帝之名发出来的预言。谶语的制造，到西汉末才达到它的全盛时代。当此之时，上帝几乎每天都有要王莽准备做皇帝的预示。更后，到东汉初，光武要做皇帝，又出现了《赤伏符》四十二篇。公孙述要做皇帝，也找到了许多上帝规定了他应做皇帝的谶语。虽然如此，直至古文经出现之前，谶语并没有编成有系统的文献。直至古文经出现以后，才有人利用这些上帝的言语，来神化这些翻版的圣经，于是所有的谶语，才被编辑起来，而命之曰纬书。

纬书是以经书的姊妹作品而出现，故其书名，一仍经书之旧。在西汉时，自《诗》、《书》、《易》、《礼》、《春秋》以至《孝经》和《论语》，无不有纬。此外，尚有《河图》、《洛书》，占纬书中最大的分量。[1]这些纬书，自典章制度，以至天文、地理、历法、文字、神仙，无所

---

[1] 关于纬书，《后汉书》中曾有一个简单的目录。《樊英传》："河洛七纬。"章怀注云："《易》纬，《稽览图》、《乾凿度》、《坤灵图》、《通卦验》、《是类谋》、《辨终备》也。《书》纬，《璇玑钤》、《考灵耀》、《刑德收》、《帝命验》、《运期授》也。《诗》纬，《推度灾》、《记历枢》、《含神务》也。《礼》纬，《含文嘉》、《稽命征》、《斗威仪》也。《乐》纬，《动声仪》、《稽耀嘉》、《记图征》也。《孝经》纬，《援神契》、《钩命决》也。《春秋》纬，《演孔图》、《元命包》、《文耀钩》、《运斗枢》、《感精符》、《合诚图》、《考异邮》、《保乾图》、《汉含孳》、《佑助期》、《握诚图》、《潜潭包》、《说题辞》也。"这些纬书，以后由于宋武帝、梁武帝以至隋文帝之禁抑，特别是隋炀帝的焚毁，皆早已散亡。其保全以至今日者，只有《易》纬八种。自明清以来，学者如明之孙瑴，清之朱彝尊、黄奭汉、赵在翰、马国翰、孔广林、袁钧等，先后致力于谶纬之辑佚的工作。他们从许多古书中，如《十三经注疏》、《白虎通德论》、《后汉书》、《续后汉书·律历志》、葛洪《抱朴子》、陶弘景《真诰》、贾思勰《齐民要术》、《太平御览》、《册府元龟》等古书中钩稽抓剔，再为辑出若干。我们今日所得而见者，盖纬书之零简也。学者如欲知纬书之详目，可参看朱彝尊著《経义考》中之《琴纬》。

不谈，但都是以预言和神话为根据。

为了提高谶纬在读者之中的信仰，谶纬的制造者，又替谶纬找出了神圣的来源。他们说《河图》《洛书》，是自黄帝至周文王以来上帝颁赐下来的成套的天书；七经之纬，都是孔子所作。[1]但是我们知道，纬书的出现，至早亦在古文经之后，因为在刘歆的《七略》中，甚么怪诞不经的书目都被收入，而不录纬书。那样以恢宏圣道为职业的儒家大师，岂有摒周公孔子之书而不录的道理。同时，如果刘歆之时，就有了整套的纬书，那位酷好谶纬的王莽，也不致现做现卖了。

谶语，只是纬书构成的资料之一部，除此以外，还有浩如烟海的传说与神话。因此，纬书可以说是上帝的语录，也可以说是传说与神话的集大成。纬书中所编辑的传说与神话，不仅是中国本土的，而且有许多是四周诸种族中的。例如在纬书中出现的盘古、天地人三皇及

[1]《隋书·经籍志》云："孔子既叙六经以明天人之道，知后世不能稽同其意，故别立纬及谶，以遗来世，其书出于前汉，有《河图》九篇，《洛书》六篇，云自黄帝至周文王所受本文。又别有三十篇，云自初起至于孔子，九圣之所增演，以广其意，又有《七经纬》三十六篇，并云孔子所作。"纬书制造者如此说，故《隋书·经籍志》亦如此云云。

西王母等，这些太古时代的神人，在纬书出现以前，都没有听到说过的，而且他们都不是出生于中国的本土。据纬书说，盘古生于火荒，天皇起于昆仑，地皇兴于熊耳，人皇起于形马，西王母居于流沙之滨。这些神话，显然是从四周诸种族中传入的，有些也许早就传入中国，但大部分都是西汉在世界战争中带回来的胜利品，而为司马迁所不及见及闻的材料，所以司马迁写《史记》说到最古的古人，只说神农、庖牺。由此看来，我们又证明了纬书之开始形成，最早亦在西汉中叶以后。

纬书上所收录的神话，大半都带着极原始的性质。所以在这些神话中说到一些太古神人的出身，都不是男女媾精，而是他们的母亲被电触了一下，被星闪了一下，被龙感了一下，或者就是蹈过一次男人的足迹。说到那些太古神人的像貌，也不象有史以后的人类，还是带着若干兽类的特征。当然，既谓之曰神话，它就与真实的历史有出入，但是神话的产生，则是以真实的历史为底本。它与真实历史不同的，只是把史实加以夸张或歪曲而已。因此，我们不能说，纬书上的神话都是假造的。

但是，假的神话也很多，而且纬书中之所以收录真的神话，正是为了要把一批新制造的假神话糅杂进来。例如它把原始的神话当作公式，也套在孔子和刘邦的身上。纬书中说孔子是他母亲与黑帝梦交而生[1]，刘邦是赤龙感女媪而生[2]，都与他们的父亲没有关系。太古的人，找不到父亲，那是没有办法，孔子和刘邦，摆着现存的父亲不肯承认，而必诬其母以不贞者何故，盖以“圣人无父，感天而生”，原则如此，不得不尔。如果不如此，就不足以把自己从一般有母而又有父的庶人中区别出来，显出他们是圣人。

纬书的目的，主要地是要从侧面捧孔子，以捧孔子者捧儒家学说，以捧儒家学说者，捧儒家学说之利用者汉代的统治者。所以它对孔子的描写，特别用力。它写到孔子的圣容时，竟说他身长十丈，腰大十围，海口、河目、龙颡、龟脊、骈齿、虎掌、谷窍、雷声，眉比尧

[1]《艺文类聚》引《春秋纬演孔图》云：“孔子母征在，游于大泽之陂，睡，梦黑帝使请己，己往梦交，语曰：‘女乳必于空桑之中。’故曰玄圣。”又《礼记正义》引《论语纬撰考谶》云：“叔梁纥与征在祷尼丘山，感黑龙之精以生仲尼。”

[2]《太平御览》引《春秋纬文耀钩》云：“含始吞赤珠，刻曰：‘玉英，生汉皇。’后赤龙感女媪，刘季兴。”

多四彩，目比舜多十二瞳，掌上和胸上都有天生的文字，站着象只凤，坐着象条龙。[1]除开那些兽类的特征不说，古今中外有一个腰大十围的人吗？

象这样一位腰大十围的黑龙之子，是为谁而生呢？纬书上说："黑龙生为赤，必告示象使知命。"[2]又说："丘，水精，治法为赤制功。"[3]又说："丘览史记，援引古图，推集天变，为汉帝制法，陈叙图箓。"[4]这样一解释，孔子的一切制作，都不是为周代的天子，而是为汉代的皇帝。孔子怎样知道后来会有刘汉呢？纬书上说，上帝早已给他启示了。据说有一天，"天乃洪郁起白雾摩地，赤虹自上（而）下，化为黄玉长三尺，上有刻文。孔子跪受而读之，曰：'宝文出，刘季握，卯金刀，在轸北。字禾子（未子，季也），天下服。"[5]于是孔子豁然大悟，为汉制礼作乐，以待刘邦之王。

由于神话的附会，儒家哲学遂成为天赐商人地主

[1] 见《汉学堂》引《春秋演孔图》。

[2]《公羊疏》引《春秋纬汉含孳》。

[3] 同上。

[4] 同上。

[5]《北堂书钞》引《孝经右契》。

的一部政治哲学了。所以东汉光武，酷好纬书，虽头昏目眩而不忍释手。当时他的臣下，多自制造谶纬去骗他的官做。例如有孙威者想当征狄总司令，他就在纬书上加了一句“孙威征狄”，后来光武真派他当了平狄将军。野王令王梁想保全禄位，也在纬书上加了一句“王梁主卫”，王梁的禄位也就保全了。尹敏奉命校纬书，他也加了两句“君无口，（尹也）为汉辅”，但是尹敏的运气不好，被光武认出他的笔迹来了。即因如此，所以当时有桓谭者，上书光武，极言谶纬宜禁。其言有曰：“今诸巧慧小才伎数之人，增益图书，矫称谶记，以欺惑贪邪，诖误人主，焉可不抑远之哉。”但是光武大怒，桓谭几乎判了死刑，由此可以想见当时谶纬学的狂热。

谶纬在整个东汉时代，都很流行。这一时代的儒家学者，大概不仅博通五经，而且兼习谶纬。顺帝时，张衡又曾一度请政府禁止，也没有实行。一直到南北朝才实行禁止，到隋炀帝便全部焚毁了。虽然，谶纬留在儒家经典上的玄学佐料，一直到现在，依然存在。

总而言之，谶纬的出现，在主观上，是西汉末年商人地主中的贵族，企图把所有的神话与传说，都贯穿在儒家经典之中，使儒家学说由圣经变成天书，使孔子由圣人变成神人。在客观上，则是汉代大一统的局面形成以后，各种族间文化交流之结果。自此以后，儒家学说，遂蒙上了一层神学的云雾。

三　王充《论衡》的发表与儒家哲学的被反击

正当圣经、谶纬相互拥抱，合唱着“阴阳五行”、“天人合一”的歌曲，催眠着中国文化思想的时候，忽然有一位神经健全的学者王充，从玄学的摇篮中站了出来，发表了他有名的著作《论衡》。王充在《论衡》中，以崭新的姿态，建立起他客观主义哲学的理论体系，并以此为出发点，大胆地展开其对儒家哲学特别是儒家哲学中之玄学部分的批判。

王充是一个农民家庭中出身的学者。他家里两世遭受地主的压迫，他的祖父本是魏郡元城的一个农民，为了仇家所迫，抛弃了小小的田园，逃徙钱塘。他的父亲，因为失掉了土地，在钱塘小本贩卖，又遭大商人之迫，再徙上虞。[1]他的父亲不久也就在贫困中死了，留下来

[1] 见《论衡·自纪篇》。

的是幼年的王充和他母亲。王充在后来虽曾入太学读书，但他穷到无钱买书的地步。即因他无钱买书，所以他常到洛阳市上的旧书摊上去看书，当时旧书摊上甚么书都有，因而他得以接触那些在太学中禁止阅读的被罢黜了的百家之言。他一面看百家之言，一面望着贵族官僚的高车怒马从旧书摊前驰驱而过，愈觉得百家之言，颇有道理。同时，他回想他祖世的悲哀，自顾他本身的贫困，不觉深深地感到现实的残酷。残酷的现实，和异端的学说，不久就在王充的头脑中结合为一。于是他就回到上虞，一面教授学生，养活他的老母，一面开始《论衡》的写著，从事对儒家哲学的批判。王充一生除了做了几天郡守的功曹和刺史的从事，没有做过其他的官。到他快七十岁的时候，章帝曾经派了一辆安车去征聘他，但他没有应征，以后就老死家中。[1]

但是不要误会，王充的《论衡》，并不是他个人的冤状，而是时代的呼声。从《王充传》上，我们知道，王充的出生，大概是光武建武初年，其死，则在和帝永元中。当他写著《论衡》的时代，正是中国商人第二次

[1] 见《后汉书 · 王充传》。

走到世界市场上以后的时候。当此之时，东汉的统治者，正在口里叫着“春秋大义”，手里拿着“攘夷狄”的大旗，进行残酷的军事征发与战争的徭役，而贪官污吏则乘机剥削，甚于虎狼。同时，那些在边塞发了洋财回国的商人，则操其赢余，到处收夺农民的土地。农民们既失掉了土地，又要负担繁重的捐税和徭役，同时，水旱牛疫，饥馑连年。而当时的统治者，因为有儒家经典做招牌，所以他们的一切罪恶，都变成了仁义道德，而农民的一切灾难都归结为上帝的福善祸淫。在这样的情形之下，当然要产生一种反儒，特别是反谶纬的思想。王充的哲学，正是当时一般苦难农民的意识之抽象，亦即当时社会矛盾之反映。所以王充说：“《论衡》诸篇，实俗间之凡人所能见。”“非造始更为，无本于前也。”

《论衡》一书，据《后汉书》所载，全书共八十五篇。《王充传》云：“充好论说，始若诡异，终有理实。以为俗儒守文，多失其真，乃闭门潜思，绝庆吊之礼，户牖墙壁，各置刀笔，著《论衡》八十五篇，二十余万言。释物类异同，正时俗嫌疑。”此书至今尚存，亦系八十五篇。惟今本《招致》一篇，有目无文，实存仅八十四篇。据王充在《论衡·自纪篇》云:“吾书亦才出百,而云泰多。”《佚文篇》亦云:“论衡篇以百数。”是《论衡》原书,当在百篇以上,今之所存,已经不是全书了。

在《论衡》的全书中,从头至尾都贯彻着反儒、反谶纬、反迷信的精神,而以唯物观为其哲学的基本出发点,所以《论衡》一书,也可以说是中国一部古典的唯物论。

王充写著《论衡》的目的,据他自己说:“是故《论衡》之造也,起众书并失实,虚妄之言,胜真美也。”他所谓虚妄之言,当然是指古文经中的伪书和所有的谶纬。他在《书虚篇》中说:“世信虚妄之书,以为载于竹帛上者,皆贤圣所传,无不然之事,故信而是之,讽而读之。睹真是之传与虚妄之书相违,则并谓短书不可信用。夫幽冥之实尚可知,沉隐之情尚可定,显文露书,是非易见,笼统并传,非事实,用精不专,无思于事也。”

王充不仅反对那些虚妄的谶纬,而且也反对把儒家哲学当作圣经,因而他有《问孔》、《刺孟》之作。他在《问孔篇》说:“世儒学者,好信师而是古,以为圣贤所言皆无非,专精讲习,不知难问。夫圣贤下笔造文,用意详审，而未可谓尽得实，况仓卒吐言，安能皆是？不能皆是，时人不知难（之）；或是，而意沉难见，时人不知问（之）。案贤圣之言，上下多相违，其文前后多相伐者，世之学者，不能知也。”为了证实他的见解，王充在《问孔》、《刺孟》两篇中，举出了无数的例子，指出圣贤之言自相矛盾的地方。这样，不但谶纬的秘密被揭穿了，儒家学说的神圣性也被冲淡了。

在东汉之初，天命之说，高唱入云，当时的统治者假天命以推行自己的人欲，假天意以委卸自己的罪恶。但是王充在《谴告篇》却说：“夫天道，自然也，无为；如谴告人，是有为，非自然也。”在《自然篇》中说：“何以天之自然也？以天无口目也。案有为者，口目之类也。”又说：“使天体乎？宜与地同；使天气乎？气若云烟。”无论是体或气，它都不能替统治者负最后的责任，也不能授他们以统治人类之特权。

谶纬中说孔子是黑龙之子，汉高祖是赤龙之子，圣人皇帝之所以为圣人皇帝，即因他们不是人种而是龙种。但是王充说：“若夫牡马见雌牛，雄雀见牝鸡（《奇怪篇》），不相与合者，异类故也。今龙与人异类，何能

感于人而施气？”（《奇怪篇》）

除此以外，王充反对符瑞有征（《验符》、《指瑞》、《讲瑞》），反对富贵有命（《命禄》、《骨相》），反对祸福自天（《福虚》《祸虚》），反对人死有鬼（《订鬼》《辨祟》），反对卜筮有验（《卜筮》、《诘术》、《讥日》），以及一切的迷信。他以为天下的事，只有一件事是真的，这就是吃饭的问题。他在《治期篇》中说：

> 夫世之所以为乱者，不以盗贼众多，兵革并起，民弃礼义，负畔其上乎？若此者，由谷食乏绝，不能忍饥寒。夫饥寒并至，而能无为非者寡；然则温饱并至，而能不为善（者）希（矣）。传曰：‘仓廪实，民知礼节；衣食足，民知荣辱。’让生于有余，争起于不足。谷足食多，礼义之心生；礼丰义重，平安之基立矣。故饥岁之春，不（让）食（于）亲戚；穰岁之秋，召及四邻。不食亲戚，恶行也；召及四邻，善义也；为善恶之行，不在人质性，在于岁之饥穰。由此言之，礼义

之行，在谷足也。

王充这段话，简括之，即他以为人类的生存，社会的秩序，都存于粮食之平均分配，即依存于物质而不依存于幻想。人民总要吃饱了饭才讲礼义，吃不饱饭，他就要做盗贼。盗贼不是天生的，而是饥寒造成的。所以他劝告当时的统治者，不要再玩弄天命、符瑞这一类的魔术，最后的问题，还是救济人民贫困的问题。

象这样一个客观主义的哲学家，出现于玄学的云雾里，在当时的儒者看来，当然是文化思想的叛逆，而王充的学说，也当然是一种离经叛道的异端。即因如此，所以王充一生，始终做不到官，结果“裁节嗜欲”，老死家园。而他的著作，在当时也认为“诡异”，禁止流行。《论衡》一书，写成以后，埋没将及百年，无人过问，直至灵帝时，才由蔡邕发现，带至洛阳。蔡邕亦不敢公开献之世人，而密藏于书库。[1]虽然，王充的《论

[1] 高似孙《子略》引袁山松《后汉书》云:“充所作《论衡》，中土未有传者，蔡邕入吴始见之。”又陈振孙曰：充“肃宗时人，仕为州从事治中。初作此书，北方初未有得之者。王朗常诣蔡伯喈（邕）按求，至隐处，果得《论衡》，捉取数卷将去，伯喈曰：‘惟我与汝共，勿广也。’”

衡》之出现，这就证明不论东汉时代的儒家哲学怎样独裁，还是有异端并起。而且异端的书，一直保留到今日，而当时被认为圣经之谶纬，反而不久就遭遇着隋炀帝的火刑。

第三节　两汉的科学——农田、水利、天文、历算、医药、地理与历史学

两汉时代的商人地主，不仅创造了自己的哲学体系，同时，也发展了科学。

科学的发展，主要地是由于社会生产发达的必要，导引出来的；其次，则是商人地主之主观的要求，因为商人地主需要玄学来辩护他们对地上物质占有的合理。同时，为了现实物质的生产，也需要科学提高生产技术的水准，从而提高社会劳动的生产性。

在封建时代，农业生产，是社会生产中最主要的部门，因而与农业直接或间接有关的科学如农艺学、水利学、天文学、历数学等都有很大的发展。

我们从《汉书·艺文志》中，可以看到关于农家之

书的著录，有九家，百一十四篇之多。[1]其中有一部分作品，不著姓名，不辨时代，或系汉以前的著作。但有几种，如《氾胜之》十八篇，《董安国》十六篇，及《蔡癸》一篇，则系汉人的作品。[2]这些书类的出现，就指明了农艺在汉代已被当作一种学问而研究。

关于水利，在汉代虽尚无专书，然而上书言水利者，则不可胜数。假使把两汉时关于水利的建议书纂辑起来，也是一部洋洋大观的集子。

天文学，在汉代特别的发展，这与农业生产的发达是相适应的。因为只有更精确的天文学，才能更正确地推算出与农业有关的季节来。在汉代，研究天文学者分三派：一曰周髀，二曰宣夜，三曰浑天。在这三派中，宣夜一派，已失师法，早成绝学。周髀一派，虽算数具

---

[1]《汉书·艺文志》著录农家之言九种：（一）《神农》二十篇，（二）《野老》十七篇，（三）《宰氏》十七篇，（四）《董安国》十六篇，（五）《尹都尉》十四篇，（六）《赵氏》五篇，（七）《氾胜之》十八篇，（八）《王氏》六篇，（九）《蔡癸》一篇。共一百一十四篇。

[2] 同上书云：《氾胜之》十八篇注云："成帝时为议郎。师古曰：刘向《别录》云：使教田三辅，有好田者师之，徙为御史。"《董安国》十六篇注云："汉代内史，不知何帝时。"《蔡癸》一篇注云："宣帝时以言便宜，至弘农太守。师古曰，刘向《别录》云：邯郸人。"

存，但考验天文，多不准确。惟浑天一派，较为进步。

浑天之说，是中国天文学之一派。因为在中国古代，对于天文的理论，有盖天、浑天两说。盖天说者，谓天在上，地在下，天为地之覆盖。《淮南子》一派的学者，皆主张此说。[1]浑天说者，谓天体如弹丸，地居其中，天包于外。桓谭、张衡、蔡邕、郑玄等，皆主张此说。[2]这两种天文学说，在今日看来，虽然都很幼稚，但当时的天文学者，敢于大胆地立假说，这就表明他们有探求宇宙的精神。

汉代的天文学家，不仅敢于作科学的假说，而且不断地用简单的仪器，进行天文的测量，企图验证他们的

[1] 汉武帝初年，淮南王刘安，罗致学者苏飞、李尚、左吴、田由、雷被、毛被、伍被、晋昌，及儒者大山、小山等，集体创作一书，名曰《淮南子》。其中有《天文训》一章，对于天体的认识，即主盖天之说。它说："天地未形，冯冯翼翼，洞洞灟灟，故曰太昭。道始于虚霩，虚霩生宇宙，宇宙生气，气有涯垠，轻扬者薄靡而为天，重浊者凝滞而为地。"同书《原道训》亦曰："故以天为盖，则无不覆也；以地为舆，则无不载也。"

[2] 张衡著《灵宪·算罔论》谓："太素之前，幽清玄静，寂寞冥默，不可为象，厥中惟灵，厥外惟无，如是者永久焉，斯谓溟涬，盖乃道之根也。……天成于外，地定于内，天体于阳，故圆以动，地体于阴，故平以静。动以行施，静以合化，堙郁构精，时育庶类，斯谓太元，盖乃道之实也。"

假说。据《汉书》所载，武帝太初元年，曾立晷仪下漏刻，以追求二十八宿的地位。武帝时，洛下闳又创制一种天文仪器，名曰浑天。宣帝时，耿寿昌更铸铜为象，以测天文。和帝永元十四年，霍融改进漏刻。十五年贾逵创制太史黄道铜仪，定黄道宿度。顺帝阳嘉元年，张衡妙尽璇玑之正，作浑天仪，推测星辰出没移动，皆甚准确。张衡又作地震测验仪，测验地震，亦无不应验。即因有不断的天文测验，汉代的人，对于日月星辰的运行，便有比前代的人更多的智识。

跟着天文学的发展，历数学也有了进步。汉初的历法，是沿用秦历，以十月为一年之始，九月为一年之终。到武帝时，乃另制太初历，改以正月为一年之始。以后成帝时又作三统历，平帝时，又作四分历。到东汉灵帝时，更作乾象历。总计两汉四百余年，历法变更四次。历法之所以屡变，主要的原因，还是因为计算不精确。盖中国自古以来，计算历法，皆以太阴为主，而太阴与太阳在一年之间的运行，其间有相当的差度。年复一年，积而久之，则日月乘除，差度愈大，虽置闰月以填补时差，而仍然不能准确，以致一种历法，行之既久，往往日蚀月蚀亦不按时，四时季节，间至错动，故不得不重新推算，再定起点。

历法的推算，需要算学，所以在历法的研究中算学也被提高了。惟算学的发展，不完全由于推算历法而与经济的会计有关。《后汉书·郑玄传》云："玄造太学受业，师事京兆第五元先，始通《京氏易》、《公羊春秋》、《三统历》、《九章算术》。"注云："《九章算术》，周公作也。凡有九篇：方田一，粟米二，差分三，少广四，均输五，方程六，傍要七，盈不足八，钩股九。"从这段注释中，我们可以看出所谓《九章算术》，决不是周公所作，而是从土地测量、粟米和均输以及商业等会计中产生出来的。同时，从《九章算术》中有方程与钩股之存在，我们又可以看出在汉代已有代数学和几何学的萌芽。

在汉代，张苍和耿寿昌都是有名的算学家，所以张苍便能以北平侯居相府，领主郡国上计，而耿寿昌亦因精于算学，故得为大司农中丞。

汉代的医药学，也有很大的进步。药学的进步，毫无疑义，是农业发达的结果。因为跟着农业的发达，人类对于植物的性质，获得了更多的智识。在长期的经验中，人类在不断的尝试中，知道某种植物，可以医治某病，因而有不少的植物，被引用为药物。到东汉末年大疠疫的时代，当时的大文学家蔡邕，便综合当时已经效验的药物，编成《本草》一书，这部书，直至现在，还是中国药物学的经典。

汉代的医学，已有内科与外科之分。淳于意、马长、冯信、杜信、唐安等，都是当时有名的内科医生。东汉时，出现了一位有名的医理学家张机，字仲景，他著有《伤寒杂病论》、《金匮要略》诸书。《要略》一书，上卷论伤寒，中及杂病，下载医方。此书与《素问》、《难经》，同称医学三典。在汉代，内科的诊断，多重切脉，所用药方，亦与我们今日所用的药方，无甚差别。关于这一点，由晚近在居延汉简中所发现的医方，可以证明。[1]此外，亦有不用药物，而专以针灸治病者。东汉时，有涪翁者，即为针灸圣手。涪翁曾著《针经诊脉法》一书，流行当世。惟针灸之法，乃系一种手术，非亲自传授不

[1] 劳干《居延汉简考释》卷四《医方类》录医方四简。其三云："伤寒四物，乌喙十分，术十分，桂四分，以温汤饮。一刀封日三夜再行解不出汗。"三一四、八九、二〇。其四云："□□蜀椒四分，桔梗二分，姜二分，桂口。(乃九)。"一三六、二五。

可。据《后汉书·郭玉传》所载，当时涪翁以之传程高，程高以之再传郭玉。郭玉在和帝时为太医丞，即以针灸治病，多有效应。

东汉末年，出现一位有名的外科医生，名曰华佗。《后汉书·华佗传》云：“华佗，字元化，沛国谯人也，一名旉。游学徐土，兼通数经，晓养性之术，年且百岁而犹有壮容，时人以为仙。沛相陈珪举（他为）孝廉，太尉黄琬辟（他做官），皆不就。精于方药，处方不过数种，心识分铢，不假称量。针灸不过数处。若疾发结于内，针药所不能及者，乃令先以酒服麻沸散，既醉，无所觉，因刳破腹背，抽割积聚。若在肠胃，则断截湔洗，除去疾秽，既而缝合，傅以神膏，四五日疮愈，一月之间，皆平复。”由此看来，当东汉末年，中国的外科医生，早已发明了麻醉药剂，并能施行剖腹开肠的大手术了。可惜华佗后为曹操所杀，其术竟不传。

地理学在汉代也添加了新的内容。我们知道在汉以前，中国人所知道的世界，仅限于中国的本部，当时对于塔里木盆地的情形，还是非常模糊，对于日本三岛，且认为可望而不可及的神域，对于更远的地方，不消说，就更无所知了。到汉代，中原的政治使节和商人，先后走遍了中原本土以外之遥远的世界，他们从异域带回来许多关于异国风土人情的记录，这样就扩大了中国人的地理智识，改变了中国古代所谓“天下”的观念。

在《汉书·地理志》中，我们可以看到关于中国本土各地之山川形势、风土人情及物产等之详细的记载，同时，还可以看到关于南洋各地的地理记载。在《匈奴传》、《西南夷、两粤、朝鲜传》中，我们可以看到关于当时蒙古、辽东、朝鲜、福建、两广及川、黔、滇等地之地理的记载。特别在《西域传》中，详细地记载着塔里木盆地、中亚乃至印度、罗马的地理。象这样的记录在《汉书》上的出现，不能说这不是中国地理学上崭新的一页。

历史学在汉代，也是一种突出发展的学问。在汉以前，中国早有记录历史的文献，如《尚书》、《春秋》、《国语》、《战国策》、《世本》、《楚汉春秋》等，惟此等史籍，无论记言纪事，皆简略散漫，断烂成书，一直到汉初，中国尚没有一部有系统的史书，因而历史学，也还没有成为一种独立的学问。中国的历史学之成为一种独立的学问，是从西汉时起，这种学问之开山的祖师，是大史学家司马迁。[1]

司马迁有名的著作，是《史记》。史记全书共一百

[1] 司马迁，字子长，左冯翊夏阳人，生于景帝中五年（前一四五年），大概死于昭帝始元元年（前八六年）。他的父亲司马谈，在武帝时任太史令，曾广搜古史，博采旧闻，打算写著一部“自成一家之言”的完整的中国史。正当计划写著此书之时，适武帝举行泰山封禅的大典，而谈以太史之官，留滞洛阳，不得与从事，竟气愤而死。临死时，执迁之手而泣曰：“今天子接千岁之统，封泰山，而予不得从行，是命也夫！命也夫！余死，汝必为太史，为太史，无忘吾所欲论著矣。”谈死，迁继为太史令，他记得他父亲的遗言，因于太初元年，开始《史记》的写作。

司马迁对于史学，不仅家学渊源，而且又尝遍游古迹，采访传说神话和当世的史料。《史记·太史公自序》曰：“年十岁则诵古文，二十而南游江、淮，上会稽，探禹穴，窥九嶷，浮于沅湘。北涉汶泗，讲业齐鲁之都，观孔子之遗风，乡射邹峄，厄困鄱、薛、彭城，过梁楚以归。”他说：“余祇西至崆峒，北过涿鹿，东渐于海，南浮江淮矣，至长老皆各往往称黄帝尧舜之处，风教固殊焉，总之不离古文者近是。”他在《孔子世家》中也说：“适鲁，观仲尼庙堂，车服礼器，诸生以时习礼其家，余祗迴留之不能去。”同时他又直接或间接采访当世的史料，如《游侠列传·赞》云：“吾视郭解，状貌不及中人，言语无足采者。”这就证明他曾经亲自访问过郭解。又《淮阴侯列传·赞》云：“吾如淮阴，淮阴人为余言……”这又证明他为了写《韩信传》，曾经亲自访问过淮阴的长老。从这些事实看来，司马迁是一个非常切实的历史家，他不仅考信于六艺，也考信于现在的古迹、传说，并且访问活的人物。

正当司马迁的历史著述，草创未就之时，适李陵降匈奴，迁为辩护，于是遭受了腐刑。为了完成他的著作，他虽受腐刑而无愠色，终于完成了上起黄帝下迄汉武之历史的巨著，这就是有名的《史记》。

三十篇，五十二万六千五百字。其中分本纪十二、表十、书八、世家三十、列传七十。《史记》在中国历史学上，是一部不朽的著作，它最大的价值，在于它开创出纪传体的历史方法。所谓纪传体的历史方法，就是以事系人的方法。换言之，即把一个历史人物的言行，自头至尾，都归纳到他自己的名字之下。这种方法两千年来，中国的史学家，皆奉为史学的正宗，一部二十四史，都是依照这种方法写出来的。

纪传体的历史，本来是以个人为中心的历史，但是《史记》虽系纪传体，却是一部以社会为中心的历史。因为它在纪传之外，尚有八书——礼、乐、律、历、天官、封禅、河渠、平准。这八书是《史记》的总论。在这八书中，分别概述自黄帝以至汉武这一长时期中之各种社会制度的发展，自天文、地理、法律、经济无所不述。同时在纪传中，司马迁不仅替皇帝写本纪，也替失败的英雄项羽写本纪；不仅替贵族写世家，也替叛乱的首领陈涉写世家；不仅替官僚写列传，也替秦汉时代的哲学家、文学家、商人、地主以及社会的流浪之群如日者、游侠、滑稽写为列传。他几乎注意到历史上的社会之每一个阶层，每一个角落，每一个方面的动态，而皆予以具体而生动的描写。所以我以为《史记》是中国第一部大规模的社会史。

在司马迁之后，汉代又出现了一些历史学家，如《汉书》的作者班固，《汉纪》的作者荀悦，但班固、荀悦皆不足以望司马迁之肩背。

班固，扶风人，父彪曾作纪传数十篇，欲以续于《史记》之后，书未成而死。明帝因命固继成其书。班固以司马迁的《史记》将汉代的历史继于百王之末，认为不当，乃断代为史，起自汉高而迄于王莽之诛，为十二本纪、八表、十志、七十列传，凡百篇，是为《汉书》。班固写著此书，历时二十余年，自永平中奉命著史，至建初中始成。当《汉书》尚未完全脱稿时，班固因窦宪之败，牵连死狱中，《汉书》中《八表》及《天文志》乃为其妹班昭所补成。

《汉书》的体例，完全仿照《史记》，甚至关于武帝以前的史实之叙述的文字，亦皆直抄《史记》原文，所不同者，只是去《史记》之世家而以之并入列传，及改《史记》之“书”为“志”而已。但《汉书》与《史记》。

所不同者，即《史记》为通史，而《汉书》则为断代史。《汉书》所记，为西汉二百二十九年之事，实可以名之曰西汉史，因而有一很大的区别。惟《汉书》体例，亦不纯正，如其中《古今人物表》叙及上古的人物，《艺文志》追记汉以前的文献，而其《货殖传》且叙及范蠡、子赣、白圭诸人过程，尤与断代为史的体裁不合。其次二者尚有一不同之点，即《史记》以社会为中心，历述自远古至汉武时代中国社会发展的过程，以及在这个过程中出现的各种文物制度及形形色色的人物。而《汉书》则以帝王为中心，而把一切的人物，用一条暗线贯串于西汉帝王的事业之中，因而《汉书》的命意，实即为西汉的帝王写家谱。

中国历来的史学家，往往以班固与司马迁并称，实则班固在中国史学上并没有甚么新的贡献。班固不但没有创造出任何新的史学方法，而且在著史的动机上，亦不如司马迁之纯洁。所以以我的评价，班固，充其量只是司马迁的一个最好的学生，因为他用司马迁的历史方法，写成了一部纪传体的西汉史。

荀悦，字仲豫，颍川颍阴人，献帝时为黄门侍郎。

当时献帝以《汉书》篇幅繁重，难于阅读，乃命荀悦节略《汉书》，仿《春秋左传》体裁，编为《汉纪》三十篇。《汉纪》虽为《汉书》之节本，但对于《汉书》上的史料，经过了一番选择、剪裁和再组织的工作，因而以前在《汉书》中彼此隔越的史实，各自成传的人物，在编年体的汉纪中，又得到了相互的关联，所以还是有其自成一书的价值。

汉代的历史学，实已有着一种新的发展。这种学问发展的原因是甚么？第一，是因为当时已经蓄积着不少的古史资料，足以供学者之研究。《汉书·司马迁传》谓迁“十岁则诵古文”。又谓迁“紬史记石室金匮之书”，这里所谓“古文”，所谓“史记石室金匮之书”，都是指古史资料而言。第二，是因为当时学者已具有批判史料、组织史料之更高的思维能力。如司马迁著《史记》时对于神话的取舍，则以“不离古文者近是”。对于平行发展之复杂史实，则为著年表，对于既复杂而又重要之史实，如楚汉之季，则为著月表。对于总述文物制度之变迁则为之书，对于分叙人物之事迹，则依其阶层以为类别而为之本纪、世家或列传。第三，是因为在两汉专制主义政治之下，不容许学者正视现实，评议当今，所以当时的学者，只有研究既往，衡量古人。司马迁曰："《诗》三百篇，大抵贤圣发愤之所为作也；此人皆意有所郁结，不得通其道，故述往事，思来者。"虽然如此，他们决不是为死人写历史，还是为活人写历史。司马迁曰："余闻之董生（仲舒）：'周道废，孔子为鲁司寇，诸侯害之，大夫壅之。孔子知时之不用，道之不行也，是非二百四十二年之中，以为天下仪表，贬天子，退诸侯，讨大夫，以达王事而已矣。'子曰：'我欲载之空言，不如见之于行事之深切著明也。'"最后，则是因为两汉的皇帝，要用文字记录他们的文德武功，特设太史之官，提倡史学。因为有这些原因，汉代的史学就发展起来了。

第四节　两汉的文学——辞赋、歌谣、五言古诗与古乐府歌曲

在秦代焚书的大火中，中国古典的文艺作品，也和其他的古典文献，同时化为灰烬。所以在秦代，如果说也有文学，那就只有李斯拟古颂圣的诸石刻而已。

汉兴之初，文禁未除，文艺还是处于窒息的时代。直至惠帝四年，挟书之律，宣告废除，久经禁抑的文艺，又才渐渐活动起来。以后随着商人地主的政权之昂扬的发展与大汉帝国的声威之绝顶的隆盛，中国的文艺，也就走进了它的复兴时代。

汉代的文艺主流是辞赋。所谓辞赋，就是一种长篇巨制的韵文，这种韵文，几乎不能给读者以情绪的感染，大体都是雕饰浮辞，堆砌繁文，即所谓“合纂组以成文，列锦绣而为质”者是也。

汉代的辞赋，是从楚辞中发展出来的一种文学的形式，惟楚辞皆系优美的抒情之作，而汉赋则几乎看不出作者自己的灵魂。若以汉赋比于楚辞，则汉赋止犹一满头珠翠之盛妆繁饰的公主，而楚辞，则一满怀幽怨之淡妆轻抹的思妇。

中国的文学，何以到汉代，便失去了以前的生动，一变而为死板的繁缛的汉赋呢？我以为这不能归结为文学家个人的性格或天才的差异，而是客观环境变异的结果。我们知道，楚辞的作者所处的时代，是战国末年内忧外患的时代，所看到的社会，是萧条贫困矛盾百出的社会，所以当时的文学作品，自然而然流于沉重的感伤主义。这种沉重的感伤，固然与作者个人的身世有关，同时也是战国末叶临于没落的封建旧贵族之共同的悲哀。

到西汉武帝时，中国文学家所处的环境，比之战国末年，已经大大地不同。他们所处的时代，是大汉帝国全盛的时代，他们所看到的社会，是平静的农村，繁华的都市，壮丽的宫殿，幽美的园林。他们所看到的人物，是雄才大略的皇帝，胜利凯旋的将军，高车怒马的贵族，拖朱曳紫的官僚，肥头大耳的地主商人。他们看到的历史演出，是皇帝千乘万骑出猎，四夷重舌九译来朝，贵族缇帷夹道出殡，将军远征旌旗飘摇，官僚封妻荫子，兼并列宅，商人地主，横绝沙漠，翻越葱岭的商队之车马萧萧。这些最光彩、最雄伟、最幽美的景象，就遮蔽了当时文学家的眼睛，使他们看不见当时贫苦的农民因为政治的收夺、经济的榨取和军事的征发而转死于道路，流浪在都市，囚禁在黑狱，委命于刑场。看不见当时贫苦农民的尸骨，堆积在长城脚下，在天山东麓，在西南山谷之间，在东北沿海之地。因此之故，当时的文学家几乎众口一声，歌颂皇帝的宫殿苑囿之美，车马舆服之盛，飞鹰走狗之多，游观射猎之乐，武装征伐之功，文明广被之德。一言以蔽之，歌颂他们的时代，歌颂他们时代的主人——汉代的皇帝。

同时，西汉至武帝时，商人地主已经变成了东方世界的主人，他们掌有地上的一切财富，享受人间最奢侈的物质生活。在穷奢极欲的物质生活中，便需要文学作为他们灵魂的慰安，这正犹一个人在肥肉大酒之后，需要一支香烟，是一样的。所以到武帝时，西汉政府便开始以辞赋取士，而文学遂一变而为士大夫爬上政治舞台的阶梯。文学既变成了士大夫进身的工具，文学的内容，就当然要适应统治者的要求，统治者要求的文学，当然不是暴露社会黑暗面的控诉文学，而是夸大社会光明面的赞美文学。这样，就决定了当时的文学家，都要变成时代的讴歌者，陛下的赞颂人。换言之，都变成了商人地主金笼中的鹦鹉。

据史载，汉赋最初的作者为陆贾。陆贾曾作赋三篇，但不甚成熟。其后有贾谊，贾谊作赋七篇，其中《怀沙》、《鵩鸟》诸赋，为汉赋中最富有灵魂的作品。到武帝时，辞赋的作家，一时辈出，其最著名者，有枚乘、司马相如、东方朔等。枚乘曾作赋九篇，而以《七发》为最著，《七发》构意甚为简单，系言楚太子有疾，吴客往见之，欲以要言妙道说而去之；但文辞雕琢浮夸，堆塞无味，然而后来赋家，无不仿而效之。司马相如曾作赋二十九篇，其中《以子虚赋》、《大人赋》、《哀秦二世赋》、《长门赋》等为最著。相如为汉代最富于天才的赋家，其词藻靡丽，冠于当代。其《子虚赋》，历陈山川形胜及物产等，几若地理志，而这到后来，遂成为辞赋写作的公式之一。东方朔曾著《七谏》、《答客难》等赋。东方朔的辞赋，与其他赋家不同，颇能表现他自己那种滑稽的性格，如在《答客难》中说："朱儒饱欲死，臣朔饥欲死。"此外据《汉书·艺文志》所载：武帝时，还有许多辞赋的作家，他们都有很多的作品。如严忌作赋二十四篇，严助作赋三十五篇，刘安作赋八十二篇，吾丘寿王作赋十五篇，朱买臣作赋三篇，枚皋作赋竟多至一百二十篇，汉武帝自己也作赋二篇。可惜此等作品传到现在的非常之少，但由此可以想见武帝时辞赋作家盛极一时。

自武帝以后，至东汉之末三百余年间，辞赋作家，仍然接踵辈出。其最有名者，在西汉末，有刘向、扬雄、王褒，在东汉有班固、王逸、李尤、张衡、马融等。刘向不是辞赋专家，但亦曾作赋三十三篇。王褒曾作赋十六篇，其中《九怀》、《洞箫赋》、《甘泉宫颂》俱有名。扬雄是西汉末最后的一个辞赋作家，其所作《甘泉》、《羽猎》、《长杨》诸赋，至今传诵。东汉时，也有不少有名的作品，如班固的《两都赋》，张衡的《二京赋》，王逸的《九思》，李尤的《九曲歌》，马融的《笛赋》，都是巨制宏篇，富丽堂皇之作。

总之，从文学的价值上说，汉赋实不如楚辞之富于诗意；但从文学的演进上说，汉赋则是楚辞的发展。这种发展，就表现于汉赋本体的构成上。大家都知道汉赋是一种堂皇富丽的文学，象这样的文学之出现，当然需要更多的字汇，来装饰并美化其辞句，从而光辉其文彩。所以汉赋的出现，是以更多的新的字汇之存在为前提。例如张衡《西京赋》中有云:"然后钓魴鳢，缅鰻鲉，摭紫贝，搏蓍龟，搤水豹，馽潜牛，泽虞是滥，何有春秋。"这里所列举的水族，如紫贝、水豹、潜牛，都是以前没有的名词。同赋又云:"乌获扛鼎，都卢寻橦。"这里所谓"都卢"，即《汉书·地理志》上之"夫甘都卢国”，其地在南洋，由此又知在汉赋中已有译音字汇之应用。这些新的字汇之出现，非常明白，是为了新的事物之命名或命意，而新的事物之出现，则是社会经济的发展及政治扩张的结果。所以我以为汉赋的出现，是中国社会经济和政治发展在文学上之反射。

汉赋虽然很少有作者个人情绪的表现，然而它的华美、庄严和壮丽，却正是大汉帝国全盛时代之雄伟的呼声。象班固《东都赋》中所写的词句，如云：“目中夏而抗德，瞰四裔而抗稜，西荡河源，东澹海漘，北动幽崖，南耀朱垠，殊方别区，界绝而不邻。自孝武所不征，孝宣之所未臣，莫不陆詟水慄，奔走而来宾。”这决不是汉以前的文学家所能写得出来的。

汉代文学之另一支流是诗。在汉以前，中国的诗，大抵皆系四言，到汉代，才出现五言诗。从四言到五言，当然是诗的一个发展。

赋和诗，不仅形式不同，而且写作的目的也不相同。前者是汉代文学家用以射取功名的“八股”，所谓“登高作赋，可以为大夫”，正是说明这一事实；而后者则是作家们用以抒情的创作，所谓“诗言志，歌永言”者是也。

五言诗的起源，系渊源于童谣民歌，关于这一点，已有很多学者说过，我以为这种看法是很对的。因为最早的诗与歌谣是不分的，凡诗皆可歌，而歌谣亦即是诗。《诗》三百篇，都是西周时各封区的歌谣，《楚辞》中的《九歌》，也是战国末楚国的歌谣，这些歌谣，我们现在读起来，都是最好的诗。

古代歌谣的创作者，不一定都是诗人，正和今日的秧歌一样，大半都是农民自己的创作。所以歌谣中使用的词句，都是农民习惯的言语，描写的主题，都是农民日常的生活。而且这种歌谣，还因各地方言之不同与风土人情之差异，表现为不同的形式与内容。但是一般地说来，它的通俗化与现实主义的风格，总是一种民间文学或大众文学。象这样的文学，农民当然能够接受，所以一人唱之，万人和之，不久即变为民歌，变为童谣。

诗与歌谣的分手，这是文字与言语脱节以后的事。照历史的原理说，文字是记录言语的符号，换言之，是声音的图像化，文字与言语应该一致，而不应异致。然而其所以终于异致者，这就是封建等级社会中等级关系发展的结果。因为在封建等级社会中，土地所有者和农民，他们在不同的生活中，逐渐形成不同的言语，从而表现为不同的文学。而且那些贵族和地主在酒色财气的物质生活中把精神弄疲困了，他们需要一种清淡的、雅化的、超现实的文学去冲淡他们的肉欲，舒展他们的灵魂，这样，文学便不去描写大众的现实生活，而要用贵族和地主所喜好的言语去适应他们“灵魂的飞舞”、“心弦的跳跃”。同时，那些在现实生活中遭受了挫折，或感到了兴奋的贵族和地主，也要用他们习惯了的典雅的言语，倾吐他们“精神的苦闷”、“心理的变革”，这样一来，文字便与大众的生活从而与大众的言语脱了节，因而歌谣遂升华而为诗了。

具体的史实，指示出来，在汉初诗与歌谣还没有分家。在当时，中原一带，流行着一种楚歌，楚歌，即流行于楚国的民歌，这从当时的楚军，皆知唱楚歌，即可证明。因为楚歌是一种民间的歌辞，所以不学无文的汉高祖，也喜欢楚歌，并且还知道作楚歌。他所作的《大风歌》[1]和《鸿鹄歌》,[2]都是楚歌的体裁。不仅汉高祖能作楚歌,他的爱姬戚夫人也知道作楚歌[3],并且还能为楚舞。此外,赵幽王刘友也会作楚歌。[4]象这些楚歌作家,当然够不上称为诗人,然而他们都能出口成章,这就是歌谣与诗还没有分家的证明。

到武帝时,随着辞赋的发展,楚歌渐次改变了原来平易的风格,加上了许多文学的修饰了。例如武帝的《秋风辞》和《落叶哀蝉曲》,虽然含蓄着浓厚的情感,但已经不是纯粹的白话歌谣了。

---

[1]《大风歌》是汉高祖做了皇帝以后回到故乡,在故人父老子弟的欢迎会中,自吹自唱的一首歌词。其歌曰:“大风起兮云飞扬,威加海内兮归故乡,安得猛士兮守四方。”

[2]《鸿鹄歌》是汉高祖安慰他的爱姬戚夫人的一首歌词。据史载,高祖欲立戚夫人子赵王如意,后不果,戚夫人涕泣。帝曰:“为我楚舞,我为若楚歌。”其歌曰:“鸿鹄高飞,一举千里,羽翮已就,横绝四海,横绝四海,当可奈何,虽有缯缴,尚安所施。”

[3] 戚夫人为吕后囚于永巷,罚其舂米,她思念其子赵王如意,因作歌曰:“子为王,母为虏,终日舂薄暮,常与死为伍,相离三千里,当谁使告汝!”

[4] 赵幽王娶吕氏女而不爱,诸吕谗之吕后,吕后囚之,因作歌曰:“诸吕用事兮刘氏危,迫胁王侯兮强授我妃。我妃既妒兮诬我以恶,谗女乱国兮上曾不寤。我无忠良兮何故弃国,自决中野兮苍天举直。于嗟不可悔兮宁蚤自财!为王而饿死兮谁者怜之。吕氏绝理兮托天报仇!”

虽然如此，歌谣还是走它自己的路。《汉书·五行志》载汉成帝时童谣曰：“邪径败良田，谗口乱善人。桂树华不实，黄爵巢其颠。故为人所羡，今为人所怜。”又《汉书》载成帝时长安人歌尹赏之辞曰：“安所求子死？桓东少年场；生时谅不谨，枯骨后所葬。”由此而知从武帝时起，已经出现了类似五言诗的歌谣。

这种五言的歌谣，到东汉时还是继续流行，成为一种新的民间文学的形式。例如《后汉书》载光武时凉州人民为酷吏天水太守樊晔作歌曰：“游子常苦贫，力子天所富，宁见乳虎穴，不入冀府寺，大笑期必死，忿怒或见置，嗟我樊府君，安可再遭值。”又同书《马廖传》载章帝时长安民歌曰：“城中好高髻，四方高一尺；城中好广眉，四方且半额；城中好大袖，四方全匹帛。”

这种民歌的新形式不久便为士大夫所引用，其首见于文献者，为《汉书》所载班固咏缇萦上书救父诗，其诗曰：“三王德弥薄，惟后用肉刑。太仓令有罪，就递长安城。自恨身无子，困急独茕茕。小女痛父言，死者不可生。上书诣阙下，思古歌鸡鸣。忧心摧折裂，晨风扬激声。圣汉孝文帝，恻然感至情。百男何愦愦，不如一缇萦。”以后张衡也用这种新的形式，作同声歌。其歌曰：“邂逅承际会，得充君后房，情好所交结，恐慄若探汤。”象这样的五言诗，显然是从民歌中脱化出来的。从此以后，五言诗日益发展，至于东汉末叶建安年间，遂卓然成风，一变而为当时文学的主流。

五言诗与五言歌谣的区别，固然在于文辞的雅俗，但尤其在于它们内容的差异。因为五言诗大半为文学家发挥个人兴奋或抑郁之作，例如郦炎的《见志诗》，赵壹的《疾邪诗》，孔融的《杂诗》等。从其文词上看，皆通俗平易如歌谣，但这些诗决不能成为万人传诵的歌谣，则以其内容皆系发泄作者个人的抑郁，而文学家自己的抑郁，决不是大众所能了解的。

虽然如此，这不是说文学家发泄自己抑郁的作品，绝对不能成为歌谣的底本，只要这种抑郁，不是文学家所独有的，而是大众所共同的，它也会为大众所歌颂。例如东汉末，黄巾之乱的时候，蔡邕之女蔡琰为匈奴所掳，没于左贤王王庭十二年，生二子，后曹操以金赎之归。当其离匈奴时，祖国之爱与母子之爱，交织于心灵，因作《悲愤诗》，叙述其被俘的经过，在匈奴的生活以及离匈奴回祖国时母子分离时的惨痛。这首诗，原作本用楚歌的体裁[1]，不久便有文学家把它改编为当时流行的五言诗，同时，又有文学家把它改编为《胡笳十八拍》的歌词，因而传遍天下。这是甚么原因呢？非常明白，这是因为当时为匈奴掳去的妇女，不仅蔡琰一人，因而蔡琰的悲愤，是她个人的悲愤，同时，也是一切为匈奴所掳的妇女之共同的悲愤。蔡琰的悲愤诗，在那些失掉了女儿的父母，失掉了姊妹的兄弟，失掉了妻子的丈夫，失掉了母亲的儿女们读来，就正象看见他们的女儿、姊妹、妻子、母亲在异国的奴虏生活，听见他们的女儿、姊妹、妻子、母亲的惨痛声音，所以当时的人民把这首

[1] 蔡琰《悲愤诗》原作楚歌之词曰："嗟薄祐兮遭世患，宗族殄兮门户单！身执略兮入西关，历险阻兮之羌蛮。山谷眇兮路漫漫，眷东顾兮但悲叹。冥当寝兮不能安。饥当食兮不能餐。常流涕兮眥不干，薄志节兮念死难。虽苟活兮无形颜！惟彼方兮远阳精，阴气凝兮雪夏零。沙漠壅兮尘冥冥，有草木兮春不荣；人似禽兮食臭腥，言兜离兮状窈停。岁聿暮兮时迈征，夜悠长兮禁门扃。不能寐兮起屏营，登胡殿兮临广庭。玄云合兮翳月星，北风厉兮肃冷冷；胡笳动兮边马鸣，孤雁归兮声嘤嘤，乐人兴兮弹琴筝，音相和兮悲且清。心吐思兮胷愤盈，欲舒气兮恐彼惊，含哀咽兮涕沾颈！家既迎兮当归宁，临长路兮捐所生；儿呼母兮号失声，我掩耳兮不忍听！追持我兮走茕茕，顿复起兮毁颜形。还顾之兮破人情，心怛绝兮死复生。"

《悲愤诗》，伸引起来，歌唱起来，一拍，再拍以至于十八拍，到了十八拍，还不能自已。诗曰："十八拍兮曲虽终，响有余兮思无穷。"由此看来，任何文艺作品，只要不是个人的发泄而是大众的共鸣，就会要变成人民的歌谣。

在中国文学史上，曾经留下不少无名氏五言古诗，如《古诗十九首》及其他被认为苏武、李陵唱和的五言古诗等，这些古诗，究竟是何时的作品，论者不一其辞，有谓系西汉时的作品，有谓系东汉末建安年间的作品。我以为这些无名氏的五言古诗，既非作于一人，亦非出于一时，而系自东汉初叶以至东汉末这一时期中许多无名诗人的作品。因为从古诗的形式上说，在东汉初，已经可能出现这种五言诗的体裁。从某些古诗的内容上看，它们所反映的时代，恰恰是一个大战争的时代。例如《古诗十九首》中之一部分及被认为苏武李陵唱和的古诗，都是以青年男女的离别及别后的怀念为题材，而这就正反映出东汉大远征时代中夫妇离散的事实。

从这些古诗中，我们可以看出东汉大远征时代中的一幅生离死别，惨绝人寰的画图。当此之时，几乎所有的壮年男子都要强迫入伍，离开自己的家乡，远征绝域。成千成万的青春妇女，都要在顷刻之间失掉她们的丈夫。古诗中《结发为夫妻》一诗，正是描写当时远征军人临别之夜的情景。[1]

远征军人，在三老、亭长的押解之下，迫促就道出发，他们的妻子，送到大路旁边，执手依依，不忍分别。古诗中《良时不再至》一诗，正是描写这种送别的情景。[2]

这些临别的青年夫妇，他们在小桥上，在溪河旁，留连不能别。但终于分别了。古诗中《携手上河梁》一诗，正是描写这种顷刻天涯的情景。[3]

远征军人开拔了，战争夺去了青年妇女的丈夫。这些青年妇女眼看她们的丈夫一天比一天走得更远，一年

---

[1] “结发为夫妻，恩爱两不离，欢娱在今夕，燕婉及良时。征夫怀远路，起视夜何其？参辰皆已没，去去从此辞！行役在战场，相见未有期，握手一长叹，泪为生别滋！努力爱春华；莫忘欢乐时，生当复来归，死当长相思。”

[2] “良时不再至，离别在须臾。屏营衢路侧，执手野踟蹰。仰视浮云驰，奄忽互相逾。风波一失所，各在天一隅。长当从此别，且复立斯须。欲因晨风发，送子以贱躯。”

[3] “携手上河梁，游子暮何之。徘徊溪路侧，悢悢不能辞。行人难久留，各言长相思。安知非日月，弦望自有时。努力崇明德，皓首以为期。”

又一年不见回来。同时她们自己的青春时代又在别离中消逝了，这种痛苦，真是不可言喻。古诗中《行行重行行》一诗，正是描写当时远征军人的眷属之苦恋。[1]

月亮缺了又圆，圆了又缺，丈夫总是不见回来，好容易望到了一封家书，于是置书怀袖里，一岁两岁三岁而丈夫仍未归。古诗中《孟冬寒气至》一诗，正是描写这种接到丈夫书信的情形。[2]

当时的远征军，大半都屯驻在中国的西北，西北苦寒，特别在冬天。所以每到冬天，他们的眷属想到游子寒无衣，便为之梦魂颠倒，神经错乱。古诗中《凛凛岁云暮》一诗，正是描写上述的情景。[3]

---

[1] "行行重行行，与君生别离，相去万余里，各在天一涯。道路阻且长，会面安可知，胡马依北风，越鸟巢南枝。相去日已远，衣带日已缓，浮云蔽白日，游子不顾反。思君令人老，岁月忽已晚，弃捐勿复道，努力加餐饭。"

[2] "孟冬寒气至，北风何惨慄，愁多知夜长，仰观众星列。三五明月满，四五蟾兔缺。客从远方来，遗我一书札，上言长相思，下言久离别。置书怀袖中，三岁字不灭。一心抱区区，惧君不识察。"

[3] "凛凛岁云暮，蝼蛄夕鸣悲，凉风率已厉，游子寒无衣。锦衾遗洛浦，同袍与我违，独宿累长夜，梦想见容辉。良人惟古欢，枉驾惠前绥，愿得常巧笑，携手同车归。既来不须臾，又不处重闱，亮无晨风翼，焉能凌风飞。盼睐以适意，引领遥相睎，徒倚怀感伤，垂涕沾双扉。"

在另一方面，当时的远征军人，久役不归，也无时无刻不想念旧乡。古诗中《涉江采芙蓉》一诗，正是描写当时远征军人怀念乡土的心情。[1]

当时的远征军人，大半都殒身战场，暴骨绝域，其幸而生还者，当其还归故乡，他们所看到的，不是迎门的眷属，而是郁郁的松柏，累累的荒坟。那久无人住的破屋，已为雉兔所占领，庭中生长着野稻，井边生长着野葵。这凄惨荒凉的景象，回首过去携手上河桥，恨恨不能辞的情景，真有隔世之感。古诗中《十五从军征》一诗，正是描写这种惨状。[2]

以上诸古诗，在当时，一定是万人传诵的民歌，因为这些古诗所描写的不是作者个人的悲哀，而是当时成千成万的远征军人及其眷属之共同的悲哀。

此外，在汉代文学中，还有一种乐府。所谓乐府，

---

[1]“涉江采芙蓉，兰泽多芳草，采之欲遗谁，所思在远道。还顾望旧乡，长路漫浩浩，同心而离居，忧伤以终老。”

[2]“十五从军征，八十始得归，道逢乡里人，‘家中有阿谁？’‘遥望是君家，松柏冢累累。’兔从狗窦入，雉从梁上飞。中庭生旅谷，井上生旅葵。烹谷持作饭，采葵持作羹。羹饭一时熟，不知贻阿谁？出门东向望，泪落沾我衣。”

就是当时皇家乐队所唱的歌曲。这种歌曲，大半是采用当时流行的民歌，不过为了谱入音律，曾略加修饰，但这种修饰，并不改变民歌原来的内容。

汉代的乐府歌曲，依所配的乐器不同，而类别为鼓吹曲辞（亦名短箫铙歌），横吹曲辞及相和歌辞。鼓吹曲辞及横吹曲辞，多用少数民族或外国的乐器，前者用于朝会或道路游幸，后者则为用于军旅的马上之歌，二者之歌辞存者甚少。惟相和歌辞，则用中国的音乐谱奏，其歌辞亦多有流传以至于今日者。

相和歌辞亦因所配的乐调不同，而又再分为平调、清调、瑟调三种，此外又有楚调，合此四者，统称之曰相和调。[1]在相和调之外，又有舞曲歌辞及杂曲歌辞。舞曲歌辞今所存者有铎舞歌辞及巾舞歌辞，此等舞曲歌辞，词语重复，且有许多不必要的助词，大概系因适应于舞蹈的节拍而然。至于杂曲歌辞，则有不少悠美的民歌。

在乐府歌曲中，例如杂曲中之《古歌》、《悲歌》

[1]《旧唐书·音乐志》云："平调、清调、瑟调，皆周房中曲之遗声也，汉世谓之三调。"又有楚调，汉房中乐也，与前三调总谓之相和调。

都是描写当时远征军人的感伤。《古歌》之词曰：

秋风萧萧愁杀人，出亦愁，入亦愁，座中何人，谁不怀忧！令我白头。胡地多飙风，树木何修修？离家日已远，衣带日趋缓，心思不能言，肠中车轮转。

《悲歌》之词曰：

悲歌可以当泣，远望可以当归，思念故乡，郁郁累累，欲归家无人，欲渡河无船，心思不能言，肠中车轮转。

从这里，我们可以看出，皇家的乐队也吹出了人民的声音，但是这并不是说皇家同情人民的痛苦，只是以这种诉苦的词句，翻作一种感伤性的曲调以刺激其安富尊荣的生活而已。

第五节　两汉的艺术

一　从史籍中所见之汉代的绘画

现实生活是精神生活的镜子，这句话，适用于哲学、文学和宗教，也适用于艺术。假如哲学、文学和宗教所反映出来的现实生活，是幽晦而微妙的阴影，则艺术所反映出来的现实生活，是透明而具体的形象。它可以画出时代的面貌，刻出时代的脉络，吹出时代的声音，唱出时代的情绪，舞蹈出时代的跃动。一言以蔽之，若是把某一时代的艺术综合起来，那些线条、色彩、声音、姿态，就会构成那一时代的现实生活之一幅有声有色的活动电影。

即因如此，所以跟着两汉社会经济的发展，以及由此而引起的人类现实生活之演变，艺术的各部门，如绘画、雕刻、音乐和歌舞的内容，也表现出与之相适应的改变。

首先说到两汉的绘画。两汉的绘画，早已磨灭于悠久的历史时代之中，无复遗存。惟晚近已从地下略有发现，如乐浪古墓之漆器画像，营城子古墓之彩色壁画[1]，以及流传于巴黎及波士顿之墓砖画像。[2]这些都是真正的汉画。从这些汉画的题材与风格看来，和汉代的石刻画像，颇相类似。如乐浪殉葬漆器，多绘男女神像，营城子汉墓壁画，作苍龙、白虎、朱雀、玄武及人物车马等彩绘，这些都是汉代墓穴石刻中最流行的图案。至于墓砖画像，虽系一种雕刻，但因雕刻系施于墓砖未干之前，故能显出绘画底本的笔致，与营城子的壁画，最相接近，所以也可以当作绘画看。

虽然如此，仅仅依据这少数的汉画真迹，仍然不能说明两汉绘画的内容，为了究明两汉的绘画，还是要借助于历史记录和石刻画像。历史记录，虽不能显示我们以绘画的形象，但它却能使我们想象绘画的形象。石刻画像，虽不能显示出画之原有的笔致和神韵，但石刻画像的底本，总是绘画。所以石刻画像可以说是绘画的刻版，或刻版的绘画。在没有更多的真本汉画发现以前。历史记录和石刻画像，仍然是研究汉画唯一的资料。

---

[1] 参看《营城子》，见《东方考古学丛刊》第四册，一九三四年东亚考古学会发行。

[2] 参看费宣《汉代绘画》五八一七三页，及王振铎《汉代圹砖集录》。

在中国，墙壁的文饰，很早即已萌芽[1]，但普遍的发展，而以崭新的形式出现，则在汉代。在汉代自皇帝的宫殿，贵族的邸第，官僚的府舍以至地主的住宅，几无不有壁画以为装饰，而这在以前是没有的。

汉代皇宫中的壁画，在文帝时就有了。当时未央宫承明殿中有一幅壁画，画的屈轶草、进善旌、诽谤木、敢谏鼓和獬豸之类。[2]至武帝时，在甘泉宫里，又专门作一台室，在台室的四壁，画天、地、泰一、鬼神的图像。[3]宣帝时，又在麒麟阁的墙壁上，画上大群功臣的

---

[1]《左》宣二年传谓："晋灵公不君，厚敛以雕墙。""雕墙"，是墙壁的文饰，但是否是壁画，还有问题。而且晋灵公即以雕墙而被斥为"不君"，足见春秋时，墙壁的文饰，并不普遍。又王逸《楚辞·天问·序》谓：屈原既放，"见楚有先王之庙及公卿祠堂，图画天地山川神灵琦玮僪佹，及古贤圣怪物行事。"据此，则战国末年，已有类似汉代壁画之作，但王逸为汉时人，是否是把汉时的现实，塞入战国时代，亦有问题，即使战国末年真有如王逸所说之壁画，恐亦尚在萌芽之中。因为在当时，除楚国外，未见其他国家有壁画之记录。

[2]《文苑英华》云："汉文帝三年，于未央宫承明殿画屈轶草、进善旌、诽谤木、敢谏鼓、獬豸。"

[3]《汉书·郊祀志》云：武帝"作甘泉宫，中为台室，画天地泰一诸鬼神，而置祭具以致天神。"

图像。[1]在西汉末年，大概除所有的宫殿，都有壁画的装饰以外，并且还有专门的画室或画堂。[2]东汉迁都洛阳，再建宫殿，还是以壁画为主要的装饰。汉光武就对他屏风上的“列女图”颇感兴趣。[3]汉明帝在南宫云台的四壁，图绘着东汉开国功臣二十八将的图像。[4]灵帝图杨喜五世将相于省中。[5]这些不过举例而已，实际上，自西汉初以至东汉末，四百余年间，宫廷壁画，当已盈千累万，可惜都在变乱中被破坏了。

汉代贵族的邸第也有壁画，如广川惠王去的殿门上，画有短衣大绔长剑的荆轲像。[6]官僚的府舍，也有

---

[1]《汉书·苏武传》云：宣帝“甘露三年，单于始入朝，上思股肱之美，乃图画其人于麒麟阁，法其形貌，署其官爵姓名”。

[2]《汉书·霍光传》云：“止画室中不入。”又《汉书·成帝纪》云：“元帝生（于）甲观画堂。”

[3]《后汉书·宋弘传》云：“弘当燕见，御坐新屏风，图画列女，帝数顾视之。弘正容言曰：‘未见好德如好色者。’帝即为撤之。”

[4]《后汉书·朱祐传》云：“永平中，显宗追感前世功臣，乃图画二十八将于南宫云台，其外又有王常、李通、窦融、卓茂，合三十二人。”

[5]《太平御览》七五〇孙畅之《述画》谓：“汉灵帝诏蔡邕图赤泉侯杨喜五世将相形像于省中，又诏邕为赞，仍令自书之。”

[6]《汉书·广川惠王刘越传》云：“广川王……其殿门有成庆画，短衣大绔长剑。去好之，作七尺五寸剑，被服皆效焉。”注：“晋灼曰：成庆，荆轲也；卫人谓之庆卿，燕人谓之荆卿。”

壁画，如冀州从事欲图朱穆之像于其厅堂上[1]。又《后汉书·西南夷列传》云：“是时（章帝时）郡尉府舍，皆有雕饰，画山神海灵，奇禽异兽，以眩耀之。”至于那些僭上无度的豪人馆舍也当然有壁画的装饰。又据《汉纪》所载：“王莽使长安中宫署及天下乡亭，皆置伯升像于塾，旦起射之。”则是天下乡亭，原亦图有政治宣传画。

《后汉书·赵岐传》云：赵岐“自为寿藏，画季札、子产、晏婴、叔向四像居宾位，又自画像居主位，皆为赞颂。”是汉代的壁画，不仅施于活人的居宅，亦施于死人之墓穴。又《后汉书·延笃传》云：“（延笃以）永康元年，卒于家，乡里图其形于屈原之庙。”又如甘泉宫中的神庙，皆有壁画。是汉代的壁画，亦施于神庙。《后汉书·蔡邕传》云：“光和元年，遂置鸿都门学，画孔子及七十二弟子像。”又《玉海》云：“益州记成都学有周公礼殿，记云，益州刺史张牧画盘古三皇五帝三代君臣与仲尼七十弟子于壁间。”是汉代壁画，亦施于学校。

[1]《后汉书·朱穆传》注引《谢承书》云：“冀州从事，欲为（朱穆）画像厅事上。穆留板书曰：‘勿画吾形，以为重负。忠义之未显，可形象之足纪也。’”

壁画是画在砖墙或土墙上的。其画法是先以胡粉涂于墙壁，作成一块白色的绘画底布，然后施以素描，加上色彩。[1]这种绘画是不能移动的。但与壁画同时，汉代还有一种可以移动的绘画。例如《汉书·燕王刘泽传》云："高后时，齐人田生游乏资，以画干泽，泽大悦之，用金二百斤为田生寿。"又如《汉书·霍光传》云："上乃使黄门画者画周公负成王朝诸侯以赐光。"又如《后汉书·顺烈梁皇后纪》云："顺烈梁皇后……常以列女图画置于左右，以自监戒。"象这一类可以买卖，可以赠送，可以移动的绘画，当然不是壁画，此种绘画，应该是画在木板上的板画，或画在绢帛上的卷画。

汉人在木板上绘画，正犹我们今日在纸上画画一样，因为汉代书籍，都是木简（东汉末也许有用纸抄写的书），许多书上，都有图画。[2]这种图画，即系板画。此外汉代贵族官僚的马车上都有一定形制的绘画之装

[1]《初学记》引《汉官典职》云："省中皆以胡粉涂壁，紫素界之，画古烈士也。"又王延寿《鲁灵光殿赋》云："图画天地，品类群生，杂物奇怪，山神、海灵，写载其状，托之丹青。"

[2]《汉书·天文志》云："凡天文在图籍，昭昭可知者。"《汉书·艺文志》云："凡兵书五十三家……图四十三卷。"

饰，而一切的木刻，又都必有绘画为之底本。所以汉代的板画，是最普遍的绘画。至于绢帛上画画，汉代的画家亦必熟练。如汉代贵族官僚衣服上的刺绣，必须先有画好的图案，然后才能绣出一定形制的花纹。

至于汉代绘画的技巧，只有从雕刻中才可以看出，不过据传说所云，在西汉时，已经出现了许多有名的画家，他们或长于人物图，或长于动物画，或长于着色。[1]至于东汉，则张衡图骇神，蔡邕图列女，刘旦、杨鲁图圣贤，赵岐自画墓阙，皆能传神入妙，史家称之。又史载桓帝时蜀郡太守刘褒，曾画云汉图，人见之觉热，又曾画北风图，人见之觉冷。从这些传说和史实，我们可以想见当时绘画技巧之一般。

汉代绘画人像，已经知道写生，例如桓帝召隐士姜肱不至，曾派一个画家去图其形像，姜肱不欲画家图其像，乃卧于幽暗，以被蒙面，画家竟不得画。[2]又汉代已有裸体画，广川惠王海阳宫中，即有一幅“男女裸相

[1]《西京杂记》云：“画工有杜陵毛延寿，为人形，丑好老少，必得其真。安陵陈敞，新丰刘白、龚宽，并工为牛马飞鸟众势（众势者，各种姿势也）。人形好丑，不逮延寿。下杜阳望亦善画，尤善布色。樊育亦善布色。”

[2] 见《后汉书 · 姜肱传》

接”的壁画。[1]同时，广川王去在其爱姬望卿房中，亦图有裸体壁画，当画家画裸体画时，他的爱姬望卿，“袒裼傅粉其旁”[2]而出现为画家的“模特儿”，不过中国第一个“模特儿”，是遭受了她丈夫残酷的烙刑，而终于被迫自杀了。

至于当时绘画的题材，前所引书，已可窥其大略，现在我们再看王延寿《鲁灵光殿赋》对于汉代绘画题材之报告。其赋有曰：

> 图画天地，品类群生。杂物奇怪，山神海灵。写载其状，托之丹青。千变万化，事各缪形。随色像类，曲得其情。上纪开辟，遂古之初；五龙比翼，人皇九头；伏羲鳞身，女娲蛇躯，鸿荒朴略，厥状睢盱。焕炳可观，黄帝唐虞，轩冕以庸，衣裳有殊。上及三后，婬妃乱主，忠臣孝子，烈士贞女，贤愚成败，靡不载叙。恶以诫世，善以示后。

[1] 见《汉书·广川惠王刘越传》云：广川王海阳“画屋为男女裸相接。”

[2] 同上传云：“昭信谓去曰：‘前画工画望卿舍，望卿袒裼傅粉其旁。’”

据此，我们可以看出汉代绘画的题材，大概不外古帝、明王、贤圣、游侠、忠臣、孝子、义士、烈女及神仙鬼怪之类。同时，又可以看出汉代的绘画之所以选择这些题材，其用意不仅在于装饰，且亦在于“恶以诫世，善以示后”之封建标准道德的宣传。关于这一点，何晏《景福殿赋》，说得更为明白。其赋有曰：

> 命共工使作缋，明五彩之彰施。图象古昔，以当箴规；椒房之列，是准是仪。观虞姬之容止，知治国之佞臣；见姜后之解佩，寤前世之所遵。贤钟离之谠言，懿楚樊之退身；嘉班妾之辞辇，伟孟母之择邻。

以上所揭之虞姬、姜后、钟离等人物，都是汉景福殿的画像。当时之所以要以五彩彰施这些人物的故事于墙壁，其主要的意义，乃是为了要把他们当作宫廷后妃之“箴规”和“准仪”。

即因汉代的绘画，除装饰的意义以外，尚负有一种表彰封建主义精神的任务，所以在汉代绘画中，描绘得最有声有色的人物，就是那些道贯古今的圣贤和屠杀农民的英雄之巨像，因为前者是所以范示封建社会之标准人格，而后者是所以楷模封建社会之英勇事业。其次描绘得最动人的，就是封建皇帝所宠爱的忠顺的奴才和贵族所宠爱的保镖的打手，因为前者是所以奖劝后来的臣仆竭忠献媚于皇帝，而后者则所以鼓舞后来的游侠，舍身效命于贵族。再次，他们也描绘那些谨守封建秩序和教条的驯良的人民，如孝子、贤孙、义士、烈女，因为这些温良而又富于忍耐性的农民，可以教育那些顽梗不化的“乱民”。又次，他们也描绘隐士，而这就是暗示那些抱持高风亮节的知名之士的前途，只是老死于荒野与森林之中。又次，他们也描绘一些裸体男女相接的淫画，而这就是当时封建贵族荒淫无耻的家庭之素描，也是刺激那些封建贵族的肉欲之吗啡。最后，他们也描绘神仙鬼怪、奇禽异兽，而且其中有许多鬼怪精灵和禽兽，不是中国原来所有的，这一方面是当时宗教信仰在绘画中之形象化；另一方面，是大汉帝国边地的神话传说在中国之翻版。总之，当时的画家，摄取了当时现实生活中的一切风景，连神鬼和畜生都显现在他们的画面上了。同时也忠实地执行了他们时代的使命，所有足以巩固封建社会的图像，都创造出来了。只是没有看见陈涉、吴广、赤眉、铜马的“叛乱”。

二 从汉代石刻画像上所见之汉代的浮雕及其他雕刻

一般地说来，汉代的雕刻，已由铜雕转向石雕。固然，汉代也有精致的铜器镂刻，如镜鉴之属，但这比之石刻，显然已处于从属的地位。由铜雕向石雕的推移，其意义，即指明单纯以铜器为装饰的时代已经过了，人类要求在更广大的范围内，展开艺术装饰的活动。

汉代的石刻，以石刻画像最为发展。所谓石刻画像，并不是一种面面造形的立体雕刻，而是表现于平面上的一种浮雕。而且这种浮雕，并不象希腊的浮雕在表面上浮起相当高度的形象，令人感到立体的意味，而是象埃及式的浮雕一样，仅在平面上略作浮起，甚至仅有线条的刻划，以显示一种令人感到画意的形象。

汉代的石刻画像，先后发现甚多，皆系装饰墓碑、祠堂、神阙、桥梁的浮雕。但这并不是当时的石刻画像，只用以装饰坟墓、神庙及桥梁；反之，坟墓、神庙、桥梁之有石刻画像的装饰，乃系由摹仿宫室的装饰而来。

这种道理，正如殉葬的冥器，系摹仿活人的日用器皿而来，是一样的。

汉代石刻画像发现最多的地方，首推山东[1]，次为四川[2]，其他各地，亦有发现。[3]晚近在南阳更有大量的新发现，孙文青氏所摹拓者，多至二百七十石，是南阳之所发现，已超过山东四川了。[4]山东、四川与南阳的石刻画像之多，并非偶然，因为山东在两汉时代皆为

---

[1] 石刻画像发现于山东者，有嘉祥之武氏祠石刻，肥城之孝堂山石刻，济宁之两城山石刻，金乡之朱鲔石室，费县之南武阳石阙，荆州刺史李刚及司隶校尉鲁峻墓中石刻（藏济宁明伦堂），曲阜孔庙的孔谦碣及博陵太守孔彪碑。此外如济宁之普照寺一石，李家桥二石，嘉祥之随家庄、七口山、纸坊集、华林村各二石，刘村、汤阴山各一石，邹县白杨树村一石，曲阜白杨店一石，汶上城垣二石，关帝庙四石，都是汉代的石刻画像。

[2] 石刻画像之发现于四川者，在新都有兖州刺史、洛阳令王稚子二阙，在渠县有交趾都尉沈君墓阙，车骑将军冯绲墓二阙，在雅安有益州太守高颐墓阙，在剑阁有梓潼范君墓阙。此外尚有益州太守无名碑，广汉属国造桥碑，徐氏纪产碑及蜀郡石室老子画像等，不及备录。

[3] 其在河南者，有嵩县之太室庙神阙，登封西之少室庙神阙，启母庙神阙。在河北，则有永年之北海淳于夏丞碑；在甘肃，则有成县之五瑞摩崖；在江苏，则有江宁之西州无名碑；在浙江，则有会稽之路君墓阙，湖州之费凤碑；在云南则有昭通之孟璇碑。

[4] 参看孙文青《南阳汉画像访拓记》（《金陵学报》四卷二期）。关百益《南阳汉画集》（中华书局出版），藤固南阳汉画像石刻之历央的及风格的考察（载《张菊生先生七十生日纪念论文集》）。

诸侯王封国，到东汉时，诸侯王死，国家给治丧费，多至一万万，所以他们多为高坟大寝，庐墓祠堂，崇侈上僭，同时，州郡豪族，乃至中人之家，亦竞相仿效，耻不相逮。至于四川，在两汉时代，为重工业中心，奢侈之风，由来已久。南阳在东汉时为帝王的家乡，王侯将相，第宅相望，势家豪族，所在皆是，奢其生者必崇其死，此又必然之理。

汉代石刻画像最早的是昭帝元凤时的凤凰画像，其次则为朱鲔祠堂画像（惟朱鲔祠堂画像，近人有疑其为唐宋人的作品）。此外如会稽的路君阙（永平八年，西纪六五年），费县的南武阳石阙（元和元年至章和元年，即西纪八四年至八七年），都是东汉初叶的作品，其他则大半为东汉中叶安帝、顺帝时代的作品。因此，学者多以石刻画像，起于东汉之初。诚然以今日所发见之资料而言，实可以作如此的想象，但按之史实则石刻画像可能在西汉时即已流行。如《汉书·霍光传》谓霍光死，其妻显"改光时所造茔制而侈大之，起三出阙，筑神道，北临昭灵，南出承恩，盛饰祠室，辇阁通属永巷，而幽良人婢妾守之"。这里所谓"起三出阙"，及"盛饰祠堂"，当然需要有雕刻。因此，我以为石刻画像乃兴于西汉而盛于东汉。

汉代的石刻画像，一般皆有优美的浮雕，如路君阙、前后两阙，各刻执杖负剑的人物，惜原物不存，只凭记录。王稚子二阙，刻楼阁神人、车马、龙象狮子。南武阳石阙，刻伏羲、女娲、四神、奏乐演技诸画像。冯绲墓阙，刻三足乌、九尾狐、二驴、牺首、朱雀、玄武诸画像，太室、少室、启母三神阙，皆刻各种禽兽及人物，此外诸墓阙无不有类似之浮雕。

在汉代石刻画像中，最完整而又精采者，当首推武氏祠[1]，其次则为孝堂山祠。[2]武氏祠的石刻画像，是

---

[1] 武氏祠在山东嘉祥县南三十里紫云山下。祠分前后左右四室，前室为武荣的祠堂，右室为武梁，左室为武班，后室为武开明的祠堂。共有刻石四十余，但今已合并收藏于乾隆所建之堂内，不易辨别何者属于何室。据武氏祠铭云："建和元年太岁在丁亥，三月庚戌朔四日癸丑，孝子武始公弟绥宗景兴开明使石工孟孚李弟卯造此阙，直钱十五万，孙宗作师子，直四万。"故知此祠成于桓帝之时。

[2] 孝堂山祠，在山东肥城西北六十里之孝里铺，相传为孝子郭巨墓之祠堂。有石刻十壁。祠上亦有铭曰："平原湿阴邵善君以永建四年四月二十四日，来过此堂，叩头谢贤明。"案永建为顺帝第一个年号，而此时祠已完成，故知为顺帝以前的作品。

东汉顺帝、桓帝之际的作品，其雕刻的方法，系将勾出的画面留出，将画线周围的画面刻去，使图画在平面上浮起，成为阳文之画面。孝堂山祠大约是东汉末年的作品，其雕刻的方法，则与武氏祠相反，系将钩出之画面刻下去，用底面的浮起显出其图画，成为阴文之画面。现在所发现的汉石刻画像之雕刻，大都属于以上的两种。惟朱鲔祠堂的浮雕，则与元凤时代的凤凰画像之雕刻方法相同，是依照绘画的笔迹，将绘画的线条阴勒下去，成为一种刻文的画面。这种刻法，是一种比较原始的刻法。

除武氏祠、孝堂山祠、朱鲔祠堂的石刻，各代表一种浮雕的作风以外，新近在南阳一带所发现的石刻画像，又似乎表现为另外一种风格。南阳的石刻，几乎一律“都是平浅浮雕而加以粗率劲直的浅条阴勒”[1]，因而表现出一种豪放而有力的线条。汉代石刻画像的风格，大概就是如此。

汉代石刻画像的题材，与当时绘画的题材完全相同。惟今日所有的石刻画像，皆系装饰墓阙祠堂之作，

[1] 见藤固前引文

含有纪念死者之意，所以在图绘故事时，除一般通常流行的封建主义宣传画以外，还有一种特征死者身份及其生前行事的图画，如文官则图其德政，武官则图其战功是也。

汉代的石刻画像之构图，已经不仅是个别事物之孤立的描绘，而且能创造出一种具有复杂构意之巨幅的画图，如战争图、宴会图、乐舞图、狩猎图及神灵图等，都是集许多人、物于一个画面之中。在这种画面之中，所有的人、物，都各有各的动作与姿态，而这些人、物之不同的动作与姿态，又非常亲切而生动地表现出其彼此间之精神的关联，辩证地体现出艺术的母题之命意。象这样的巨幅的绘画之出现，固然是艺术本身发展的结果，同时也是适应当时崇堂邃宇高楼大厦的墙壁装饰之客观的要求。最初出现在活人的宫室，以后照样图在死人的墓穴。

在汉代石刻画像中，战争图是常见的。如武氏祠前室第六石，后室第七石、第八石、第十石（上部）及孝堂山祠第四石，都是描绘攻战的画像。[1] 战争图之所以常见，这正是反映东汉的边疆地区的战争频繁，东汉政府又鼓励战争的事实。在这种战争图中，我们可以看到东汉时代战争进行的具体形象。如当时的指挥官，皆高冠伟服、宽衣博袖、乘车，车用一马拖曳，前有御者一人，车制简单，只有一伞状之盖。指挥官手中或持楯，或持一半月形之物，或系令旗（有谓此半月形之物为扇者）。战斗时，骑兵与步兵部伍错列，矛戟相搏。士兵或着长袍，或短衣及膝，小袖，皆束带。衣之袖口、领及下脚皆有边缘。士兵皆戴帽，平顶微凸，后有布下垂及颈，盖用以保护头部者。骑兵乘马，马的鞍缰结束，与今日无异。兵器只有弓弩、长戟、矛、铤、剑、楯，古人所用的戈，已不复出现于汉代的战

[1] 劳干氏在其《论鲁西画像三石——朱鲔石室、孝堂山、武氏祠》一文中，谓汉代石刻画像中之攻战图，并非真正的战争，而是都试。都试者，即地方官检阅民兵，换言之，即战争的演习。劳氏曾举出许多例证，证明其说，不论劳氏之说是否尚有商榷之处，但是一说也。惟关于石刻画像之历史的索隐，乃系一种专门学问，我在这里，只是指出石刻画像在艺术史上的地位，因而不论这些攻战图，是真的战争，抑或是战争的演习，总可以表现出当时战争之具体内容。

场了。[1]开弓者，往往坐在地下用双脚蹬着弓背，双手将弓弦拉开，然后贯矢以射，这大概是要求有更远的射程。在武氏祠，前室第六石上，同时并表示一种小规模之水战，战士立于船头相互搏击，船尾有一士兵，持桨摇船，亦持兵器。为了表示水、陆，在陆战战场上画了一支飞鸟，在水战战场上画了鱼、渔人和水鸟。在这种战争图上，马的飞腾，车的驰驱，人的搏击刺射，都相互关联，一气呵成。令人看了，仿佛置身于东汉时代的古战场之中。

汉代石刻画像中的宴会图（插图五八）也是有声有色的。武氏祠前石室第三石、第十四石，左右石室第九石及孝堂山祠第十石，皆系宴会的画像，此类画像，大抵皆以重楼高阁为背景，布成一种宴会的局面。其布局，大抵妇女在楼上，主人及宾客在楼下，在宴会时妇女与男宾不接触，这是封建社会的规矩。在画面上，可以看出主人及宾客，皆高冠而伟服，奴才则帻而不冠。主客

[1] 汉代兵器中，只有弓弩长戟矛铤剑楯而无戈，这可以从《汉书·晁错传》中看出。《晁错传》中言兵法，曾提到当时所有的兵器，如曰："此弓弩之地也"，"此长戟之地也"，"此矛铤之地也"，"此剑楯之地也"，而不及戈。以此与汉画印证，则戈在汉代之已废除，更信而有征了。

插图五八　东汉时贵族豪人宴会画像

相见，揖而不拜，其俯伏于地下者，则为奴才，而这也是封建社会的礼节。此外，庖厨在其旁，马车列于外，有时还有乐队的演奏。象这样的情形，正是汉代富贵人家的生活剪影之一。

从宴会图中，我们可以看出汉代富贵人家的房屋，皆有楼阁，在房屋顶上，皆饰以禽兽之雕刻物。楼上有栏干，可以倚而望远。我们看了这种画像，再读《后汉书·酷吏列传·黄昌传》所载“彭氏旧豪纵，造起大舍，高楼临道，昌每出行县，彭氏妇人辄升楼而观”之语，则彭氏妇人，跃然纸上。

东汉时虽已发明纸，但最初发明的纸，必然很粗，不能用以糊窗，所以东汉的窗户，还是用帷帐，以蔽风日。在诸画像中，我们可以看到，所画的窗户大抵皆有帷帐，而且没有窗格，也没有门扇式或可以支摘的窗户，因为窗格是为了糊纸而有的，门扇式或支摘式的窗户，也是为了纸窗不通风，非打开不可而有的。即因没有窗格，所以在画像中，常常露出一些半身的美人来。

在厨房的画面上，可以看到当时富贵人家用了多少的厨子：他们或者汲水，或者杀猪，或者宰羊，或杀鸡打鸭，或者烧茶煮饭。在炉灶上面，还悬着许多腊味。在这种画像里，我们可以看到当时炉灶、锅，简单的吸水机等一切厨房用具的形式（插图五九）。

插图五九　东汉时贵族豪人的厨房画像

孝堂山第十石有一画像，描写贵族出游的仪仗。图中有一四马拖曳的大王车，贵族坐车中，前有御者一人，手攒四马之缰。车前车后，各有骑士四人，分两行，并列而行。在车前四骑士之前，有一两马拖曳之乐队车，亦有御者一人攒两马之缰。乐队车有上下两层，下层坐四人吹排箫，上层有悬鼓，鼓角垂二铃，在悬鼓两旁，各有一人，皆两手持鼓棰作击鼓之势。乐队车之前，再有骑士八人，亦分两行，并列而进。在骑士之前，有步行武士二人，荷戈为前导。由此可见当时贵族之威风。

狩猎图，在战国末已经出现于铜器的装饰中，到汉代，此类画像，移在宽广的墙壁和石壁上，其构图与用笔，便表现得更为自由，更为奔放了。例如武氏祠后室第三石第四层的一幅狩猎画像，即是充满了热力的一幅艺术创作。这幅画像，系描绘一个猎队，在一个队长领导之下，进行狩猎。队长乘马，其衣冠不类贵人，其余猎人皆短衣徒步与兽肉搏，全图皆表现人的胜利和野兽之挣扎与反噬。用人的攻势与兽的奔突，构成一幅紧张的画面（插图六十）。

在南阳的石刻画像中，也发现了极精采的狩猎图。

插图六〇　东汉时狩猎画像之一

插图六一　东汉时狩猎画像之二

例如其中一图作一人右手攫犛牛之角，左手揭野马之后足，用笔放纵，线条粗劲，与武氏祠的狩猎图相较，显系另一风格。又南阳草店子墓楣石上有一图，其中作一虎回首奔来，后一骑者挽弓而射，前有一人挺长矛刺虎，又前面有一鹿二野犬奔来。全图神情连贯，紧张情绪，飞跃纸上（插图六一）。

在汉画像中，特别是狩猎图中，出现了许多奇禽异兽。如孝堂山画像中有骆驼、象，武氏祠有狮子的雕刻。

南阳石刻中有巨象、孔雀、桃拔（似鹿长尾一角），又有兕、虎、麟（长颈鹿）之类。这些禽兽都不产于中国，而系来自四方，如犛牛来自西南，骆驼来自匈奴，巨象、孔雀来自印度西北之罽宾，桃拔、狮子、犀牛来自乌弋山离。这些奇禽异兽之来到中国，乃是大汉帝国政治势力伸展到四裔到中亚之表征，即因这些禽兽来到中国，于是就摄入了中国艺术家的镜头，而出现于画面之上。因此我以为这些奇异禽兽的画像，不一定是临摹中亚绘画的蓝本，而是汉代艺术家从实物深刻观察之写生。

乐舞图，也是汉画像中有声有色的作品，但这我想留待说乐舞时再说。此外在汉画像中，表示当时风俗习惯及日常生活的画像，还有很多。如武氏祠石刻中之秋胡戏妻，可以看出汉代农家妇女的妆束和采桑所用的竹篮之形式。如同上石刻中之丁蘭刻木为父，可以看出汉代人民祭祀祖先的仪式及偶像的雕刻。如在南阳的人物画像中，可以看出汉代贵人著平冠，前仰后俯，如后来之纱帽而无翅，贱者锐其顶。其妇人则高髻大袖，正如《后汉书·马廖传》所云："城中好高髻，四方高一只；城中好大袖，四方全匹帛。"又如不其令董君墓阙一画，描写当时祭扫坟墓的景象。墓上有松柏三株，墓旁有一树，悬一钟，祭者焚香俯伏，与今日无异。此外树上系一马，有一妇人立于树下，形容凄惨，全画呈肃穆惨淡之色，实一种抒情之作。

最后说到神怪图。此种画像在汉画像中数量最多，场面亦大。如武氏祠前室第二石、第十三石，后室第一石、第二石、第三石一二两层，第四石、第五石，都是这一类的画像。

神怪画像，虽各有其独特之内容与命意，但有些共

插图六二　东汉时的神怪画像

同之点，即皆以云气为背景，这是为了要指示神怪所在的地位。其次，即几乎每一幅神怪画中，都有一位贵神，乘云车，驾以鱼、龙、鸟、马或天神。鱼龙鸟马天神皆有翼。除一雷公车系用六个有翼天神所驾，其余以鱼龙鸟马驾者，数皆以三。所有的贵神，也和人间的贵族一样，车前车后皆有护卫。其护卫或乘鱼或乘龙或乘鸟乘马，则依其主神之所驾以为类别。主神所乘之云车及所着之衣冠，与汉代人间的贵族之车制及衣冠完全相同，其余诸小神之衣冠，则与汉代贱者之衣冠同，亦有异形怪状而裸者。以上两端，是神怪画像构图的公式，这种公式，显然是人间贵族生活之天上的反射。

神怪画像都各有主题，如海神、北斗神、风云雷雨诸神之类。在这种画像上，我们可以看到云的卷舒，神的飘荡，龙的飞腾，鸟的翱翔，以及无数人与动物或动物与动物的混体怪神之出没，表现出一幅一幅和谐、自由而快乐的天国之画图（插图六二）。象这样的画像，特别是有翼的天使之出现，显然不是中国古典艺术的传统，而是希腊罗马的艺术在中国之变体，那些有翼的天使，可能就是希腊、罗马神话中的爱神受了变化以后的形象。

除石刻画像外，汉代也有面面造形的立体雕刻，如陵墓神道的石人石兽及华表等，亦有其独立的价值。石兽大半皆作麒麟、辟邪、狮子、象、马、虎、羊等；石人的造形古朴雄伟，但不及石兽的精巧。

汉代有玉刻，据说当时皇帝祭天所用的仪器，有玉几及其他玉饰器具凡七千三百件。此等玉器均有雕饰，惟以玉质过坚，故雕刻时均采双钩法，其刻纹宛如发丝，另有一种风味。

汉代的雕刻之体现于砖瓦上者，亦极丰富。但砖瓦上的刻文，大概皆印以模型。汉代的砖瓦有印字者，亦有印花者，而印花的砖瓦又分两种，其一为几何画的图案，其一为动物画。砖瓦上所采用的几何画图案，多作藻井文、螺旋文、卍字文、点文、平行线，亦有作蝉文者。至于动物图案，则种类繁多。其中有承袭古典图案者，如饕餮文，蛟螭文；有汉代当时最流行的图案，如青龙、白虎、朱雀、玄武、麒麟、凤凰、元龟、应龙、辟邪、驺虞、双鱼之类。亦有外来的图案，如天马、灵犀、狮子、三足乌、傅翼虎，一足牛、比翼双头鸟之类。

汉代虽亦有铜器，但对铜器的装饰，并不甚精彩，惟铜镜一项，则有极其细致而富丽之镂刻。汉代的铜镜，大抵作圆形，皆有图案画之边缘，边缘大抵有三道，最外层多作云纹，第二道多作锯齿纹，第三道则一般皆作刷齿纹。镜之中心有纽，以为携持之用，镜面的镂刻，即以钮为中心而展开。铜镜上镂刻的题材，也不外青龙、白虎、朱雀、玄武、盘龙、舞凤之类，但亦有镂刻神仙人物者。此外西王母的神话和天马、蒲桃、孔雀，也加入了汉代镜背之文了（插图六三）。

总结以上所述，汉代的绘画和雕刻，可谓盛极一时。

插图六三　天马葡萄镜背之纹

假若我们将上述汉代绘画和石刻画像等艺术中所凝固之汉代人民的现实生活的形象，通过我们的头脑加以有机的组织，则两汉的历史，将会在我们面前浮凸起来，表现为一种立体的形象。

汉代艺术之所以如此的发展，一方面是由于中国的古典艺术，在大一统帝国的时代，获得了综合的发展；另一方面，则是跟着胜利的拓疆辟土而来的外国艺术之刺激。前者提高了艺术的水准，而后者则丰富了艺术的内容。但是汉代的艺术之得以实现出来，则是由于当时有权力的统治者和商人地主，他们掌握着大量的剩余财富，这种财富，他们用之于军事政治的设施而不能尽，用之于声色狗马而又不能尽，于是以其剩余之一部，用于艺术的创造，以舒展其被物质生活所疲困的灵魂，这就是汉代绘画和雕刻发展之客观原因。跟着东汉帝国的崩溃，社会经济的破产，三国两晋的统治者也就画不起壁画，刻不起坟墓了。

三　汉代的音乐和歌舞

我们已经说过，汉初，民间流行着一种楚歌。楚歌的歌词，既平易通俗，而又慷慨激越，有蹈水赴火之音[1]，所以那些没有文化修养的汉代新贵都喜好这种楚歌。特别是刘邦，他酷爱这种楚歌，叔孙通卑鄙龌龊而又不达时务，他费尽心力，作了一套古乐，想借此取得新皇帝的宠爱，但是他不知道古乐，大半多为乐神之乐，而新时代的新皇帝所需要的音乐则是乐人之乐，所以叔孙通所作的古乐，也只是当作古物陈列在宗庙里，而新皇帝所喜爱的，还是他的唐山夫人所作的楚歌体的房中乐。[2]由此我们可以看出过了时的乐舞，也是不能存在的。同时，又可以看出逢迎献媚，臣不如妾也。

楚歌可以独唱，亦可合唱，如汉高祖发沛中儿百二十人，合唱《大风歌》，即合唱之例。同时配合楚歌，亦有楚舞，如汉高祖的宠姬戚夫人，即善楚舞。惟楚歌所用的乐器，似乎很简单，如汉高祖唱《大风歌》时，除筑以外，并没有其他的乐器。楚歌的曲子，存于今日者尚多，惟楚舞的内容如何，今无可考，大概系由楚人

---

[1] 阮籍《乐论》云："楚之风好勇，故其俗轻死，……轻死，故有蹈水赴火之歌。"

[2]《汉书·礼乐志》云："《房中祠乐》，高祖唐山夫人所作也。……高祖乐楚声，故《房中乐》楚声也。"

降神的巫舞中脱化而出。

一般说来，武帝以前汉代流行的歌舞，皆系楚歌楚舞。到武帝时，随着国际商路的开通，外国乐舞的传入，于是中国的音乐和歌舞，便起了很大的变化。最主要的是新的乐器的输入，新的乐器的出现，必然要改变歌舞的内容，正犹新的武器的发明，必然要改变军队的组织一样。我们知道，中国古乐中最主要的乐器，是打击乐器，如钟、鼓、磬、钲之类，象这一类的乐器，在今日的音乐中只是用于敲出音乐的节奏，并不能独立地奏出一种乐曲。固然在中国古乐中，也有笙簧一类的管乐，琴瑟一类的弦乐，但乐队的构成，还是非常简单。到武帝时，许多西域的乐器，如箜篌、觱篥、羯鼓、羌笛之类，都加入了中国的乐队。这种新的乐器之输入，要求与之相适应的乐曲和歌词，为了改编乐曲和歌词，当时武帝设立一个音乐院，谓之曰乐府，派人到赵、代、秦、楚各地，采集民歌。民歌不一定都能协于新乐之律，于是当时的歌人李延年，遂奉派为协律都尉而出现为汉代的作曲名家，同时，司马相如等文学家，也就担负起雅化民歌的任务了。[1]

据说李延年曾造新声二十八曲，其后惟存十曲，其曲名曰《黄鹄行》、《陇头吟》、《出关》、《入关》、《出塞》、《入塞》、《折杨柳》、《黄覃子》、《赤之杨》、《望行人》。从这些曲名看来，皆系当时远征军所唱的军歌，即所谓马上横吹之曲。而此种马上横吹之曲，正是胡羌之音，据说此种横吹之曲，初由张骞自西域传入，其时惟有一曲曰《摩诃兜勒》。据此则李延年之曼声协律，并非全无所本，其所作新声，实即西域乐曲之拟作。

武帝时代，是汉代音乐与歌舞的转折点，正因为这一时代是汉代政治、经济的转折点。自此以后，迄于东汉之末，西域之道畅通，西域的乐曲，不断地传入中原，于是在中原古典的音乐中，注入了新的声律，从而又改变了中国古典歌舞的场面。

汉代的歌声，我们现在已经听不见了，当时美丽如

[1]《汉书·礼乐志》云：武帝“立乐府，采诗夜诵，有赵、代、秦、楚之讴，以李延年为协律都尉，多举司马相如等数十人造为诗赋，略论律吕，以合八音之调。”《汉书·李延年传》亦云：“延年善歌，为新变声。是时上方兴天地诸祠，欲造乐，令司马相如等作诗颂，延年辄承意弦歌所造诗，为之新声曲。”

花的歌女，我们即使能够偶尔碰见，也是一堆腐骨而已，她再也不能向我们唱出那清脆的歌曲了。但是汉代的乐器和舞蹈，却在汉石刻画像上，留下不少的形象，这些形象，几乎再现出当时轻歌曼舞的场面。

乐舞的画像，在武氏祠、两城山及武阳石阙中，都可以看见。我们现在举几个例子，例如武氏祠左室第三石后段有一乐舞图，作九人：二人弹琵琶，一人抚琴，一人弹筝，一人吹直笛，一人吹排箫，一人舞，舞者以左手左足蹴鞠，而扬其右手右足。又二人手各持小棒，微屈其膝，立于舞者之两旁，作对唱状。从这幅画像上，我们不但可以看到舞态，而且仿佛有琵琶琴筝箫笛之音与歌者的歌声从画面中播送出来（插图六四）。

又孝堂山第十石第二层有一图，作四人挽一鼓车，一人坐车，击鼓，前一人屈一足跪地吹觱篥；后二人各

插图六四　汉代乐舞交作画像

顶一花盆，似蘭叶，最后一人负剑。这显然是一个贵族家庭的小小鼓吹乐队。

又武氏祠前室第十石，有一宴会乐舞的画像。画像一端为舞蹈的表演。另一端为贵人宴客。歌舞者三人，一人两手蹋鞠倒竖，两足朝天，一人长袖蹴鞠而舞，又一人以一手撑在倒竖者之左足上悬空而歌。宴会者五人，分东西坐，位于西者三人为宾。位于东者二人为主，宾主之间，有案，有盘，有盂，有三足罂，罂中有勺。我们看了这幅画像，再读班固《东都赋》中：“献酬交错，俎豆莘莘，下舞上歌，蹈德咏仁”之句，便觉恍然在画中（插图六五）。

乐舞画像近来在南阳汉墓中，又大有发现。据滕固

插图六五　献酬交错下舞上歌画像

《南阳汉画像石刻之历史的及风格的考察》一文中所录，有如次的各种画面：

“存于石桥镇的一石，图作六人，一人击鼓，一人舞鼗，一人倒竖，三人作舞，中间一长袖者，蹴鞠而舞。”

存于“草店墓的楣石上有数景：一景九人，其中四人摇鼗，二人抱箭，二人坐。一景七人，一人击罄，二人击鼓，余坐。又一景九人，一人长袖蹴鞠舞，一人拂（巾）而舞，一人跪其右足，作唱讴状，一人抚琴，一人抱箭，余坐。此三景神情相属，望之隐隐作钟鼓声。”

“还有存于七孔桥的一楣石，宽约丈余，左面一部作贵人车骑，护卫森严。右部作乐舞，凡十人，自左至右，二人坐，一人倒竖，二人蹴鞠对舞，二人摇鼗，二人坐，一人击鼓。此作绘声摹影，与草店墓物，同属一风格，图像中作倒竖，作长袖舞，作抚琴，作击树鼓，作拂舞”等。

又此类乐舞交作图，亦见于汉镜的花纹中。在汉镜中有一人物画像镜，此镜边缘饰以回龙舞凤之图案，镜背以钮为中心分为四格，四格虽各绘一事，然过细观察，实一乐舞图之各部。

其一格，正中立一人，张大袖而舞，扬其一足，衣褶分明，帽似簪花，衣有边缘。旁一人坐地抚琴，琴旁有一香炉，后有一剑。又二女子裸体，翻身而舞，细腰如线，似不胜乎罗绮，舞态轻盈，若仙女之乘风，嚼清商而却转，如惊鹤之出群。

在舞者之左右二格，各作一贵人重席而坐。在左格，贵人左右，侍坐者各二人，有摇鼗者，其他亦各有执持，想系乐器。右格贵人之旁亦有二人侍坐，又有二女子垂手侍立，皆高髻大袖，细腰长裙。此二贵人大概为主人，侍坐者则为乐人或部从，垂手侍立之女子，则为婢妾。其又一格，则为门外车马，作两车相值，车皆驾以五马，圆盖而方轸，显系来赴宴会的宾客之所乘。

我们看了这些乐舞交作的画像，再读仲长统“妖童美女，填乎绮室；倡讴伎乐，列乎深堂”之句，便觉东汉豪人之家荒淫无耻的生活，如在目前。而桓宽所谓“中山素女，抚流徵于堂上；鸣鼓巴俞，交作于堂下”的歌舞大会，也就跃然纸上了。

在以上歌舞交作诸画像中，最值得提出来讨论的，就是出现于汉人物画像镜上的裸体跳舞的图像。这种裸体跳舞，当然不是当时艺术家的空想之构图，而是当时实有其事。《汉书·广川惠王刘越传》云：“（广川王）去数置酒，令倡俳裸戏坐中以为乐。”按此所谓裸戏，除解释为裸体舞以外，没有其他的意义。此种裸体舞的画像近来在南阳石刻中，亦有发现。据滕固前文所录，有如次的一幅画像：“左一人右手持剑，直刺右一人之腿部；右一人左手持七首，作奔上势；中界飘带，动作甚为活泼，而持剑者又似裸体。”据此则在汉代，那些青年男女，实有裸体献技于贵族之前的事实，而这也就是尊孔崇儒的汉代贵族的“严肃生活”之写真。

中国自春秋时即有侏儒之舞。侏儒者，实为中国最古的优人，除歌舞外，又兼以笑谑竞技为事。此种侏儒之舞，在秦汉时代继续流行。如《史记·李斯列传》曰：“侏儒倡优之好，不列于前。”《滑稽列传》曰：“优旃者，秦倡侏儒也。”《汉书·徐乐传》曰：“帷幄之私，俳优侏儒之笑。”张衡《西京赋》曰：“侏儒巨人，戏谑为偶。”皆其例证。侏儒之舞，近来亦在南阳石刻中发现。据滕固前文所录在南阳发现一石刻画像（插图六六），作“右

插图六六　汉代倡优侏儒之舞画像

一男左手挟杖，右手伸拳，衣下拖出长巾。左一高髻大袖女子，向男跪，屈身伸臂作舞，左手挈一侏儒，亦作舞状”。从这幅画像上看来，颇象表演着一种简单的故事，也许就是最初的戏剧？

总上所述，汉代的音乐与歌舞，已经加进了不少外来的成分。以乐器而论，除箫鼓琴瑟之外，琵琶、箜篌、觱篥、羌笛已经加入了中国的乐队。以乐曲而论，新声曲已经加入了中国的乐谱。以舞蹈的姿态而论，已经不是猗欤那欤的蹁跹之态，而是如傅毅《舞赋》中所谓“浮腾累跪，跗蹋摩跌”，或如张衡《舞赋》中所谓“抗修袖以翳面兮，展清声而长歌”。特别是裸体舞之出现，更足以说明当时的歌舞，受了野蛮种族的歌舞之影响。

因为裸体舞，是生活于较为原始的历史阶段中之歌舞的形式，此种歌舞的形式，在中国古代，亦曾存在过，但随着历史的进展，早已消灭了，尤其在儒家哲学支配一切文化思想的汉代，此种不合封建礼教的裸体舞，决不会在本土再生长出来，因而确切地证明这是一种外来的歌舞形式。

汉代的歌舞有着外来的成分，这是非常明白的，但究竟从何而来呢？历来学者，以为来自巴俞，巴俞者，即今日之四川，而当时的巴俞之人，即所谓西南夷之支裔，如此说来，则汉代之新的乐舞，乃来自南蛮。按汉代有巴俞舞，当系事实，但如谓凡鸣鼓而舞者，皆为巴俞舞，则我以为不然，因为鸣鼓而舞，乃系一般野蛮种族之通习，非仅巴俞之人为然也。证之外来的乐器，琵琶、觱篥，皆西域之乐，因而我以为汉代的乐舞，其所受于西域诸种族的影响，较之受于南蛮为多。

汉代不仅从西域传入了新的乐舞，而且又传入了新的西洋把戏。《史记·大宛列传》云："（武帝元封六年）安息以大鸟卵及黎轩善眩人献于汉，……是时上方数巡狩海上，乃悉从外国客，……大觳抵，出奇戏诸怪物，及加其眩者之工，而觳抵奇戏岁增变，甚盛益兴自此始。”按角抵者，应劭曰：“角者，角技也，抵者，相抵触也。”据此，则武帝时已有安息的马戏班来到中国，表演角力、杂耍、戏兽等技艺。

又《后汉书·南蛮西南夷列传》云：“（安帝）永宁元年，掸国（今缅甸）王雍由调复遣使者诣阙朝贺，献乐及幻人，能变化吐火，自支解，易牛马头，又善跳丸，数乃至千，自言，我海西人，海西，即大秦也。”大秦即罗马也。据此，则在东汉中叶，罗马的魔术团，也来到中国了。

关于汉代的外国马戏或魔术，张衡《西京赋》中说得很详细。他说，马戏和魔术表演的地点，大概都在广场之中。[1]有各种的节目，如角力、竞技、假面戏、化装歌舞、斗兽、魔术表演等。

《西京赋》中所谓“乌获扛鼎，都卢寻橦騖，冲狭騖濯，胸突铦锋，跳丸剑之挥霍，走索上而相逢”，就是角力竞技的节目。所谓“总会仙倡，戏豹舞罴，白虎鼓瑟，苍龙吹篪”，就是假面戏。所谓“女娥坐而长歌，

[1]《西京赋》有云：“临迥望之广场，程角觝之妙戏。”

声清畅而蝼蛇；洪涯立而指，被毛羽之襳襹”，就是化妆歌舞。所谓“熊虎升而拏攫，猿狖超而高援，怪兽陆梁，大雀踆踆，白象行孕，垂鼻辚困”，就是斗兽或戏兽。所谓“海鳞变而成龙，状蜿蜿以蝹蝹，含利颬颬，化为仙车，骊驾四鹿，芝盖九葩，蟾蜍与龟，水人弄蛇，奇幻倏忽，易貌分形，吞刀吐火，云雾杳冥，画地成川，流渭通泾”，这都是幻术的表演。又如所谓“东海黄公，赤刀粤祝，冀厌白虎，卒不能救，挟邪作蛊，于是不售”，这又指明并有故事的表演。又如所谓：“突倒投而跟絓，譬陨绝而复联，百马同辔，骋足并驰。”这又指明有马术的表演。由此看来，当时马戏的内容，是何等的丰富。而且从“都卢寻橦”与“水人弄蛇”二语看来，当时的马戏班中，又有南洋群岛人及印度人参加，盖都卢为南洋之国名，而弄蛇，则为印度人的把戏。

以上各种把戏，在今日已不可复见，惟假面之戏及水人弄蛇尚保留在汉代石刻画像中。据滕固前文所录谓在南阳发见一石，今存城北阮堂，图作：“左一人戴兽面，腰间置一长矛，张手蹲地作舞姿；右一人坐以相对，左手握刀（或他种兵械）。又右端有一侍者捧物。”还有一

插图六七　汉代假面戏画像

石，今存于陇西寨，此石十分诡异，左端戴有角兽面的人执杖作伏蹶状，杖头有球状物。而其右面戴兽面的一人，持杖向其球作挑拨状。中部左面一戴兽面者以长矛刺其右面的大袖女人。右端坐一作四起髻的贵妇和其右的侍者作谈话状。此石六人，盖每两人一组，以显出其全景的动作。”按此种画像，就是当时假面戏的表演（插图六七）。

武氏祠左室第五石上层及下层，皆画弄蛇者。上层正中有一喇叭形之物立于地上，其上盘一蛇，头向上。蛇之左右，各立一人，作对话状，其右一人高冠后垂，为弄蛇者。在画之左右两端，各作二人皆作惊悸之状。下层一图（插图六八）作三人，中一人双膝并拢跪在地下，又以右臂着地，侧身蜷伏，两臂相交，右臂挟一蛇，蛇头竖立，蛇后盘曲。左右各一人，左一人长袍高冠后垂，左手持斧，出其右手与右足，开口作与右一人对话

插图六八　汉代水人弄蛇画像

之状。右一人亦长袍，但不着冠，短发竖立，持一锤，张口作与左一人对话状。此外尚有一蛇飞舞于上，及四足蛇之类的东西点缀其中。在图之最左端，又有一有翼神。

我们看了这些画像，因知张衡《西京赋》中所说的角觝之戏，并非虚妄之辞。

第六节　西汉的宗教

一　多神教的发展

在汉代，跟着人的世界之社会经济的发展与政治活动的演进，神的世界，也有着相应的改变。这种改变，具体地表现在这一时代的宗教记录之中。

据史籍所示，贯通两汉的全时代，以上帝为首的多神教，始终是统治者所信奉的宗教。不过到东汉初，印度的佛教，传入了中国，到东汉末，在中国的本土，又产生了道教。这种旧的宗教之继续的存在与新的宗教之传入及发生，就指明了当时神灵世界的变动。

首先，我们说到以上帝为首的多神教。

如前所述，自人的世界中出现了以皇帝为首的封建等级制度以后，神的世界，即出现了以上帝为首的诸神，在诸神之中，而出现唯一至尊的上帝，正是地下的封建等级制度在天上之反映。但是这由地下反射到天上去的上帝和诸神，又通过宗教的形式，回到地下，成为巩固封建等级制度的精神武器。所以只要封建等级制度继续存在，以上帝为首的多神教也是存在的。

汉代承秦之后，社会经济并没有本质上的变革，所以这样的多神教还是存在的。不过相应于汉代政治的演变，神的世界也有着同样的演变。

只要我们记得汉高帝斩蛇的故事，我们就会知道当着秦汉之际，人间的统治阶级换班之时，在天国，也同时来了一次革命。这次领导革命的，是象征汉代政权的“赤帝”，而革命的对象，则是象征秦代政权的“白帝”。“赤帝”派了他的儿子刘邦杀了“白帝”之子，夺取了“白帝”在人间所建立的国家的政权，并且从天国的宝座上，驱逐了“白帝”，代“白帝”而即上帝之位。所以汉代的上帝是“赤帝”，汉代的“下帝”是“赤帝”的子孙。天国的这一次革命，也和地下同一时代的革命一样，并不改变等级从属的关系，只是统治者换班而已。

象这样的故事，当然是刘邦造谣。他为甚么要造这个谣言呢？其目的就是要用这个谣言，证明秦代的天命已尽，而他自己则是天命所归，并且证明他之有天下，不仅是顺乎人，而且是应乎天。同时，也是为了把自己与上帝发生血统关系，从而把他自己变成超人的人，人神的杂种，上帝在人间的代理人，以建立其在愚昧人民中之最高的尊严与信仰。实际上，“赤帝”与“白帝”交替的神话，只是秦汉递嬗的历史之复写。

我们记得，在秦代，已有白青黄赤四种颜色的天神，而白帝为之长。刘邦做了汉王，因为天神的数目，不符合于人间的五帝之传说，索性把颜色配齐，再加上一个黑帝。[1]非常明白，五色帝的出现，是阴阳五行说的图像化。因为五行说者曰，东方属木，木色青，故东方之神曰青帝；南方属火，火色赤，故南方之神曰赤帝；西方属金，金色白，故西方之神曰白帝；北方属水，水色黑，故北方之神曰黑帝；中央属土，土色黄，故中央之神曰黄帝。故所谓五色帝者，实即金木水火土五种物质之神格化，然而把这种五行之神分配于五方，则是表现汉王对于大一统的愿望，正如他自己所说“安得猛士兮守四方”。

据《汉书 · 郊祀志》所载，武帝时，有亳人谬忌，奏请祠祀泰一。他说：泰一是天神之最贵者，位在五帝之上。以后又有人奏请祠祀三一，三一者，即天一地一泰一。这些建议，武帝都接受了。

关于三一的发生，顾颉刚氏在其《汉代学术史略》中曾有如次的解释。他说：“这种天神，无疑地发生于

[1]《汉书 · 郊祀志》云，“二年（冬），（汉王）东击项籍而还入关，问：‘故秦时上帝祠何帝也？’对曰：‘四帝，有白、青、黄、赤帝之祠。’高祖曰：‘吾闻天有五帝，而四何也？’莫知其说。于是高祖曰：‘吾知之矣，乃待我而具五也。’乃立黑帝祠，名曰北畤。”

阴阳说，天一是阳神，地一是阴神，泰一更在阴阳之前，为阴阳所从出，所以谓之最贵。”顾氏的这种解释是对的，因为所谓三一者，正是中国有生于无的哲学之图像化。顾氏的解释，仅及此而止，至于这种三一之神，为甚么不前不后而恰恰出现于武帝时代呢？没有说明。

我以为这位尊于五帝的天神之出现于武帝时的神坛上，不是偶然，正是人间的皇帝的权威之高涨的反映。当武帝时，大汉王朝已经完成了大帝国的建立，大汉的皇帝，已经不仅是中国的皇帝，而是百蛮的共主。大汉皇帝升了格，象征大汉皇帝的上帝，自然也要跟着升格。以前的赤帝虽然为五帝之长，但他所统治的天国，恐怕仅限于中原本土的领空。跟着大汉帝国之形成，领空也扩大了，所以必须要有一个更尊的宇宙神，来统治大汉帝国的领空，于是出现了泰一。

西汉末，王莽篡汉，人间社会又发生了变动。为了说明篡窃也是符合于天命，于是王莽便造作谣言，说赤帝的世运已终，应该让位于黄帝，而他就是黄帝的后裔。

黄帝在位并不很久，随着刘秀的起义，赤帝在天国也展开了死灰复燃的活动，并且派了天使来到人间，送了一道《赤伏符》给他地下的远房孙子刘秀，要他驱逐黄帝的儿子，再建赤帝之地下的统治。同时，白帝也开始了政治活动，他派遣他地下的儿子公孙述，和赤帝之子刘秀夺取人间世界的统治权。跟着刘秀统一天下，再建了人间社会的封建秩序，于是这反映到天上，便是青黄赤白黑五帝各归方位。这一直到汉代之终末，赤帝才被那怪力乱神打下宝座。

根据以上所述，我们已经可以看出人天相感，真是毫厘不爽，息息相通。现在我们再看天国政府的组织与当时人间政府的组织，又是何等的吻合。

如上所述，反映人间最高无上的皇帝，在天国，便有最高无上的泰一，泰一是为上帝。反映汉代政府之左右丞相，在天国便有天一地一。此外反映西汉中央政府的各部门，如三公九卿之类，在天国，也有分掌日月星辰风雨雷电四时等部门的诸神。[1]（插图六九、七十）

[1]《汉书·郊祀志》云："成山祠日，莱山祠月。又祠四时于琅邪，……"又云："又立岁星、辰星、太白、荧惑、南斗祠于长安城旁。"同志又载平帝时王莽又立雷公庙、风伯庙、雨师庙及许多星宿之庙。

插图六九　汉代的诸神画像之一

插图七〇　汉代的诸神画像之二

反映西汉之各级地方政府，如州郡县乡的长吏，在天国也有象征地方政权的山川之神[1]，乃至象征乡官长的社

[1]《汉书·郊祀志》记高帝诏谓："山川诸神，当祠者各以其时。"又云：（自宣帝以后），"五岳四渎，皆有常礼。东岳泰山于博，中岳太室于嵩高，南岳灊山于灊，西岳华山于华阴，北岳常山于上曲阳。河于临晋，江于江都，淮于平氏，济于临邑界中，皆使者持节侍祠。"同上志又载许多小山也有祠祀，如祠三户山于下密，之罘山于睡，成山于不夜，莱山于黄。

神。[1]总之天上人间实无二致，而这就是以上帝为首的诸神之根源。

此外，还有无数的诸神，这些诸神，一部分是前代遗留下来的原始诸神。如诸布、诸严、诸逐、杜主、陈宝之属。另一部分，则是汉代新出现的，如高祖所立梁晋秦荆各地之巫所信奉之神，武帝时所立越巫信仰之神及西南夷的金马碧鸡之神，不可胜数。据《汉书·郊祀志》所载，成帝时由国家派专官祠祀的诸神之庙，已有六百八十三所，民间的神庙，尚不在内。在这六百八十三所神庙中，有二百零三所是秦代原有的神庙，其余四百八十所则为新兴的诸神。到王莽时，国家奉祀的祠庙，自天地六宗以下至诸小鬼神，凡千七百所。至东汉光武时，仅就郊祀五帝的神坛之守卫的神灵而言，已有一千五百一十四位之多，由此而知两汉时代的神灵，已经是盛极一时了。

为了沟通神人之间的关系，特别是当时的统治者，为了要假借这非人的力量来统治人的世界，宗教遂显出

[1] 同上志谓高祖"令县为公社"。又云："令县常以春二月及腊祀禝以羊彘，民里社各自裁以祠。"

它的重要性。宗教的实践是祭祀，祭祀的执行者是僧侣。两汉时代的僧侣有两种流派，一种是降神的巫祝，一种是求仙的方士，他们都是神人之间的中介。惟在汉代，此种僧侣，只是供祭祀的奔走，而最高的教主，则是皇帝。这一直到东汉末年，道教产生，在僧侣的内部，才出现自己的教主。

在武帝时代，神灵的祭祀成了统治者狂热的信仰。当时的甘泉宫和汾阴祠，是两大神灵的奥府。在甘泉宫，可以听到上帝和蔼的声音；在汾阴祠，可以看到上帝五彩的衣裳。这还不算，武帝并且亲自跑到泰山顶上，几乎会见了上帝。

甘泉宫在长安之西，汾阴祠在长安之东，距长安各有三百里左右，祭祀起来，实在不方便。所以到成帝时，匡衡建议，把上帝和诸神都迎接到京城里来。成帝照办了，自是以后，长安城中，便有了两个政府，上帝的政府与下帝的政府。这一直到东汉末年，上帝和下帝，都是住在一个城市。即因如此，所以祭祀就非常方便，天人的交际就更加频繁了。据史载，哀帝因为生病，在一年之中祭过三万七千次，平均每天祭一百次以上，这真是骇人听闻之事。

适应于封建等级制度，祭祀也具有等级的规定。皇帝所祭的神，都是象征国家政权的神，如上帝、日、月、星、辰、后土、五岳、四渎之属，诸侯王、地方官所祭的神，则为象征地方政权的神，如各封国、各州各郡各县境内的山川之神及其他地方诸神。至于百姓亦有其所祭之神，而这就是乡社里社的社神。汉之社神，即今日之土地神，他在诸神中，是最低级的神，在他之下，就只有小鬼了。

当时自皇帝诸侯王以至地方官的祭祀，都有巫祝降神，美酒媚神，肥猪肥牛飨神，并且有乐队迎神送神。至于百姓，则只有捧着一颗痛苦的心，俯伏在社神的面前，申诉他们的冤屈和愿望。但他们不知道，社神正是上帝派来的乡长呵！

二　佛教的最初传入

佛教何时传入中国，事属遥远的过去。在今日而欲考证其确切的年月，已不可能。惟我们可得而确知者，在东汉明帝时，释迦牟尼，已走上了中国贵族的祭坛，浮屠之教（Buddhism），已成为中国贵族之信仰。

《后汉书 · 楚王英传》云：英“晚节更喜黄老学，为浮屠斋戒祭祀。（永平）八年，诏天下死罪皆入缣赎。英遣郎中令奉黄缣白纨三十四匹，诣国相曰：‘托在蕃辅，过恶累积，欢喜天恩，奉送缣帛，以赎愆罪。’国相以闻。诏报曰：‘楚王诵黄老之微言，尚浮屠之仁祠，洁斋三月，与神为誓，何嫌何疑，当有悔吝？其还赎以助伊蒲塞（即优婆塞）、桑门（即沙门）之盛馔！’因以班示诸国。”

按以上的记载，为中国正史中最古的佛教掌故，中国人信仰佛教之见于史籍者，楚王刘英是第一个人。楚王英为光武之子，以建武十七年进爵为王。史籍揭露楚王英信仰浮屠之教，为明帝永平八年，其信奉浮屠之始，当然更在永平八年之前。由此而知在明帝永平八年之前，中国不但已有佛教传入，而且佛教已成为当时一部分中国人民之信仰。同时，从明帝给楚王英的诏令中，又可以看出当时的佛教，已经得到中国政府的默认，而且甚至给予支持。

我们知道，一种宗教，从它的传播到它获得人民的信仰，需要经过相当长久的时间。特别是一种外国宗教，还要经过翻译的过程，才能传达其教义于人民之中，因而需要更长久的时间，才能成为人民之信仰。同时，人民信仰以后，异国的政府，不见得马上就予以承认，进而至于支持，这期间，也需要一个相当的时间。因此之故，佛教之最初传入中国，我们便不能不追溯到西汉之季。然而中国却流行着一种汉明帝求佛法的传说，甚至唐代大文学家韩愈在其有名的《谏迎佛骨表》中，也踵述这种传说，而作出“汉明帝时始有佛法”的肯定语句，这未免忽略了具体的历史事实。[1]

佛教在汉明帝以前传入中国是不成问题的，但究竟前到甚么时候呢？我以为佛教之最初传入中国的边境塔

[1] 关于汉明帝求佛法的传说，梁启超氏在其《佛教之初输入》一文的附录（见梁任公近著第一辑中卷）中，已辩证其为西晋时人的伪造。据梁氏考证，汉明求法说，最初见者为西晋道士王浮之《老子化胡经》。其述此事云：“永平七年，甲子，星昼现于西方，明帝梦神人，因傅毅之对，知为胡王太子成佛之瑞应，即遣张骞等经三十六国至舍卫。值佛已涅槃，乃写其经，以永平十八年归。”此种记载之荒谬，诚如梁氏所云：“一望而知者，莫如张骞姓名。盖以二百年前之人物插入此剧本中，其固陋太可怜矣。”同时张骞奉使仅到大月氏，而王浮硬派他到印度的舍卫，亦可谓武断的能手。此外梁氏又指出：“永平七年，正西域受胁，匈奴构乱猖獗之时（当时河西郡县城门昼闭），下距（永平）十六年（西域）之复通，且十岁，安能有遣使经三十六国入印度之事。其不学杜撰，正与攀引张骞同一愚谬耳。”

里木盆地一带，应该上溯到秦汉之际。

我们已经说过，佛教之开始世界的传播，早在阿育王时代（前二六四——前二二七年），阿育王与秦始皇同时（前二四六——前二一〇年）。传说阿育王曾派遣传教僧侣二百五十六人分赴世界各地，宣传佛教。其派至亚洲者，北至苏联所属之土耳其斯坦，南至今日之锡兰、缅甸。虽然没有说派遣僧侣到中国，但另一传说，谓阿育王曾起四万八千塔，其二在中国。同时在中国也有类似的传说。隋费长房《历代三宝记》引朱士行《经录》云："秦始皇时，西域沙门室利防等十八人，赍佛经来咸阳，始皇投之于狱。"果如经说所云，则佛教的僧侣在秦时已经第一次踏进了中国的本土。

以上诸传说，可靠性当然很少，特别是朱士行《经录》所记，竟谓印度僧侣在秦时即已到达中国的本土，尤为不可信。但我以为印度僧侣在秦汉之际，已经达到塔里木盆地是可能的。据斯坦因《西域考古记》云："于阗地方在西元前两世纪左右，曾被旁遮普极西北角上的坦叉斯罗（Takshasila）即希腊史中之 Taxila 所征服，夷为殖民之地。"果尔，则当时佛教僧侣，追随殖民地官吏和商人之后，进到塔里木盆地，乃至为可能之事。而佛教之最初传入中国的边疆，实可能早在秦汉之际。

至于佛教之最初传入中国本土，则最早亦不能在汉武帝时代以前。因为在这一时代以前，中国本土之人，尚不知有所谓身毒，当然更不知有所谓佛教。

《魏书·释老志》云:“汉武元狩中，遣霍去病讨匈奴，至皋兰，过居延，斩首大获，昆邪王杀休屠王，将其众五万来降，获其金人，帝以为大神，列于甘泉宫。金人率长丈余，不祭祀，但烧香礼拜而已，此则佛道流通之渐也。及开西域，遣张骞使大夏还，传其旁有身毒国，一名天竺，始闻有浮屠之教。”

以上的记载指明了两件事：第一，在武帝远征西域以前，中国本土，尚无佛教；第二，在张骞西使大夏以前，中国本土之人，尚不知有佛教。

霍去病从匈奴俘虏而来的金人，是否即为释迦牟尼的偶像，今无可考。惟当时佛教已经最初传入塔里木盆地，而当时匈奴昆邪王的领地，正邻近今日吐鲁番，因而佛教在当时传入匈奴人之中，并非绝对不可能之事，从而金人之或为佛像，亦至有可能。果尔，则释迦牟尼之第一次走进中国的本土，是以俘虏的资格。当时中国的统治者并不认识这位印度的尊神，所以并没有把他请上神坛的宝座，只是将他作为大神之一，插入于甘泉宫神殿中中国诸神的行列，侍立于上帝的左右。

从历史的记载看来，张骞与佛教似无关系，因为张骞在他西域探险的报告书中，无一字说到佛教。因此有人怀疑张骞在西域甚至不知道有佛教。但我以为不然，因为张骞到大夏时，正大月氏已经占领了大夏的时候，其时距阿育王广播佛教于中亚一带，已在一个世纪以后。在这一个世纪中，印度与大夏之商业与文化关系，至为密切。不仅如此，而且从人的混血，进到神的混形，这从印度诸神中，有不少希腊诸神的改装，可以证明。张骞到大月氏，一定曾经看见当时印度的诸神。不过当时张骞的使命，主要地是搜集军事政治和商业的情报，所以对于佛教，没有写在报告书中。

实际上，当时张骞不必走到大月氏，只要走到塔里木盆地，就可以看到佛教。据斯坦因在《西域考古记》中报告，他在于阗附近尼雅废址中，发现“有一些木牍上用梵文雅语书写一段一段的佛经”。和这些佛经在一块，还有“用国王名所颁下之敕谕的称号以及有年代完好的文书。所提到的在位时代，如摩诃罗阇（Maharaja）梵天子（Devaputra）之类，都纯粹是印度式，这同西元初第一世纪统治印度极西北边同阿富汗一带的贵霜诸王的官称，异常符合。文书中所遇到的人名，几乎都是印度式，有一些并显出同贵霜朝的关系”。从这些同时代的木牍所指示的时代，我们就知这些书写佛经的木牍，是纪元前一世纪，亦即张骞西使大月氏的前后留下来的。所以我有充分的证据，证明张骞曾经在西域接触过佛教。

佛教之进入中国的本土，显然是汉武帝在西域设置行政机构以后。当时汉朝的外交使节和商人，他们从塔里木盆地和中亚带回了黄金和各种物产，带回了文化和艺术，当然也会带回佛教的神话。同时，当时也必然有西域的佛教僧侣，带着用古印度文写的佛经，来到中国的本土。惟当时汉朝外交使节和商人带回的佛教神话，既片断而零碎，而来到汉朝的西域僧侣，又言语不通，传播极不容易。所以在中国文献上自武帝以后，历昭、宣、元、成百余年间，没有佛教活动的传说，但这不是当时没有佛教的活动，只是说当时的佛教，还没有成为中原地区人民的信仰，因而不为中国的著作家所注意。

佛教经典之引起中国士大夫的注意，是在汉哀帝时。《魏书 · 释老志》云："（汉）哀帝元寿元年，博士弟子秦景宪从大月氏王使伊存口授浮屠经。"此事首见于《三国志》裴注，《魏书》系祖述裴说，并不见于《汉书》，似有疑问。惟我以为哀帝时，佛教在中国之活动，已有百余年的历史，当时中国的士大夫中或已有对此种宗教发生兴趣者，因而他们从外国僧侣学习经文，以求了解，也是应有之事。秦景宪从月氏外交官口授浮屠经，正是这一事实的反映。这种事实，就指示佛教在中国之传播，已经达到了一个新的阶段，即中国智识分子开始传诵的阶段。

即因佛教在西汉末年，已渐次接近中国的智识分子，所以到东汉初释迦牟尼便第一次被楚王英捧上了中国的神坛，最初成为中国贵族之信仰。从此以后，佛教在中国，便日益发展，到东汉末桓、灵之际，又走到了一个更高的发展阶段。

《后汉书·襄楷传》载桓帝延熹九年，楷上疏云："闻宫中立黄老、浮屠之祠。"据此，则知在桓帝时释迦牟尼已走进中国的宫廷，成为中国皇帝之信仰。

同时，在桓帝时，又开始了佛经的翻译事业。关于佛经的翻译，《高僧传》谓在明帝时即已开始，其时有印度僧侣竺法兰及摄摩腾来到中国，译《十地断结》及《四十二章》等经五部，但据梁启超氏考证，此种记载，大不可信。[1]佛经的翻译，系开始于桓帝时代，第一个翻译家，为安息僧侣安世高。据梁启超氏云："其书传于今者，真伪合计，尚三十余种，其为中国佛教开山之祖，固无待言。"旧说安世高翻译佛经时住在洛阳。并且还有一位中国人临淮严浮调做他的助手。安世高不仅翻译佛经，而且到处宣传教义，他曾经到过荆州、豫章、丹阳、会稽、广州等地，把佛教传播到中国的南部。[2]

---

[1]《高僧传·竺法兰传》云："（明帝时蔡愔至天竺，时竺法兰）与摩腾共契游化，遂相随而来。会彼学徒留碍，兰乃间行而至。既达洛阳，与腾共止。……善汉言，译《十地断结》……《四十二章》等经五部。"据梁启超氏考证，此种传说，乃系由王浮《老子化胡经》演变而来，大不可信。

[2]梁启超氏《佛教之初输入》一文注云："安世高传记，几纯属神话的性质，颇难悉认为史料。即其年代，亦无可征信，而通常之说，谓为汉桓帝时入中国。然有谓晋时犹生存者，又有谓彼前身死于广州，再世为安息王太子重来中国者。《高僧传》博采众说，言世高曾两到广州，曾往庐山度郑亭庙神；曾在荆州城东南建立白马寺，曾在丹阳立瓦官寺；最后卒于会稽。其史迹多诡诞，不可尽信。"

从安世高起，那些用古印度文字所写的佛经，才第一次有几种中国文字的译本。

翻译佛经的事业，继续发展。据《高僧传》所载，到灵帝时，又有大月氏僧支娄迦谶来到洛阳，从事佛经的翻译。他也有两个中国人做助手，一名孟福，一名张莲，都是洛阳人。从此看来，当桓、灵之际，中国已有不少佛经的中文译本，这件事，就指明了当时的佛教，已经渐渐成为中国人的宗教。

据《后汉书·陶谦传》载：灵帝时，有丹阳人笮融，在徐州、广陵间，“大起浮屠寺，上累金盘，下为重楼，又堂阁周回，可容三千许人。作黄金涂像，衣以锦采。每浴佛，辄多设饮饭，布席于路，其有就食及观者，且万余人。”由此，我们又知在东汉末，佛塔的建筑，佛像的雕饰，佛徒的供养，已如此奢侈华丽，这就指明了当时佛教在中国人民中，已经开始成为一种迷信。

虽然如此，终两汉之世，中国人始终没有出家的允许。《高僧传·竺佛图澄传》引石虎时著作郎王度奏云：“往汉明感梦初传其道，唯听西域人得立寺都邑，以奉其神；其汉人皆不得出家。魏承汉制，亦循前轨。”中国人之正式允许出家做和尚，大概始于晋初，但在三国末叶，已经有人出家了，晋代不过对这种既成事实予以承认而已。中国第一个出家的和尚是朱士行。《历代三宝记》卷三年表中于魏甘露五年条下注云：“朱士行出家，汉地沙门之始。”按甘露五年，下距晋之篡魏仅四年，其时对汉人出家之禁，或已随着佛教之发展而松懈了。

总上所述，我以为佛教之最初传入中国的边疆塔里木盆地一带，是在秦汉之际，而其传入中国本土，则在汉武帝征服西域以后。佛教进入中国本土以后，最初接近的是中国的智识分子，以后便一步步向上爬，从贵族的府邸走进皇帝的宫廷。因为接近了士大夫，所以佛经便渐渐被译成中文，因为接近贵族和皇帝，所以佛教僧侣，不久便得到了宣传的便利。同时又因为佛经有中文的译本和宣传的便利，所以到东汉末佛教便渐渐成为少数中国人民之信仰。虽然如此，终两汉之世，佛教诸神还没有得到中国人民之普遍的信仰。

佛教之最初传入中国，非常明显，是从西北而来，但梁启超氏，提出了一个异议，他以为不是从西北，而是从南方广东一带传入。梁氏曾提出几个论证，证实他的立论。但我以为理由非常薄弱，不足以实其说。

第一，梁氏引据《汉书·地理志》所记当时中国与南洋的交通，及《后汉书·西域传·天竺国》条所记桓帝时大秦使者自日南徼外来献的史实，证明汉代中印海道已通，佛教可能由海道南来。但是我以为即使当时中印的海道已通，而中印之主要的交通，则在西北，不在南方，而且据《汉书·地理志》所记，中印海道之通在武帝以后，但如前所述，在武帝以前塔里木盆地，已有古印度文所写的佛教之流布。所以我以为梁氏的这一论点，已为考古学的发现所否定。

第二，梁氏又引据楚王英奉佛，安世高传教及笮融建筑佛塔等史实，皆不在京洛而在江淮，证明佛教系来自南方。但是我以为当楚王英奉佛之时，奉佛者恐已不仅楚王一人，楚国一地，从明帝诏书中，已有满纸的新名词，如“浮屠”、“伊蒲塞”、“桑门”之类，则当时京洛一带，亦必有奉佛者之存在，否则这些佛经中的印度名词，是不会应用于诏书中的。至若安世高之宣传佛教，诚如梁氏所云，其事不可尽信，而且传说中亦谓其曾译经于洛阳，其译经之助手二人，且皆系洛阳人。因而即使其行踪曾达到江、淮一带，亦只能视为佛教之由北而南，而不能据此遂谓佛教由南而北也。又若笮融之建佛塔，其时已至东汉之末，佛教在中国已有长期之发展，其由京洛扩展至徐、扬一带，则又为应有之事，亦不能据此而以为佛教南来之证。

第三，梁氏又从佛经翻译文体上论证中国的佛教，有一支是南来的。他说："即以翻译文体论，世高略采意译法，其文较华；支谶纯采直译法，其文极朴。读高书，则与老庄学每起联想，觉其易入；读谶书，不易索解，但觉其非我所固有。"梁氏之意，以为老庄的学说，是中国南方的学说，高译文字既近于老庄，当然是从南方来的。但我以为这种说法，理由也不充分。因为任何时代的翻译，都是先有意译而后进于直译。其理由甚为简单，即在最初中国的智识分子对于外国文字尚不熟悉，仅能撮其大意，不能逐字逐句求其真确。以后，对外国文字熟悉了，才能依照作者原来的文句乃至语气直译出来。这不仅对佛经的翻译过程如此，即晚近翻译欧美的书籍，亦曾经过此种过程。如前所述，安世高的译本，是中国最初的佛经译本，其为意译，势所必然。支娄迦谶译经，在安世高之后，当时中国人之习古印度文者，当然较为进步，故有直译的可能。总之，意译与直译，是时间的特征，不是地方的特征，所以我以为不能根据佛经译文之或为意译或为直译而判定佛教之传入中国之或为南来或为北来也。

总上所述，我的结论：佛教之最初输入中国不是从海道南来，而是从西北陆路而来。关于这一点，只要举出一件事实就可以证明，这就是在中国东南沿海一带，至今尚未发现原始佛教的任何痕迹，而在塔里木盆地，则发现了纪前一世纪的古印度文的佛经。

现在我们还要说到一个问题，即佛教进入中国以后，为甚么首先在中国封建贵族与官僚群中获得了信仰？

我们已经说过，原始的佛教是一种反等级制度的革命的宗教，从常理上说，这种宗教，不应该为巩固等级制度的中国封建统治者所接受。但是我们知道，任何宗教，在其创立的时代，或多或少都带有一些革命的性质，不然，它就不能成为广大人民之信仰。惟在其向前的发展中，它又必然与其所在的统治阶级妥协，成为统治阶级抑压人民的工具，不然，它就不能取得统治阶级的支持。正因为任何宗教都具有两面性，所以它就能够左右逢源，上下欢喜。佛教如此，道教如此，基督教亦如此。

诚然，佛教主张绝对的平等主义，它所主张的平等，不但及于人类，而且及于万物。但是它同时又告诉那些被抑压的贫苦的人们，要他们不要实现这平等的世界在人间，而是实现它在世外，在天上，在死了以后的生命中，在行将到来的来世、三世、四世，换言之，在他们死了以后的一千年，一万年。同时那些苦修派的僧侣，又用刻苦自己的方法，教育人们为了不可期必的“快乐的来世”，忍耐眼前所遭受的一切抑压和穷困。象这样的宗教，当然是任何阶级社会的统治者所欢迎的，它是封建时代放之四海而皆准的宗教，所以释迦牟尼一进到中国，便和中国的封建统治者拥抱着了。但是佛教在后来又为甚么成为中国贫苦人民的信仰呢？非常明白，这是因为它给予贫苦人民以一个“死后天国”之期待，与第二世转生为“太子”的希望。

三　道教的起源

说到道教的起源，我们必须追溯神仙之说，因为道教，是从神仙之说发展出来的。

我们已经说过，神仙之说，是战国末年一般没落的旧封建贵族逃避现实的一种幻想。他们因为在人的世界找不到他立足的地方，因而幻想有这样一个地方，在那里，既不受上帝的统治，也不受封建领主和商人地主的压榨，让他们去重建小国寡民的庄园制度，于是出现了上不接天、下不连地之海外三山的神仙世界，从而出现了自由自在翱翔于天人之间的神仙之说。

可是到秦代，这幻想的海外世界，却引起了那些精神饱满的商人地主寻求东方天国的市场之渴望，并且在秦始皇的帮助之下，徐福等所领的海洋探险队，便一批一批的东航了。

汉兴，商人地主元气尚未恢复，所以也没有方士的活动。到武帝时，汉兴已六十余年，天下乂安，社会经济，欣欣向荣，商人地主已经不能以国内的市场为满足，而表示了他们对世界的愿望。所以久经沉寂的“海上燕齐怪迂之方士，多更来言神事矣”。而“齐人之上疏言神怪奇方者以万数”。于是天子“乃益发船，令言海中神山者数千人，求蓬莱神人”。好久没有出动了的中国商人的海洋探险队，又络绎于海上了。由此可知秦皇汉武之海上求仙，实即当时河北、山东沿海一带的商人为了寻求海外市场而展开之一种活动。自然，当时的方士，不一定都是商人，他们之中，也许有些人真迷信海上有神仙，但是他们之能实现航海求仙这件事，则是商人寻求海外市场的要求所给予。

为了提高皇帝海上求仙的兴趣，当时的方士，在武帝面前，表演了许多奇迹。第一个奇迹，就是方士少翁能够运用神通，使武帝看见他已死的李夫人的灵魂。虽然“是耶非耶”，看不清楚，但方士说，这就是李夫人的灵魂。第二个奇迹，就是方士李少君向武帝说，只要武帝祠祀灶神，他就能把丹沙化为黄金；用这样的黄金作为饮食器，他就能使武帝益寿延年，并且可以会见蓬莱仙人。后来少君虽在丹沙尚未化为黄金之前就死了，但武帝总以为他是“化去”，“不死也”。第三个奇迹，就是方士公孙卿向武帝说，他在东莱山遇着一个神人，神人向他说要会见武帝。虽然武帝赶到东莱山，只看见一个“大人的脚迹”，但他相信这是神人留下来的。第四个奇迹，就是方士申公向武帝保证，只要他封泰山，就可以白日飞升，并且举出古来黄帝骑龙上天的例子。后来武帝封了泰山，但始终没有看见有龙飞来，接他上天，而且在桥山看见了传说中的黄帝冢，但他始终相信他臣下的解释：“黄帝确实骑龙上了天，桥山是他的衣冠冢。”除此以外，其他见神见鬼的事，尚不知有多少，武帝就在这些奇迹之前，变成了方士的信徒。

除了求仙以外，方士还有许多其他的本领。第一，他们有益寿延年乃至不死之奇异的药方，而这就是他们之所以被称为方士的原因。据《汉书·郊祀志》所载：“少君者，故深泽侯人，主（药）方……能使物，却老，其游以方，遍诸侯，无妻子，人闻其能使物及不死，更馈遗之。”又曰：“少君资好方，善为巧发奇中。”其次，他们能以符咒辟鬼。同上志云：少翁“以胜日驾车辟恶鬼”。又谓少翁“乃为帛书以饭牛”。此所谓帛书，当然就是辟鬼的灵符。第三，他们能够先知。同上志谓：“少君见上，上有故铜器，问少君，少君曰：‘此器，齐桓公十年陈于柏寝。’已而按其刻，果齐桓公器。”第四，他们能够望气。同上志谓:“新垣平以望气见上(文帝),言‘长安东北有神气,成五采,若人冠冕焉。’”即因方士有这样多的神通,所以使武帝更加相信。

为了求仙人和不死之药,汉武帝所用的方士以万数:几千以上的方士,浮海求神仙;几千以上的方士,入山采奇药;几千以上的方士,侯神、辟鬼、望气、炼丹、祠灶,……当时的方士受到皇帝最大的尊宠。例如方士少翁被封为文成将军,方士栾大被封为地士将军、爵乐通侯,汉武帝甚至把自己的女儿卫长公主也嫁给方士栾大。可是汉武帝始终没有会见神仙,也没有求得不死之药。

神仙之谜,不久便得到了解答。随着朝鲜的征服,那些海上三山的神仙,一船一船地从乐浪登陆,来到中国。武帝接见他们时,才发见他们并不是神仙,而是一些黥面文身、被发屈紒的倭奴。及至问起三山的出产,也只有麻纻莱茹,并没有什么不死之药。方士的西洋镜拆穿了,海上的神山消灭了。

人的世界扩大,神的世界就要缩小。西汉疆域的奠定,不仅消灭了海上的神山,也消灭了昆仑山上的神域。这到后来,西王母之国,便不能不搬到罗马以西,所谓

“几于日没之处”去了。到现在，中国的贵族官僚和商人地主，才了解过去方士所说的“东北，神明之舍；西方，神明之墓也”的神话，原来如此。

跟着海上三山的神仙世界之消灭，方士的说教遂陷于破产，所以自武帝以后，再也没有方士入海求仙的事了。到成帝时，又大罢郡国候神方士使者所祠祀的神庙四百七十五所，这样，“候神方士使者副佐本草待诏七十余人皆罢归家”。其余靠祠祀神庙吃饭的小方士，更不知有多少失掉了国家的供养。

祸不单行，恰恰在方士失去了说教的根据之时，佛教从遥远的西方来到了中国。这并不是释迦牟尼有意乘方士之危，而是中国的历史浪涛把它卷进来的，正犹海上神山的消灭一样，同是中国历史发展的结果。

和以前相信方士的神仙之说一样，现在中国的贵族官僚和商人地主，又渐渐相信佛教。这种信仰的渐次改变，并不是由于他们的好奇，而是决定于他们的现实生活。因为随着西汉疆域的奠定，中国的贵族官僚和商人地主发现了人间的金银地，不在东方的海上，而在西方的大陆，释迦牟尼正是西方金银地之最崇高的尊神。和以前利用方士作为海洋探险的先锋队一样，现在他们又要利用佛教的僧侣，作为西北大陆贸易的通译。所以到明帝时那些被楚王英所供养的外国僧侣，便能享受皇帝恩赐之盛馔。

为了抵抗释迦牟尼，方士抬出了老子，恐怕一个老子的力量还不够，又再抬出黄帝。所以到东汉初，方士的主神，已经不是蓬莱神仙，而是黄帝、老子。《后汉书·孝明八王传》谓陈愍王宠“祭黄老君，求长生福”。这就是明帝前后黄帝、老子已被方士捧上神坛的证明。

方士虽把黄帝、老子捧上神坛，但并不能恢复他们在统治者中的信仰。因为当时的统治者知道，黄帝只是五色帝之一，并不算最高的神灵，而且他还替王莽作过一次傀儡，在东汉的统治者看来，正是一个在逃的政治犯。至于老子，司马迁在《史记》上说得很明白，是春秋时代的一个穷学者，更不是甚么神人。所以在东汉明帝、章帝之际，有不少的诸侯王都因为祠祀方士之神，而受到夺爵乃至处死的处分。

方士们既得不到国家的供养，因挟着符咒治病的方技，走向民间，去寻找自己的生活资料，而这到东汉末年，便出现了五斗米道。

五斗米道是中国最原始的道教，它的开山祖师是沛国丰人张陵。关于张陵的事迹，史载极简，惟《三国志·张鲁传》中有云："陵，客蜀，学道鹄鸣山中，造作道书，以惑百姓，从受道者，出五斗米，故世号米贼。"由此而知到东汉末年，方士已经造作了自己的经典，形成了自己的宗教，并且开始其在人民大众中的活动。从此以后，方士遂一变而为道士，神仙之说，便形成了一种宗教，是为道教。

方士走向民间以后，不久便开始了地方的分化，而这到东汉灵帝熹平、光和之际，遂成长为各种道教的教派。《三国志·张鲁传》裴注引《典略》曰："熹平中，妖贼大起，三辅有骆曜；光和中，东方有张角，汉中有张修（应作张衡[1]）。骆曜教民缅匿法，角为太平道，

[1] 历史上并无张修传五斗米道之记载。《三国志·张鲁传》云："益州牧刘焉，以（张陵之孙）鲁为督义司马，与别部司马张修，将兵击汉中太守苏固，鲁遂袭修杀之，夺其众。"据此，则张修乃系刘焉的部下，甫至汉中，即为张鲁所袭杀，并无在汉中传五斗米道之事。又据同上传云："陵死，子衡传行其道，衡死，鲁复行之。"是继张陵而传五斗米道者，乃张衡非张修。所以裴松之说："张修，应是张衡，非《典略》之失，则传写之误。"

修（衡）为五斗米道。”

关于以上三种道教的宗派，除骆曜的“缅匿法”史无所记，其余张角的太平道、张陵的五斗米道，历史上都有简略的叙述。

《典略》曰：“太平道者，师持九节杖，为符祝，教病人叩头思过，因以符水饮之。得病或日浅而愈者，则云此人信道；其或不愈，则为不信道。”《后汉书·皇甫嵩传》亦云：“巨鹿张角，自称大贤良师，奉事黄老道，畜养弟子，就拜首过，符水咒说以疗病，病者颇愈，百姓信向之。”

关于五斗米道，《典略》曰：“修法略与角同，加施静室，使病者处其中思过。又使人为奸令祭酒，祭酒主以《老子》五千文使都习，号为奸令。为鬼吏，主为病者请祷，请祷之法，书病人姓名，说服罪之意。作三通：其一上之天，著山上，其一埋之地，其一沉之水，谓之三官手书。使病者家出米五斗，故号曰五斗米师。”又曰：“及鲁在汉中，因其民信行修业，遂增饰之。教使作义舍，以米肉置其中，以止行人。又教使自隐，有小过者，当治道百步则罪除。又依月令，春夏禁杀。又禁酒。流移寄在其地者，不敢不奉。”

从以上的记载，可以看出原始道教的组织，信奉的主神，经典的内容，传教的方式，以及对信徒的约束和宗教的禁忌。

道教之能获得贫苦人民的信仰而能成为一种宗教，决非偶然。因为当方士走向民间的时代，正是东汉末季大饥馑大疠疫的时代，正当此时而方士们却拿着自命为可以起死回生的“神奇的符咒”，走到那些贫苦而又遭受灾难的人民面前。他们向农民说：这神奇的符咒，可以使痛苦的人们，从疾病转向康复，从贫困转向富裕，从灾难转向幸福，甚至可以从人间走上天堂。虽然这些都是不能实现的慰安，但这种慰安，也是无可奈何的农民所需要的。因此之故，道教便能在贫苦的农民中，取得广大而深刻的信仰，从而成为东汉末年组织农民暴动的旗帜。

宗教总是社会经济的抽象，所以道教在以后的发展中，过去自由的诸神，不久便依照中国封建社会的组织分成了三等九级。如太清境有九仙，上清境有九真，玉清境有九圣，在三等九级的神仙之上，再有一位和地上皇帝一样的“元始天尊”，出现为道教诸神之最高首长。这样的组织，显然是地下的封建等级制度之天上的再版，也可以说是佛教诸神在中国之改装。

同时，由于这一发展，道教便开始服务于封建统治者。它指示人们解除痛苦的方法，不是争取现实，而是逃避现实；不是打进皇宫，而是隐匿洞天福地；不是夺取生活资料，而是吸风饮露，辟谷饿死。虽然如此，一直到现在，道教仍然是中国贫苦人民之宗教，这就是因为它那“神秘的符咒”，仍然是一般痛苦人民之“鸦片”。

三联经典文库第二辑简目

《游击战教程》　明凡 / 著

《游击战术纲要》　陶剑青 / 编著

《汪精卫卖国的理论与实践》　钱俊瑞 / 著

《抗战以来》　韬奋 / 著

《陕行纪实》　楚云 / 著

《随军散记》　沙汀 / 著

《被日寇囚系半载记》　王研石 / 著

《倭营历险记》　房沧浪等 / 著

《活跃的新西北》　田影 / 编著

《保卫华北的游击战》　刘清扬　陈北鸥等 / 著

《徐州突围》　《徐州突围》编委会 / 编

《沦亡的平津》　长江　小方等 / 著

《淞沪火线上》　胡兰畦等 / 著

《瞻回东战场》　长江　罗平等 / 著

《东线的撤退》　胡兰畦等 / 著

《抗战中的西北》　徐盈 / 著

《鲁闽风云》　徐盈等 / 著

《西线生活》　西北战地服务团集体创作

《中国解放区见闻》　［美］福尔曼著 / 朱进译

《全面抗战论》　潘汉年 / 著

《日本的间谍》　范士白自述 / 尊闻译

《日本大陆政策的真面目》　国难资料编辑社 / 编

《民众动员论》　李公朴 / 著

《中国外交史》　钱亦石 / 编著

《太平洋军事地理》　蒋震华 / 著

《世界经济地理讲话》　思慕 / 著

《列强军力论》　［德］马克斯 · 威纳尔著 / 宾符　仲持　梅益等译

《近代国际关系史》　张铁生 / 著

《太平洋现势手册》　沈志远　石啸冲 / 编著

《近代世界政治史》　钱亦石 / 著

《从战争到和平——一九四五年的世界政治》　乔木 / 著

《战后日本问题》　思慕 / 著

《最近一年间的国际动态（1946.7–1947.6)》　《东北日报》社 / 编

《论政党》　翟放 / 著

《法与宪法》　韩幽桐 / 编著

《中华民国宪法刍议》　罗家衡 / 著

《民主 · 宪法 · 人权——作之民》　费孝通 / 著

《宪法论初步》　潘念之 / 著

《对反民主的抗争》　韬奋 / 著

《农村改进的理论与实际》　江恒源 / 著

《上海产业与上海职工》(上下)　朱邦兴　胡林阁　徐声 / 合编

《陶行知教育论文选辑》　陶行知著 / 方与严编

《中国通货膨胀论》　杨培新 / 著

《中国及其未完成的革命》　H・普拉特著 / 蒋天佐译

《中国的建设问题与人的训练》　卢作孚 / 著

《论中国特殊性及其他》　艾思奇 / 著

《中国经济问题讲话》　钱俊瑞　徐雪寒　王渔邨　姜君辰　骆耕漠 / 合著

《中国经济的道路》　许涤新 / 著

《中国财政之病态及其批判》　孙怀仁 / 著

《官僚资本论》　许涤新 / 著

《五四运动之史的评价》　陈端志 / 著

《中国通史简编》(上下)　中国历史研究会　范文澜 / 主编

《论文学的工农兵方向——读〈在延安文艺座谈会上的讲话〉》　雪苇 / 著

《中国近代史(上编　第一分册)》　武波 / 编著

《文学百题》　傅东华 / 编

《中国史学之进化》　周谷城 / 著

《论民族形式问题》　胡风 / 著

《论批评》　荃麟等 / 著

《中国史纲》(第一卷上下、第二卷上下)　翦伯赞 / 著

《近代中国思想学说史》(1-4)　侯外庐 / 著

《中国政治思想史》（上下）　吕振羽 / 著

《中国哲学史纲要》　向林冰 / 著

《中国政治史讲话》　钱亦石 / 著

《中国社会经济史纲》　王渔邨 / 著

《新财政学大纲》　千家驹 / 著

《太平天国革命运动论文集——金田起义百周年纪念》

华北大学历史研究室 / 编

《理性与自由——文化思想批评论文集》　胡绳 / 著

《战斗者的诗人》　黄药眠 / 著

《国语文法》　曹朴 / 著

《教育哲学》　张栗原 / 著

《妇女问题讲话》　杜君慧 / 著

《婚姻 · 子女 · 继承》　沙千里 / 著

《性教育新论》　布士克　雅各生合著 / 董秋斯译

《狱中杂感》　杜重远 / 著

《七人之狱》　沙千里 / 著

《爱迪生传》　伍况甫 / 译

《歌德自传》（上下）　歌德著 / 思慕译

《尼赫鲁自传》　［印度］尼赫鲁著 / 毕来译

《列宁传》　［苏］凯尔任采夫著 / 企程　朔望译

《罗斯福总统传》　C. Mackenzie 著 / 张尚之译

《托尔斯泰传》（1-3）　［英］阿尔麦 · 莫德著 / 徐迟译

《革命文豪高尔基》　［美］亚历山大·康恩著 / 韬奋编译

《鲁迅纪念特辑》　新中国文艺社 / 编

《回忆鲁迅先生》　萧红 / 著

《人民文豪鲁迅》　平心 / 著

《亡友鲁迅印象记》　许寿裳 / 著

《鲁迅思想研究》　何干之 / 著

《鲁迅研究》　夏征农 / 编

《过来的时代：鲁迅论及其他》　雪峰 / 著

《电影戏剧表演术》　洪深 / 著

《日常心理漫谈》　［美］约瑟夫·查斯特罗著 / 曾宝施译

《心理常识漫话》　朱智贤　杨云美 / 著

《读书的方法与经验》　王任叔 / 著

《美国黑人生活纪实》　［美］加德维尔　斯坦倍克著 / 董秋斯译

《初访美国》　费孝通 / 著

《事业与成功》　［美］马尔腾著 / 汪原放译

《萍踪寄语（初集）》　韬奋 / 著

《一生的幸福前途——〈生活周刊〉信箱选集》　生活书店 / 编选

《深刻的印象》　生活周刊社 / 编

《海外的感受》　生活书店编译所 / 编

ISBN 978-7-108-04672-7
9 787108 046727 >
定价：177.00元